TEATRO
CONTEMPORANEO
HISPANOAMERICANO

Orlando Rodríguez-Sardiñas.

Carlos Miguel Suárez Radillo.

TEATRO CONTEMPORANEO
HISPANOAMERICANO

ARGENTINA   GUATEMALA
CUBA   PANAMA
EL SALVADOR   PUERTO RICO

Prólogo, selección y notas

de

ORLANDO RODRIGUEZ - SARDIÑAS
Universidad de Wisconsin USA

y

CARLOS MIGUEL SUAREZ RADILLO

Tomo III

ESCELICER

Depósito legal: M. 12.998-1971

Printed in Spain

ESCELICER, S. A.—Comandante Azcárraga, s/n.—Madrid·16

PROLOGO Y BIBLIOGRAFIA
DE
O. RODRIGUEZ-SARDIÑAS
Y
C. MIGUEL SUAREZ RADILLO

P R O L O G O

CREEMOS que no exista duda en nuestros lectores, al tomar en sus manos este tercer tomo de nuestra antología, de la preponderancia que ha tenido en el criterio de selección de las obras incluidas el contenido social de las mismas, su condición de testimonio de una realidad nacional y, por ende, continental. A este criterio se ha sumado otro relativo a la calidad técnica de las obras conjuntamente con la intención de que, temática y estilísticamente, ofrezcan un panorama lo más diversificado posible de la dramaturgia hispanoamericana contemporánea.

Sin embargo, insistimos, ha primado el anhelo de ofrecer al lector un testimonio múltiple de la problemática social hispanoamericana, tal como está siendo planteada a través de sus dramaturgos. En este sentido concedemos plena actualidad a las palabras del destacado político y casi ignorado dramaturgo argentino Juan Bautista Alberdi, nacido en 1810, en las que afirmó que "una de las condiciones que debe reunir un buen teatro es que debe hallarse penetrado del espíritu del pueblo, cuyas ideas y pasiones está destinado a expresar sobre las tablas". Esa actualidad es innegable si consideramos que constituyen el lema muchos dramaturgos hispanoamericanos de hoy, que aspiran *a cumplir, como tales, su función social y cultural.*

En el prólogo al primer tomo de esta antología nos detuvimos a analizar, con cierta amplitud, la aparición y el desarrollo del teatro dentro de las culturas prehispánicas y la posterior evolución de este género durante la etapa colonial española. Iniciada la etapa independista, surge un teatro de reivindicación nacional, que se convierte en un leit motiv *en países como Bolivia y Paraguay, signados por guerras internacionales posteriores a su independencia. A la vez, las influencias del mestizaje se hacen evidentes en unos países, mientras que en otros predominan las influencias españolas mezcladas con otras influencias europeas, nacidas al calor de la inmigración. Superado el costumbrismo, que alcanza su máxima expresión en el Río de la Plata, de donde se extiende a todo el continente, surge un género vernáculo —sainete y apropósito— de enfoque frívolo y epidérmico de la realidad social. La superación del predominio de este género la inicia el movimiento de teatro independiente argentino, al crear Leónidas Barletta, en Buenos Aires, en 1930, el* Teatro del Pueblo.

Es en este momento en el que el teatro hispanoamericano comienza a penetrar en las hondas raíces de la sociedad de todos los países del continente. La temática se hace eminentemente nacional, a través de esfuerzos predominantemente jóvenes e independientes de toda la traba estilística o temática, y, a su vez, el público comienza a transformarse, dejando de ser típicamente burgués para enriquecerse con el aporte creciente de la clase media baja, del proletariado y, en general, de las clases populares, así como del estudiantado.

Este fenómeno es, precisamente, el que nos pa-

rece más interesante enfocar en estas notas. Y es un fenómeno que ha venido desarrollándose en los últimos años de la década del sesenta y que adquiere mayor fuerza al inicio de la década actual.

Uno de los ejemplos más interesantes es, quizá, el del Teatro Trashumante *del Instituto Nacional de Bellas Artes de México, orientado, desde su Departamento de Teatro, por el dramaturgo y director mexicano Héctor Azar. Este* Teatro Trashumante, *integrado por varios equipos que trabajan paralelamente, recorre todas las latitudes del país, llevando no sólo obras escritas para ser estrenadas en teatros de la capital, sino, preferentemente, un nuevo repertorio, eminentemente popular, elaborado por nuevos dramaturgos, a veces sobre adaptaciones de grandes clásicos universales, más frecuentemente desarrollando teatralmente tradiciones auténticas del pueblo que, burla burlando, plantean problemas de extraordinaria hondura. Y así se unen a los abundantes nombres ya prestigiosos del panorama teatral mexicano, representativos de un teatro social de raíz culta, los de autores como Román Calvo, Gloria Salas Calderón, Jesús López Florencio y Enrique González, cuyo propósito consciente es, ante todo, crear un teatro eminentemente popular. Mientras en las carteleras de la capital predominan títulos extranjeros sobre otros de autores mexicanos ya reconocidos, en las plazas de pequeñas ciudades, pueblos y aldeas aparecen los cartelones del* Teatro Trashumante. *Y por los caminos polvorientos que conducen a aquéllas marcan sus huellas ágiles campesinos y obreros, ávidos de un mensaje artístico que se vincule estrechamente con sus raíces y sus realidades.*

Otro fenómeno, interesantísimo sin duda, apa-

rece en el Perú al crear Victoria Santa Cruz su
compañía Teatro y Danzas Negras del Perú, que
abre sus puertas a multitud de jóvenes ansiosos
de expresarse. Su falta de formación teatral no
atemoriza a esta mujer admirable que, convenci-
da de la necesidad de que se tome conciencia co-
lectiva del mestizaje no sólo racial, sino cultural,
que caracteriza a la sociedad de su país y de tantos
otros en el continente, les convence de la necesi-
dad de formarse técnicamente, de expresarse autén-
ticamente. Dramaturga ella misma, abre así las vías
a otros dramaturgos que escribirán ya sin el temor
de que sus obras, bien por tener que ser interpre-
tadas por actores negros o por plantear problemas
relativos a la discriminación racial, queden guar-
dadas en las gavetas de sus escritorios.

Casi paralelamente, en la segunda mitad de la
década del sesenta, Fabio Pacchioni crea en Quito
el Teatro Ensayo de la Casa de la Cultura Ecuato-
riana. Superada una primera etapa de formación
técnica y humana de sus jóvenes actores, se lanza
con ellos a las zonas rurales del país. El encuentro
de estos jóvenes, procedentes en su mayoría de
zonas urbanas, con la realidad campesina, consti-
tuye un impacto extraordinariamente positivo, que
se traduce en la elaboración de nuevas obras que
reflejen esa realidad. El cuento de don Mateo, ela-
borada sobre investigaciones de todo el grupo del
drama de los desalojos campesinos, es una obra
que cuaja a través del joven dramaturgo, inte-
grante del grupo también, Simón Corral. Un nue-
vo lenguaje, una nueva temática, empapada del
realismo poético con que el pueblo sabe expresar-
se, pero exenta de todo folklorismo, caracterizan
esta pieza, que no sólo es aplaudida en Quito y
otras ciudades importantes del país, sino en cen-

tenares de comunidades campesinas, donde provoca, a la vez, un diálogo, una catarsis, una toma de conciencia.

En San Miguelito, comunidad popular situada en las afueras de la capital de Panamá, surge un espectáculo definido como La Pasión de Cristo con Entraña Panameña, *que se representa anualmente en los días anteriores a la Semana Santa. Sobre un texto escrito originalmente, basándose en el Antiguo y el Nuevo Testamento, por un dirigente extra-comunitario, los intérpretes del espectáculo reescribieron, en su propio lenguaje, la historia de Cristo enfocada hacia el planteamiento y la búsqueda de una solución de sus problemas. En el primer texto, estrenado en 1965, la acción se ubica en Palestina. Gradualmente fueron integrándose elementos panameños en ese texto hasta que, a los tres años escasos de su primera presentación, la acción es ubicada en Panamá, donde nace Cristo, hijo de obreros panameños, encaminándose sus prédicas y acciones hacia la solución de la problemática nacional.*

En Montevideo, después de una etapa de trabajo exclusivamente interno, el Teatro Experimental Penitenciario *de Punta Carretas presenta, para público de extramuros, una pieza extranjera. Su éxito de público, no sólo cuantitativo, sino principalmente en cuanto a la comunicación que establece entre los reclusos intérpretes y los espectadores del exterior, anima al dramaturgo Juan Carlos Patrón a escribir, especialmente para este grupo, su pieza* Cinco Hermanos, *que alcanza más de ciento cincuenta representaciones bajo la dirección de otro recluso, ya en libertad, Ramón Angel Morales.*

En Caracas surge, en 1970, como resultado de la

coordinación de cinco instituciones oficiales orientadas hacia la difusión de la cultura y la promoción del hombre, un proyecto piloto elaborado por Carlos Miguel Suárez Radillo, titulado Teatro de los Barrios. Su filosofía se resume en breves párrafos: "El plan Teatro de los Barrios aspira fundamentalmente a crear una actividad estable y creciente de teatro en las comunidades populares como eje de un amplio movimiento de culturización mediante la participación de dichas poblaciones marginadas. Por culturización no se entiende solamente la divulgación de valores artísticos y literarios, sino una positiva labor de concientización dirigida a despertar las potencialidades del hombre como ser social y pensante, a través de su participación en una actividad altamente creativa, la que a su vez implica disciplina, trabajo de equipo y sentido de responsabilidad y solidaridad. Es decir, que se concibe el teatro como un valioso instrumento de acción y capacitación social de los sectores marginados y como vehículo de mensaje de los valores básicos del hombre en adición a su importancia como hecho artístico. Por otra parte, el Plan aspira a atraer, canalizar, coordinar y puntualizar todas las iniciativas e inquietudes afines, y a promover organizaciones estables y dinámicas que puedan convertirse en canales de superación para los habitantes de los barrios, y ha sido concebido sobre una profunda confianza en las capacidades respectivas de los sectores populares hacia la cultura, así como en sus capacidades para crear nuevas expresiones de esa cultura."

El repertorio inicial de Teatro de los Barrios ha sido seleccionado, esencialmente, como un medio de familiarizar a los integrantes de los grupos con las técnicas dramáticas en su más amplia diversi-

dad y con el propósito de ampliarlo progresiva-
mente con obras que surjan de esos integrantes.
Ese repertorio incluye obras clásicas; obras de
grandes autores universales (Chejov, Pirandello,
Casona, O'Neill, Buero Vallejo y otros); obras de
autores venezolanos de la etapa costumbrista
(Ayala Michelena, Barceló y Bolet Peraza) y de au-
tores contemporáneos como César Rengifo; obras
de autores hispanoamericanos como el peruano
Víctor Zavala, de autores ecuatorianos como Simón
Corral y José Martínez Queirolo (cuya obra Los
unos versus los otros, *incluida en esta antología,*
ha sido ya montada en una comunidad popular),
de los argentinos Osvaldo Dragún y Juan Carlos
Gené, de la chilena Gabriela Röepke y del mexica-
no Emilio Carballido; y obras para niños y para
ser representadas por títeres, de los peruanos Sara
Joffré y Felipe Rivas Mendo, los argentinos Jorge
Tidone y Javier Villafañe, la brasileña María Clara
Machado (justamente con su obra Pluft, el fantas-
mita, *incluida también en esta antología), los vene-*
zolanos Carmen Delia Bencono y Luis Eduardo
Egui, y los mexicanos Alicia Amador, Roberto Lago
y Guillermo Contreras.

A los siete meses escasos de iniciada esta labor,
en noviembre de 1970, se han creado doce grupos
teatrales y ocho de títeres, y diez de los primeros
y tres de los segundos han presentado ya espec-
táculos en sus propias comunidades y en las demás
incluidas en el proyecto, con extraordinaria acogida
por parte de las poblaciones. Sin embargo, desde
un punto de vista relativo a la dramaturgia, no es
esto lo más importante. Lo que es necesario desta-
car en este sentido es que varios de esos grupos es-
tán ensayando ya piezas escritas por sus integran-
tes en las que, utilizando su propio lenguaje, plan-

*tean sus problemas cotidianos y denuncian reali-
dades que deben ser corregidas. Es decir, que está
surgiendo una nueva dramaturgia, una dramaturgia auténticamente popular, que hace evidente el
derecho inalienable del pueblo al disfrute de la
cultura "no sólo como impresión, sino como expresión", según afirma acertadamente Luis Márquez
Páez, Director Técnico del proyecto, en cuya estruc-
turación colaboraron también, con gran eficacia,
distinguidos hombres de teatro venezolanos como
Jean Zune, Leonardo Azparren Giménez, Eduardo
Morreo y Pedro Marthán.*

*A través del Teatro de los Barrios está naciendo
en Venezuela una nueva forma de teatro cuyos alcances no es posible prever en estos momentos;
un teatro nacido del pueblo que planteará los problemas del pueblo, que hará más evidente aún la
necesidad de erradicar definitivamente las influencias culturales neo-colonialistas impuestas por pequeñas minorías o por la penetración extranjera.*

*Innumerables ejemplos más podríamos traer a
estas notas, pero creemos que éstos bastan para
dar a nuestros lectores una idea clara de que ha
surgido dentro del panorama teatral hispanoamericano una nueva corriente cuya fuerza no es fácil
calcular actualmente. En esa corriente no están
presentes ya, únicamente, los dramaturgos surgi-
dos de las universidades, de los seminarios de
dramaturgia o de otros núcleos cultos de nuestros
países. En ella irrumpen representantes auténticos
del pueblo al que durante tantos años se ha ne-
gado toda participación en la cultura, en las deci-
siones, en los procesos de transformación de las
estructuras sociales. En breve plazo será necesario
reunir en una antología los resultados de esa nueva
corriente teatral. Y estamos seguros de que, a pe-*

sar de las diferencias de léxico, serán perfectamente inteligibles para los hombres de teatro y para los
espectadores de los países ajenos a aquellos en que
hayan surgido, ya que, por encima de esas diferencias de léxico, prevalecerá la identificación en una
problemática social que aún es común a todos los
países de habla española en América, la cual exige
la denuncia no sólo de los dramaturgos de extrac-
ción culta, sino principalmente la que pueden hacer
de ella, con sangre en la voz, los campesinos asfi-
xiados en enormes latifundios, los habitantes haci-
nados en poblaciones marginales, los vecinos apre-
tados en los barrios humildes de nuestras capitales.
Porque nadie mejor que ellos puede hacer un teatro "penetrado del espíritu del pueblo, cuyas ideas
y pasiones está destinado a expresar sobre las
tablas".

BIBLIOGRAFIAS

I. General

Apstein, Theodore. "New Aspects of the Theatre in Latin America", en *Proceedings of the Conference on Latin American Fine Arts*, julio 14-17, 1951, Austin, University of Texas Press, núm. 13, 1952, pp. 27-41.

Arrom, José Juan. *Esquema generacional de las letras hispanoamericanas. Ensayo de un método*, Bogotá, Instituto Caro y Cuervo, 1963.

Id. "Perfil del teatro contemporáneo en Hispanoamérica", en *Hispania*, XXXVI, 1, febrero de 1953, pp. 26-31.

Arrufat, Antón (y otros). "Charla sobre teatro", en *Casa de las Américas*, II, 9, noviembre-diciembre de 1961, pp. 88-102; *Odyssey Review*, II, 4, diciembre de 1962, pp. 248-263.

Dauster, Frank N. "Cinco años de teatro hispanoamericano", en *Asomante*, XV, 1, 1959, p. 60 y sig.

Id. *Historia del teatro hispanoamericano* (siglos XIX y XX), México, Ediciones de Andrea, 1966.

Id. "Recent Research in Spanish American Theatre", en *Latin American Research Review*, I, 2, primavera de 1966, pp. 65-76.

Id. "An Overview of Spanish American Theatre", en *Hispania*, 50, 1967, pp. 996-1000.

Id. "Social Awareness in Contemporany Spanish American Theatre", en *Kentucky Romance Quarterly*, 14, 1967, pp. 120-125.

"El teatro en Hispanoamérica: Mesa redonda", en *Comentario*, Buenos Aires, VI, 22, 1959, pp. 21-29.

Englekirk, John E. "El teatro folklórico hispanoamericano", en *Folklore Americano*, XVII, 1, junio de 1957, pp. 1-36.

"Festival de Teatro Latinoamericano. Jornadas de teatro leído", en *Casa de las Américas*, La Habana, 1964 (serie mimeografiada de estudios generales).

Gagey, Edmond. *Cuarenta años de teatro americano*, Buenos Aires, 1955.

Guardia, Alfredo de la. *El teatro contemporáneo* (I parte), Buenos Aires, 1947.

Jones, Willis Knapp. *Breve historia del teatro hispanoamericano*, Studium-5, Ediciones de Andrea, México, 1956.

Id. *Antología del teatro hispanoamericano*, Studium, Ediciones de Andrea, México, 1959.

Id. "Behind Spanish American Footlights", Austin, University of Texas Press, 1966.

Lewis, Allan. *El teatro moderno*, México, 1954.

Mirlas, León. *Panorama del teatro moderno*, Buenos Aires. Editorial Sudamericana, 1956.

Monner Sans, José María. *Panorama del nuevo teatro*, La Plata, 1939.

Pichel, José. "Theatre in the Americas", en *Américas*, 77, núm. 4, 1959, pp. 22-27.

Rela, Walter. "Literatura dramática suramericana contemporánea", en *Universidad*, Santa Fe, Argentina, 36 (diciemre de 1958), pp. 147-170; y en *Rev. del Instituto de Estudios Superiores*, Montevideo, I, núm. 2 (enero-junio de 1957), pp. 104-124.

Id. "Frecuencia del tema regional en el teatro sud-americano", en *Anales de la Universidad de Chile*, CXVIII, 1960, 117, pp. 195-201.

Saz, Agustín del. *Teatro hispanoamericano*, 2 volúmenes, Barcelona, Vergara, 1963.

Id. *Teatro social hispanoamericano*, Barcelona, Labor, S. A., 1967.

Solórzano, Carlos. *Teatro latinoamericano del siglo* xx, Buenos Aires, 1961.

Id. *El teatro hispanoamericano contemporáneo* (antología), 2 tomos, México, Fondo de Cultura Económica, 1964.

Id. *Teatro latinoamericano en el siglo* xx, México, Pormaca, 1964.

Id. "The Contemporany Latin American Theatre", en *Praie Schooner*, 39, núm. 4, 1965, pp. 118-125.

Suárez Radillo, Carlos Miguel. "Cinco años de Teatro Hispanoamericano en Madrid", en *Revista Mundo Hispánico*, Madrid, agosto de 1963.

Id. "Problemática del Teatro Hispanoamericano Actual", en *Revista Norte*, Amsterdam, noviembre de 1963.

Id. "Tema y Problema en el Teatro Hispanoamericano Contemporáneo", en *Cuadernos Hispanoamericanos*, Madrid, junio de 1958.

Id. "De la realidad a la escena: El Teatro Iberoamericano Actual", en *Revista Fundateatros*, Caracas, 1970.

Teatro latinoamericano contemporáneo: "Información", en folletos de la Casa de las Américas, La Habana, 1963-1964.

Tolmacheva, Galina. *Creadores del teatro moderno*, Buenos Aires, 1964.

Woodyard, George W. "The Theatre of the Absurd in Spanish America", en *Comparative Drama*, 3, 1969, pp. 183-192.

II. *Por países*

(Se excluyen las obras de los autores antologizados por estar ya consignadas en su respectivo lugar.)

ARGENTINA

Agilda, Enrique. *El alma del teatro independiente,* Ediciones Intercoop, Buenos Aires, 1960.

Assaf, José E. *El teatro argentino como problema nacional,* Ed. Criterio, Buenos Aires, 1937.

Berenguer Carisomo, A. *Las ideas estéticas en el teatro argentino,* Comisión Nacional de Cultura, Instituto Nacional de Estudios de Teatro, Buenos Aires, 1947.

Blanco Amores de Pagella, Angela. *Nuevos temas en el teatro argentino,* Ed. Heumel, Buenos Aires, 1965.

Bosch, Mariano V. *Historia del teatro en Buenos Aires,* Buenos Aires, 1913.

Castagnino, Raúl H. *Esquema de la literatura dramática argentina* (1917-1949), Buenos Aires, 1950.

Id. *Sociología del teatro argentino,* Ed. Nova, Buenos Aires, 1950.

Id. *El teatro de Roberto Arlt,* Universidad Nacional de La Plata, La Plata, 1964.

Corvalán, Dardo. *Continuación de la historia del teatro en Buenos Aires,* Buenos Aires, 1913.

Echagüe, Juan Pablo. *Una época del teatro argentino* (1904-1918), Ed. América, Buenos Aires, 1926.

Espinosa, Pedro. "Alegoría", en *Teatro XX,* núm. 18, Buenos Aires, diciembre de 1965.

Jones, Willis Knapp. "National Drama of Argentina", en *World Affairs,* XCVII, Washington D. C., 1963, pp. 163-166.

Marial, José. *El teatro independiente*, Ed. Alpe. Buenos Aires, 1955.

Morales, Ernesto. *Historia del teatro argentino*, Ediciones Lautaro, Buenos Aires, 1944.

Ordaz, Luis. *El teatro en el Río de la Plata desde sus orígenes hasta nuestros días*, Ed. Futuro, Buenos Aires, 1946; 2da. edición Leviatán, 1957.

Id. "Panorama del teatro argentino en los últimos años", en *Talía*, núm. 30, Buenos Aires, 1965-1966.

Teatro argentino contemporáneo. Selección y prólogo de Arturo Berenguer Carisomo, Aguilar, Madrid, 1960 y 1962.

CUBA

Alvarez Ríos, María. "Teatro cubano", en *Platea*, números 11 y 12, Buenos Aires, 1952.

Arrom, José Juan. *Historia de la literatura dramática cubana*, New Haven, Yale University Press, número 23, 1944.

Baralt, Luis A. "El teatro universitario y su seminario", en *Vida universitaria*, Universidad de La Habana, año 1, núm. 2, septiembre de 1950.

Id. "Cuarenta años de teatro en Cuba", en *Libro de Cuba*, editado por Alfonso Roselló, La Habana, 1954.

Bueno, Salvador. "Itinerario del teatro", en *Medio siglo de literatura cubana*, La Habana, 1953.

Cid Pérez, José. "Cincuenta años de teatro cubano", en *Carteles*, año 33, núm. 20, La Habana, 1952.

Chacón y Calvo, José M. "Teatro cubano", en *Revista cubana*, tomo XV, La Habana, 1941.

Escarpenter, José Antonio. *El teatro en Cuba en el siglo xx* (Tesis de grado en la Universidad de La Habana), 1957.

González Curquejo, Antonio. "Breve ojeada sobre el teatro cubano a través de un siglo, 1820-1920", en *Revista Bimestre Cubana,* julio-agosto de 1923.

González Freire, Natividad. *Teatro cubano 1928-1961,* La Habana, 1961.

Henríquez Ureña, Max. *Panorama histórico de la literatura cubana 1492-1952,* 2 tomos, Las Américas Publishing Co., New York, 1963.

Ichaso, Francisco. "El teatro", en *Anuario Cultural de Cuba,* IV, La Habana, 1943.

Lazo, Raimundo. "*La literatura cubana en el siglo* xx", en *Historia de la Nación Cubana,* Tomo X. La Habana, 1952.

Leal, Rine. *En primera persona 1954-1966* (colección de críticas teatrales contemporáneas), Instituto del Libro, La Habana, 1967.

Id. "Algunas consideraciones sobre el teatro cubano", en *Insula,* núms. 260-261, Madrid, julio-agosto de 1968.

Petrone, Francisco. "Sobre el auge del teatro en Cuba", en *Nuestro Tiempo,* año II, núm. 7, La Habana, 1955.

Piñera, Virgilio. "¡¡¡Teatro!!!", en revista *Prometeo,* año I, núm. 5, La Habana, 1948.

Portuondo, José Antonio. *El contenido social de la literatura cubana,* México, 1944.

Quinto, José María de. "Teatro cubano actual", en *Insula,* núms. 260-261, Madrid, julio-agosto de 1968.

Ramírez, Arturo. "Sobre el teatro en Cuba: José Antonio Ramos, autor", en *Carteles,* La Habana, abril de 1938.

Revuelta, Vicente. "El resurgimiento del teatro en Cuba", en *Nuestro Tiempo,* La Habana, mayo de 1955.

Rodríguez Alemán, Mario. "El teatro en Cuba: formas de una expresión por definir", en *Nuestro Tiempo*, año II, núm. 6, La Habana, 1955.

Suárez Radillo, Carlos M. "Apuntes incompletos para una historia del teatro en Cuba en el siglo xx", en *Guadalupe*, Colegio Mayor Hispanoamericano de Madrid, diciembre de 1958.

"Teatro cubano", en revista *Primer Acto* (tomo dedicado al teatro en Cuba), núm. 108, Madrid, mayo de 1969.

Teatro cubano contemporáneo. Selección y prólogo de José Cid Pérez y Dolores Martí de Cid, Aguilar, Madrid, 1959.

EL SALVADOR

Ayala Duarte, Crispín. "Historia de la literatura en Honduras y El Salvador", en *Anales de la Universidad Central de Venezuela*, Caracas, marzo-abril de 1931, pp. 193-224.

Gallegos Valdés, Luis. *El teatro en El Salvador*, Bellas Artes, El Salvador, 1961.

Lindo, Hugo. "Panorama de la literatura salvadoreña", en *Atenea*, LVII, núm. 174, Concepción de Chile, 1939, pp. 366-401.

Mayorga Rivas, Rafael. "La literatura de El Salvador", en *Nueva Revista de Buenos Aires*, VII, Buenos Aires, 1882, pp. 18-35.

Montalbán, Leonardo. *Historia de la literatura en la América Central*, 2 tomos, San Salvador, 1929-1931.

GUATEMALA

Cid Pérez, José. "El teatro en América", en *Boletín*, núm. 16, Guatemala, marzo de 1947, pp. 2-13.

Galich, Manuel. "Comentario sobre teatro", en *Revista de la Facultad de Ciencias Sociales*, Guatemala, 1938.

Salazar, Ramón A. *Historia del desenvolvimiento intelectual de Guatemala*, Editorial del Ministerio de Educación, Guatemala, 1951.

Teatro guatemalteco contemporáneo, prólogo y selección de Carlos Solórzano, Aguilar, 1964.

Vela, David. *Literatura guatemalteca*, 2 tomos, Guatemala, 1943, y México, 1944.

PANAMÁ

"En el cincuentenario del Teatro Nacional", en *Lotería*, Panamá, III, núm. 35, octubre de 1958, páginas 40-67.

Miró, Rodrigo. *La literatura panameña de la República*, Imprenta La Academia, Panamá, 1960.

Navarro, Rosa Elena. *Manifestaciones teatrales en Panamá durante el último cuarto del siglo* XIX (Tesis de grado en la Universidad de Panamá), Panamá, 1953.

Soler, Ricaurte. *"Formas ideológicas de la nación panameña"*. Ed. de la revista *Tareas*, Panamá, 1963.

PUERTO RICO

Arriví, Francisco. *Evolución del autor dramático puertorriqueño a partir de 1938*, San Juan, Instituto de Cultura Puertorriqueña, 1961.

Id. *La generación del 30 en el teatro*, San Juan, ICP, 1960.

Babín, María Teresa. *"Apuntes sobre La carreta"*,

en *Asomante*, núm. 4, octubre-diciembre de 1953, páginas 67-79.

Id. *Panorama de la literatura puertorriqueña*, Las Américas Publishin Co., New York, 1958.

Braschi, Wilfredo. "Treinta años de teatro en Puerto Rico", en *Asomante*, núm. 1, enero-marzo de 1955, pp. 95-101.

Dauster, Frank N. "Francisco Arriví: La máscara y el jardín", en *Rev. del Inst. de Cultura Puertorriqueña*, V, 14, enero-marzo de 1963.

Id. "Drama and Theatre in Puerto Rico", en *Modern Drama*, septiembre de 1963, pp. 177-186.

Id. "The Theatre of René Marqués", en *Symposium*, núm. 18, 1964, pp. 35-45.

Fernández, Piri. "Los temas del teatro puertorriqueño", en *El autor dramático*, primer seminario de dramaturgia del Instituto de Cultura Puertorriqueña, San Juan, 1963.

Grenn, William. "Puerto Rican portrait", en *Theatre Arts*, XL, 3, marzo de 1956, pp. 79-80 y 93-95.

Henríquez Ureña, Max. "Méndez Ballester y su teatro de símbolos", en *La Nueva Democracia*, XLII, 2, abril de 1962, pp. 34-41.

Laguerre, Enrique. *Pulso de Puerto Rico* (1952-1954), San Juan, Biblioteca de Autores Puertorriqueños, 1956.

Morales, María Victoria. "La actividad teatral en Puerto Rico", en *Horizontes*, San Germán, 1961.

Pasarell, Emilio J. *Orígenes y desarrollo de la afición teatral en Puerto Rico*, San Juan, Editorial Universitaria, 1951.

Pilditch, Charles. "La escena puertorriqueña: Los soles truncos", en *Asomante*, 2, abril-junio de 1961, pp. 51-58.

Sáez, Antonia. *El teatro en Puerto Rico*, San Juan, Editorial Universitaria, 1950.

Shaw, Donald. "René Marques: La muerte no en-
    trará en Palacio: An analysis", en *Latin American
    Theatre Review*, 2, núm. 1, 1968, pp. 31-38.
Teatro Puertorriqueño, volúmenes de los Festivales
    de Teatro Puertorriqueño, Instituto de Cultura
    Puertorriqueña, San Juan, 1959 y sig.

BIBLIOGRAFIA DE BIBLIOGRAFIAS

Dauster, Frank N. "Modern Drama: A Critical Bi-
    bliography", en *Handbook of Latin American
    Studies*, editado por Henry E. Adams, Humani-
    ties Series, núm. 31, Gainsville, Florida, Univer-
    sity of Florida Press, 1968.
Grismer, Raymond L. *Bibliography of the Drama
    of Spain and Spanish America*, dos volúmenes,
    Minneapolis, Burgess Beckwith, Inc., 1968-1969.
Hebblethwaite, Frank P. *A Bibliographical Guide
    to the Spanish American Theatrer*, Washington,
    D. C., Pan American Union (Basic Bibliographies,
    VI), 1969.
Lyday, León; and Woodyard, George W. "A Bi-
    bliography of Latin American Theater", 1960-1969,
    en *Theater Documentation*, editado por Frede-
    ric M. Litto, Lawrence, University of Kansas
    Press, 1969.
Pan American Union, Division of Intellectual Co-
    operation: "References on Latin American Mu-
    sic, the Theater and the Dance" (Mimeografia-
    do), Washington, D. C., 1942.

El lector interesado en el teatro hispanoamericano debe consultar las revistas que tratan del
tema, publicadas en Hispanoamérica o en el extranjero. La lista a continuación es sólo una breve

selección de referencia: En la región del Río de la Plata: *Boletín de Estudios de Teatro, Cuadernos de Arte Dramático, Cuadernos de Cultura Teatral, Talía, Odisea,* etc. En Cuba: *Revista de la Casa de las Américas, Revista Unión, Conjunto,* etc. En Chile: *Apuntes, Escenario,* etc. En México: *Cuadernos de Bellas Artes, La Palabra y el Hombre, Panorama del Teatro en México, Teatro: Boletín de Información e Historia, Revista de la Escuela de Arte Teatral,* etc. En Perú: *Escena.* En Puerto Rico: *Revista del Instituto de Cultura Puertorriqueña* (volúmenes de los festivales de teatro) y otras literarias como: *Sur, Cuadernos Americanos, Asomante,* etc. En Venezuela: *Cuadernos, Revista de Teatro, Revista Fundateatros,* etc.

En el extranjero: *Primer Acto* (España); *Teatro, World Theater* (EE. UU.); *Latin American Theater Review* (EE. UU.); *Handbook of Latin American Studies* —sección teatral— (EE. UU.); *Modern Drama* (EE. UU.); *The Drama Review* (EE. UU.), etcétera.

ARGENTINA

A R G E N T I N A

En sus notas al programa del estreno en Buenos Aires de *La revolución de las macetas*, de Juan Pérez-Carmona, por la Comedia Nacional Argentina, en 1965, el crítico y dramaturgo Pablo Palant expresó: "El año pasado surgió en el país un proceso autoral que pudo parecer menos orgánico que producto del deseo de creer todos en él. Ahora se puede afirmar que aquello no fue casual, sino el estallido de fuerzas verdaderas que habían encontrado su cauce. A los nombres de Sergio de Cecco, Roberto Cossa, Germán Rozenmacher, Julio Mauricio, agregamos este año los de Carlos Somigliana, Rodolfo J. Walsh, Griselda Gámbaro y, ahora, el de Juan Pérez-Carmona, con estas macetas que se revolucionan... Juan Pérez-Carmona se incorpora a ese cuerpo como un órgano fuerte que seguramente va a funcionar mucho. Este es su primer estreno, pero no su primera obra... Y cuando un autor con muchas obras, como él, se lanza al siempre azar de un concurso, evidencia que su ánimo se halla todavía muy lejos de la desesperanza... El público dirá lo que yo no debo decir aquí acerca de su pensamiento, o de las riquezas formales de su texto, o de su arriesgada estructura. Pero yo sé que este Concurso de la Comedia Nacional, en el que se ha concedido a Juan Pérez-Carmona el Primer Premio por su obra *La revolución de las mace-*

tas, es uno de los que más se han justificado por la calidad del autor que presenta..."

El tema central de esta obra es el éxodo de los técnicos argentinos al exterior que el autor vincula a otro tema, mucho más amplio, que representa una constante en su producción: la responsabilidad de cada hombre en la solución de los problemas de todos los hombres. El tiempo de la obra es un solo día en la vida de varias familias, en las cuales se plantea, de una u otra forma, la lucha entre las generaciones: de una parte, los padres, para quienes el mundo comienza y termina en sus hijos; de otra, éstos, con sus sueños, sus rebeldías y sus anhelos de expresión. Un breve fragmento del diálogo nos dará idea clara del tono de la pieza. La madre y la novia de Daniel, recién graduado de ingeniería, discuten sobre su decisión de radicarse en el extranjero:

BEATRIZ.—Hoy día no podemos desentendernos de los problemas de los demás.

DORA.—Sólo me interesa mi hijo.

BEATRIZ.—Usted no puede juzgarlo todo como si se tratara de un hecho aislado. El forma parte de todo este mundo social donde se discuten problemas decisivos para todos. El hecho de que un profesional joven se vaya a trabajar al extranjero no tendría mucha importancia, si esa decisión no reflejara el estado de cosas a que h llegado el país.

Las macetas, en el argot popular, los que se van, los que creen que podrán vivir mejor en otra tierra diferente a aquella en que nacieron. El realismo en el lenguaje, en la concepción del ambiente, no implica en Pérez-Carmona una servidumbre *fotográfica* a la realidad. El va más allá, creando símbolos universales que se hacen evidentes a cada momento, que enriquecen su temática y reflejan una profunda capacidad de observación y análisis en el autor. Todo esto se manifiesta en ciertas constantes que valorizan su producción, como la búsqueda por el hombre de sí mismo y del sentido de su propia vida, ubicado siempre en una situación social concreta que le induce a la búsqueda posterior de la comunicación plena con los demás.

Así lo evidencia *Ningún tren llega a las trece* (1962), cuya acción se desarrolla en un vagón de pasajeros en el cual, mediante un hábil juego de traslaciones constantes a diferentes compartimientos, el autor presenta las relaciones que nacen, o se reanudan, por puro azar, entre seres humanos caracterizados, cada uno, por sus conflictos, sus sueños, sus prejuicios, su propia —y común— soledad. Rompiendo intencionalmente la unidad de tiempo y de lugar, por medio de evocaciones de situaciones previas por los personajes, los hace comprensibles al espectador que, inevitablemente, se identificará con todos y, especialmente, con el guarda del tren que asumiendo, en cierto modo, el papel de Dios, intenta unir los hilos de los divergentes destinos de sus pasajeros. Destinos, todos, vinculados a la ausencia de participación de cada uno de nosotros en la solución de los prbolemas de los demás, que el autor denuncia sin mencionarla.

Las tortugas (1964) es, fundamentalmente, una pieza psicológica, cuyo tema gira alrededor de un adolescente cuya madre se niega a aceptar su crecimiento y la liberación de su dependencia que éste implica. Dentro de una forma aparentemente naturalista, pero en el fondo eminentemente simbolista, Pérez-Carmona ha trazado una serie de personajes perfectamente definidos, cuyo lenguaje poético, antes que falsearles, les enriquece. *Corrientes y Dorrego* (1965), que el autor subtitula *Yo... argentino*, se desarrolla en una esquina de Buenos Aires: un café, una boca del *subte*, un puesto de diarios y revistas, un banco, algunos árboles... Allí coinciden los destinos individuales de los personajes en el momento en que un accidente automovilístico, que causa la muerte de un peatón desconocido para ellos, hace imperativa su participación en el destino colectivo. El anhelo de no comprometerse, traducido en el criollo "no te metás", equivalente de un "deja hacer, deja pasar"... universal, toma el carácter de gran símbolo de la actitud de una sociedad incomunicada e irresponsable. Al final, el silbato del policía disolverá el grupo, mientras grita: "Vamos, circulen. No se amontonen. Aquí no ha pasado nada". Sólo una cosa quedará, como prueba de que sí ha pasado algo: una mancha de sangre sobre el asfalto de la calle.

La lucha clandestina contra la dictadura, enmarcada en una familia cuyos miembros tipifican los diferentes niveles de participación en la problemática colectiva, constituye el tema de *25 sin nombre* (1966). Al iniciarse la obra ya los destinos de los personajes están trazados, y a medida que avanza la obra pierden todo sentido ante el gran destino de todos que, dolorosamente, queda en manos de quienes lo traicionan adaptándose hábilmente a cada nueva situación. *Los señores* (1967) presenta la imposibilidad de las clases poderosas para subsistir como tales sin la sumisión de otras que se presten a su juego. La acción gira alrededor de una pareja millonaria, de edad madura, que cada noche contrata a dos jóvenes para que se dejen humillar en un extraño rito mediante el cual reviven la noche en que su único hijo se suicidó. La entrada en el rito de una joven prostituta, traída por uno de ellos, altera totalmente la situación. La frase final del hombre maduro a su esposa anuncia el inevitable cambio social que teme: "¿Y mañana? Si ellos no vuelven mañana, ¿qué será de nosotros?"

A pesar de ciertas constantes, la obra de Pérez-Carmona revela una permanente búsqueda, o, como él mismo lo define, "un bucear continuamente desde adentro y desde afuera, por hallar algo positivo, dimensionado, que dé la verdadera magnitud dentro de lo teatral. Se me podrá criticar muchas cosas, quizá que no sea lo suficientemente arriesgado, quizá que, al parecer, no quiera comprometerme con partidos o ideologías. En realidad, estoy comprometido, pero siempre dentro de mi concepción de la sociedad y sin prestarme a ninguna clase de juegos. Porque lo único válido, auténtico y por lo que vale la pena luchar y sacrificarse, es por el hombre. El hombre es lo fundamental..."

Una vez definidos por sí mismo estos conceptos, se opera en la dramaturgia de Juan Pérez-Carmona una transición esencial. Sus personajes ganan agresividad, como si el autor hubiera llegado a la conclusión de que es necesario atacar los cimientos de las estructuras para que éstas, de una vez, se vengan abajo. Esos mismos personajes se reducen en número y se multiplican en significación. Así, los de *La jaula* (titulada en su estreno, en 1968, *Sí, no, sí*) son sólo tres, dos chicos y una chica que desarrollan juego cruel en el que, mediante transposiciones de personalidad, se plantean sus dependencias, las destruyen y llegan al encuentro de sí mismos, el cual les permite encontrarse y comunicarse entre sí por primera vez.

La última pieza de Juan Pérez-Carmona, *Piedra libre* (1970), continúa en esta nueva línea de su pro-

ducción. En ella está presente el absurdo esencial
de nuestra sociedad alienada, enjuiciado con profundo sarcasmo y auténtico humor. Aceptadas las
reglas del juego, la crueldad se justifica y adquiere
sentido. La crueldad que ha de destruir todo lo
que nos lastra y nos incapacita para encontrarnos
plenamente a nosotros mismos. Sus personajes no
buscan pacientemente el camino de su liberación
ni se convierten en *macetas* que se trasplantan vo-
luntariamente. No. Lo destruyen todo y se destruyen a sí mismos para reconstruirse tal como quieren ser. Es posible que no lo consigan, pero, al menos, salvan la esperanza de conseguirlo.

JUAN PEREZ - CARMONA

JUAN PÉREZ-CARMONA nació en Motril, provincia
de Granada (España), el 3 de enero de 1930, donde
estudió, hasta graduarse de bachiller, en el Colegio
del Ave María, fundado por el Padre Manjón. Allá,
a los ocho años, escribió su primera obra teatral,
iniciando el cultivo de un único género literario
que jamás abandonará en el futuro. En 1950 se
trasladó a la Argentina, radicándose en la ciudad
de Santa Fe, en cuya universidad llegó a cursar dos
años de Filosofía y Letras antes de trasladarse definitivamente a Buenos Aires, donde pronto se
nacionalizó argentino, legalizando una condición
que ya había asimilado espiritual y culturalmente.
Desde hace años trabaja en publicidad mientras
escribe obras teatrales, cuyo total asciende a cerca
de cuarenta, de las cuales algunas son estrenadas,
muchas reciben premios y todas reflejan, una tras
otra, una creciente penetración en la problemática
social de su país. Sus propias palabras definen su
vocación de dramaturgo: "Siento el teatro con la
misma emoción que siento la vida o contemplo la
mirada de una muchacha que me sonríe por primera vez. ¿Existe algo más importante?"

OBRAS PUBLICADAS:

Ningún tren llega a las trece. Ediciones del Carro
de Tespis, núm. 59, Argentores, Buenos Aires,

1963. Primer Premio Concurso Nacional Argentores-Radio Splendid, Buenos Aires, 1962.

Las tortugas. Colección Talía, núms. 58-59, Buenos Aires, 1967. Segundo Premio de la Comedia Nacional, Buenos Aires, 1964. Segundo Premio Gerchunoff de Teatro del Concejo Deliberante, 1965. Primer Premio Nacional de Teatro entre autores estrenados, 1969.

25 sin nombre. Colección Talía, núms. 58-59, Buenos Aires, 1967. Primer Premio Municipal de Teatro a obras nacionales estrenadas durante el año 1966, Buenos Aires, 1967.

La revolución de las macetas. Colección Talía, número 47, Buenos Aires, 1966. Primer Premio Comedia Nacional, Buenos Aires, 1965. Primer Premio de la Asociación de Críticos de Buenos Aires a la Mejor Obra del año 1965. Primer Premio del Concurso de Obras Teatrales Inéditas de la Subdirección General de Cultura, Buenos Aires, 1965.

Piedra libre. Teatro Selecto Hispanoamericano, tercer tomo, Editorial Escelicer, Madrid, 1970.

OBRAS INÉDITAS PREMIADAS:

La redención de los toros. Segundo Premio Internacional de Teatro de Barcelona, España, 1965.

Dirección del autor:
Larrea, 1466, 8.º piso A.
Buenos Aires (Argentina).

PIEDRA LIBRE

Pieza en dos actos
De
JUAN PÉREZ-CARMONA

P E R S O N A J E S

MIGUEL.
MUCHACHO.
MARÍA.
PROMOTORA.
BEATRIZ.
Y voces de LOCUTOR, MUJER y HOMBRE.

ACTO PRIMERO

(*Mientras se van apagando las luces de la sala, se oye una voz que dedica muy respetuosamente la obra que se va a representar, o bien la misma actriz puede aparecer ante el público vestida con una amplísima túnica que, de alguna forma, rememore a Juana de Arco, ya sea por su actitud mística, por su voz impersonal e insensible o por el distanciamiento entre lo que transmite su presencia y lo que dice.*)

VOZ O ACTRIZ.—¡Buenas noches! Esta obra ha sido dedicada por su autor a Charles Manson, en homenaje a su gran derroche imaginativo, puesto de manifiesto en la casa de Sharon Tate. La razón de esta dedicatoria responde a motivaciones muy profundas y perfectamente justificadas. Vivimos en una sociedad convulsionada donde el caos, la violencia, el avasallamiento a la libertad, el asesinato y otras menudencias por el estilo han logrado institucionalizarse gracias al uso continuo que de tales medidas hacen las llamadas grandes potencias. Unas veces apelan a esas prácticas porque "hay que salvar a la democracia"; otras veces porque está en jaque "la cultura occidental y cristiana", y cuando no se tienen éstos ni otros argumentos a mano, simplemente se

cambia de collar o bozal al perro y se sigue con
el mismo perro. Con la inclusión de uno de los
dos citados implementos se entra en una nueva
etapa revolucionaria a la que se podría denomi-
nar la revolución del collar o del bozal, como
prefieran. Es decir, que el equilibrio del terror
es propiciado, utilizado y estimulado por las naciones rectoras, mientras nosotros —los pobres
individuos— nos limitamos a leer las noticias en
los diarios sin decidirnos a imitarlos. Como ustedes comprenderán, este juego unilateral al que
sólo ellos tienen acceso, no es nada democrático.
Nuestra proposición es que debemos imitarles,
para lo que proponemos el juego de "piedra libre", similar al de ellos, a fin de que el gozo
compartido por todo el pueblo como corresponde
a una verdadera democracia representativa ele-
gida libremente por voto popular. Así, al igual
que las naciones desarrollan magistralmente ingenio, puntería y efectividad arrojando bombas
de napalm, ustedes —más modestamente— podrán practicar este fin de semana asesinando a
golpes de martillo a ese querido amigo de la infancia, o si lo prefieren, recurriendo a la refinada
técnica de la estrangulación —lenta y consciente— para finalizar diseminando los despojos por
la ciudad, a fin de no privar al resto de los habitantes de un espectáculo anatómicamente tan
instructivo como estimulante. Con este acto u
otros que deberán idear y practicar sin desmayo,
sólo intentarán imitar muy tímidamente —y sin
lograrlo— el refinamiento y la perfección técni-
co-científica que han adquirido los países altamente industrializados. Como una medida ten-
dente a desterrar de ustedes las típicas inhibicio-
nes con que nuestra e d u c a c i ó n de buenos

burgueses nos tiraniza, les hacemos notar que
actos como éstos gozan de universal beneplácito
e impunidad. No existiendo antecedentes histó-
ricos en los que el orden judicial o policial hayan
alzado su voz para enjuiciar a los autores de las
masacres de Vietnam, Biafra, Corea, Hungría, o
las invasiones de Santo Domingo o Camboya.
Nuestra proposición lleva implícito un reto: o las
naciones ponen fin a su juego unilateral, o de lo
contrario tendrán que aceptar también nuestro
juego a nivel individual. Estamos seguros que
ustedes saltarán de entusiasmo ante las infinitas
posibilidades que ofrece esta nueva perspectiva.
Y quizá se apresuren a ponerla en práctica, obse-
quiando a su compañero de butaca un caramelo
bañado en cicuta. Le agradeceríamos que desistan
de esa idea. Una muerte así no es nada espec-
tacular, y nuestra proposición, además del hecho
en sí, implica también un gran espectáculo, como puede ser mil bombarderos arrojando veinte
mil toneladas de explosivos sobre una colina del
sudeste asiático. Le sugerimos que empiecen con
las prácticas este fin de semana, pudiendo recurrir, en primer lugar, a los familiares más alle-
gados, como madre, padre, hermanos, hijos o
esposa, y en segundo lugar, a los amigos, hasta
llegar a confraternizar con el pueblo. ¡Ah! El
espectáculo que seguidamente van a presenciar,
quizá no tenga nada que ver con todo lo que
acabamos de decir..., o quizá sí. Ustedes son
quienes deben opinar.

> (*Desaparece. Seguidamente se oye
> una suave melodía. Las luces se apa-
> gan y muy lentamente se levanta el te-
> lón. Sala de estar; al fondo, balcón o
> ventana que da a un patio interior y*

*por donde se ven las ventanas de otro
edificio de departamentos. Sobre un
ángulo derecha está la puerta de entrada. A la izquierda, puerta que da a
un pasillo que conduce a las otras dependencias. Se trata de un departamento de clase media alta, con todos los
lugares comunes que le son propios:
muebles de estilo inglés, chimenea, pro-
fusión de lámparas, porcelanas, marfi-
les, cuadros, cortinados, etc. Todo esto
puede estar severamente ordenado como todo lo contrario. Más que cualquier tipo de ordenamiento, lo importante es la presencia física de cada elemento, e incluso la escena puede pre-
sentarse dentro del mayor desorden,
con elementos arbitrarios o bien simplemente con un telón de fondo —cor-
tinado—, y aquellos objetos que son
imprescindibles para la acción, jugán-
dose la escena dentro de la mayor sim-
plicidad. Uno u otro temperamento, se
deja a criterio del clima que quiera
obtener el director a través de la puesta en escena. Al levantarse el telón no
se ve a nadie en escena. Amortiguado,
se oye el diálogo de un tele-teatro. El
televisor se halla oculto para el público, ya sea detrás de un mueble, cortina
o disimulado por algún otro elemento.)*

Voz de Mujer.—¿Para siempre?

Voz de Hombre.—¡Para toda la vida!

Voz de Mujer.—¡No! ¡No! ¡No! (*El* Muchacho *aparece silbando por la izquierda. Dieciocho o vein-*

te años, viste blue-jean, campera de cuero y go-
rra que le encaja bien en la cabeza. En la mano
tiene un trozo de plomo, que deja sobre la mesa.
Por unos segundos se queda atento al diálogo.
Deja de silbar y asiente con la cabeza.) ¡Oh!
¡Tanto como te amé!

MUCHACHO.—¡Mi madre! ¡Siempre la misma historia!

> *(Hace un gesto como dando a enten-*
> *der que no se trata de nada nuevo. Sa-*
> *ca de un bolso un soplete y sale sil-*
> *bando por donde entró.)*

VOZ DE HOMBRE.—¡Sí! Tanto como nos amamos.
VOZ DE MUJER.—¿Por qué? ¿Por qué entonces?
VOZ DE HOMBRE.—¿El destino? Imposible torcer el
destino. ¡Adiós!

> *(Efecto musical remarcando el final*
> *del teleteatro.)*

VOZ DE LOCUTOR.—Mañana, a las quince treinta, por
el Canal de la Emotividad, vean otro nuevo epi-
sodio de "Juan Cariño, simplemente un hombre".
(Efecto musical. El MUCHACHO *entra nuevamen-*
te silbando. Toma del bolso otra herramienta y
sale silbando.) La noticia en su oído: Matanza
de My Lai. El periodista Seymour M. Hersh escribe en la revista "Harper's" que la mayoría de
las víctimas de la matanza cometida por militares norteamericanos el dieciséis de marzo de mil
novecientos sesenta y ocho eran niños, mujeres
y ancianos. *(Se abre la puerta de calle y aparece*
MIGUEL. *Viste impecablemente.)* En esa oportunidad, fuerzas norteamericanas practicaron tiro al
blanco sobre las cabezas de quinientos civiles
sudvietnamitas de la aldea de My Lai.

MIGUEL. (*Llamando.*)—¡María! ¡María! ¡María!

> (*Siente la atmósfera pesada y resuelto se dirige a la ventana. Descorre las cortinas y después abre la ventana de par en par.*)

LOCUTOR.—La investigación que realiza la comisión del general William Peers, ha llegado a la conclusión de que militares norteamericanos cometieron allí asesinatos, violaciones, mutilaciones y actos de sodomía, según afirma hoy el "New York Time".

MIGUEL. (*Llamando.*)—¡María, María!

> (*Por debajo de la puerta arrojan un diario. MIGUEL se acerca a la puerta. Lo levanta deteniéndose, leyendo los titulares.*)

LOCUTOR.—¡Más barato en Minimax! Whisky importado, doce mil ochocientos cincuenta pesos moneda nacional, o sea, ciento veintiocho cincuenta, ley dieciocho ciento ochenta y ocho. Minimax le pone el hombro al país.

> (*Cortina musical. MIGUEL empieza a leer una noticia del diario en voz alta, coincidiendo con el LOCUTOR, que transmite la misma noticia.*)

MIGUEL Y LOCUTOR. (*Al unísono.*)—El Poder Ejecutivo sanciona y promulga con fuerza de ley la prohibición en todo el territorio nacional de la exhibición de la película "Teorema". Este decreto viene a anular el fallo de la justicia argentina, que, a través del juez Doctor ......, autorizó la exhibición del mencionado film.

> (*Golpe musical.* MIGUEL *se sorprende al darse cuenta de la coincidencia. Sonríe. Se acerca al televisor, descubriéndolo recién para el público. Hace un gesto festivo y después se dirige al placard que está al fondo. Lo abre, viéndose el mismo totalmente abarrotado de diarios. Prolijamente dobla el diario y lo guarda en el interior del placard, cerrándolo con llave. Mientras, el informativo ha continuado escuchándose.*)

LOCUTOR.—El Gobierno de Onganía contesta a los secuestradores del cónsul paraguayo. Dice así el informe suministrado a la prensa: "Este Gobierno se ha caracterizado por su permanente respeto a la justicia y mal podría, sin quebrantar esta norma, disponer de la libertad de un detenido, cuando él mismo escapa a la jurisdicción del Poder Ejecutivo."

> (*Efecto musical.*)

MIGUEL. (*Llamando.*)—¡María, María! (*Intenta apagar el televisor, pero no lo consigue.*) ¡Otra vez se descompuso la perilla! (*Intenta nuevamente apagarlo.*) ¡Nada! Habrá que desenchufarlo. (*Llamando.*) ¡María, María!

> (*Toma el cable y busca con la mirada el otro extremo. Atraviesa toda la habitación, buscando la conexión. En la puerta de la izquierda aparece el*

MUCHACHO. *En una mano tiene el so-
plete encendido.* MIGUEL *va levantando
el cable, pero se detiene ante el pie del*
MUCHACHO, *que pisa el mismo. A partir de este momento se mezclarán los
diálogos de los personajes con el* LO-
CUTOR, *que continúa informando.*)

LOCUTOR.—Conflicto del
Chocón: El Arzobispo
de Neuquen, Monse-
ñor Nevares, dijo, re-
firiéndose al conflicto
del Chocón, que la
construcción de una
capilla por las empre-
sas contratistas, no se-
rá nada más que una
farsa a la que no se
prestará, si antes no
se solucionan los pro-
blemas sociales y la-
borales de los obreros
que viven en condicio-
nes muy poco huma-
nas. Si se construye
la capilla, dijo el Ar-
zobispo, no habrá mi-
sa en ella hasta tanto
no se cumpla con las
condiciones menciona-
das. (*Efecto musical.*)
Invasión a Camboya:
Conmueve al mundo
la decisión del Presi-
dente norteamericano
de intervenir militar-

MIGUEL. — ¿Me permite?
MUCHACHO. (*Haciéndose
a un lado.*)—¡Oh, sí!
Disculpe.
MIGUEL. (*Reaccionando.*)
¿Quién es usted?
MUCHACHO.—Soy el plo-
mero.
MIGUEL. — ¿Cómo? ¿De
nuevo hay problemas
con el baño?
MUCHACHO.—Y..., si no
hubiera, ¿qué pito to-
caría yo aquí?
MIGUEL. — Podría ser el
amante de mi esposa.
MUCHACHO.—¿Cómo di-
ce? Pero usted no ha-
bla en serio.
MIGUEL.—Esta no es mi
hora habitual de vol-
ver a casa.
MUCHACHO.—Se ve que
a usted le gusta bro-
mear.
MIGUEL. (*Llamando.*) —
¡María, María! ¡Dónde
diablos se mete esta
mujer!

mente en Camboya. El Presidente Nixon comprende los imprevisibles alcances que puede tener la invasión a Camboya por fuerzas norteamericanas, pero razones de esta índole han obligado a tomar esta determinación. "Nadie está más percatado que yo, dijo Nixon, de las consecuencias políticas de la acción que he tomado. Pero no quiero ver a Estados Unidos tornarse en una potencia de segunda categoría y ver a esta nación aceptar su primera derrota en su orgullosa historia de ciento noventa años."

(*Efecto musical. En la pantalla a p a r e c e n diversas imágenes del cierre del informativo.*)

MUCHACHO.—Su esposa no está.

MIGUEL.—¿Cómo que no está?

MUCHACHO.—No. ¡Salió!

MIGUEL.—¿Y lo dejó a usted aquí solo?

MUCHACHO. — ¡Ma que solo! ¿No escucha que hay gente ahí hablando?

MIGUEL.—No. ¡No oigo nada!

MUCHACHO.—¿Cómo que no oye? Usted además de bromista es sordo. ¿Y eso? (*Se adelanta y descubre el televisor.*) ¡Mirá! Cómo la pifié.

(*Se queda mirando el televisor. MI-GUEL sale por la izquierda y acto seguido se apaga la imagen. Aparece MI-GUEL, trayendo el cable, que enrolla.*)

MIGUEL.—Está usted solo. ¡No es que dude, pero... comprenda!

MUCHACHO.—¡Sí! Si yo estuviera en su lugar también pensaría lo mismo. Claro que, como no es la primera vez que vengo a arreglar el baño... Quizás por eso su esposa se fue confiada.

MIGUEL.—¡Ah! ¿Ya estuvo en otras oportunidades?

MUCHACHO.—Sí. ¡Varias veces!

MIGUEL. (*Haciendo memoria.*)—¡No! No recuerdo haberlo visto antes por aquí.

MUCHACHO.—¡No! Su esposa siempre prefiere que venga de mañana.

MIGUEL.—Habitualmente, a esta hora yo siempre estoy en el estudio.

MUCHACHO.—Sí. ¡Ya sé! ¡Escribano!

MIGUEL.—¡Ajá! Está bien informado.

MUCHACHO.—Y lo reconocí en seguida, ¿sabe?

MIGUEL.—¡No me diga!

MUCHACHO.—Por la foto que está sobre la mesa de luz de su esposa.

MIGUEL.—¡Por favor! No toque ese tema. Después de veinte años de casados, me avergüenza tener que admitir que todavía no he logrado convencerla para que desista de esa sensiblería.

MUCHACHO.—¡Eh! ¿No le gusta?

MIGUEL.—¡En absoluto! A mi esposa, sí. ¡Oh! Lo mismo me desagrada referirme a ella como mi "esposa". Es tan convencional esa frase... ¿Qué le parece María? Es más informal.

MUCHACHO.—María es un lindo nombre.

MIGUEL. (*Por decir algo.*)—Sí...

MUCHACHO.—Antes de marcharse le dejó una nota. (*Señalando hacia la mesa.*) Es aquella que está sobre la mesa.

MIGUEL. (*Gira la cabeza con poco entusiasmo.*)— ¡Ah...! (*Se acerca a la mesa. Toma la nota y, sin leerla, la deja en el mismo lugar.)* ¿Y tenés para mucho?

MUCHACHO.—¡No! ¡Ya terminaba!

> *(Se queda pensativo unos segundos y después opta por salir por la izquierda.)*

MIGUEL. *(También ha quedado pensativo. Juega con el trozo de plomo que dejara el* MUCHACHO *sobre la mesa. Después se acerca muy pausadamente a la puerta de la izquierda, dirigiéndose al* MUCHACHO, *que se supone está en la habitación contigua.)*—De nuevo el bidet, ¿no?

MUCHACHO. *(Voz de.)*—¡Sí! El caño del agua caliente.

MIGUEL.—¿Sabes cuánta plata llevamos gastada en arreglos?

MUCHACHO. *(Aparece con una tijera en la mano.)*— ¿Mucha?

MIGUEL.—¡Mejor no te digo! No lo creerías.

MUCHACHO.—Y... ¡Cuando los caños no son de bronce!... Usted sabe... Con la presión del agua caliente se pican muy fácilmente. *(Dándose cuenta que tiene la tijera en la mano.)* Encontré esta tijera en el piso del baño. Alguien se la dejó olvidada. *(Le da la tijera y desaparece por la izquierda.)* ¿Usan muy seguido el bidet?

MIGUEL. *(Observando detenidamente la tijera, que después deja sobre la mesa.)*—Todos los días. ¡María lo usa por lo menos...!

MUCHACHO. *(Apareciendo por la izquierda.)*—¡Sí, ya sé! Las mujeres, ya me imagino.

MIGUEL.—Yo también lo uso todos los días.

MUCHACHO.—¡Ah! ¿También?

MIGUEL.—¡Bueno!... Cada vez que... ¡Bueno!... Después de... Un buen lavaje en el bidet es lo más higiénico y... refresca mejor.

MUCHACHO.—¿Refresca mejor? Como la propaganda de la Coca-Cola.

MIGUEL.—¡No! Nunca probé lavarme con Coca-Cola. ¿Vos sí?

MUCHACHO.—¡Avise! En la pensión no hay bidet. Por mí..., aunque lo hubiera.

MIGUEL.—¿Y no tenés olor?

MUCHACHO.—¡Eh, diga! Que yo soy un tipo limpio.

MIGUEL.—Lo mismo sucede con las personas que tienen mal aliento. Por lo general, ellas nunca lo reconocen.

MUCHACHO.—¡Huela!

> (*Le arroja el aliento en la cara de* MIGUEL.)

MIGUEL. (*Natural.*)—¡No! Mal aliento no tenés. (*Observándole el interior de la boca.*)—¿Y caries? ¿Tenés caries? Son el principio del mal aliento.

MUCHACHO. (*Se mete ambos dedos en la boca, mostrándole bien la dentadura.*)—¡Aaaaaaahhhh!

MIGUEL. (*Observándolo con gesto muy profesional.*) Al menos, a simple vista, no. ¡A simple vista, no! (*Observándolo con más detenimiento.*) ¡Amígdalas!

MUCHACHO.—¿Qué?

MIGUEL.—Te operaron de las amígdalas.

MUCHACHO.—¡Ah, sí! Cuando chico. Era un purrete así de grande. De revoltoso, ¿sabe?

MIGUEL.—Ahora tampoco se te ve muy serio que digamos.

MUCHACHO.—¡Ma, qué serio! Hay que tomar la vida en joda. Nada de hacerse mala sangre. ¡Total..., para reventar un día de estos!

MIGUEL.—Sí. Sos lo que se dice un producto típico del país.

MUCHACHO. (*Ufano.*)—¿Le parece?

MIGUEL.—Algo así como las carnes argentinas o las manzanas de Río Negro. Claro, que ustedes están todavía sin comercializar. Pero ahora con la nueva ley de fomento del turismo, verás como también les llega su turno.

MUCHACHO. (*Confidencial.*)—¿Y vendrán, diga?

MIGUEL.—¿Quiénes?

MUCHACHO.—¡Las turistas!

MIGUEL.—¡Por ahí!... Tenemos la avenida más larga..., la más ancha... ¡Ah!... Y el Obelisco.

MUCHACHO.—¡Mama mía, cómo le voy a dar a las turistas, le voy! Porque el hombre, cuando se empilcha... ¿Eh? Y no digamos de lo demás.

MIGUEL.—No lo digas si así lo prefieres.

MUCHACHO.—El Vesubio, comparado con el hombre, es un fósforo apagado. Con eso le digo todo.

(*Desaparece por la izquierda.*)

MIGUEL.—¡Bastante gráfico! (*Se acerca a la puerta por donde desapareció el* MUCHACHO. *Dirigiéndose a él.*) ¿Sabés cuántas veces se rompió el tubo del bidet?

MUCHACHO. (*Asomándose.*)—¡No sé! ¿Y eso?

MIGUEL. (*Consultando una libreta de apuntes.*)— Dos en mayo, tres en junio, cinco en julio y ocho este último mes, o sea, que últimamente se ha logrado un promedio de dos veces por semana.

MUCHACHO.—¿Qué me dice? Se ve que a usted le da por la estadística.

MIGUEL.—¿Me permitís? (*Le saca de la mano un pedazo de plomo. Toma la tijera que está sobre la mesa y perfora el plomo con la punta de la tijera.*) Es fácil perforarlo. ¿O no lo es?

MUCHACHO.—¡Y si lo perforó!... Usted lo sabrá.

MIGUEL.—Tampoco es ésta la primera vez que venís aquí. ¿O es la primera vez?

MUCHACHO.—¡Ma, qué primera! Si ya le dije antes que vine muchas veces. Cada vez que me llama su esposa.

MIGUEL. (*Puntualizando.*)—¡María! No necesitas ser
tan ceremonioso. Además, quedamos que al re-
ferirnos a ella la llamaríamos María. Es más informal. ¿De acuerdo?

MUCHACHO.—¡Okey, okey!

MIGUEL.—Quizás seas vos el único plomero del barrio. ¿Lo sos?

MUCHACHO.—Qué voy a ser el único, si éste es un
rebusque piolísimo.

MIGUEL.—Pero sí el más joven. O si no, al menos
el más dispuesto.

MUCHACHO. (*Dándose corte.*)—Ah, eso sí. El hombre siempre está dispuesto a todo.

MIGUEL.—Claro que una persona como vos, siempre dispuesta a complacer, le debe ser muy difícil
cumplir satisfactoriamente con tantos compro-
misos.

MUCHACHO.—¿Y eso? ¿Por qué dice eso?

MIGUEL.—Cuando uno se brinda tanto a los demás,
indefectiblemente, tiene que desatender a las
personas que le rodean. Como últimamente me
está sucediendo a mí. Me brindo tanto y tanto
a mi trabajo que, inevitablemente, cada vez estoy llegando más tarde a casa. Y eso reper-
cute en mi vida de relación con María. (*Toma la
nota que está sobre la mesa.*) Hoy, por ejemplo.
Ante la perspectiva de pasar otra velada sola,
María optó por irse a cenar a la casa de unos
amigos.

MUCHACHO.—¿Y por qué no manda el trabajo al
diablo?

MIGUEL.—¿El trabajo? ¡Bueno!... Con ese criterio también podría mandar a María al diablo.

MUCHACHO.—¡Epa! ¡No! ¿Cómo va a mandar a ella al diablo? ¿Es que usted no la quiere?

MIGUEL.—¡Sí! Pero no sé qué tiene que ver eso con nosotros.

MUCHACHO.—¿Con nosotros, dice?

MIGUEL.—¡Sí! Con vos y conmigo.

MUCHACHO.—¡Que yo sepa!... ¿O tiene algo que ver?

MIGUEL.—¡Por ahí!... ¿Vos qué decís?

MUCHACHO.—¡No sé! ¿Qué espera que diga?

MIGUEL.—¡Comprendo! Temes comprometerte.

MUCHACHO.—¡No! ¡Qué voy a temer! ¡Avise! Si aquí lo que sobra es polenta.

MIGUEL.—Sí. Se ve que sos muy fuerte.

MUCHACHO.—¿Y aguante? Largan por cansancio.

MIGUEL.—¡Si vos lo decís!...

MUCHACHO.—La semana pasada me llamaron para arreglar la bomba del baño de un departamento del barrio norte. ¡Mama mía, qué hembra! ¿Sabe? Cuarenta años, quizás más. ¡Casada! Las mejores. Después del arreglo, palabra va, palabra viene... Usted me comprende. Me dejó de cama, pero el hombre firme sin claudicar hasta que ella tuvo que largar la toalla.

MIGUEL. (*Técnico.*)—¿Por cuántos round?

MUCHACHO.—Iba por el cuarto cuando ella tiró la esponja.

MIGUEL.—¡Sí!... Se ve que sos de largo aliento.

MUCHACHO.—Como para no serlo. Con una hembra como esa. ¡Si usted hubiera visto! ¡Qué carnes! ¡Así de duras! ¿Y blancas? ¡Mama mía, blanquísimas!

MIGUEL. (*Mirándolo fijamente.*)—¿Vos sos racista?

MUCHACHO.—¿Si soy qué?

MIGUEL.—La discriminación.

MUCHACHO.—Ma qué discriminación. La alimentación. Morfan de lo mejor y la carne viene bien blanca.

MIGUEL.—¿Y las negras? ¿Con las negras no pasa nada?

MUCHACHO.—¿Y por qué no? Las negras también tienen lo suyo. (*Le da un codazo y* MIGUEL *acusa el impacto.*) No me diga que no vio cómo mueven la calesita.

MIGUEL.—¡Ah! Entonces vos no sos racista.

MUCHACHO.—Se ve que su señora también se alimenta de lo mejor.

MIGUEL. (*Restándole importancia.*)—Pica una cosa que otra. Ahora está de régimen.

MUCHACHO.—Ma qué régimen.

MIGUEL.—¿No se nota? ¡Pobre! Con todo lo que se priva.

MUCHACHO.—¡Cómo va a andar privándose! Si es lo mejor que inventó Tata Dios.

MIGUEL.—Vos ya sabés cómo son las mujeres. Cuando se les mete una idea en la cabeza..., ni con sacacorchos.

MUCHACHO.—¡Ah, eso sí! Pero ciertas cosas son demasiado serias como privarse de ellas. Sobre todo tratándose de una mujer como la suya.

MIGUEL. (*Lo mira fijamente.*)—¿A vos te gusta?

MUCHACHO.—Si me gusta, ¿qué cosa?

MIGUEL.—Mi esposa, María, ¿te gusta?

MUCHACHO.—¡Avise! También, lo que pregunta...

MIGUEL.—¡Ah!... Entonces no te gusta.

MUCHACHO.—¡Bueno!... Me gusta ese tipo de mujer.

MIGUEL.—Quiere decir que te gustaría acostarte con ella. ¿Eso es lo que queres decir?

MUCHACHO.—¡Eh, diga! ¡Tranquilo, tranquilo! Que yo no dije eso ni nada que se le parezca.

MIGUEL.—¿Estás seguro?

MUCHACHO.—¡Segurísimo! Conmigo no corre eso de los dramas pasionales. ¿Nunca leyó "Crónica"? "Dorima amasija a esposa infiel sorprendida in fraganti." ¿Sabe qué quiere decir "in fraganti"? Con las manos en la masa. ¡Estos periodistas se mandan cada una!... ¡Se mandan!... Si fuera por los diarios habría que pensar que este país sólo está habitado por cornudos.

MIGUEL.—¡Si yo fuera un marido celoso!... Tal vez, pero ése no es mi caso.

MUCHACHO.—¡Ah!... ¿No es celoso? Mirá qué bien.

MIGUEL.—Además, María y yo hemos llegado a un grado tal de entendimiento que... ¡Bueno!... Estamos muy por encima de esas cosas.

MUCHACHO.—Será sólo de ciertas cosas, porque no puedo creer que haya perdido el interés por otras.

MIGUEL.—Lamentablemente se equivoca. También esas otras cosas han dejando de interesarme, al menos en la forma convencional.

MUCHACHO. (*Interesado y asombrado.*)—¡No me diga!

MIGUEL.—¿Te parece tan raro?

MUCHACHO.—¡No! ¡Tan raro, no! ¡Pero quién lo hubiera dicho! (*Lo mira detenidamente.*) Le juro que no parece. Claro que, si usted se encuentra cómodo...

MIGUEL.—¡Ah, sí! Muy cómodo.

MUCHACHO.—¿Y su esposa..., María, sabe?

MIGUEL.—¡Por supuesto! Somos un matrimonio de los llamados bien avenidos. Justamente, hemos descubierto que la base de la felicidad consiste en no tener secretos el uno para el otro.

MUCHACHO.—¡Mirá qué bien!

MIGUEL.—Al principio hubo ciertos malentendidos.

MUCHACHO.—No es para menos. Y debió ser muy violento, ¿no?

MIGUEL.—¿Violento? ¡No! ¡No precisamente! Lo que sucedió es que, después que nos casamos, ella esperaba de mí algo que en mis cálculos no estaba reservado para ella, y a su vez, ella quería darme algo que en ningún momento estaba dispuesto a aceptar. Como ve, sólo se trataba de pequeños matices que hacen al gusto personal. Y en ese aspecto soy incorruptible.

MUCHACHO.—¿Y ella?

MIGUEL.—No es tan incorruptible. Pero yo soy quien desempeña el papel de marido y también el llamado a dar el ejemplo.

MUCHACHO.—Sí, el ejemplo, sí; pero sin exagerar, ¿no?

MIGUEL.—De no ser así, hubiera aceptado sus ofrendas y yo me hubiera visto en la obligación de corresponderla, y más que seguro que hubiéramos llegado a un estado muy lamentable de degradación y engaño. O más crudamente dicho: Nos hubiéramos prostituido el uno con el otro por el solo detalle de estar unidos por el vínculo matrimonial. Eso sí que no me parece muy moral.

MUCHACHO.—¿Ah, no?

MIGUEL.—En el caso de haberme tocado a mí desempeñar el papel de esposa, es muy probable que hubiera procedido lo mismo que ella. Por eso comprendí perfectamente su obstinación y me armé de suficiente paciencia como para hacerle ver lo inútil de su empecinado ofrecimiento.

MUCHACHO.—¿Y se resignó?

MIGUEL.—No al principio, pero vos sabés que el tiempo... Ahora somos como dos hermanos.

MUCHACHO.—Qué bien, ¿eh? Una noche de estas vengo y les hago una visita.

MIGUEL.—¡Hágalo! Nos llenará de placer verlo por aquí.

MUCHACHO.—¡De eso, ni lo dude! Trataré de que ambos queden complacidos. ¿Sabe cómo me llaman en el barrio? ¡Winchester! Como los rifles, soy de repetición.

MIGUEL. (*Pícaro.*)—Me gustaría ponerte a prueba.

MUCHACHO.—¡Por mí!... Yo nunca tengo problemas.

MIGUEL.—¿Tampoco ahora? ¿O estás apurado?

MUCHACHO.—¡Qué voy a estar apurado, qué voy a estar! Si mañana es domingo.

MIGUEL.—¡Si querés quedarte a dormir!...

MUCHACHO.—¿Vos querés que me quede?

MIGUEL.—¿A vos qué te parece?

MUCHACHO.—Primero me doy un baño, ¿eh? (*Se dirige a la puerta de la izquierda, pero se vuelve.*) Che, ¿y María? ¿Qué pasa si viene tu mujer?

MIGUEL.—Puede dormir con nosotros. La cama es grande.

MUCHACHO.—¡Macanudo! Así vamos a entrar en calor en seguida.

MIGUEL. (*Acercándose.*)—¿Y después que entremos en calor?

MUCHACHO.—¿Querés que te diga?

> (MIGUEL *se acerca más. El* MUCHA-CHO *lanza una carcajada, al mismo tiempo que, con un gesto rápido, se quita la gorra, que arroja al aire, se suelta el cabello, descubriéndose que se trata de* MARÍA *vestida de mucha-cho.*)

MIGUEL. (*Enfurecido por lo que acaba de hacer.*)—
¿Qué hacés? (*Mientras tanto,* MARÍA *se va desvistiendo sin prestarle atención.*) ¿Qué hacés? Te pregunto, ¿qué hacés?

MARÍA.—¿No lo ves? Me saco estas ropas. (*Se quita la campera y la arroja en cualquier parte sin miramiento.*) ¡Estoy harta de ellas! (*Se quita la camisa, quedando en corpiños.*) ¡Hum!... ¡Además huelen! ¡Tienen olor!

(*Arroja la camisa al aire.*)

MIGUEL.—¿Es que no podías esperar diez minutos más o cinco al menos?

MARÍA. (*Explotando.*)—¡Claro..., y dejar que te encamaras con él! ¿Eso es lo que querías?

MIGUEL.—No juguemos a sorprendernos, querida. Vos sabés bien que no vamos a descubrir nada nuevo. Sobre todo cuando vos sos la única responsable de esta situación.

MARÍA.—¡Era lo que faltaba!

MIGUEL.—Nada de esto hubiera sucedido si en lugar de haberte ido de cena con tus amistades, te hubieras quedado en casa.

MARÍA.—¡Ah, no! Eso no te lo voy a permitir. Es una gran falta de imaginación de tu parte. Debes estar cansado o viejo. Recurrís a los mismos trucos de siempre, pero esta vez no dará ningún resultado.

(*Se ha desvestido totalmente, quedando sólo con la ropa interior.*)

MIGUEL. (*Toma el papel que hay sobre la mesa y se lo muestra con rabia.*)—¿Y esto? ¿Acaso inventé yo esto?

MARÍA.—Me vi obligada a hacerlo.

MIGUEL.—No es una buena excusa. Debiste esperarme, en lugar de irte de fiesta.

MARÍA.—¿Pero es que no te das cuenta?

MIGUEL.—¡No! Y tampoco lograrás convencerme.

MARÍA.—Existen límites para todo.

MIGUEL.—¡Por favor!... ¡Frases hechas, no! ¡Estoy inmunizado!

MARÍA.—¿No ves que estoy harta? ¿Cómo puedo hacer para que lo comprendas?

MIGUEL.—Olvidá las palabras. Andá derecho a los hechos.

MARÍA.—¡Me paso todo el día sola! ¡De un lugar para otro!... ¡Buscando qué hacer!... ¡Algo! Cualquier cosa que me distraiga... Que me haga estar ocupada. Hasta veo televisión. Y te aseguro que trato de interesarme por lo que veo. Incluso repito en voz alta lo que dicen los personajes y así poder oírme.

MIGUEL.—Debe ser una experiencia interesante. Nunca se me hubiera ocurrido.

MARÍA.—¡Tampoco resulta! De pronto me encuentro hablando por teléfono. Debes convencerte que se trata de un acto mecánico. No lo pienso. Hoy, recién cuando colgué el tubo, me di cuenta que acababa de llamar al plomero. ¿Para qué?

MIGUEL.—Esa pregunta me corresponde hacerla a mí: ¿para qué, querida?

MARÍA.—¡No sé! Pero tampoco podía quedarme con los brazos cruzados esperando que llegara el muchacho y decirle: "Lo lamento. Se trata de un error. Lo llamaré cuando le necesite." (*Grita fuera de sí.*) ¿No te das cuenta que no me quedaba más remedio que hacerlo? Hasta el último momento esperé creyendo que podría encontrar una solución. ¡Otra variante! ¡Algo distinto! ¡Nada! Sonó el timbre de la puerta y yo todavía sin saber por qué decidirme.

MIGUEL. (*Toma la tijera y la contempla.*)—Esta vez hubo una variante. Lo hiciste con la punta de la tijera.

MARÍA. (*Cansada.*)—¡Sí! Era de esperar que lo adivinaras. Perforé el caño del bidet y abrí la puerta.

MIGUEL. (*Después de un breve silencio, donde cada uno trata de recapacitar.*)—¡Si al menos hubieras vuelto temprano a casa!... Podrías haber dormido con nosotros en la cama.

MARÍA.—¿Los tres? (*Ríe.*) ¡Eso era lo que te preocupaba!

MIGUEL.—¡No exactamente! Lo paso mucho mejor sin vos, pero quiero que una noche de estas vuelvas temprano y podás estar presente. Así tendrás la oportunidad de ver cómo se desarrollan los acontecimientos.

MARÍA. (*Sarcástica.*)—¿Hay que pagar entrada?

MIGUEL.—En absoluto. ¡Se trata de una velada promocional!

MARÍA.—¡Interesante!

MIGUEL.—Te hará mucho bien. Podrás observarlo todo con tus propios ojos. Así no te verás en la obligación de tener que imaginarte cosas raras ni extrañas. Y sacarás tus propias conclusiones.

MARÍA.—Sos muy considerado.

MIGUEL.—Detesto darte motivos para que te angusties. ¿Con qué objeto? Como estoy seguro que tampoco vos lo harías.

MARÍA.—¿Y si me niego a acostarme con ustedes?

MIGUEL.—Nunca te he obligado a nada. No esperes que lo haga en esta oportunidad.

MARÍA.—Te confieso que la propuesta no deja de seducirme.

MIGUEL.—Una experiencia más.

MARÍA. (*Observándolo detenidamente, después ríe burlona.*)—¿Y si el muchacho me prefiere a mí?

MIGUEL.—Es un riesgo que estoy dispuesto a correr.

MARÍA.—Sospecho que no estás jugando limpio. ¿Lo estás? Vos no sos un buen perdedor.

MIGUEL.—Ni vos, querida. ¡Ni vos!

MARÍA.—¿Dónde está el palito, entonces? Si crees que voy a pisarlo por el solo hecho de verte feliz, te aseguro que esta vez te equivocas.

MIGUEL.—¿Eso quiere decir que no te interesa acostarte con nosotros?

MARÍA.—No he dicho eso. Sólo quiero más información. Saber a qué atenerme.

MIGUEL.—Lo descubrirás sobre la marcha. La sorpresa es parte del encanto. ¿No te parece?

MARÍA.—¡Cuernos! (*Recoge la ropa que fue tirando por la habitación. Hace un ovillo con la misma y después se la arroja a MIGUEL.*) ¡Tomá! Esa ropa apesta. ¿Cómo tengo que decírtelo? Si no la mandás a la tintorería, conmigo no contés más para ponérmela.

MIGUEL.—¿Es que hay otra alternativa?

> (MARÍA *acusa el impacto. Se afloja y toma la ropa de manos de* MIGUEL. *Después se dirige a la puerta de la izquierda.*)

MARÍA.—¡Quizá si las rociara con un poco de perfume!... (*Desaparece por la izquierda.*) ¿Tenés algún interés por un perfume en particular?

MIGUEL.—¡No! ¡En absoluto! (*Se acerca a la puerta de la izquierda para que lo oiga mejor.*) Ese detalle lo dejo a tu criterio. Siempre tuviste muy buen gusto en la elección de tus perfumes.

MARÍA. (*Voz de.*)—Tu primer regalo fue un frasco de perfumes, ¿recordás?

Miguel.—¡Lilas! ¡Y vos las detestabas! (*Ríe al recordar.*) Tuvimos un noviazgo apestado por las lilas. ¿Quién iba a imaginar que con tal de conseguir marido, serías capaz de sacrificarte hasta ese extremo? Cada vez que nos veíamos, te venías materialmente bañada en ese perfume. ¡Y pensar que te repugnaba!

María. (*Voz de.*)—No te sintás culpable. Tampoco me supuso un gran esfuerzo.

Miguel.—¡Comprendo! El sacrificio como la abnegación son atributos propios de las mujeres. Lástima que para muchas desaparezca con el matrimonio.

> (*Se oye el timbre de la puerta de entrada.*)

María. (*Voz de.*)—Han llamado. ¿Oís?

Miguel.—Sí. Pero no tengo ninguna curiosidad por saber de quién se trata.

> (*Vuelve a oírse el timbre de la puerta.*)

María. (*Voz de.*)—¿Es que no vas a abrir la puerta?

Miguel.—Preferiría pensarlo antes. ¿Vos esperás a alguien?

María. (*Voz de.*)—¡No! Nadie en particular.

Miguel.—Entonces no hay ningún motivo para demostrar tanto interés. Al menos, podemos dejar que llamen una tercera o cuarta vez. Pienso que una cuarta vez es lo más apropiado. Me molesta profundamente cuando voy a la casa de alguien y me abren la puerta al primer o segundo llamado. ¡Qué grosería! No le dan tiempo a uno ni a arreglarse el nudo de la corbata. En el caso de ustedes es distinto, porque no usan corbata. Aunque siempre cabe el retoque de último momento. Como morderse los labios para destacar más el color o pasarse la lengua para imprimirle más brillo. También pueden recurrir a realzar más el busto o ensayar un gesto entre cándido y complaciente. Es el que más se ajusta al temperamento femenino. Y particularmente del que vos sabés sacar más partido. (*Muy seguro.*) ¡Sí! Abrir la puerta a la cuarta llamada es lo más apropiado.

MARÍA. (*Voz de.*)—Sólo te lo decía por si se trataba de algo urgente.

MIGUEL.—¿Por ejemplo?

MARÍA. (*Voz de.*)—¡No sé! ¡Una noticia!... ¡Un enfermo grave!... ¡Un accidente de!... Como el que pasaron por la televisión. Era todo un espectáculo. Prácticamente, un tren arriba del otro. Si se miraba la escena detenidamente, podía parecer hasta procaz. Un tren violado por otro tren.

MIGUEL. (*Que ha abierto el placard, toma un diario. Leyendo.*)—¡Seis mil quinientos cincuenta muertos!

MARÍA. (*Voz de.*)—¿Tantos?

MIGUEL.—¡Un verdadero récord! (*Consulta de nuevo el diario.*) En estos momentos remueven afanosamente los escombros a ver si aumenta esa cifra. Con sólo seis muertos más, pasaríamos a ser el primer país del mundo que ostenta la mayor cantidad de muertos en un solo accidente ferroviario.

MARÍA. (*Voz de.*)—¡Fabuloso!

MIGUEL.—¡Sí! Sería una verdadera lástima que por sólo seis cadáveres no podamos agregar ese galardón a los muchos que supimos conseguir.

(*Guarda el diario en el placard.*)

MARÍA. (*Voz de.*)—Querido, ¿qué querés que me ponga? ¿El vestido verde o el salmón? (*Nuevamente*

5

se oye el timbre de la puerta de la calle.) Pero,
Miguel, ¿es que no vas a abrir?

MIGUEL.—Es lo que iba a hacer en este momento.
(*Se dirige a la puerta y la abre. No hay nadie.*)
¡Nadie! Tal vez corresponda abrir la puerta al
tercer llamado. Esperar que llamen por cuarta
vez consecutiva, puede interpretarse como que
no hay nadie en casa.

> (*Va a cerrar, pero en ese momento
> aparece la* PROMOTORA PUBLICITARIA. *Se
> trata de una mujer vulgar, de cuarenta
> y cinco o más años, bastante gorda, de
> cabellos rubios, pechos caídos y pin-
> tada groseramente. Lleva un bolso y
> viste un trajecito que alguna vez fue
> un uniforme. Tiene el cabello empapa-
> do por la lluvia, así como las ropas,
> mojadas y raídas. Mientras habla se
> apoya sobre un pie y vuelve a cambiar
> de pose, descansando sobre el otro pie.
> Así durante todo el tiempo.*)

PROMOTORA.—¡Ah, disculpe! Creí que no había nadie.
Tenemos orden de llamar tres veces y después
esperar tres minutos. (*Consulta con su reloj de
pulsera.*) Como última tentativa, hacemos una
cuarta llamada. Cuando usted abrió, yo ya estaba
cerrando la puerta del ascensor. (MIGUEL *observa el aspecto deprimente de la mujer. Esta repara en su mirada y trata de disculparse, al mismo
tiempo que intenta mostrarse muy jovial.*) ¡Oh,
perdóneme por el aspecto!... Pero la lluvia, ¿sabe? Estoy toda empapada. ¡En caso de lluvia tenemos orden de suspender el muestreo! ¡Son
muy considerados!... ¡Pero si una no trabaja!...
¿Comprende? El supervisor insistió en que dejara

de trabajar. Claro que no me fue difícil convencerlo de lo contrario. ¡Varias veces él me ha insinuado cosas!... ¡Usted me entiende!

MIGUEL. (*Imperturbable.*)—¡No sé a qué se refiere!

PROMOTORA.—¡Vamos! Que se ve que usted es un hombre de mucho mundo. Yo exploto la simpatía que el supervisor siente por mí. ¿Hago mal? ¿Mientras sus insinuaciones no me comprometan, no? (*Lo mira y le sonríe con intención.*) ¡Hum!... ¡Ahora ya no llueve más! ¿Qué tiempo, no?

MIGUEL. (*Por decir algo.*)—¡Sí, el tiempo!... (*Cambiando de gesto.*) ¡Usted dirá!

PROMOTORA.—¡Verá!... (*Ajustándose a su estudiado papel de promotora publicitaria.*) ¡Buenos días, señor! Estamos realizando una promoción en este barrio y queremos entregarle una muestra de un nuevo asentador para el cabello...

MIGUEL. (*Interrumpiéndola.*)—¡Lo lamento! ¡No uso asentadores!

PROMOTORA.—¡Justamente! El principal motivo de esta promoción es poner al alcance de aquellos no consumidores nuestro revolucionario asentador para el cabello. Porque estamos seguros que después que usted lo pruebe se convertirá, automáticamente, en su más adicto consumidor, y al mismo tiempo, y ese es nuestro objetivo, en su más entusiasta divulgador. (*Respira al mismo tiempo que le ofrece una muestra del asentador para el cabello.*) Aquí tiene, ¡el único asentador para el cabello que brinda peinadas auténticamente masculinas y!...

MIGUEL. (*Interrumpiéndola.*)—No me interesa la autenticidad, para eso están los folkloristas.

PROMOTORA.—...y no deja pelusa, rechaza el polvillo y no contiene elementos alcalinos tan perniciosos para el bulbo capilar. Cada vez que lo use, usted despertará la admiración, conquistará el éxito y las mujeres caerán rendidas a sus pies.

MIGUEL. (*Interesándose por el milagroso producto.*) ¿Tan penetrante es su perfume?

PROMOTORA.—Está elaborado con verdadero perfume francés.

MIGUEL. (*Huele el contenido del frasco con gesto de franca repugnancia.*)—¿Francés?..., pero degenerado.

PROMOTORA.—Se ve que a usted le gusta hacer chistes. ¿Me equivoco?

MIGUEL.—En todo caso, la fuente de mi inspiración sería el perfume francés a que usted hace referencia.

PROMOTORA. (*Entrando en confianza.*)—¡Sí! ¡Se ve! Usted es de los que le gustan reírse de todo. Incluso de usted mismo. (*Mundana.*) ¡He conocido tipos así...! ¡Bueno..., he conocido tantos!

MIGUEL.—¡Se le nota!

PROMOTORA.—¡Y sí!... Yo ya no soy ninguna niña.

MIGUEL.—También se le nota.

PROMOTORA.—No es muy amable, que digamos.

MIGUEL.—¿Preferiría que lo fuera?

PROMOTORA.—¿Y cómo no? Es lo menos que una espera de los demás.

MIGUEL.—Perdóneme, entonces. La invitaré con una bebida y así hacemos las paces. Además, le hará bien. ¡Se la ve tan cansada!...

> (*Se dirige a un mueble y saca una botella y un vaso.*)

PROMOTORA.—¡Como para no estarlo! ¿Sabe cuántas cuadras llevo ya caminadas? ¡Una enormidad! Y siempre con este peso. (*Indicándole el bolso que tiene en la mano.*) Ahora ya no pesa nada.

He entregado más de la mitad de las muestras. (*Mostrándole uno de los frasquitos.*) Viéndolo así parece liviano, pero cuatrocientos de estos frasquitos pesan un infierno.

MIGUEL.—¡Si quiere..., pase y siéntese!

PROMOTORA.—¡Imposible!

MIGUEL.—No tema, sólo trato de ser gentil.

PROMOTORA.—¡Oh, no! No lo digo por usted. Es por el supervisor, ¿sabe? Tenemos terminantemente prohibido entrar a los departamentos. Para un mayor control, ¿comprende?

MIGUEL.—¡Ah!... Se ve que lo tienen todo muy bien estudiado.

PROMOTORA.—¡Claro que si usted quiere!... Acérquese si quiere. Basta con que me vean de espaldas. ¿No oyó? ¡Acérquese!

MIGUEL. (*Deja sobre la mesa la botella y el vaso y se acerca.*)—¿Más?

PROMOTORA.—¡Por mí!... A no ser que haya alguien en la casa y yo pueda comprometerlo.

MIGUEL.—¡Sí! Ella se está vistiendo, pero ése no es el problema. Ya sabe cómo son las mujeres. No sé cómo se las arreglan, pero nunca tardan menos de una hora en vestirse.

PROMOTORA.—Usted no demora tanto, ¿verdad?

MIGUEL.—¿En vestirme?

PROMOTORA.—En vestirse ya sé que no puede demorar esa enormidad. ¡Acérquese más! Después tendrá una noción exacta del tiempo.

MIGUEL. (*Acercándose.*)—¿Está bien así?

PROMOTORA.—Usted es quien debe calcular la distancia.

MIGUEL. (*Se acerca más.*)—¿Me permite que la seque? ¡Está toda empapada! (*Con el pañuelo le seca la frente y después el cuello.*) Le sugiero que se saque la ropa y espere a que se le seque. De lo contrario, podría enfermarse.

PROMOTORA.—No se preocupe. Estoy acostumbrada. ¡Además, teniéndolo a usted tan cerca!... No hay ningún temor de agarrar un enfriamiento.

MIGUEL.—¡Si prefiere que me aleje!...

PROMOTORA.—¡Oh, no! ¿Por qué hace como el que no entiende?

> (MIGUEL *continúa secándola con el pañuelo.*)

MIGUEL.—¡Pero qué barbaridad!... ¡Cómo está toda empapada!

PROMOTORA.—¡Y porque no ha visto cómo tengo los pechos! Son propiamente dos submarinos en mitad del océano. Cuando caminaba bajo la lluvia, sentía chocar el uno contra el otro. ¡Plaf! ¡Plaf! ¡Plaf!

MIGUEL.—¡Sí! ¡Se nota! ¡Si tiene el vestido pegado a la piel! (*Muy superficialmente trata de secarle los pechos.*) ¡No! Así va a ser un poco difícil.

PROMOTORA.—Si quiere, me saco los pechos para que pueda secarlos a su entera comodidad.

MIGUEL.—¡Si están tan empapados como dice!...

PROMOTORA. (*Se mete la mano en el seno para sacarse los pechos.*)—Deje que los saque y usted mismo podrá comprobarlo. (*Hace esfuerzos para sacarlos, pero sin lograrlo.*) ¡Como no uso corpiño!...

MIGUEL.—¡Ah!...

PROMOTORA. (*Mete la mano mucho más abajo, en un intento por sacarlos.*)—¡Son tan juguetones! ¡Se van de un lado para el otro! ¡No crea que es fácil atraparlos! Cuando era más joven los tenía ahí no más. Bastaba una pequeña presión y en seguida saltaban redondos y duros. ¡Claro que con los años!... La piel se estira. ¡Y en qué forma! Tengo que andar buscándolos por toda la zona.

(*Haciendo visibles esfuerzos.*)

MIGUEL. (*Expectante.*)—¡Y!... ¿Nada?

PROMOTORA.—¡Si se atreve a probar usted!... Quizá tenga más fortuna.

MIGUEL.—No puedo creer que sea tan difícil.

PROMOTORA. (*Se saca la mano del seno y le ofrece los pechos.*)—¡Trate, hombre! ¡Trate y convénzase usted mismo!

(MIGUEL *le mete la mano en los senos.*)

MIGUEL. (*Muy técnico.*)—Hasta ahora el camino se presenta bastante despejado. ¡A ver!... ¡A ver!... ¡No! ¡Falsa alarma! Deben estar más abajo. ¿Mucho más?

PROMOTORA.—¡Muchísimo más! Ya le dije antes que yo no soy una niña. Y la piel se estira. Eso debe darle alguna pista.

MIGUEL.—¡Sí! ¡Sí! ¡Comprendo! (*Haciendo grandes esfuerzos.*) ¡Estoy casi en la cintura y todavía no!...

PROMOTORA.—¿Vio que no es tan fácil?

MIGUEL. (*Grita de júbilo.*)—¡Lo conseguí!... ¡Ya lo tengo!

PROMOTORA. (*Ríe.*)—¡No! ¡No! ¡Ese es el ombligo!

MIGUEL. (*Palpándolo, no muy convencido.*)—¿Seguro que se trata del ombligo?

PROMOTORA. (*Mimosa.*)—¡Hum!... ¡Claro que sí! Mi ombligo es algo muy especial. En lugar de tenerlo hundido como casi todo el mundo, yo lo tengo salido como si fuera una pequeña tetita. (*En un arrebato sensual.*) ¿Te gusta?

MIGUEL.—¡Como curiosidad!... Tendría que verlo.

PROMOTORA.—¿Qué esperas? ¡Si tenés interés en verlo!... ¡Desabróchame! ¡Vamos! ¡No perdás tiempo! Quiero que goces contemplándolo. Pero nada de morderlo, ¿eh? ¡Es tan delicado!

MIGUEL.—¡De acuerdo! ¡De acuerdo! Espera que saco la mano.

(*Le saca la mano de los senos de la* PROMOTORA.)

PROMOTORA. (*Ya entregada, lo acaricia con vehemencia.*)—¡Apúrate, querido! ¡Oh, querido!

MIGUEL.—¡Los botones!... ¿Dónde tenés los botones?

PROMOTORA.—¡Atrás! Atrás tengo los botones. ¡Desabróchame! (MIGUEL *se coloca detrás de ella y le va desabotonando el vestido, mientras la* PROMOTORA *se contorsiona ansiosa.*) ¡Rápido! ¡Más rápido! ¡No demores tanto! ¡Por favor!... ¡Hum!... (MIGUEL *se detiene observando algo en la espalda de la* PROMOTORA.) ¿Qué sucede? ¿Por qué te detenés?

MIGUEL.—¡Un lunar!

PROMOTORA.—¡Es tuyo! ¡Todo tuyo!

MIGUEL.—¡Uno, dos, tres!...

PROMOTORA.—¿Cómo se te ocurre ponerte a contar ahora?

MIGUEL.—Cuento los pelos del lunar. Son largos y blancos.

PROMOTORA.—¡Se trata de un lunar muy especial! ¡Querido!... ¡Querido!... ¡Ay! Cómo me gusta sentir tus manos en mi espalda. ¡Así!... ¡Oh!... ¡Son tan suaves... y están tibias! (*En un arranque de frenesí le toma las manos y se las besa.*) ¡Quiero besar tus manos! ¡Déjame besar tus manos! (MIGUEL *se deja besar, después le acaricia el cuello, la cara y, con un movimiento rápido, le quita la*

peluca, descubriéndose a MARÍA *vestida de* PRO-
MOTORA. MIGUEL *ríe llevando la peluca por toda
la habitación como si fuera un trofeo de guerra.*)
¿Qué hacés? ¿Por qué lo hiciste?

MIGUEL. (*Desafiándola.*)—¿Qué creías? ¿Que iba a
permitir que me sorprendieras violándola ahí
parados junto a la puerta?

MARÍA. (*Rápidamente se limpia la pintura de la cara y se saca las ropas que simulaban la gordura.*)
¡No sería la primera vez!

MIGUEL.—¡Estás inventando! Soy bastante delicado
para esas cosas. Además, me da asco tener que
mirar ese lunar de vieja todo cubierto de pelos.

MARÍA.—¿Por qué no le cerraste la puerta en las
narices?

MIGUEL.—¿Esperabas que lo hiciera?

MARÍA.—¿Qué me preguntas a mí eso? Soy yo la
que tendría que estar furiosa. Con una cualquiera
y en mi propia casa. Has perdido todo tipo de
delicadeza. Y yo que tenía una imagen tan refinada de vos. ¡Me equivoqué! Basta que aparezca
en esa puerta una pobre mujer que se gana la
vida dolorosamente, para que vos te aproveches
de ella como lo haría un vulgar camionero. Es
lamentable. Quisiera encontrar algo que justifi-
que tanta grosería. ¿Necesidad? ¿Acaso no me
tenés a mí? ¿Alguna vez me negué, aunque es-
tuviese cansada o sin humor para eso? Repásalo
en tu memoria. ¡Nunca! ¿O es que te gusta realmente ese tipo de mujer?

MIGUEL.—¡No! ¡Qué me va a gustar!

MARÍA.—¿Entonces?

MIGUEL.—¡Quizá tuve piedad!

MARÍA.—¿Vos... piedad?

MIGUEL. (*Con ansiedad, deseando borrar lo que dijo.*)—¿Verdad que no?

María.—Sin embargo, me pareció que algo los unía. ¡Como si vos sintieras hacia ella!...

Miguel. (*Interrumpiéndola.*)—¡Nada! Aunque eso es lo que vos desearías. Porque si alguno logra sentir algo por alguien, entonces está la posibilidad de que podamos sentirlo entre nosotros mismos.

María.—¡Por favor!... No trates de buscar significados ni simbolismos. Le restarías naturalidad a nuestra diversión. Sencillamente se trata de un juego divertido. Y lo hacemos porque nos divierte.

Miguel.—¿Nada más?

María.—¡Suficiente! (*Hay un silencio donde cada uno no quiere arriesgarse agregando una palabra más. María cambia de actitud, con mucho desenfado.*) ¡Sos un grosero, querido! ¡Sí! ¡No te sorprendas! No me has dicho ni una palabra amable sobre mi actuación.

Miguel.—¡Ah!...

María.—¿Estuve bien?

Miguel.—¡Sí!... Aunque quizá demasiado en arquetipo.

María.—¿Qué esperabas? Una prostituta venida a menos cumpliendo funciones de promotora publicitaria. ¡Qué rebuscado! Sin embargo, lo hice lo mejor que pude. Vos sos el único responsable si no me desempeñé mejor.

Miguel.—¿Yo? ¿Por qué yo? ¡No entiendo!

María.—Nunca me obligaste a hacer la calle. No tengo experiencia.

Miguel.—¡Cierto! Tampoco se me ocurrió. Mi falta de imaginación es lamentable.

María.—Es lo que yo siempre digo. No te esfuerzas. No pones nada de tu parte. Te prestas al juego, pero en el fondo no estás nada convencido.

MIGUEL.—Mañana te ordenaré que vayas a hacer la calle.

MARÍA.—¿Y debo traer plata?

MIGUEL.—Debes traerla, si querés desempeñarte como una verdadera prostituta.

MARÍA.—¿También me exigirás una cuota?

MIGUEL.—No el primer día. Cuando veamos los resultados de varios días sucesivos, entonces podremos establecer un promedio. ¿De acuerdo?

MARÍA.—¡Oh, sí! Todo lo que vos decís parece razonable. Lástima que en la práctica tenés reacciones completamente arbitrarias. (*Suena el timbre de la puerta de entrada. Ambos se miran.*) No me mires así, porque esta vez no tengo nada que ver con ese llamado.

MIGUEL.—¡Ni yo!

MARÍA.—¡Eso es lo que vos decís!... Pero no esperes que te crea antes de comprobarlo debidamente.

> (*Llaman de nuevo. MARÍA se dirige a la salida de la izquierda.*)

MIGUEL.—¿Adónde vas?

MARÍA.—¡A cambiarme!

> (*Sale.*)

MIGUEL.—¡Espera! ¿Y si es alguien que pregunta por vos?

MARÍA. (*Voz de.*)—En ese caso, llámame.

> (*Llaman de nuevo a la puerta de calle.*)

MIGUEL.—¡Ya va!

> (*Va hasta la puerta y la abre. Aparece BEATRIZ. Dieciocho años. Lleva una valija de mano y un abrigo.*)

BEATRIZ.—Buenos días. Desearía hablar con la señora...

MIGUEL. (*Interrumpiéndola.*)—¿La señora? Un momento. (*Llamando.*) ¡María, María! ¡Para vos!

MARÍA. (*Voz de.*)—¿Para mí? (*Aparece por la izquierda.*) ¡Qué raro! ¿Quién pregunta por mí?

MIGUEL.—La joven. Es tu problema, querida.

(*Sale por la izquierda.*)

MARÍA. (*Observando detenidamente a* BEATRIZ, *distante.*)—¿Qué desea?

BEATRIZ.—Debe haber un malentendido. Yo con quien quiero hablar es con la señora de Vial. (*Saca una carta.*) La dirección es correcta.

MARÍA.—¡Ah..., sí! Aquí vivió la viuda de Vial. Pero hace dos meses que nosotros compramos el departamento.

BEATRIZ.—¡Oh!... Y ahora, ¿sabe usted su nueva dirección?

MARÍA.—No, en absoluto. (*Vuelve a mirarla detenidamente. Piensa algo y trata de ser más amable.*) Claro, que quizás..., quizás pueda conseguírsela.

BEATRIZ.—¿Sí? ¡Qué alivio! ¡Cómo se lo voy a agradecer!

MARÍA.—Aunque no en este momento. Tal vez mañana o quizás la semana próxima.

BEATRIZ.—¿La semana próxima? Y mientras tanto... ¿Sabe? Es la primera vez que vengo a la capital, y...

MARÍA.—¿No conocés a nadie?

BEATRIZ.—¡A nadie! Sólo a la señora de Vial, que es mi madrina. Ella siempre se ofreció. "Cuando tengas algún contratiempo..." Y ahora... ¡Bueno!... Para qué le voy a contar.

MARÍA.—Déjame pensar. Quizás encontremos una solución a su problema.

BEATRIZ.—¿Seguro?

MARÍA. (*Llamando.*)—¡Miguel, Miguel! ¿Por qué no venís, Miguel? (*A* BEATRIZ.) Por lo pronto te quedás aquí con nosotros hasta tanto consigamos la dirección de tu madrina.

(*Aparece* MIGUEL *por la izquierda.*)

BEATRIZ.—¡Oh!... No sé cómo agradecérselo.

MARÍA. (*Seca.*)—Si no sabe, entonces no te esfuerces tontamente.

BEATRIZ.—¿Eh? Es que yo quisiera...

MIGUEL.—Ya escuchó a la señora. Nunca se sabe de antemano quién debe agradecer a quién.

BEATRIZ.—Sí, pero...

MARÍA. (*A* MIGUEL.)—¿En qué pensás?

MIGUEL. (*Mientras observa detenidamente a* BEATRIZ.)—En nosotros, querida. Siempre pienso en nosotros.

(BEATRIZ *observa a su alrededor. De pronto siente un pequeño escalofrío. Gira la cabeza y se encuentra con la mirada de ellos. Trata de sonreír, pero no lo consigue. Mientras, muy lentamente, va cayendo el*

TELÓN

ACTO SEGUNDO

(*Se supone que han terminado de cenar.* MIGUEL *aparece por la izquierda, fumando. Se dirige a la ventana y durante unos segundos respira el aire de la noche. Se le ve satisfecho.*)

MARÍA. (*Voz de.*)—¡No! ¡No faltaba más! ¡Deje usted, por favor! No, no. No voy a permitir que se moleste.

BEATRIZ. (*Voz de.*)—¡Pero qué ocurrencia! No es ninguna molestia. Además, así me siento parte de la casa.

(*Aparece por la izquierda, trayendo una bandeja con el café.* MIGUEL, *al verla, se sorprende.*)

MIGUEL.—¡Oh, no! ¡Qué falta de delicadeza de esta mujer! (*Llamando.*) ¡María, María! (*A* BEATRIZ, *disculpándose.*) ¡Por favor!... (*Le toma la bandeja y la deja sobre la mesa.* MARÍA *aparece por la izquierda.*) Querida, ¿cómo permitís que la joven sirva el café? Se trata de nuestra invitada.

BEATRIZ.—Eso no tiene ninguna importancia. Además, yo quiero ayudar. ¡Ustedes han sido tan amables!... Es lo menos que puedo hacer.

MIGUEL.—Disculpe, señorita, pero aquí está en juego algo más importante que nuestra amabilidad.

(*A* María.) Querida, estoy esperando que digas algo.

María.—¡Ella insistió tanto!... Dice que está obligada a cooperar. Te aseguro que traté de disuadirla por todos los medios, pero fue totalmente inútil.

Miguel. (*Severo.*)—¿Y tu fuerza de convicción?

María.—¡Lo intenté! Te repito que intenté hacerle comprender que no debía molestarse.

Miguel.—Que lo intentaste no me cabe la menor duda, pero no suficiente. Así quedas en paz con tu conciencia y al mismo tiempo dispones de una ayuda que te alivie en el trabajo de la casa. O sea, explotarla.

María.—No permito que pensés eso de mí.

Beatriz.—No. Claro que no. ¿Cómo se le ocurre pensar eso de la señora?

Miguel.—Temo que olvidaste que se trataba de nuestra huésped. De la persona a la que hemos brindado gentilmente nuestra casa. Y que por esa misma razón estamos obligados a que se sienta cómoda. Debiendo estar prontos para correr solícitos al más pequeño de sus deseos. O simplemente atentos a su sonrisa, para corresponderle sin pérdida de tiempo con otra sonrisa. No se trata de una persona cualquiera, sino de nuestra invitada. ¿Podés comprender eso, querida?

María.—¡Oh, sí! Quedó bien claro desde el primer momento.

Miguel.—Entonces lo que te faltó fue firmeza de convicción. Y eso sí que es imperdonable. (*Abrumado.*) Estoy cansado de tenerte que recordar siempre lo mismo. ¡Cómo me avergüenzo de vos!

BEATRIZ. (*Afligida.*)—¡Oh, no, por favor! No discutan por mí. No lo merezco.

MARÍA. (*Enérgica, con gran autoridad, grita.*)—¡No se meta! ¿Lo oye?

MIGUEL.—¡Así! ¡Con autoridad! Eso está mucho mejor. ¿Viste que es fácil? ¡Yo sé bien que si vos te lo proponés!... (*A* BEATRIZ.) ¿Vio como lo consiguió?

BEATRIZ. (*Desconcertada.*)—¿Sí?

MIGUEL.—Lo que sucede es que ella necesita que se lo recuerden continuamente. La pobre es como una máquina. ¡Hay que engrasarla periódicamente, o de lo contrario!... (*Se detiene al ver a* BEATRIZ *que está inmóvil, como embelesada. Encarándola con gran violencia.*) ¡Oiga! ¿Por qué se queda ahí inmóvil? ¡Vamos, muévase! ¡Sirva el café! Está bien que es nuestra invitada, pero haga algo por ganarse nuestra simpatía. Demuéstrenos su buena voluntad, cooperando. ¿O espera que nosotros hagamos de criados suyos?

BEATRIZ.—¡Oh, no, nada de eso!

(*Se apresura a servir el café con gran torpeza.*)

MIGUEL. (*Con infinita ternura, acompaña a* MARÍA *hasta el sillón.*)—Primero, sirva a la señora. (MARÍA *se sienta y* MIGUEL *le alcanza un almohadón para que se sienta más cómoda.*) ¿Estás cómoda, querida?

MARÍA. (*Mimosa.*)—¡Hum!... (MIGUEL *la besa en la mejilla.*) ¡Querido..., por favor!... ¿Cómo te atreves? Y delante de la joven... ¿Qué pensará de nosotros?

Beatriz.—¡Nada! Por mí..., por mí no se preocupen.

Miguel.—¿Por qué la subestimás? Ella es una joven de nuestro tiempo. Moderna..., experimentada... Además, sabe ubicarse perfectamente.

Beatriz.—¡Bueno!... Ustedes son marido y mujer y ciertas manifestaciones de afecto son naturales.

Miguel.—Quizás lo que usted no sabe es que nosotros empezamos con un beso en la mejilla y terminamos sobre el piso, uno arriba del otro.

(Beatriz *acusa el impacto, dejando caer la taza que en ese momento iba a entregarle a* María.)

María. (*Al caer la taza, salta del sillón como un resorte.*)—¡Mire lo que ha hecho! ¿No le enseñaron a usted a servir una taza de café? Pero ¿dónde la educaron a usted?

Beatriz.—¡Oh, perdón!... Yo... ¡Perdóneme!

María. (*Enérgica.*)—Le he preguntado dónde la educaron.

(Miguel, *solícito, ayuda a* Beatriz *a levantar la taza.*)

Miguel. (*A* María.)—¡Pero, querida!... No tenés modales, ni formas para mandar a la gente. ¿Cómo debo decírtelo? Evidentemente, vos no servís para ama de casa ni para nada. (*A* Beatriz, *que no sale de su asombro.*) ¡Por favor! Le ruego que sepa disculparla. Debe ser el vino que tomó durante la cena.

Beatriz.—¡No! La señora no probó el vino.

Miguel.—Aprendé de la joven. ¡Observa qué discreción! Durante la cena no hiciste otra cosa que beber y beber, y, sin embargo, ella trata de pasarlo por alto con una discreción digna de la mejor educación.

MARÍA.—Por eso estoy interesada en saber dónde se educó. (*A* BEATRIZ, *con autoridad.*) ¿Dónde, querida?

> (BEATRIZ *duda antes de contestar. No se quiere arriesgar a emitir un juicio por temor a una nueva sorpresa.*)

MIGUEL.—¡Contéstele! Sin miedo, ¿eh? ¡Vamos! Demuéstrele que usted es una joven preparada, fina, culta, y ella una pobre ignorante hecha a los golpes.

BEATRIZ.—¡No! ¡No diga eso de la señora!

MARÍA. (*Autoritaria.*)—¡Vamos! ¡Demostrámelo!

BEATRIZ.—¿Qué?

MARÍA.—¿Dónde se educó?

BEATRIZ. (*Atropellándose.*)—¡Con las hermanitas! ¡Sí! ¡Sí! Con las hermanitas. Eran muy severas. Siempre decían que cuando fuésemos grandes, no nos cansaríamos de agradecer el haber sido educadas en el santo temor.

MARÍA.—¡Como él! Creció rodeado de temores.

BEATRIZ.—¡No me diga!

MIGUEL.—¡Así es! Viví con miedo. ¡Miedo a esto!... ¡Miedo a aquello!...

BEATRIZ.—¡También yo! Las hermanitas nos hablaban tanto del temor, que... siempre tuve miedo.

MARÍA.—...al infierno.

BEATRIZ.—¡Oh, sí! ¡Sí! ¡Al infierno!

MIGUEL.—¡Temor a Dios!

BEATRIZ.—¡También a Dios!

MIGUEL.—La clásica receta.

BEATRIZ. (*Reconfortada.*)—¡Qué bueno! Se ve que usted también estudió en un colegio religioso.

MARÍA.—No sólo estudió, sino que colgó los hábitos para casarse conmigo.

BEATRIZ. (*Maravillada ante el descubrimiento.*)— ¡Oh!... ¡Entonces usted era!... ¡Sacerdote!

MIGUEL. (*Extiende el brazo en gesto episcopal.*)— ¡Sí, hija mía!

BEATRIZ.—¡Oh!... ¡Eso lo explica todo! (*Observando a su alrededor.*) ¡Aquí se respira una paz!... ¿Café?

(*Le sirve una taza de café a* MIGUEL.)

MIGUEL. (*Prueba el café y después lo escupe.*)—Qué porquería de café. (*A* BEATRIZ.) ¿Usted hizo este café?

BEATRIZ.—¿Es que no..., no le agrada?

MARÍA.—Por la cara que puso, debe estar pésimo.

BEATRIZ.—Es la primera vez y... Todavía no conozco sus gustos.

MARÍA.—Sea más sincera. Reconozca que es una pobre inútil. Que no sirve para nada. ¿O preparó a propósito ese horrible café sólo para fastidiarnos?

BEATRIZ.—¡Oh, no! ¡Nada de eso! Yo no haría una cosa semejante. (*A* MIGUEL, *implorándole.*) ¿Verdad que usted no puede creer en lo que dice ella?

MIGUEL.—¿Qué espera que conteste? ¿Quiere que salga en su defensa para obligarme a enemistarme con mi esposa? ¿Es eso lo que busca?

BEATRIZ.—¡No! ¡En absoluto! Tampoco permitiría que por mi culpa ustedes se peleen.

MARÍA.—Pero es lo que has tratado de hacer. Ponerlo en la alternativa de que tome partido. (*Desafiante.*) ¿Usted creía que yo me iba a quedar cruzada de brazos? ¡Pobre ilusa! ¿Qué me decís a eso, querido?

MIGUEL.—¡No trates de meterme en tus problemas! Ya me tenés cansado con las mismas historias de siempre. Además, tenés que aprender a resolverlos por sí sola. ¿Por qué no imitás a la joven? Ahí tenés un buen ejemplo. Incluso no conseguirás otro mejor. Reconforta tanto disfrutar de la compañía de una joven decidida y tan segura de sí misma.

BEATRIZ. (*Queda embelesada ante lo que oye y, al mismo tiempo, sin saber qué postura adoptar.*) ¿Sí?

MIGUEL.—Sin embargo, me preocupa usted. ¿Qué hará si no consigue la dirección de su madrina? ¿Piensa volver al interior?

BEATRIZ.—¡No! ¡No sé!..., pero su señora me prometió que la conseguiría.

MIGUEL.—Ella es capaz de prometer cualquier cosa. Debe darle mucho crédito a sus palabras.

MARÍA.—Igual que vos. Sólo esperaba que cumplieras una de tus muchas promesas de novio. ¡Sólo una! (*A* BEATRIZ.) ¡Pero ni ésa! Y aquí me ve usted. ¡Virgen todavía! ¡Virgen! (*Grita.*) ¡Soy virgen! ¡Virgen!

MIGUEL. (*Hojeando un libro.*)—¿De dónde querida?

MARÍA. (*En trance.*)—¡Virgen! ¡Soy virgen!

MIGUEL. (*Sin levantar la mirada del libro.*)—Y yo soy un santo varón.

BEATRIZ. (*Le causa gracia y sonríe.*)—¿Sí? ¡No me diga!

MIGUEL.—¡Bueno!... De s a n t o no tengo nada. ¿Y de varón? ¿Qué tengo de varón? (*Piensa.*) Está visto que mi debilidad son las preguntas.

MARÍA. (*Grita.*)—¡Virgen! ¡Soy virgen! (*Se abre de piernas y manos, gritando.*) ¡Revísenme! ¡Vamos! ¡Quiero que me revisen!

MIGUEL. (*A* BEATRIZ.)—¿Usted cree que es tan importante serlo?

BEATRIZ.—¿Varón?

MIGUEL.—¡Virgen!

María.—¿Por qué no puedo ser virgen? (*A* Beatriz.) A usted le parecerá imposible que yo sea virgen, pero se equivoca.

Beatriz.—¡Oh, no! Nada hay imposible. ¡Sólo que... tengo mis dudas!

María.—¿Duda? ¡Ajá! (*La observa como si se tratase de un bicho raro.*) ¡Duda! ¡Está visto que debe tratarse de una enfermedad!

Beatriz.—¡Oh, no! Nunca estuve enferma. Me crié en el campo. Y usted ya sabe, la gente del campo es fuerte como un...

Miguel. (*Interrumpiéndola.*)—¡Lugares comunes, no!

María.—¡Duda! ¡Sí! ¡Tiene dudas!

Beatriz. (*Reconociéndolo alegremente.*)—¡Sí! ¡Sí!

María. (*Muy seria.*)—Y también nuestro carnicero tiene dudas. Y doña Juana, que tiene un kiosco de cigarrillos, y el encargado de este edificio, y su mujer, y un hermano político que trabaja en una obra en construcción, y el japonés de la tintorería de la calle Melo, y mi modisto, que después de haberse sicoanalizado tres veces, lo único que sacó en claro es que no debía seleccionar sus maridos entre las fuerzas de la marina, ya que tiene una marcada predisposición a marearse, y en ese aspecto el sicoanálisis todavía está en pañales. Y no obstante esos problemas, está plagado de dudas. En fin, hoy todo el mundo duda. Tener dudas se ha convertido en el signo de nuestro tiempo. ¡Qué poca imaginación!

Miguel. (*Con tono muy erudito.*)—¿Cómo actúan en usted las dudas?

María. (*Muy profesional.*)—¿Se siente acorralada o simplemente agobiada?

Beatriz. (*Sin comprender el giro de la conversa-*

ción.)—¿Cómo dice? (*Reacciona atajándose.*) ¡No!
¡No sé!

María.—Quizá se despierte en mitad de la noche
angustiada. ¿Se despierta?

Miguel. (*Observándola como si estuviera ante un
caso clínico.*)—¡Interesante! Su caso es digno de
estudio.

María. (*Persuasiva.*)—¡Se angustia!

Beatriz. (*Temerosa y al mismo tiempo deseando
entrar en confianza.*)—¡Bueno!... ¡Ya lo dije!...
(*Duda.*) ¡Le repito que no sé!

Miguel. (*Paternal.*)—¡Claro! ¡Claro! ¡Palpitaciones!

Beatriz. (*Temiendo confesarse.*)—¡Sí! ¡Quizá sean
palpitaciones! (*Al darse cuenta de lo que ha dicho.*) ¡No! ¡Palpitaciones, no! (*Entregándose.*)
¡Bueno!..., algo parecido.

Miguel.—¿Pequeños ahogos?

Beatriz.—También. ¡Como si me oprimiera!...

María. (*Ayudándola muy dulcemente.*)—¿Un peso
blando y al mismo tiempo obsesivo?

Beatriz. (*Entrando en el juego.*)—¡Sí! Aunque no
tan blando. Algo así como...

Miguel.—Y entonces usted trata de liberarse.

Beatriz.—¡Claro! ¡Yo trato! ¿Cómo sabe?

María.—Quiere sacarse ese peso de encima.

Beatriz.—¿Quiero? (*Sin saber qué decir.*) ¡Bueno!...

Miguel.—¡Quizás no quiera!

Beatriz.—Póngase usted en mi lugar. ¿Qué haría
usted en mi lugar?

Miguel.—¡Oh, no! Esa posición es demasiado com-
prometedora para mí.

Beatriz.—¡Ah, comprendo! ¿Entonces?

María.—Se siente agobiada, pero no puede ne-
garse.

Beatriz.—¡No puedo!

MIGUEL.—Quiere escapar de la atracción de ese peso, pero al mismo tiempo siente que no quiere.

(MIGUEL *se le va acercando.*)

BEATRIZ.—¡Eso! ¡Sí, sí!

MARÍA.—¡Y se siente floja!

BEATRIZ. (*Relajándose.*)—¡Ah!...

MIGUEL. (*Cada vez más cerca, casi rodeándola.*)— Sus pies son de algodón. Livianos y también pesados como de plomo.

BEATRIZ.—¡Sí! Y yo trato de...

MARÍA. (*Ayudándola.*)—¡... huir!

BEATRIZ.—Claro que quiero huir. ¿Hacia dónde? (*Trata de escapar hacia un lado, pero* MIGUEL *se interpone, atajándola.*) ¡Rápido, rápido! Debe haber una salida.

MARÍA.—¡Tienes que correr! ¡Hay que correr! No se deje atrapar.

BEATRIZ. (*Va de un lugar a otro, seguida de* MIGUEL, *que le obstruye el paso.*)—¡No debo detenerme! (*Se vuelve y tropieza con* MIGUEL, *que la va poseyendo.*) ¡Lo lamento mucho! No puedo hacer nada por usted. ¡Suélteme!

MARÍA.—¡Más carácter! Hágale comprender que usted no... Que no necesita de él. No necesita de nadie.

BEATRIZ.—¿Es que no me oyó? Me molesta su compañía. ¿Cómo quiere que se lo diga?

MARÍA.—No se deje manosear. Dígale que la suelte. ¿Cómo se atreve?

BEATRIZ.—¡Saque esa mano de ahí! ¿No ve que no puedo? Es demasiado pesado para mí. ¡Suélteme! ¡Suelte le digo! ¡Mire, mire! Mire cómo me ha dejado marcado el brazo. ¡Váyase! ¡Desaparezca!

María.—No basta con decirlo. Tiene que tomar una decisión.

Beatriz.—Trato de hacerlo, pero estoy tan agotada..., ¡sin fuerzas!

María.—Saque fuerzas de donde sea.

Beatriz.—Lo intento. Quiero seguir, pero se niegan. Mis pies se niegan.

María.—¿No se mueven? Me lo temía.

Beatriz.—Están fijos, como pegados a la tierra.

María.—¡Oh!... ¿Entonces?

Beatriz. (*Claudicando.*)—¡Y bueno!...

María.—Si está dispuesta a aceptarlo... Al fin de cuentas sólo se trata de un peso.

> (Miguel *la arrastra y ambos caen sobre el sillón.*)

Beatriz. (*Entregada, gozándolo.*)—¡Hum!... ¡Además, no es tan desagradable!

María. (*Acercándose a ellos.*)—¿Cómo, no lo es?

Miguel.—Escuchá, querida. Y vos siempre te quejás.

Beatriz.—¡Es suave!... También violento y dulce, y... (*Un largo gemido.*) ¡Si pudiera gritar!... (María *grita por ella.*) ¡Gritar, gritar! (María *vuelve a gritar por ella.*) ¡Oh, qué calor! (*A* Miguel.) ¿No tenés calor?

Miguel.—Sí, pero no me desagrada. ¿Y a vos?

María. (*Observándola detenidamente.*)— ¡Querida, cómo estás de transpirada!

Beatriz.—¿Mucho?

María.—Tenés la frente bastante brillante.

> (Miguel *le seca la frente con un pañuelo.* Beatriz, *al sentir el roce del pañuelo, reacciona. Se da cuenta que está en los brazos de* Miguel *y reacciona, levantándose de un salto.*)

BEATRIZ.—¡Oiga! ¿Qué hace?

MIGUEL.—Le seco el sudor de la frente.

BEATRIZ. (*A* MARÍA.)—¿Y usted? Ahí tan tranquila, sin decir nada.

MARÍA.—¿Cómo por ejemplo?

BEATRIZ.—Seré del campo, pero conozco perfectamente adónde conducen esas amabilidades. Y no las necesito. Tampoco le quiero.

MARÍA.—¡Es todo tan natural!

BEATRIZ.—¡Para usted será natural, no para mí!

MIGUEL.—Me gusta cómo se expresa. ¿No se lo dijimos antes?

MARÍA.—¡Sí! Tiene fuerza, convicción, y, además, se le ve tan segura... Es una lástima que dude.

MIGUEL. (*Teorizante.*)—Si tuviera que darle un puntaje a sus dudas. Por ejemplo, del uno al diez. ¿Con cuántos puntos las evaluaría?

MARÍA. (*Ayudándola.*)—¡Dos, cuatro, ocho...! ¿Más?

BEATRIZ. (*Sin comprender.*)—¿Ocho, cuatro, dos...? ¿A qué se refiere?

MIGUEL. (*Concluyente.*)—¡Diez!

MARÍA.—¡Oh, no! Entonces usted ha alcanzado el refinamiento de la duda. Ese es un privilegio que muy pocos logran.

MIGUEL. (*Entusiasmado.*)—¡Magnífico! ¡Diez puntos! ¡La felicito!

MARÍA.—Debo reconocer que nunca dudé con tanta intensidad.

MIGUEL.—Nunca lo hubiera miaginado. (*A* MARÍA.) ¿Vos lo sospechaste, querida?

MARÍA.—¡En absoluto!

MIGUEL.—Admito que en esta oportunidad usted ha logrado sorprenderme.

BEATRIZ. (*Ingenua.*)—¿Seguro?

MIGUEL.—La subestimé. Fue un gran error de mi

parte. Por favor, le ruego que acepte mis disculpas.

BEATRIZ.—¡Oh, no! Soy yo quien debe disculparse. ¡Soy tan torpe!

MARÍA.—Yo nunca logré sorprenderlo. Sin embargo, usted... Es muchísimo más afortunada.

BEATRIZ.—¿No me diga? ¿Y lo intentó?

MARÍA.—Utilicé las armas convencionales, pero sin ningún resultado. Esa es una de las razones por qué todavía soy virgen.

BEATRIZ.—Entonces..., ¿hablaba en serio?

MIGUEL.—¡Cómo se atreve! Nosotros siempre hablamos en serio.

MARÍA.—Empleé los métodos más variados para intentar seducirlo, pero sin ningún resultado.

BEATRIZ.—¿Quiere decir que después de tantos años de casados todavía no...?

MIGUEL.—Exactamente veinte años.

BEATRIZ.—¡Sí, sí! Después de todos esos años, todavía usted y él no...

MARÍA.—Veinte años es una cantidad de tiempo bastante respetable. Pero todavía no tuvimos la suerte de que se presentara esa oportunidad.

BEATRIZ.—¿Y qué esperan?

MIGUEL.—¡Que yo sepa!... ¿Esperamos algo, querida?

MARÍA.—¡Oh, no! ¡Nada! A mí, lo que me enseñaron, y que nunca olvido, es que en el matrimonio lo que importa es la respetabilidad. Y nosotros somos un matrimonio del que nadie podría decir ni mus.

MIGUEL. (*A* BEATRIZ.)—¿Lo duda?

BEATRIZ.—¡No! No se trata de eso. Pero es que ustedes logran confundirme. ¡Hablan razonablemente, y de pronto...! No resulta nada razonable.

MIGUEL.—Tratamos por todos los medios de ser encantadores. Creo que con usted lo estamos consiguiendo.

MARÍA. (*A* MIGUEL.)—¿Estás seguro que hace veinte años que nos casamos? Veinte años es una verdadera enormidad.

BEATRIZ.—Año más o año menos. Lo que resulta imposible de creer es que después de tanto tiempo aún no se hayan decidido...

MARÍA.—¿Qué es eso de un año más o un año menos? ¡Más respeto por los años! No es como para tomarlo tan a la ligera. Un año son trescientos sesenta y cinco días.

MIGUEL. (*Puntualizando.*)—¡Salvo los bisiestos!

MARÍA.—Nosotros nos casamos un año bisiesto. ¡Ah, qué tiempos!

BEATRIZ.—¿Sí?

MIGUEL.—¡Llovía! ¿Recordás, querida?

MARÍA.—¡Cómo lo voy a olvidar! Hay ciertos hechos que perduran a través de toda la vida.

BEATRIZ.—¡Qué cierto!

MARÍA.—Justo en el momento que nos disponíamos a salir para el registro civil se descargó una tormenta... ¡Qué diluvio! ¡Si usted hubiera visto!

MIGUEL.—Llovió durante tres días consecutivos. Por supuesto que el Riachuelo se desbordó, el Brazo Largo arrasó con varias villas miseria, y la tradicional solaridad del pueblo argentino fue muy comentada por los diarios.

MARÍA.—¡Una enormidad! Estuve tres días con la nariz pegada a los vidrios de la ventana, esperando que dejara de llover. (*Algo la sobresalta.*) ¿Y después?

MIGUEL.—Después, ¿qué, querida?

MARÍA.—¡Sí! Después que dejó de llover.

MIGUEL.—Salió el sol, o quizás no. Ese detalle no lo recuerdo. Ahora, eso sí, los diarios siguieron hablando durante toda la semana de la abnegación del pueblo castigado y de cómo el resto de la población respondía al llamado. ¡Bueno!... Palabra más, palabra menos, los mismos comentarios de todos los años.

MARÍA.—Lo que yo quiero preguntarte es si fuimos o no fuimos.

MIGUEL.—¡Oh, no! No es mi fuerte contemplar el espectáculo dantesco de la ribera castigada por la inundación. ¿O lo es?

MARÍA.—¡No! ¡Seguro que no! Pero yo me refiero a lo otro. ¿Fuimos o no fuimos al registro civil?

MIGUEL.—¡Ah!... Déjame pensar. ¡No! No fuimos.

MARÍA.—Ya me parecía a mí. Quería imaginarme la escena, y ¡nada! No podía. ¿Y sabe por qué? Me faltaban elementos.

MIGUEL.—No estaba en nuestros cálculos un cambio de tiempo tan imprevisto.

BEATRIZ.—¿No fueron? Entonces...

MIGUEL.—Tampoco tiene ninguna importancia. Sólo se trataba de una formalidad. No hace al vínculo sagrado del matrimonio. (*A* BEATRIZ, *con naturalidad.*) ¿Usted es casada?

BEATRIZ. (*Aterrada.*)—¡No! ¡Oh, no! ¡Por supuesto que no!

MARÍA.—¡Querida! Lo niega con el mismo terror que si le hubieran preguntado: "¿Usted es tuberculosa?"

BEATRIZ.—Soy muy joven todavía.

MARÍA. (*Agresiva.*)—No trate de echarme en cara su juventud, porque entonces sí que la mando a la mierda.

BEATRIZ.—¡Perdóneme! No fue mi intención.

MIGUEL.—No estuvo muy amable. Reconózcalo.

BEATRIZ.—¡Sólo quise decir!...

MIGUEL.—Que usted es joven y fresca y que ella ya no es más que una piltrafa, arrugada y con olor a vieja.

BEATRIZ.—¡Oh, no! Nada de eso. Sólo fue un comentario.

MIGUEL.—¡Muy lindo! Vea qué efecto causan en ella sus inocentes comentarios.

BEATRIZ.—Además, no me explico por qué se deprime en esa forma si todavía es joven. ¡Sí, créamelo! ¡Está usted en la mejor edad! ¡La edad del equilibrio..., la sensatez...!

MIGUEL.—¡... la menopausia!

BEATRIZ.—¡Oh no! ¿Cómo se atreve a hablar así?

MIGUEL.—¿Así? ¿Cómo?

BEATRIZ.—Sin miramiento. Con tan poco tacto.

MIGUEL.—Se ve que usted es de las personas que cuidan en detalle.

BEATRIZ.—¡Dentro de lo posible!...

MARÍA. (*Explotando.*)—¡Lo sospechaba! En eso, ambos se parecen. El también cuida el detalle.

MIGUEL.—Tengo mis principios, que no son justamente los tuyos. Eso ya lo hemos discutido hasta el cansancio. No resolveremos nada volviendo nuevamente sobre el tema.

MARÍA.—Tampoco necesitás recordármelo. (*Recitando.*) "Tu libertad termina donde empieza la mía." (*Furiosa.*) Pero yo no quiero saber nada de esos principios tan liberales. Yo quiero ser avasallada, violada. Violada de violar. ¡Violar! (*Haciendo memoria.*) ¡Violar! ¡Violar!

MIGUEL. (*Ayudándola.*)—Se conjuga como amar, querida.

MARÍA.—Gracias. ¡Yo violo..., tú violas, el viola!...

(*Aburrida.*) ¡No! No resulta nada atractivo conjugarlo en esa forma.

MIGUEL.—Probá en voz pasiva.

MARÍA. (*Divertida.*)—¡Yo soy violada! (*Grita de júbilo.*) ¡Hum!... ¡Tú eres violado!... (*Grita.*) ¡Ah!... ¡El es violado!... ¡Nosotros somos violados!... ¡Vos!... ¡El!... ¡Todos!... (*Con rabia creciente.*) ¡Todos!... Todos, menos yo. ¡Yo soy virgen! Todavía nadie me ha violado. (*A* BEATRIZ.) Ya sé que usted es incapaz de creerlo.

BEATRIZ.—Por mí no se preocupe.

MARÍA.—El también es virgen. Al menos nunca se acostó con una mujer.

MIGUEL.—Te recuerdo que vengo acostándome con vos desde hace veinte años.

MARÍA.—¡Sí! Dormimos juntos, pero nada más.

BEATRIZ. (*Decepcionada, como si el mundo se le viniera abajo.*)—¡Oh, no! ¡Y yo que creía que eran tan felices!

MIGUEL.—¡Y lo somos!

MARÍA.—¡Claro que lo somos! El hecho de que todavía no se haya decidido a perder la virginidad con una mujer no es ningún obstáculo para no serlo.

BEATRIZ. (*Entrando en un nuevo desconcierto.*)—¿No?

MARÍA.—Quizás me expresé mal. Todavía no perdió la virginidad con una mujer, pero no con los hombres, ¿verdad, querido?

BEATRIZ. (*Horrorizada. Es más de lo que sus oídos pueden soportar.*)—¡Oh, no! ¡Por favor, no! ¡No diga nada más! ¡No quiero saber nada! Haré como si no la hubiera escuchado.

MIGUEL.—Usted es como el avestruz. Esconde la cabeza ante la realidad. Debe estar influenciada por el medio ambiente. Es comprensible. Veinticuatro millones de argentinos pueden doblegar el espíritu más incorruptible. ¿Un consejo? No los imite. Sea personal.

BEATRIZ.—¡Me desconciertan!

MIGUEL.—Acepte la realidad. Es la mejor terapia.

MARÍA.—Antes los traía a casa.

MIGUEL.—No macanees. Nunca traje a nadie a casa.

BEATRIZ.—Se lo suplico. No siga. No quiero saber nada de sus intimidades.

MARÍA.—¿Intimidades? Querida, no sea cursi.

MIGUEL.—Te aclaro que nunca traje a nadie a casa. Es lo que vos siempre deseabas que hiciera, para después llevártelos a tu cama.

MARÍA.—¡Los traías a casa! (*A* BEATRIZ.) ¿Sabe? Yo me hacía la dormida para que así pudiera actuar libremente, sin ninguna clase de interferencias.

MIGUEL.—Te das demasiada importancia. Pero te recuerdo que tu presencia nunca me inhibió lo más mínimo.

BEATRIZ.—¿Cómo pueden hablar así?

MARÍA.—Es cierto que desde hace más de dos años que no trae a nadie a casa, pero no crea que deja de intentarlo. Lo que sucede es que ya no tiene el éxito de antes.

MIGUEL.—Estás inventando. Y lo hacés con un fin turbiamente premeditado. Querés estimularme para que salga a la búsqueda. Pero no te daré ese gusto.

MARÍA. (*Ríe.*)—Debería nombrarte paseante vitalicio de la avenida Santa Fe.

MIGUEL.—Te confundes, querida. Sos vos la que te agotás paseando la avenida Santa Fe, de arriba abajo, sin ningún resultado. Y todo porque no querés hacerme caso. Te he repetido hasta el cansancio que ahí no conseguirás nada más que pitucos o maricas. Cambiá de barrio. Mataderos, Plaza Italia o, mejor, el Once. En el Once están nuestros muchachos del interior, fuertes, desbordantes de vida y no se preocupan demasiado por el estado de la mercadería.

MARÍA.—Te equivocas si crees que es tan fácil.

MIGUEL.—Probá a bajar del pedestal. Por una noche, olvídate de las luces y las vidrieras de la avenida Santa Fe. Ahora, eso sí, tenés que desempeñarte como una verdadera ramera. Nada de sofisticaciones.

MARÍA.—Te repito que no es tan fácil como imaginás.

MIGUEL.—Andate esta noche a Plaza Once y después me lo contás.

MARÍA.—¿Y si te confieso que ya estuve?

MIGUEL. (*Sin comprender.*)—¿Dónde?

MARÍA.—En el Once.

MIGUEL.—¿Cómo? ¿Fuiste a Plaza Once? ¿Cuándo, cuándo fue eso?

MARÍA.—¡Un día! ¡La semana pasada!... ¡El mes pasado! ¡No recuerdo!

MIGUEL. (*Explotando de indignación y rabia.*)— ¡Puta! ¡Fuiste al Once y lo tenías tan callado!

MARÍA.—¡No! ¡Callado, no! No se presentó la oportunidad.

MIGUEL.—Sos la más vulgar de las rameras.

MARÍA.—Si me dejas que te explique...

MIGUEL.—No necesito ninguna clase de explicaciones.

MARÍA. (*Implorándole.*)—Pero yo sí lo necesito. Puedo explicártelo todo. Y estoy segura que comprenderás.

MIGUEL.—¡Es lo que vos esperas!... Pero esta vez no me dejaré convencer.

7

BEATRIZ. (*Intercediendo.*)—¡Por favor! ¡No se ponga así! ¡Deje que le explique! Es su esposa y usted debe escucharla.

MIGUEL.—¿Cree que me va a divertir que me cuente cómo le hizo el amor el tipo ese que se levantó en Plaza Once? ¿Es eso lo que quiere?

MARÍA.—Pero es que no me hizo el amor.

MIGUEL. (*Sin poder creer lo que oye. Perplejo.*)—¿Cómo? ¿Cómo decís? (*Sin poder aceptarlo.*) ¡Ah, no! Eso sí que no puedo creerlo.

MARÍA.—¡Es la pura verdad!

MIGUEL.—No le gustaste.

MARÍA.—¡Tampoco sabría decirte!... ¡Hablaba tan poco el pobre!...

MIGUEL. (*Algo le pasa por la mente, pero lo desecha rápidamente.*)—¡No! No puedo creer que se tratara de un marica. ¿En Plaza Once? ¿También en el Once? Entonces tienen copados los cien barrios porteños. ¡No! ¡Oh, no! ¡No es posible! Y yo que estaba convencido que todavía se podía confiar en las reservas morales del interior del país. Entonces éste es un país de castrados. ¡Dios!... ¡Dios!... ¡Es tan doloroso tener que reconocerlo! ¡No!... ¡No puede ser! No es posible que nuestros muchachos del interior, fuertes, avasalladores, con olor a campo, hayan perdido su virilidad. ¿Qué será de nosotros? ¿Cómo defendernos del enemigo exterior? Nuestros soldados en lugar de ir al campo de batalla llevando los fusiles en alto, van a esgrimir las agujas de hacer croché. ¡Una guerra a crochetazos! ¡Qué horror! ¡Oh, Dios!... ¡Esto es espantoso! ¡Prefiero no estar vivo! No podría resistir el espectáculo. ¡Y las consignas de nuestros mayores!... ¡La herencia de los próceres!... ¡El legado de la historia!... ¡No! ¡No! ¡Por el suelo, no! (*Piensa y se horroriza.*) ¿Qué será de nuestro estilo nacional de vida? ¡A la mierda con el estilo! (*Con resolución.*) ¡No! ¡No! ¡Yo no lo veré! ¡Mis ojos no lo verán! (*Se detiene ante el atisbo de una duda.*) ¿Y si todo fuese un ardid? ¡Sí! Un ardid inventado por vos. ¡Eso! (*Plenamente convencido.*) ¡Lo inventaste! ¡Claro! ¡Vos lo inventaste todo! ¡Sólo se trata de una vulgar calumnia! Así actúan los enemigos del país. ¡Difunden falsos rumores!... ¡Fomentan el desconcierto!... ¡La desorientación!... Crean el caos y ya está el terreno preparado para que venga el comunismo.

BEATRIZ. (*Salta horrorizada como si acabara de ver un ratón.*)—¡Qué horror! ¡No!

MIGUEL.—Pero te obligaré a que me digas toda la verdad. Aunque para ello tenga que recurrir a la fuerza.

> (*Se precipita sobre ella amenazándola.* BEATRIZ *se interpone en un intento por detenerlo.*)

BEATRIZ.—¡No! ¡Violencias, no!

MIGUEL.—¡Vamos! ¡Confesá! ¡Toda la verdad! ¡Ese muchacho del interior no era ningún marica! (*Grita para que no quede lugar a dudas.*) ¡No lo era! ¡No podía serlo!

MARÍA. (*Tranquila y muy natural.*)—¡No! Efectivamente, no lo era.

BEATRIZ. (*Respira aliviada.*)—¡Ah..., qué alivio! ¡Estamos salvados!

MIGUEL. (*Grita.*)—¡Y era fuerte!

MARÍA.—¡Sí! ¡Se le veía muy fuerte!

MIGUEL. (*Grita.*)—¡Avasallador!

MARÍA.—¡También!

MIGUEL.—¡Y estaba dispuesto a violarte a la vuelta de la esquina!

MARÍA.—¡Oh, sí! Era un volcán.

BEATRIZ. (*Haciendo fuerzas como si estuviera en
la cancha de fútbol.*)—¡Mis muchachos del interior!

MIGUEL.—¡Con olor a campo!... ¡A pasto recién
cortado!

MARÍA. (*Con firmeza.*)—¡No! En el olor discrepa-
mos. No olía ni a campo, ni a pradera. Sencillamente tenía un penetrante olor a transpiración.
Y con esos olores yo no la voy. Por eso me negué
a acostarme con él.

MIGUEL.—¿Te negaste, decís?

MARÍA. (*Resuelta.*)—¡Me negué! Y te aseguro que
hasta hoy no sé cómo hice para poder sacármelo
de encima.

MIGUEL.—¿Te imploró?

MARÍA.—Una y otra vez.

MIGUEL.—¡Y vos... insensible!

MARÍA.—¡Me dolió tener que defraudarlo, pero!...

MIGUEL. (*Decepcionado.*)—¡Le defraudaste!

MARÍA.—Me vi obligada a decirle la verdad crudamente.

BEATRIZ. (*Emocionada como ante un teleteatro.*)—
¿Cómo le dijo?

MARÍA.—"¡Querido, si vos no te das un buen baño
y te sacás ese olor de encima, conmino no
contés!"

MIGUEL.—¿Y qué contestó?

MARÍA.—Era de Luján.

MIGUEL.—No te pregunté de dónde era, sino qué
contestó.

MARÍA.—¡Entre ir a Luján a bañarse y volver!...
Decidimos dejarlo para otro día.

MIGUEL.—¡Pero mujer!... Esas cosas no se dejan para otro día. ¿Me podés decir de qué te han servido veinte años de convivencia mutua?

MARÍA.—También pensé en traerlo aquí para que se bañara.

MIGUEL.—Esa hubiera sido la actitud más razonable.

MARÍA.—¡Lo pensé! Fue lo primero que pensé, pero temí que el muchacho fuera un motivo de discusión.

MIGUEL.—Me sorprendes, querida. ¿Por qué íbamos a discutir? Como si fuera la primera vez que traes un amiguito a casa.

MARÍA.—No. No sería la primera vez, pero estoy harta de ser yo siempre la que se toma todo el trabajo, para que después sea con vos con quien terminan acostándose.

MIGUEL.—¿Celosa? ¡No! (*A* BEATRIZ.) ¿Se da cuenta? Está celosa. Esa actitud sí que me resulta totalmente inexplicable.

BEATRIZ.—Eso quiere decir que ella lo quiere.

MARÍA. (*Enérgica.*)—¿Y a usted quién le dio vela en este entierro?

BEATRIZ.—¡Bueno!... ¡Yo!... ¡Como no se ponen de acuerdo!... ¡Creí que mi deber!...

MIGUEL.—No olvide que está en casa ajena y aquí sólo tiene obligaciones.

BEATRIZ.—¡Sí! ¡Sí! Pero yo no me refiero a eso.

MARÍA. (*A* BEATRIZ.)—¿Vio? El nunca entiende nada. Lo mismo le sucede conmigo.

BEATRIZ. (*Conciliadora.*)—Usted debería ser más comprensiva. La mujer siempre tiene que hacer algunas concesiones.

MARÍA.—¡De acuerdo! ¡De acuerdo!... ¡Por mí!... Pero, ¿y la gente? ¿Eh? ¿Qué dirá la gente?

BEATRIZ.—¡Ah, claro! ¡Las habladurías! (*Buscando una solución.*) ¿Y se mudan a otro barrio, eh? Donde nadie los conozcan.

MARÍA. (*Fascinada.*)—¡Muy buena idea! (*A* MIGUEL.)

¿Vos estás de acuerdo? Podríamos estar tres meses en cada barrio.

MIGUEL.—¿Para qué me consultás? Sabes bien que podés contar conmigo para lo que sea.

BEATRIZ. (*Satisfecha por su intervención.*)—¿Qué me dice? ¡Es cuestión de hablar! ¡Conversan y... en seguida surge la solución!

MIGUEL. (*A* BEATRIZ.)—Para usted todo es muy fácil. Y hasta es capaz de creer que un problema tan básico como el nuestro, puede solucionarse con el simple hecho de cambiar de barrio.

BEATRIZ.—¡Bueno!... ¡Hacen la prueba, y si no resulta!...

MIGUEL.—¡Se va todo al diablo! ¿No es eso? Veinte años de felicidad conyugal al diablo. Para usted es muy simple, porque está fuera del asunto. Pero se trata de nuestra piel y de nuestros huesos. (*Grita con vehemencia.*) De nuestra vida arrojada de un manotazo a la basura. ¿Quiere que le diga cuál es su problema? ¡No piensa! No se detiene a pensar. Por eso no analiza las cosas. Nosotros nos diferenciamos de usted en que sí pensamos. Rumiamos como cabras. ¡Una y otra vez! Desde arriba para abajo y vuelta a empezar de nuevo. Porque nos preocupamos por encontrar la punta del ovillo. Vivimos angustiados por la punta. ¿Entiende eso?

BEATRIZ.—¡Sí! ¡Oh, sí! ¡Sí! Pero, por favor, no se ponga así. Si yo lo comprendo muy bien. No debí hablar. Tampoco lo hice por curiosidad. Sólo pensé en ayudar.

MARÍA.—¡Querida, no me hable de ayudar! ¡Si ni servir un triste café sabe!

MIGUEL.—Y le diré algo más. Antes de que usted apareciera por esa puerta, esta casa era un oasis de paz. Convivíamos con alegría y nos sentíamos unidos el uno al otro. Algo que ya nunca podrá repetirse.

BEATRIZ.—¡Oh, no! ¡Usted piensa que yo he sido la causa de!...

MARÍA.—¡Los hechos, querida, los hechos!

MIGUEL.—No vamos a negar que teníamos nuestras pequeñas desavenencias. ¿Pero qué matrimonio no las tiene? Cosas de ínfima importancia. ¡Matices! ¿Y ahora? Se ha abierto un abismo que nos separa. Y lo peor es que ninguno de los dos está dispuesto a dar su brazo a torcer. ¿Vio lo que consiguió? ¡Si en estos momentos estuviéramos solos!... ¡Sólo ella y yo!... Bastaría una mirada a los ojos para empezar de nuevo otra vez. Pero en las actuales circunstancias, eso es totalmente imposible.

BEATRIZ.—¿Por qué es imposible?

MIGUEL.—Tenemos nuestro orgullo. Y él nos prohíbe claudicar ante nuestro prójimo.

> (BEATRIZ *queda pensativa. Con decisión, toma la valija y la pone sobre una silla. La abre. Toma el abrigo y lo guarda dentro de la valija.*)

MARÍA.—¿Me puede decir qué es lo que hace?

BEATRIZ.—Me marcho.

MARÍA.—¡Qué tontería!

BEATRIZ.—Debí haberlo hecho muchísimo antes.

MIGUEL.—No se apresure. Antes piense que no tiene donde ir.

BEATRIZ.—No se preocupe. Pasaré la noche en un banco de la estación.

MARÍA.—No se lo recomiendo. ¡Son durísimos!

BEATRIZ.—No permitiré que por mi causa se deshagan veinte años de matrimonio.

MARÍA.—Se ve que no nos conoce.

BEATRIZ.—¿No?

MIGUEL.—Tampoco puede pretenderlo. Apenas si hace cuatro horas que llegó a esta casa.

BEATRIZ.—¡Por eso mismo! Prefiero marcharme ahora, antes que empiece a tomarles afecto. Y debo confesarles que hasta lo habían logrado. Ese es mi defecto. En seguida me encariño con la gente.

MARÍA. (*Se conmueve al escucharla y estalla en llanto.*)—¡Ah!... ¿Está contenta ahora? ¡Lo consiguió! Consiguió hacerme llorar.

BEATRIZ. (*Deja la valija y corre a consolar a* MARÍA.) ¡Oh, no, señora! ¡Por favor, no llore!

MIGUEL.—¡Es de un corazón tan sensible! La cosa más insignificante la emociona. Debido a su corazón, en esta casa se vive un permanente clima de tragedia.

BEATRIZ.—¡Oh!

MIGUEL.—Con decirle que los diarios los guardo bajo llave para que no los lea.

BEATRIZ.—¿Bajo llave?

MIGUEL.—Con dos vueltas de llave. (*Abre la puerta del placard mostrándole los diarios.*) ¡Observe!

BEATRIZ.—Es para no creerlo.

MIGUEL.—Trato por todos los medios de que no lea las noticias de los diarios. Le impactan de una forma tal, que usted no se imagina.

BEATRIZ.—¡No me diga!

MIGUEL.—Basta con que lea una noticia sobre un accidente de tránsito, para que le dé un ataque de asfixia y en seguida hay que meterla en una carpa de oxígeno.

BEATRIZ.—¡No!

MIGUEL.—Un robo a un banco la deja sorda como una tapia.

BEATRIZ.—¡Ah! ¡Quién diría!

MIGUEL.—La lectura sobre un bañista ahogado en las playas adyacentes a la capital, le produce un schok emocional del que nunca termina de reponerse totalmente.

BEATRIZ.—¡Qué bárbaro!

MIGUEL.—Y la noticia de una violación a una menor, la deja sin habla durante tres días consecutivos.

BEATRIZ.—¿Sin habla? Eso sí que es interesante.

MIGUEL.—Cuando estoy cansado de escucharla, le doy a leer todas las violaciones que vienen en el diario y así descanso de ella durante un tiempo.

BEATRIZ.—¡Qué bien! ¡Qué bien pensado!

MIGUEL.—En una oportunidad me asusté realmente. Estuvo ocho meses consecutivos sin hablar.

BEATRIZ.—¿Tantos? ¡No! No puede ser.

MIGUEL.—Eso mismo pensé yo. Cuando leí detalladamente el diario, me di cuenta que se trataba de un error.

BEATRIZ.—¡Ah! ¡Ya me parecía a mí!

MIGUEL.—Había tantas violaciones, que en lugar de ocho meses sin hablar, tendría que haber estado ocho años.

BEATRIZ.—¡Pobre! ¿Y las guerras? ¿Cómo le afectan las guerras?

MIGUEL.—¿Las guerras? Lee las noticias de guerra mientras toma el desayuno. Sobre ese particular es de una gran entereza.

BEATRIZ.—¡Menos mal! (*Se produce un silencio.* BEATRIZ *los mira y espera alguna reacción por parte de ellos.*) ¡Bueno!... (*Levanta la valija y queda indecisa por unos segundos.*) ¡Me marcho!... (MARÍA *y* MIGUEL *están ausentes, sin prestarle ninguna atención.*) ¡Es lo mejor, tanto para ustedes como para mí! (*Da un paso llevando la valija y al mismo tiempo está pendiente de cual-*

quier indicio o reacción. Al no producirse, opta por resignarse.) ¡Hum!... Tuvieron un lindo gesto. ¡Me invitaron sin saber quién era yo!... Hoy día no cualquiera tiene un gesto así. No saben cuánto se lo agradezco. En aquel momento creía que la tierra se abría a mis pies. ¡Ahora ya no! Ahora estoy muchísimo más tranquila. ¡Bueno!... (*Esperando inútilmente una reacción, al no producirse se dirige lentamente hacia la puerta. Junto a la puerta se vuelve haciendo un gran esfuerzo para mostrarse alegre.*) ¡Buenas noches..., y gracias! (MARÍA, *sigilosamente, se desliza por la pared con la mano extendida buscando el interruptor de la luz.* BEATRIZ *la presiente. Se vuelve, pero* MARÍA *se anticipa a apagar la luz, quedando la escena totalmente a oscuras.*) ¿Qué hacen? ¿Por qué apagaron la luz? (*Se oye el ruido de un mueble al caer y un pequeño quejido de dolor. Después vuelve la luz.* BEATRIZ *la ha encendido, al mismo tiempo que se conduele del golpe recibido al tropezar con el mueble. Varios muebles hay tirados por el suelo.*) ¿Dónde se han metido? ¡Vamos! ¡Salgan! ¿A qué jugamos? (*Busca a* MARÍA *y* MIGUEL *por la escena sin encontrarlos.*) Si no querían que me marchara, al menos podrían haber hecho algo para detenerme. ¿O no se dieron cuenta que no tengo dónde ir, y que me hubiera gustado quedarme con ustedes? ¡Vamos! ¡Salgan! ¿Dónde están? (MARÍA *aparece detrás de un mueble. Sigilosa se desplaza para que no sea vista por* BEATRIZ. *Esta se vuelve en el momento que* MARÍA *logra apagar la luz.*) ¡La descubrí! ¡La descubrí! ¡Está detrás del sillón! (*Ríe, ahora divertida.*) ¡Ya no me asustan! Se trata de un juego.

> (BEATRIZ *enciende las luces, viéndose ahora a los tres personajes en escena.*)

MIGUEL.—¡Sí! ¡Ev¡dentemente! Es nuestro juego favorito. Lo practicamos todas las noches antes de irnos a la cama. Le voy a explicar en qué consiste. Uno apaga la luz, mientras los otros se ocultan dentro del ámbito de esta sala. Después se enciende la luz y al primer golpe de vista hay que descubrir el lugar exacto donde se oculta cada uno.

BEATRIZ.—Es muy fácil.

MARÍA.—¡No crea! ¡Parece fácil!

BEATRIZ.—¿Probamos?

MARÍA.—Yo apago la luz. ¿Preparados? (*Apaga la luz. Se oyen corridas y ruidos de muebles.*) ¡Enciendo! ¡Ya! (*Enciende la luz. Ella está sola en escena. Observa a su alrededor y después señala hacia el sillón.*) Alguien está oculto detrás del sillón rojo.

(MIGUEL *sale de detrás del sillón.*)

MIGUEL.—¡Querida..., a vos nunca puedo engañarte! Espero que con la joven no tengas tanta suerte.

MARÍA.—En el placard de los diarios.

(*Se abre el placard y aparece* BEATRIZ.)

BEATRIZ. (*Divertida.*)—¿Cómo lo adivinó? Estaba tan segura que no me descubriría...

MIGUEL.—Ella tiene mucha práctica. Yo practico este juego porque, además, es un ejercicio fantástico. Después de esto, uno termina agotado. Se va derecho a la cama y en seguida logro conciliar el sueño.

BEATRIZ.—¿Probamos de nuevo? ¿Quieren? Pero esta vez yo apago la luz. ¿De acuerdo?

MIGUEL.—¡De acuerdo! (*A* MARÍA.) ¿Preparada?

MARÍA.—¡Sí, querido! ¡Siempre estoy preparada!
BEATRIZ.—¡Apago! ¡Ya!

> (*Se apaga la luz y seguidamente se oye un grito desgarrante y prolongado. Después algo pesado que se estrella. Se enciende la luz. En escena están* MARÍA *y* MIGUEL, *ambos con las manos en el interruptor. Se miran. En sus rostros no hay ningún signo de emoción.*)

MARÍA. (*Natural.*)—¿Cansado?
MIGUEL.—No más de lo habitual.
MARÍA.—Te prepararé un café.
MIGUEL.—¡No! Sabes que me quita el sueño. Y esta noche espero descansar plácidamente.

> (MARÍA *se acerca a la ventana y mira hacia abajo. Retira la mirada con cierto asco.*)

MARÍA.—Me desagrada cuando se revienta el vientre y los intestinos se desparraman por todo el patio. (*Compadecida.*) ¡Qué trabajo le espera mañana a la pobre portera!
MIGUEL.—Olvidas que estamos en el séptimo piso.
MARÍA.—¡Sí! Quizá tendríamos que mudarnos a un piso más bajo. Un tercero o un cuarto. Desde esa altura, el golpe no debe ser tan fulminante. Así, después de la caída, podríamos quedarnos un buen rato contemplando todavía algunos vestigios de vida. ¡Debe ser interesante! ¿Me darás ese gusto, querido?
MIGUEL.—Mañana mismo buscá en la sección clasificados de "Clarín" una buena oferta y nos mudamos en seguida de departamento. ¿Satisfecha?

María.—¡Querido! Qué bueno poder contar siempre con vos. (*Mirando por la ventana.*) ¡Se movió!

Miguel.—¡Cómo se va a mover!

María.—¡Te digo que se movió!

Miguel. (*Acercándose a la ventana. Mira.*)—Es el viento. ¡Mirá! ¡Convéncete!

(*Ambos miran.*)

María.—¡Cierto! Ahora el viento le levanta la pollera. ¿Alcanzas a ver? Algo oscuro que le sale por la boca.

Miguel. (*Natural.*)—¡Sangre!

María. (*Impresionadísima se retira de la ventana.*) Eso sí que no lo soporto. Cubríle la cara con algo. Me impresiona muchísimo la sangre. Además, también hay que pensar en los vecinos.

Miguel.—No me hables de los vecinos, porque son todos unos desconsiderados.

María.—¡Querido!... Hay que pasarles la mano. Pensá que vivimos bajo el mismo techo.

Miguel.—Se ve que olvidaste ya que durante tres semanas tuvimos el ascensor ocupado con el cadáver del recién nacido.

María.—¿De qué recién nacido me hablás?

Miguel.—Ese que la madre amamantaba humedeciendo previamente el pezón en cicuta.

María.—¡Ah, sí!... ¡Ya recuerdo! ¡Qué refinamiento!

Miguel.—Quizá, pero yo cada vez que tenía que tomar el ascensor debía pasar por encima del cadáver, o de lo contrario subir a pie los siete pisos.

María.—¡Y... sí! No estuvieron nada bien. Lo correcto hubiera sido que los padres dejaran el cadáver sobre la vereda para que se lo llevara el coche municipal juntamente con la basura.

Miguel.—Exacto..., pero nuestros vecinos optan por

la ley del menor esfuerzo. Y vos me pedís que
piense en ellos.

MARÍA.—¡De acuerdo!... Son unos desconsiderados,
pero en el fondo no son mala gente. (*Mimosa.*)
¡Andá! ¡Hacélo por mí! ¡Tapale la cara con algo!
(MIGUEL *se dirige a la puerta de salida.*) ¿Adónde
vas?

MIGUEL.—Bajo a taparle la cara.

MARÍA.—¡No! Arrójale unos diarios por la ventana.
Hacé cuenta que estás practicando tiro al blanco.

> (MIGUEL *saca del placard un paquete
> de diarios.*)

MIGUEL.—Te adelanto que tengo una pésima puntería. No creo que desde esta altura consiga acer-
tar. (*Arroja varios diarios.* MARÍA *se asoma por
la ventana y grita muy divertida.*) ¡Nada! ¿Qué
te dije?

MARÍA.—¡Fallaste! ¡Fallaste! Apenas si le has tapa-
do un dedo de la mano. (MIGUEL *va a arrojar otro
diario, pero* MARÍA *se interesa en los titulares del
mismo.*) ¡A ver! ¡A ver! Déjame leer lo que dice
ese diario. (*Leyendo.*) "¡Sobre Vietnam del Norte,
la aviación norteamericana ha arrojado dos millones de toneladas de trinitotolueno!" (*Piensa.*)
¡Algún desodorante! (*Arroja el diario y grita
eufórica.*) ¡Mirá! ¡Le cubrí un muslo! Dos millones de toneladas de trinitotolueno cubren los
muslos de la joven. (*Mirando a* MIGUEL.) ¡Vamos!
¿Qué esperás? ¡Probá! ¡Probás vos de nuevo!
(*Toma un diario y va a arrojarlo, pero antes lee
los titulares.*) "¡Matanza de My Lai. El ejército
norteamericano practicó tiro al blanco sobre las
cabezas de quinientos civiles sudvietnamitas!"
¡Oh!... ¡Tiro al blanco! Mirá qué divertido. A
nosotros no se nos ocurrió. ¿Y si compramos un
rifle y practicamos desde la ventana? ¿Qué te

parece? Incluso podemos apostarnos algo, a ver quién de los dos voltea más transeúntes. ¿Y cómo hicieron los norteamericanos en esa aldea del Vietnam? (*Con gran despliegue toma algún elemento y simula disparar con una ametralladora.*) ¡Ta, ta, ta, ta, ta, tam! ¡Pum! ¡Pam! ¡Uno! ¡Pam! ¡Pum! ¡Dos! ¡Pum! ¡Pam! ¡Tres! ¡Pum! ¡Pam! ¡Diez! ¡Pam! ¡Pum! ¡Cincuenta! ¡Pam! ¡Pum! ¡Quinientos!

MIGUEL.—Tanto vos como yo tenemos una pésima puntería.

MARÍA.—Pero podemos aprender. ¿Qué te parece si tomamos clases de tiro al blanco por correspondencia? O mejor por medio de discos. Hoy día se aprende cualquier cosa con los discos. (MIGUEL *arroja otro diario.*) ¿Y acertaste?

MIGUEL. (*Decepcionado.*)—¡Nada! ¡Al diablo con los diarios!

> (*Arroja el resto de los diarios dentro de la habitación.* MARÍA *se precipita sobre el placard y presa de gran euforia empieza a arrojar diarios en todas direcciones. Entre ambos se establece una especie de batalla campal bombardeándose mutuamente con diarios, al mismo tiempo que leen los titulares de los diarios que se arrojan.*)

MARÍA. (*Lee.*)—"Fuerzas norteamericanas invaden Santo Domingo."

MIGUEL. (*Lee.*)—"Hitler ordena la invasión de Polonia."

MARÍA. (*Lee.*)—"Cae un avión norteamericano con cuatro bombas de hidrógeno en el sur de España."

MIGUEL. (*Lee.*)—"Nixon ordena invadir Camboya."

MARÍA. (*Lee.*)—"Triunfo de la maxifalda." (MIGUEL

se queda fijo mirándola, al mismo tiempo que avanza hacia ella. MARÍA *adivina su intención y retrocede.*) ¡No! ¡Querido, no! ¡No lo hagas! ¡Miguel, no! Sabés que soy muy frágil. (MIGUEL *corre tras ella por la habitación hasta que la alcanza, abrazándola. La levanta en peso y gira con ella por la habitación.*) ¡Miguel! ¡Querido! ¡No! ¡No seas travieso! ¡Sabes que me mareo! ¡Miguel! ¡Oh! ¡Querido! ¡Hum!...

(*Ríe complacida, abandonándose en el juego.*)

MIGUEL. (*Se detiene manteniéndose abrazado a ella.*) ¿Feliz?

MARÍA.—Mucho. ¿Vos?

MIGUEL.—¡También! Tanto como vos. (MARÍA *lo besa en la mejilla, con gran unción.*) ¿Qué te parece una bebida?

MARÍA.—¡Sí! Esta noche, sí. Algo fuerte, pero antes cerrá esa ventana. Ha refrescado de golpe.

(MIGUEL *se dirige a la ventana. Cierra la ventana y después corre las cortinas. Mientras,* MARÍA, *sigilosamente y poniendo especial cuidado de no ser vista por* MIGUEL, *saca del placard las ropas del muchacho que usara en el primer acto. Oculta a la mirada de* MIGUEL *se quita el vestido y con asombrosa rapidez se recoge el cabello encajándose la gorra, seguidamente se pondrá los blue-jean, la campera, etc. Hasta quedar transformada en el muchacho. Mientras tanto,* MIGUEL *ha cerrado la ventana. Recogerá los diarios desparramados por la habitación que después arrojará por la ventana. Va hasta el tocadiscos y elige un disco.*)

Juan Pérez Carmona.

MIGUEL. (*Observa detenidamente el disco.*)—Esta es una buena melodía. Estoy seguro que te va a gustar. (*Pone el disco en el combinado y lo escucha durante unos segundos. Recreándose en la música.*) ¡Es tan dulce esta música!... (*Está satisfecho con la elección.*) No sé si te lo dije antes, pero hemos tenido una velada espléndida. Debemos repetirla más a menudo. (*Se dirige al bar y prepara la bebida.* MARÍA *ya ha finalizado su transformación en muchacho.* MIGUEL *levanta en alto ambos vasos y los contempla. Va a volverse, pero algo lo detiene. Prueba el contenido de uno de los vasos y asiente con la cabeza. Está satisfecho de sí mismo.*) Esta noche te he preparado algo especial. (*Se vuelve y le da el vaso al* MUCHACHO *sin experimentar ninguna sorpresa ante la transformación.*) ¡Tomá! ¡Probálo y después me contás!

(*El* MUCHACHO *toma el vaso y bebe.*)

MUCHACHO.—¡Ah! ¡La flauta cómo quema!

MIGUEL.—Para que entrés rápido en calor.

MUCHACHO.—¡Como si el hombre necesitara de esto para entrar en calor! ¡Vamos! ¡Vení ahí dentro que te lo demuestro! (*Se dirige a la puerta de la izquierda. Se detiene volviéndose a* MIGUEL *que le sigue.*) ¡Ché! ¿Estás seguro que esta noche viene María?

MIGUEL.—¡Quizá! ¡Quizá!

(*El* MUCHACHO *sale por la izquierda y* MIGUEL *le sigue, desapareciendo ambos. Mientras, rápido, va cayendo el*

TELÓN

8

C U B A

El autor, que publica cuentos y poemas en un principio, va a decicarse luego, en el teatro, más a la creación de obras en un acto. Ejemplo de ello: *Las caretas, Los acosados* (1959), *La botija* (1960), *El tiro por la culata*, uno de sus primeros aciertos, y *Gas en los poros* (1961).

Los acosados es, de acuerdo con las acotaciones del autor, una pieza "alucinante", donde el tiempo está jugando un papel amplio en confrontación casi con los personajes sin nombre de la obra: El hombre, la mujer, etc. Los planos se entrecruzan y el juego escénico se divide entre realidad y fantasía —expectación, ensueño—, sin que nos demos cuenta precisa del enlace trágico con el mundo de desesperanza y necesidades de la vida diaria. *Los acosados* se trata —dice el propio Monter Huidobro— "de dos vidas desnudas, solas y abandonadas, frente a la angustia económica y la muerte. La vida se proyecta como ellos la experimentan y no como el teatro acostumbra a mentirnos. No introduzco al público en la acción: la acción ya está presente; no lo conduzco a un climax: el climax interior ya existe; no hay una progresión aparente: la progresión es meramente interna y se trata de un proceso de conocimiento; no hay final, la historia no concluye. Con esa ausencia de tradicionales elementos se abre y cae el telón". Se trata simple, pero no sencillamente, de los problemas que confronta un matrimonio joven: trabajo, falta de dinero, enfermedad, etc., en un discurrir en el que transitan

—en plazo vertiginoso de ocho meses— las agobiantes figuras de cobradores, familiares, acreedores que aplastan y fulminan de golpe los indicios de felicidad humana de la pareja en pugna por sobrevivir.

Tras el éxito de *Los acosados* presenta *La botija*. Cuba vive momentos tremendos de sacudida revolucionaria (1959) y la pieza denota el impacto: la simbólica botija —la tierra, el latifundio— es ahora propiedad de todos, y entre todos ha de ser repartida. He aquí el sencillo tema de la pieza que nos presenta una concepción mucho más débil, sin embargo, que la de *Los acosados*. No será hasta *Las vacas* en que un tema parecido se expondrá con más detenimiento, esta vez extendiéndose el desarrollo de la obra a tres actos. En *Las vacas* (Premio del Concurso José Antonio Ramos, del Municipio de La Habana en 1959), Montes Huidobro trata de plantearse un problema real incorporando a su desenvolvimiento la magia del "milagro", queriendo con ello "huir del pesimismo y conducir constructivamente a sus equivocados personajes". La pieza está elaborada desde el aspecto afirmativo del hombre mismo y el intento de Montes Huidobro es el de "despojar a sus personajes —dice el autor en nota al programa— de su apego al error y llevarlos a una posición positiva frente al mundo que construye, como único camino de salvación interna y de utilidad social".

Siguen dos piezas cortas: *El tiro por la culata* y *Gas en los poros*. En la primera, estrenada en el Festival de Teatro Campesino el 22 de marzo de 1961, se pone de manifiesto el acercamiento a la farsa y al entremés clásico, vertido en moldes criollos. El interés del hacendado Gaudencio por Carmelina, la joven y pobre guajira, destaca el tema de la explotación del pobre honrado por el rico perverso. Sin embargo, Montes Huidobro no es pez de esas aguas, y parece que la mera exposición de un estado de cosas de índole tan tradicional y consabida no le asienta. La última parte de la pieza cobra un giro inesperado: del cuasi realismo de principios se salta, casi bruscamente, al enoentremés cervantino, a la farsa con moraleja o al juego retórico de un Molière. Aquí la tradicional, sencilla e inculta campesina cobra, por arte de magia, un sutil y discreto ingenio que logra arruinar los planes del mal hacendado con sólo las armas de sus razonamientos y certeras palabras. *Gas en los poros* es una obra en la que la realidad de fondo que provoca el drama es usada para representar una pieza de consistencia "absurda". Es el drama de madre e hija, o de hija vs. madre, ambas figuras simbólicas cuya tragedia pertenece a una situación ambiental, de conjunto, más que a uno u otro personaje. La madre representa ese estado de desgracias acaecidas en un pasado cercano, un pasado de sangre, horror y abominación, en el que su sola posibilidad es transigir con la muerte para proteger la vida. La hija —doliente testigo de su tiempo— representa la agonía de lo nuevo en gestación, personaje que quiere librarse de lo pasado para poder vivir. Se desprende, no obstante, de su concepción que por haber crecido esa hija en una atmósfera enrarecida, lleva consigo el germen de lo corrompido, y que, a pesar del intento de evasión hacia mejores esferas, le aguarda un futuro incierto y difícil. La calidad de la pieza le hace decir a Rine Leal: "Montes Huidobro ha logrado integrar una atmósfera específicamente teatral, un diálogo sin retórica o falsa literatura, al tiempo que una acción, que sin dejar de ser esencialmente realista, verídica, logra al final expresar más allá de las cuatro paredes la escenografía, el encierro, la asfixia y deformación moral de sus personajes".

La salida del autor de Cuba ha determinado cierto cambio en su teatro, y le ha hecho sopesar, con nueva perspectiva, el contorno teatral al que estaba adherido. Sus nuevas piezas *La madre y la guillotina* y *La sal de los muertos* —pieza incluida en nuestra antología— evidencian el estímulo del momento y el nuevo rumbo a seguir. *La sal de los muertos* es otra obra de aspecto simbólico, a veces no muy obvios, donde personajes como Tigre y Cuca representan un pasado; Aura y Lobo, un presente preñado de pasado vital, y Lobito, el futuro; Caridad, a la que se cree loca, viene siendo algo así como una representación deformada del pueblo, al que no dan entrada en el juego de todos los personajes. Juego, al cabo, de rufianes, donde el pasado engendra un futuro horrible y desfigurado. En la trama todo se aúna para aniquilar al pasado, pero no para mejorarle, sino para suplantarle en el juego y obtener los frutos del botín. Según Montes Huidobro, la inspiración de esta obra es parte de un devenir en la corriente del teatro cubano. El propio autor indicará el camino: En reciente recorrido por el teatro cubano, en busca de material para un futuro libro sobre su teatro contemporáneo, le han llamado la atención los puntos siguientes: "a) la presencia soterrada del espíritu martiano, en el juego de cercanía a la tierra y elevación, manifestación del espíritu hispánico en general que va de la realidad al sueño, choque de polos opuestos; b) un afán devorador, feroz, canibalístico, de poderes crecientes, dentro del núcleo familiar cubano (microcosmos que en su proyección más amplia se dirige al plano político nacional y al universal) que se dirige hacia su propia destrucción, lleno de odios y de complejos freudianos; c) una técnica dramática preferencial (el teatro dentro del teatro) que le permite a los dramaturgos cubanos un juego elaborado, rico en facetas externas que son reflejo de los conflictos internos, el constante laberinto de las personalidades que se desdoblan y que juegan al juego de ser otros; d) una distorsión constante del lenguaje y de las situaciones, una constante frustración, una repetida fijación en nuestro interior de objetos amados ya perdidos que nos llevan a los límites de la esquizofrenia; e) una constante evocación mágica, una invocación para la realización del milagro, un afán de alcanzar poderes especiales para poder obtener por medio de la magia y de la fe aquellos sueños que nos han ido negando, constantemente, la realidad... No creo —prosigue Montes Huidobro— que cuando escribiera *La sal de los muertos* estuviera consciente de estos aspectos. Pero todos estos aspectos estaban, de algún modo, por dentro de mí. Formaban parte de un latido interior que, como es probable en el caso de los otros autores, nos impulsaba a una verdad trágica: la verdad de Cuba. Era la verdad de siglos la que nos obligaba a escribir, la que siempre impulsa a escribir si se es sincero, y la que de algún modo sale a la superficie, por encima de los juegos formales de una obra... No sé si estas cinco direcciones están presentes en *La sal de los muertos...*, lo que sí sé es que estos cinco factores estaban dentro de mí, como alguna esencia trágica de nuestro pueblo, que me hacía perderme en el juego..." (1).

---

(1) Notas del propio autor tomadas de una carta del mismo a los antólogos.

MATIAS   MONTES   HUIDOBRO

MATÍAS MONTES HUIDOBRO nace en Sagua la Grande (Cuba), en 1931. Después de obtener un docto-
rado en Pedagogía por la Universidad de La Habana se dedica a la enseñanza media y luego al
periodismo. Desde 1961 está radicado en los Estados Unidos donde ejerce el profesorado. En 1964
es nombrado profesor en la Universidad de Hawaii;
en la misma ha dictado cursos de literatura española, moderna y contemporánea, drama y novela
modernas y teatro contemporáneo.

En Cuba ha estrenado, y publicado más tarde,
sus primeras piezas: *Las cuatro brujas*, premiada
con el segundo lugar en el Concurso Nacional de
Teatro Cubano de 1950; *Sobre las mismas rocas*,
seleccionada como primer premio del mismo concurso un año después; *Los Acosados* (1959), con
varias puestas en escena y llevada a la televisión en
1960 con arreglo especial del propio autor; *La botija* (1960), *Las vacas* (1961), esta última primer premio en el Concurso Nacional del mismo año y uno
de los éxitos más sonados del autor; *El tiro por la
culata* y *Gas en los poros* —piezas en un acto—
ambas de 1961. En Cuba, y durante los años 1959
y 1960, hace crítica teatral y publica numerosos
ensayos en el semanario "Lunes de Revolución", al
mismo tiempo lleva a cabo un programa televisado
de crítica sobre el teatro cubano.

Aparte su labor teatral, Montes Huidobro se ha aventurado en la narrativa y la poesía. Sus cuentos *El hijo noveno, Abono para la tierra, Los ojos en los espejos, La constante distancia,* etc., han aparecido en varias revistas cubanas en el período que va de 1950 a 1961 en que deja la isla. En 1961 publica en Madrid su libro de cuentos *La anunciación y otros cuentos cubanos,* al que le sigue *La vaca de los ojos largos,* libro de poemas publicado en Hawaii el mismo año. Tiene dos novelas inéditas: *El muro de Dios* y *Lázaro perseguido.*

OBRAS PUBLICADAS:

Los acosados. Suplemento de "Lunes de Revolución", La Habana, 4 de mayo de 1959.

La botija. Revista "Casa de las Américas", La Habana, 1961.

El tiro por la culata. "Teatro Estudio", La Habana, 1961.

Gas en los poros. Suplemento de "Lunes de Revolución", La Habana, 1961, y en Rine Leal, *Teatro cubano* en un acto, Ed. Revolución, La Habana, 1963, pp. 217-242.

Dirección del autor:
Department of Spanish
University of Hawaii
Honolulu.

LA SAL DE LOS MUERTOS

De
MATÍAS MONTES HUIDOBRO

P E R S O N A J E S

LOBITO.
AURA.
LOBO.
TIGRE.
CUCA LA CAVA.
CARIDAD.

Lugar: Cuba.
Tiempo: Diciembre, 1958.

La escenografía: Pieza en una casa de familia
acomodada, posiblemente el comedor. Muebles
buenos, de buen gusto, antiguos. Se destacará principalmente un aparador lleno de objetos de plata.
Otros adornos de plata se destacarán en la estancia. Una butaca de cuero, un chaise-longue, varias
sillas. Otros muebles a preferencia del escenógra-
fo. Un espacio amplio al centro que permita movi-
lidad en el juego de actores. Hacia un lado, una
escalera que conducirá al piso alto. Entradas laterales.

ACTO PRIMERO

(*Entre las sombras se presiente la figura furtiva de alguien que no se puede definir claramente, pero que se acerca y los objetos de plata, los toca, los toma y los vuelve a dejar. Inesperadamente, un rayo de luz cae sobre la figura, que se vuelve violentamente, sorprendido.*)

LOBITO. (*A la defensiva, como un ladrón.*)—¿Quién? ¿Quién es? (*Es* LOBITO. *Tendrá cerca de quince años, tal vez menos, tal vez más; hay una fuerza precoz que resulta chocante, como si estallara. A primera vista nos luce un ser brutal. Viste un sucio pullover y un pantalón mecánico no menos sucio. Es terriblemente fuerte, atronadoramente sólido. Su sicología y su mentalidad descubren un ser monstruoso y desproporcionado, ni niño ni hombre. Es insolente, malcriado, ordinario. Dentro de su sólida contextura, una joroba incipiente se insinúa en su espalda. Molesto.*) ¡Las luces! ¡Las cochinas luces otra vez! (*Gritando.*) ¡Que apaguen esas luces! ¡A la eme con esas luces! (*Da unos pasos.*) Tenía que ser. Siempre se están chivando. (*Violento.*) Si me quieren ver y requetever y meterse en lo que no les importa, tendrán que oírme... Van a tener para rato... No saben dónde se han metido... (*Decidido a contar*.) Soy Lobito, y si de contar se trata, no dirán que me las callo, porque precisamente no me callo nada. A la boca entonces, porque si se quedan en los intestinos, ustedes volverán a sus casas con los estómagos vacíos, porque cada cual ha puesto su grano de arena para hacerme... ¿Quieren verme, no? Pues me van a ver desnudo... Así que nadie se queje... (*Pausa. Unos pasos*.) ¡Soy el niño lindo de mamá! ¡Soy el niño lindo del abuelo! ¡Soy el engendro de todo eso y mucho más!... Y todo el mundo sabe lo que hace el niño lindo de mamá y del abuelo... Tengo catorce años... (*Gritando*.) ¡Sí, ñoco, tengo catorce años! Y un centenar de malas palabras. (*Retorcido*.) ¿Por qué no? ¡El abuelo las dice! ¡Mi padre las dice! ¡Hasta mi madre las dice si le pisan un callo! Existen... Yo no he inventado ni una... (*De espaldas*.) Aprendí muchas en el colegio... En los inodoros del colegio de Belén, claro... Hasta los maricas las sabían bien... (*Inicia una especie de pantomima en tono de mofa*.) La fila... La misa de las siete y media... La sagrada comunión... Por debajo del brazo, la lista de malas palabras... Apenas entramos con nuestro catecismo para comernos los mocos y nuestra cochina cara de niños góticos, repetimos las malas palabras entre las letanías... Y en pizarrón, como una bofetada, mil veces la palabra "ñoco"... (*Gritando*.) ¡Sí, ñoco, mil veces la palabra "ñoco"... (*Iniciando un juego mímico múltiple, parodiando, interpretando personajes, falseando la voz, moviéndose rápidamente*.) En la casa:

"—¿Qué aprendió el niño?"
"—¿Adelanta el pequeño?"
"—¿Cuántas malas palabras sabe ya?"
"—¿Las lee, las escribe, las coge al dictado?"

Matías Montes Huidobro.

(*Dando un salto.*) Después, en el colegio, el jurado:
"—Confiese, hable, ¿qué mala palabra se dijo en el almuerzo?"
"—¿Cuál dijo su madre?"
"—Y el viejo Tigre, ese cochino viejo mal hablado, ¿a quién mandó al cu...?"

(*En tono jovial casi.*) ¡Ese viejo Tigre, mi abuelo! Las sabe de los años en que fue concejal, alcalde, gobernador, representante, senador, ministro, embajador, presidente del senado... ¡Una colección de ellas! ¡Es mi maestro, mi verdadero maestro! Nos las tira a la cara y nos embarra con ellas y nos deja apestando por meses... (*Iniciando la parodia otra vez, falseando la voz.*) Los comentarios:

"—Crece."
"—Aprende."
"—Llegará a algo con el tiempo."
"—Lo importante es no olvidar a la Santísima Trinidad y a los Diez Mandamientos."
"—No es más que un niño."

(*Riendo, natural.*) Es cierto, no soy más que un niño. Tengo catorce años y tres años atrás jugaba con fango en el patio... Hacía tortas de fango y después me las pasaba por la cara... Y cuando me decían bola de churre los mandaba a todos a la madre misma que los trajo... Las criadas comenzaban a gritar... Y el viejo Tigre comenzaba a reírse de la gracia... Pero ahora juego mejor... Tengo catorce años y ya sé las cosas cochinas que hacen los hombres, así que me entrego a ese juego y me embarro con fango de otro modo... Las criadas también gritan y

el viejo Tigre todavía se divierte... ¡Soy un niño
precoz y le recuerdo sus buenos tiempos de concejal, alcalde, gobernador, representante, senador,
ministro, embajador, presidente del senado...!
(*Transición, como si fuera estúpido.*) Claro que
todo esto me molesta un poco, porque en defini-
tiva no soy más que un niño... Me gusta jugar
a la pelota, jugar a las bolas, reunir sellos, co-
leccionar postalitas de Tarzán y pegarlas en el
álbum... (*Violento.*) ¡Pero no me dejan vivir en
paz, ñoco! (*Calmándose.*) Está bien, encenderé
un cigarro. (*Lo enciende.*) Cuando se encendieron
las luces creí que era ella, la re... de mi madre...
(*Pausa.*) Está bien, al grano... Contaba los objetos de plata... Esta casa está llena de objetos
de plata. Si me pudiera llevar algunas de las
cosas que hay en esta casa, me podría agenciar
lo que me viniera en ganas... Pero la vigilancia
no lo permite... Y no es que me importen estas
cosas, pero yo quisiera que fueran mías, aunque
sólo fuera para metérselas a alguien por la boca
o por alguna parte... Pero la vigilancia, ¿entien-
den?, es de marca mayor... Nos vigilamos todos...
Mamá vigila a papá, papá vigila a Cuca la Cava,
Cuca vigila al viejo Tigre... Pero sabré desquitar-
me algún día y entonces todo será mío... (*Pausa.*)
Todo el oro de esta casa está contado... ¡El desgraciado Tigre hizo los negocios sucios y se ama-
rró el dinero entre las piernas! ¿Y quién se lo
saca? Mamá lo quiere, papá lo quiere, la vieja
la Cava lo quiere. Y yo soy Lobito, para resumen,
que lo quiero también... Para comprar sellos, o
para comprar postalitas, o para irme al billar
de la esquina, o para irme a rascar con unas mujeres malas, o para chivar, para darme el gustazo
de chivar... Pero la vigilancia: la policía monta-

da de esta casa. (*Desesperado.*) ¡Quiero vivir,
quiero que me suelten! (*Agobiado.*) Algún día
romperé todas estas cosas y me llevaré sus restos conmigo al infierno...

AURA. (*Se escucha su voz cerca, pero en un tono
muy bajo, como si apenas quisiera que la escu-
charan.*)—¡Lobito..., Lobito...!

LOBITO.—¡Aquí la tenemos! ¡La que faltaba en el
entierro! ¡La vieja! La muy desgraciada me persigue por todas partes... Dice que me quiere,
pero yo por mi parte la detesto, que es mucho
más sincero... ¡Verraca! ¡Hipócrita! Se queja y se
lamenta y si puede se hace la mártir, pero es
para ver el entierro que le hacen... Lo que es
por mí, no se le haría ninguno que valiera la
pena... ¡Es el dinero! Le interesa el dinero... Por
la noche, cuando nadie vigila por aquí, viene y
lo cuenta todo... Por si falta algo... ¡Me da asco! ¡La muy puerca! ¡Tengo ganas de vomitar de
sólo pensarlo! (*Alargando la mano rápidamente
hacia un objeto de plata.*) ¡Pero hoy voy a hacer
lo que me salga de adentro! ¡Aunque me cues-
te!

(*Lo esconde.*)

AURA. (*Entrando.*)—¡Lobito..., Lobito! ¿Estás aquí?
(*Es* AURA, *una mujer extremadamente cuadrada
y corpulenta. Viste un modesto vestido de algodón negro, sin ningún adorno. Luce pulcra y
bien peinada. La única prenda, un reloj grande
en su brazo. La joroba es pronunciada, atenuada
un tanto por la corpulencia. Ve a* LOBITO.) ¿Estabas aquí? ¿Por qué no contestabas? Yo gritaba. Te he estado gritando durante media hora.
Tenías que oírme... Estoy segura que tu padre...
¿Por qué no me contestas, Lobito?

LOBITO. (*Sin hacerle mucho caso.*)—No soy sordo. Te estoy oyendo.

AURA. (*Escuchando.*)—¡Calla! ¿Oíste ahora? Debe ser tu padre. (*Pausa.*) Anoche, cuando dieron las tres, comencé a oír pasos por el tejado... ¿No eras tú? Temí que fueran ladrones y comencé a correr por toda la casa, por si se llevaban algo... Lo cuido... Te he prometido cuidarlo todo... ¿No eras tú? ¿Por qué hacías esa bulla? Tu padre se levanta y camina como si estuviera en una jaula... Comienza a temblar... Todos estamos como encerrados, pero tenemos derecho a un descanso, un respiro... ¿Lo entiendes, Lobito? ¿Es que no te das cuenta de lo que te digo?

LOBITO. (*Toda una explicación.*)—Tengo catorce años, mamá.

AURA.—Nada más que piensas en escaparte... Escaparte por ahí, por el ingenio, por la calle del río, no sé por dónde... (*Dramática.*) ¿Pero tienes derecho a dejarnos solos, desamparados? ¡Estamos viejos! ¡No nos abandones!

LOBITO.—¡Está bueno ya, vieja! (*Burlón.*) ¡Mamá hace la comedia! ¡Mamá interpreta la tragedia! ¿Por qué no me dejan tú y papá que me defienda solo? Después de todo, yo soy el más perseguido... Todos me tienen seco... Siempre me vigilas y acabas por encontrarme dondequiera que estoy... Menos en algunos lugares donde no te atreves a aparecerte... (*Desesperado.*) ¡Mamá, quiero jugar solo, mamá! ¡Mamá, quiero jugar al billar, mamá! ¡Mamá, quiero brincar, mamá! ¡Solo, mamá, solo!

AURA.—Juega solo, Lobito. Pero no puedo perderte de vista. A los catorce años aún se cuida a los hijos... ¡Catorce años! ¡Pero todo ha sido tan rápido! ¡Tan violentamente rápido! Cuando tenías un año, ya parecías tener cinco...

LOBITO. (*Como un muchacho juguetón.*)—¡Mamita, mamita linda!

AURA. (*Débilmente.*)—Soy tu madre y acunarte es un insano deseo que me viene a veces... Por las noches corro a tu cuarto, como si todavía tuvieras meses de nacido... Pero no estás. Tu cuarto está vacío, vacío... ¡Tan pronto, Santo Dios!

LOBITO. (*Igual juego.*)—¡Mamita, mamita linda!

AURA. (*Alejándolo.*)—Lobito, por Dios, déjame... Me haces más daño todavía... Hace un instante, te veía jugar en el patio con los otros niños y me decía que eras tú, mi pequeño Lobito, mi pequeño hijo, que es feliz... Estabas tranquilo, completamente entregado a tus juegos... Y de pronto, saltaste la cerca y comenzaste a correr, frenético, hasta que casi no podía seguirte.

LOBITO. (*Desdeñoso.*)—No trabajes, mamá, no te esfuerces... Estos cuentos me aburren... Papá ni siquiera los cree ya... ¿Los creyó alguna vez? ¿Lo timaste alguna vez con tu sufrido corazón?

AURA. (*Herida.*)—Te gustan los corazones de plomo.

LOBITO. (*Penetrante.*)—De plata... Como a ti...

AURA. (*Con amargura.*)—Eres cruel y malo...

LOBITO.—¿Y qué otra cosa era de esperarse?

AURA.—En esta vida lo peor es la imposibilidad de hacer un pacto. No hay remedio para la soledad.

LOBITO.—Porque mientes, mamá... ¿Por qué no te quitas esa horrenda careta que te has puesto? ¡La careta de mamá! Pero como tú eres mi madre, yo siempre ando desnudo.

AURA.—En esta casa todos estamos así, como desnudos... Y apenas nos da vergüenza...

Lobito.—¡Mentiras, sólo mentiras! Esta misma mañana jugaba a los agarrados por el patio. Estaba tranquilo, respiraba, era libre... Pero descubrí tus ojos vidriosos detrás de las persianas, persiguiendo los gestos de tu pequeño Lobito... ¡Por eso salté y me escapaba! Pero me seguiste con tus grandes pasos... Creí que cuando había dado la vuelta a la manzana me habías perdido de vista... Un breve desahogo... ¡Pero estabas por ahí, casi escondida, enroscada, hecha un ovillo!

Aura.—Estoy loca. No tengo a Lobito. Eso es todo.

Lobito.—Tienes a papá. Por la noche los oigo. Se acercan el uno al otro y hablan y susurran por largo rato.

Aura.—¿Y de quién hablo yo, Lobito? Hablo de Lobito... Lobito por todas partes, como si fuera el único tema, el único asunto... Lobito, Lobito, Lobito... Que si Lobito es malo... Que si llegaste tarde... Que si jugaste a la pelota, al billar, a los dados... Que si Lobito destruye lo que toca, que si mancha la almohada de sangre... ¡No soy yo! ¡No somos nosotros!

Lobito.—Peor entonces... Por eso no puedo vivir ni respirar... Cuando no estás te siento como si te acercaras y estuvieras presente...

Aura.—¿Qué sería de ti si no te defiendo? Sólo hablo por eso. El sospecha cosas.

Lobito.—¿Qué cosas?

Aura.—Todo le intriga. Tus gritos en los juegos, como si hubieras perdido el juicio. Tus pleitos sangrientos y brutales con los otros muchachos... ¿No te das cuenta que todos son cargos en contra tuya? Cada vez que das un paso no haces más que cometer un error, y yo tengo que estar al tanto y defenderte.

LOBITO. (*Colérico.*)—¡Mientes, mamá, haces trampa! Quieres tenerme para ti, metido debajo de tu falda. ¡Tramposa, cochina tramposa!

AURA. (*Herida.*)—¿Y mi vida de sacrificio por ti no cuenta para nada? Eres malo, Lobito. Tu padre tiene razón. Pero yo te defiendo día y noche... Está bien... No importa...

LOBITO.—Te conozco bien. Los conozco bien a todos.

AURA.—Sacrifícate, arruina una vida, destruye una juventud... ¿Y qué resultados? Lobito me huye... Lobito no quiere a su madre... Lobito es cruel con su madre... ¡El pequeño Lobito! ¡Yo no presentía tanta lucha! ¡Dios mío, no tanto. (*Frente a él.*) Pues bien, yo también tengo derecho. En esta casa todo se vuelve vivir en un sobresalto... Que si tu padre vigila... Que si Cuca la Cava intenta robarnos... Que si Caridad está enferma de los nervios... Que si el viejo Tigre no se acaba de morir... ¡No hay tranquilidad! Pero estas pequeñas cosas hay que soportarlas para poder respirar, al menos para respirar un día... Eso pienso... Pero no olvides que yo también tengo derecho...

LOBITO.—¿Y yo? Tengo catorce años, mamá. ¡Habrás notado cómo he crecido! ¡Tengo catorce años y salto dentro de mi ropa!

AURA. (*Evocando.*)—Cuando yo tenía tu edad, jugaba a las muñecas... Mi hermano jugaba a los soldados... Era un pequeño mundo de juguetes donde cabía un poco la felicidad... Cuando crecí me di cuenta que mi hermano me había hecho trampa y se había adelantado unos pasos... Había crecido primero y era un poco tarde para mí... Fue un desengaño, sí, no lo voy a negar... La gente se descubría... (*Mirando a Lo-BITO.*) No estás en edad, Lobito, para pensar de ese modo... Tienes que esperar...

LOBITO.—¿Hasta cuándo? Si crees que me chupo los dedos...

AURA.—Existe una cosa que se llama disciplina... Además, todo lo hago por tu bien...

LOBITO. (*Con ironía.*)—Tu maternidad abnegada me abruma, mamá.

AURA.—Detesto ver cómo te enroscas...

LOBITO. (*Violentamente hacia ella.*)—¿Qué has dicho?

AURA. (*Vacilante.*)—No he dicho nada.

LOBITO. — Lo dijiste: Te enroscas, te enroscas... (*Amenazante.*) No lo niegues... Y sabes que eso no se puede decir...

AURA.—No he sido yo. Fueron las palabras...

LOBITO.—¿Me enrosco?

AURA. (*Con fuerza.*)—Está bien. Pero ¿qué quieres? Por favor, Lobito, no te hagas el inocente. Eres hijo de tu padre. Lo has visto, ¿no es así? Has mirado a tu padre. (*Riendo con amargura y desdén.*) ¡Yo también!

LOBITO. (*La toma violentamente y la vuelve frente al público, doblegada, el cuerpo retorcido, dominándola.*)—¿Y tú, vieja bruja, te has mirado al espejo? ¿Te has mirado?

AURA. (*Forcejeando.*)—¡Suéltame, suéltame!

LOBITO.—¡Mírate bien, mírate bien tu joroba!

AURA. (*Soltándose.*)—¡Pero no la heredé! ¡No heredé la joroba!

LOBITO. (*Llevándose la mano al rostro, como si hubiera recibido una bofetada.*)—¡Me pegaste, mamá, me pegaste!

AURA.—Tómalo como te venga en ganas. ¿Qué

consideraciones debo tener contigo? Un hijo que le dice esas monstruosidades a su madre...

LOBITO. (*Adulón.*)—Mamita, no te pongas así... ¡Mamita!

AURA.—Pero una vez fui hermosa. ¡Te juro que era hermosa! Tu padre, tal vez, sólo piense en mentir. Es cobarde. Jamás confesará la verdad de mi belleza... No era un árbol torcido... Era recta y alta como una palma... La joroba no estaba...

LOBITO. (*Parodiando, por un instante,* LOBITO *deja de ser* LOBITO *e inicia los cargos, como si fuera juez.*)—Inicia la defensa... La jorobada se enfrenta al jurado con su joroba y niega los cargos... "No soy jorobada, señor juez... Es que usted no tiene ojos..."

AURA. (*Violentamente.*)—Fue una joroba que vino después. Yo no la tenía.

LOBITO.—"Pero ha de tener algún mal congénito."

AURA.—Mi familia era sana. Ningún caso de locura. Ningún caso de lepra.

LOBITO.—"Pero alguna tara... Alguna pequeña tara escondida por ahí, entre la sangre..."

AURA.—No es cierto. Mi hermano me hizo trampa, eso es todo... En casa me hicieron traición... Entonces salí corriendo... Yo también quería escaparme... Un juego sucio... ¿Sabe usted lo que es un juego sucio?

LOBITO.—"Es nuestra especialidad. ¿Quién no sabe lo que es un juego sucio? Un juego limpio sería la excepción..."

AURA. (*Enérgicamente.*)—Me hicieron un juego sucio y salí corriendo... Era un callejón sin salida... ¿Por qué no abrían las puertas? ¿Por qué no encontraba a nadie en el camino? La iglesia estaba vacía... El señor cura estaba cansado y dormía la siesta en el traspatio... ¿Qué había en el pueblo? ¿Por qué todo el mundo callaba y respiraba en silencio? ¿Qué hora era?

LOBITO.—"Eran las tres."

AURA.—Yo tenía necesidad de ir al confesonario, pero estaba vacío...

LOBITO.—"¿Y la sacristía? ¿Y el sacristán? ¿Y el hermano descalzo?"

AURA. (*Desfallecida*.)—Ahora pienso que todos estaban muertos...

LOBITO.—"Bonita historia, señora. ¿Y supone que un jurado sensato podrá creerla? También quería desquitarse. Esperaba su pequeña parte en el botín. ¡Confiese, confiese ahora...!"

AURA.—¿Y qué iba a hacer? ¿Tirarme a morir? Si el cura dormía la siesta yo tenía derecho..., tenía derecho...

LOBITO. (*Sarcástico, saltando*.)—¡Tenía derecho a buscarme una joroba!

AURA. (*Derrotada*.)—Está bien. Al salir de la iglesia estaba él: Lobo. Comenzó a retorcerme. Lo comencé a ver a todas horas. Lobo al amanecer. Lobo por la tarde. Lobo por la noche. (*Inicia su parodia, movimientos peculiares, voz falseada, caricatura de sí misma*.) Decía: "¿Eres tú, Lobo?" "¿Ya llegaste?" "¿Por qué has demorado tanto?" "¿Dónde estás?" "¿Por qué te ocultas?" Y después Tigre, la propia Cuca la Cava. Cuca comenzó a tenerme lástima: "Tienes tiempo para salir. Eres joven. Hay que divertirse... ¡Hay que gozar de la vida!" Me repetía que era demasiado joven para todo aquello... Y comenzaba a reír, a pintarse, a envolverse en pieles... Pero, Dios mío, ¡ella también estaba jorobada! Y yo comencé a verlos a ellos, día tras día, y no pude evitarlo...

También comencé a retorcerme... (*Angustiada.*)
¡Pero yo no era así, Lobito, yo no era así!

LOBITO. (*Oyendo, interesado en el cuento.*)—¿Y yo?
¿Cómo era yo?

AURA. (*Evasiva.*)—La hoja de papel. La muñeca de
trapo. La aguja de seda.

LOBITO. (*Ahora en tono violento.*)—¿Y yo? ¿Cómo
era yo? ¡Quiero verme! ¡Quiero verme!

AURA. (*Muy tierna.*)—Duérmete, mi niño. Duérmete, mi amor. Duérmete, pedazo de mi corazón...

LOBITO.—¡Jorobada, contesta, jorobada!

AURA. (*Hay un silencio muy hondo. Después, con
odio.*)—Tú eras el hijo de tu padre.

LOBITO.—¡Pero alguna vez...!

AURA. (*Enterrando más hondo.*)—Tú eras el hijo
de tu padre...

LOBITO.—Me traicionas, mamá, me hieres...

AURA.—¿Y qué más quisiera yo? Cuando naciste
pensé que todo podría detenerse. (*Parodiando,
como si hubiera perdido el juicio.*) "No será, no
será, no será." El viejo Tigre se reía. "¿Por qué
se ríe, Tigre? ¿Qué derecho tiene?" Pero el viejo
Tigre se burlaba. Me veía rezar por los rincones y se burlaba... Quería irme de esta casa,
sola contigo, a la playa... Olvidarlo todo... Pero
Lobo no me dejó... Quería protegerte, te lo juro... Pero Lobo no quería quedarse a solas con
el viejo Tigre... Y desde entonces no me pertene-
ciste más... Desde que tuviste cinco años eras
como ellos...

LOBITO.—Al carajo entonces... Esto no tiene remedio...

AURA.—Tal vez si dejaras de pensar. Eres hermoso,
Lobito. Casi perfecto. Eres fuerte. Si te olvida-
ras de ti... Si no te esforzaras en ser... Yo cuida-

ría de ti. Te persigues a ti mismo. Si fueras un
niño, realmente un niño...

LOBITO.—¿Lo quieres mucho?

AURA.—Es la maternidad. No puedo evitarlo.

LOBITO. (*Suave, sutilmente irónico.*)—Mamá, haces
tan buen trabajo...

AURA. (*Aleccionadora.*)—Te portarás bien. No harás ruidos innecesarios. No mancharás las paredes de fango. No pensarás en el dinero, por
supuesto. No tocarás los objetos de plata..., los
dioses sagrados del viejo Tigre.

LOBITO. (*Siempre sutilmente burlón.*)—Me portaré
bien... Estudiaré las lecciones... Haré las tareas... Obedeceré al maestro... No haré trampas
en el juego... No gritaré... No le pegaré a mis
compañeros... ¡Cien en conducta, mamá! No diré
una mala palabra... No jugaré a los dados... No
veré una mesa de billar... No fornicaré... No me
tomaré un trago... No haré trampas para que el
viejo Tigre se muera pronto y pueda heredarlo...
No pensaré en los objetos de plata... Y no los
tocaré... ¡Tocar los objetos de plata es pecado
mortal! Son los dioses sagrados... ¡Cien en conducta, mamá! ¡Cien en conducta!

AURA.—¿Es cierto eso, Lobito? Sería la madre más
feliz de la tierra. Lo dejaría todo. ¿O es que acaso te estás burlando?

LOBITO.—¿Tiene mamá alguna razón para dudar de
su Lobito?

                (*Se miran. Después,* LOBITO *sale.*)

AURA. (*Larga pausa, como si recobrara fuerzas.*)—
Representamos una comedia de espanto... Diré
que quiero a Lobito, pero nadie me lo creerá,
porque cuando se engendra a un monstruo, aunque sea dentro de nosotros mismos, se detesta...

(*De pie.*) Al principio, no estaba torcida. Pero Lobo y yo comenzamos a esperar que se muriera el viejo Tigre. Soñábamos cada día con su entierro y comenzamos a retorcernos en el lecho... Tigre tenía movimientos espasmódicos... Nosotros los sentíamos en nuestros rostros, en nuestros brazos... Hasta Lobito comenzó a observarlos con interés... (*Falseando las voces, inicia* AURA *el juego imitativo, todo muy rápido.*) "Dicen que se muere el viejo." "Los objetos de plata serán nuestros." "Hay oro escondido. Hay que buscarlo." "¿Cuándo se morirá, Lobo?" "¿Qué podré comprar, mamá?" "Ya falta poco, Aura." "¿Tendré los juguetes?" "Lobito empieza a pensar en sí mismo." "¿Cuándo se morirá, cuándo?" Entonces toda la casa se comenzó a llenar de aquel "cuándo se morirá". Hasta el viejo Tigre, en medio de la comida, comenzaba a preguntarlo. (*Sigue el juego.*) "¿Cuándo se morirá el viejo Tigre? ¿Eh? ¿Qué dice Lobito? Hagan juego, señores, hagan juego." (*Pausa.*) Lobito crecía, crecía, y el viejo Tigre se burlaba doblemente de mí. ¡Supliqué tanto para que Lobito fuera de otro modo! Para que Lobito fuera... normal... Pero Lobo decía: "¿Qué es la normalidad, Aura? ¿No somos nosotros, precisamente, la normalidad." Y yo preguntaba: "¿Somos nosotros la normalidad? Entonces, la normalidad se torna horrenda. Un fantasma dentro de cada cual." Y Tigre se burlaba: "La pobre Aura dramatiza. Cuando tengas mis años —los años del viejo Tigre— te acostumbrarás a todo. Hasta la plata del viejo Tigre te parecerá jorobada. Hay plata y dinero jorobado bajo las arcas." (*Atormentada.*) ¡Basta, basta, no quiero más! ¿Cuándo se morirá el viejo Tigre, Lobo, cuándo se morirá?

LOBO. (*Que surge en la penumbra, como si estuviera al acecho.*)—Vamos, Aura, despierta... (*Sacude
a su mujer.*) Sal de esa pesadilla... El viejo está
al bajar y no debe encontrarte en esas condiciones...

> (*Es* LOBO *un hombre alto, delgado,
> con muy mal color y una joroba muy
> pronunciada. Viste elegantemente. Pe-
> ro sombrío: la codicia y la espera le
> han hecho perder gran parte de su an-
> tigua distinción.*)

AURA. (*Como saliendo de un sueño.*)—¿Cuándo se
muere, Lobo, cuándo?

LOBO.—Pronto bajará las escaleras, despierta.

AURA.—¿Bajará? Entonces... ha mejorado otra vez.

LOBO.—Se siente mal, pero no confía en Cuca... Dice
que le están ocultando cosas en esta casa y que
necesita hacer un inventario. Al menos, y se ríe
cuando lo dice, para morir en paz...

AURA.—Ahora mismo estaba soñando, Lobo. Estaba soñando que mejoraba y que comenzaba a
correr apoyado en el bastón, pero muy ágilmente, tan ágilmente que casi alcanzaba a Lobito en
su carrera... Al principio no me daba cuenta,
pero después comprendí que era a Lobito a
quien perseguía, como si jugara con él al escondido y como si de pronto, en su propia vejez,
retornara a la infancia... Y los veía hacerme
muecas desde lejos, trastocados y burlones, la cabeza de Tigre en el cuerpo de Lobito y la de Lobito en el cuerpo de Tigre... Pero entonces entraron en un edificio blanco, y yo los seguí, y
entré, y la enfermera me llevó hasta la habitación
al final del pasillo, diciéndome que todo había
salido bien, un parto perfecto. Y en la habita-

ción estaba Tigre, acostado, que era la parturienta, y decía, sonriente, "yo lo he acabado de engendrar; me dolió, pero es todo mío", y me lo enseñaba, acunado en sus brazos, pero no niño, sino grande, completamente desnudo, obsceno y sucio... Pero de pronto, no sé cómo, Lobito saltó y empezó a correr, y el viejo Tigre atrás de él, hasta que los dos rodaron hacia abajo por una escalera, y todos los objetos de plata comenzaron a caerles encima a los dos, y ellos cogían los cuchillos y comenzaban a enterrárselos, los cuchillos de plata, el uno al otro...

Lobo.—¿Qué te pasa, Aura? ¿Arreglas algo con eso? A los hechos... El viejo no puede encontrarte en este estado. ¿Es que quieres hacerlo feliz?

Aura.—¿Cuándo se muere, Lobo, cuándo?

Lobo. (*Mirando a su alrededor.*)—¿Has tocado algo?

Aura. (*Más natural.*)—¿Oíste los pasos anoche? ¿Hacia eso de las tres? Alguien rondaba por esta casa... Estoy segura... Comienzo a escuchar cosas... Si no fuera porque el viejo Tigre realmente está enfermo... Está realmente enfermo, ¿no es así? No, no eran los pasos del viejo Tigre... Creí que era Lobito, con sus juegos, o que regresaba tarde en la madrugada... Pero no puedo asegurarlo... ¿Quién era, Lobo?

Lobo.—Dormía.

Aura.—No duermes jamás... Estabas despierto y oías como yo... Caminabas de un lado para otro y temblabas. Tenías miedo, Lobo... (*Desesperada.*) ¿Por qué nos cuesta tanto trabajo todo?

Lobo.—Son tus nervios. Necesitas descanso. ¿Por qué no te tomas unas vacaciones? Yo podría estar alerta hasta que el viejo se muriera. Entonces tú podrías regresar... Esta tensión te hace daño...

AURA. (*Con un leve dejo de ironía.*)—Eres bueno...

LOBO.—A tu regreso todo estaría terminado. Yo y Lobito nos encargaríamos de los detalles...

AURA. (*Con una nota de cansancio.*)—¡Parece tan fácil!

LOBO.—Lo es... Déjanos, Aura. Lo necesitas.

AURA. (*Casi riendo.*)—Lobito me lo dice: que todos somos unos cochinos y redomados hipócritas. Hasta te pondrías de acuerdo con el viejo Tigre para que se muriera cuando yo no estuviera aquí... Padre e hijo... El oro, después de todo, quedaría en casa... Pero ¿por qué crees que tengo esta joroba, Lobo? ¿Por qué supones que he padecido todos estos años? ¿Por unas vacaciones en la playa? No me iré. Lo puedes gritar a los cuatro vientos. Te debo demasiados favores para abandonarte en el último momento...

LOBO. (*Suave.*)—Mi adorada mujercita... ¿Por qué eres así conmigo? Si no se tratara de una depresión nerviosa llegaría a creer que dudas... o que me reprochas...

AURA. (*Violenta.*)—Pero este juego lo hicimos por partida doble... ¡Así! ¡Hasta el final!

LOBO.—Está bien. Lo sé perfectamente.

AURA.—En esta vida lo peor es la imposibilidad de hacer un pacto. No hay remedio para la soledad.

(*Larga pausa.*)

LOBO. (*Se inicia otra evocación, con un humor extraño.*)—Cuando nos casamos...

AURA.—Sabía perfectamente a lo que me estaba ateniendo...

LOBO.—Mi joroba no fue precisamente seductora...

AURA.—En el primer momento sentí una especie de repugnancia...

LOBO.—Pero después supiste pasarla por alto...

AURA.—Comencé a amarla a medida que se hacía más desagradable.

LOBO.—En esta pequeña pieza...

AURA.—La fealdad comenzó a lucirme diferente...

LOBO.—Apenas la distinguías...

AURA.—Mis ojos se entretenían en otras cosas...

LOBO.—Rodeada de esta penumbra iluminada por objetos de plata...

AURA.—El romance se tornó rápido, inesperado, lleno de ilusiones...

LOBO.—El querido oro de papá...

AURA.—Me enseñaste los libros, las cuentas de tu padre...

LOBO.—Y dejé caer la libreta de banco...

AURA.—Descuidadamente...

LOBO.—Como el que no quiere las cosas...

AURA.—Pero ejecutando una pequeña estafa...

LOBO.—¡Y tú fuiste tan veloz al recogerla...!

AURA.—Era el amor, Lobo... Comenzaba a amarte y dejaba de verte... Todo desaparecía... Hasta tú desapareciste de pronto y sólo quedó aquella especie de amor...

LOBO.—¿No era todo realmente seductor?

AURA.—Y el viejo Tigre estaba en cama...

LOBO.—Temblaste cuando subiste por primera vez hacia el piso alto...

AURA.—Tenía las manos heladas...

LOBO.—Pero al verlo...

AURA.—La sangre calentó mi cuerpo nuevamente...

LOBO.—Me tocaste... Hervías...

AURA.—Apenas pudo reconocerte... Parecían estertores de agonía...

LOBO.—Hasta el médico comenzó a asustarse...

AURA. (*Riendo.*)—Y tú estabas a punto de llorar. Representábamos una comedia. ¡Era tan maravilloso! Un retablo, las figuras dispuestas, los ángeles y los demonios reunidos alrededor del pesebre. ¡Todo fue tan luminoso por un instante, Lobo! Fue el único momento en que casi llegamos a amarnos; al menos con otra clase de amor...

LOBO.—¡El lucía tan cadavérico! Yo temía reír... Creía que te iba a ofrecer una impresión demasiado macabra...

AURA.—Pero reías por dentro. Lo presentía.

LOBO.—¿Qué peligro podía ofrecernos?

AURA.—Eras tan seductor, Lobo... Unos buenos ingresos, un padre al borde de la muerte, una herencia feliz... El libro mayor al día... Cuentas en el banco... Propiedades... Apartamentos... Hasta pensaba que podíamos ser felices...

LOBO.—Una hermosa joroba cargada de oro.

AURA. (*Con humor.*)—Espero que no la haya descargado nadie...

LOBO. (*Siguiendo el juego.*)—¿No está?

AURA.—Sí, ya veo... Y espero que ninguna mujercita de mala muerte me la robe...

LOBO. (*Escéptico.*)—Descuida...

AURA.—Es que son derechos adquiridos con el matrimonio... A veces, mientras mayor era tu joroba, más hermoso te sentía...

LOBO.—Nuestro pobre Tigre estaba tan enfermo que no pudo ir a la boda...

AURA.—Un detalle gentil...

LOBO.—Teníamos ilusiones...

AURA.—Aquella noche de boda comenzamos a hacer nuestros planes... La herencia. Invertiríamos un poco en los funerales, y el panteón de la familia serviría muy bien para el caso... ¡Tigre se sentiría tan feliz entre los restos jorobados de los suyos! ¡Fui tan feliz aquella noche! Yo era una novia, después de todo, y tenía derecho a los minutos de felicidad... Me había comprado alguna ropa negra que serviría hasta para un luto discreto, sin mucho alarde... Hasta en la intimidad preferíamos el negro... Tú te enardecías con aquellas señales de luto sobre mis pechos... No, nada interrumpía la armonía de nuestro matrimonio...

LOBO.—Me conmueves, Aura. Y si tu sencillo propósito es situarme al borde de las lágrimas, creo que estás al conseguirlo... Por fortuna, sé que eres una farsante... (*Transición violenta.*) ¿Seremos capaces de entendernos alguna vez? No te esfuerces. Estos cuentos acaban por aburrirme. ¿Los creí alguna vez? ¿Me timaste alguna vez con tu sufrido corazón?

AURA. (*Herida.*)—Te gustan los corazones de plomo.

LOBO. (*Penetrante.*)—De plata... Como a ti...

AURA. (*Amargamente.*)—Eres cruel y malo.

LOBO.—¿Y qué otra cosa era de esperarse?

AURA.—En esta vida, lo peor es la imposibilidad de hacer un pacto.

LOBO. (*Riendo histéricamente.*)—¡No hay remedio para la soledad!

AURA. (*Aferrándose a él, gritando.*)—¡No hay remedio, Lobo! ¡No lo hay!

LOBO.—¡Suéltame, suéltame! ¿Hasta dónde pretendes llegar? ¿Qué te traes entre manos? Sé muy bien, Aura, que nunca creíste en los escombros de amor que yo podía ofrecerte. ¡Te estás burlando! ¡Tu farsa apesta!

AURA. (*Separándose.*)—Sí, apesta... Apesta desde el inicio, porque desde el inicio tú me engañabas...

LOBO.—Te he dicho mil veces que no te mentía, pero

nunca lo has creído. Ahora vienes por el camino
acostumbrado: intrigas en opuesta dirección. No
te mentía. Las cartas estaban boca arriba.

AURA.—Tú y Tigre se habían puesto de acuerdo
aquella tarde, cuando yo subía las escaleras... Le
habías dicho:

—"Hazte el muerto, papá, hazte el muerto... Haz
como si no te quedase más que una hora de vida... Caerá en la trampa... El oro la seduce...
Hazte el muerto, papá, hazte el muerto..."

LOBO.—Pero, ¿por qué te has empeñinado en eso,
Aura? Durante todos estos años te he repetido:
"Tigre se burlaba de mí, Tigre se burlaba de los
dos". Los dos caímos en la trampa... Ni siquiera
tuviste la misericordia de comprender que yo
estaba en ella... ¡No hay piedad!

AURA. (*Sin hacerle caso.*)—¡Y yo creyendo que te
reías porque él pronto sería un cadáver! Pero
tú estabas haciendo la comedia. (*Parodiando en
tono burlón.*)

—"¿Viste lo demacrado que está? ¿Cuántas horas le echas? ¿Has notado la respiración entrecortada, los ojos casi en blanco? ¿Lo has visto
bien?"

(*Transición.*) ¡Y todo una maldita farsa!

LOBO.—Ese era el amor. Una porquería en la que no
creíste.

AURA. (*Con convicción.*)—Creí... Pero tú me men-
tías...

LOBO. (*Burlón.*)—¿Lo creí o no lo creí...? ¿Era cierto
o f'ngía...? ¿Sí o no...? ¿Me quiere o no me quiere...? (*Transición.*) Mientras tanto, Tigre se prepara para el chequeo... ¿Y si nos da un zarpazo?

¿Y si nos aniquila mientras se muere? ¿Es que no comprendes que debemos estar de acuerdo?

AURA.—No te asustes, Lobo. (*Vencida.*) Desgraciadamente todo lo recuerdo.

LOBO.—Es él.

> (*Entra* TIGRE, *apoyado en el brazo de* CARIDAD *y seguido de* CUCA LA CAVA. *En* TIGRE *la monstruosidad se acentúa de un modo notable. Imaginemos el típico político criollo. Corpulencia, buena vida, vientre prominente, su inmenso tabaco, su traje de dril, su sortija de brillantes, su sombrero de jipi. Pero no nos conformemos con tan poco. Coloquemos una pronunciada joroba en sus espaldas y aumentemos su vientre hasta la magnitud de una hidropesía avanzada, y obtendremos un ser genuinamente monstruoso. Evidentemente la muerte lo ronda, pero hay en él una vitalidad que se impone. A su lado viene* CARIDAD, *un familiar pobre que vive en la casa. Insignificante, menuda, frágil y delicada, parece enferma, a punto de quebrarse junto a los demás.* CUCA LA CAVA, *la mujer de* TIGRE, *es la última en aparecer y casi realiza una entrada triunfal, como si estuviera plenamente consciente de que aparece en escena. La joroba es muy pronunciada, pero ella se imagina que la disimula con sus arreglos exagerados. Es, antes que nada, vulgar. Una vieja prostituta del Ministerio que se le impuso a* TIGRE, *lo separó de su legítima mujer y se casó con él. Debió ser bella, pero*

*ahora sólo es un resto pintarrajeado,
chillón, con una piel barata y de mal
gusto que se le enrosca al cuello, de
cabeza de zorro o algo por el estilo, y
que cabalga s obre su joroba. Ella se
adelanta en la escena y hace su presentación. Algún juego de luces durante el monólogo de* CUCA.)

CUCA.—Yo soy Cuca... Alias la Cava, gracias a un
Secretario de Educación, muy culto, y cuyo nombre no recuerdo... El sabía por qué, los otros lo
empezaron a repetir por hábito, yo no tengo la
menor idea... (*Mirando alrededor.*) ¿Pero por qué
esto está tan oscuro y huele a queso? ¿Por qué
no viene más luz? Ya sé, el pequeño Lobito —esa
alimaña que nos da punto y raya a todos y que
acabará por comernos vivos— se nos viene encima... Pero a mí me gusta la luz. (*Incongruente.*)
¡Lobito y yo nos parecemos tanto! Claro, que
cada uno a su manera... (*Mirando a* AURA.) Y la
pobre Aura... ¡Da pena verla! ¡Esa muchacha no
sabe lo que es la vida! Ha envejecido mucho en
los últimos años, mientras que yo parezco su
hermana menor... ¡Y no es que quiera engañarme, pero no hay más que mirarse al espejo!
(*Pausa.*) Claro, con la vida que llevan... Ya ven:
estas escenas se repiten; miren por ahí: Lobo,
Tigre, Aura, y de vez en cuando hasta el pequeño
Lobito, que toma sus clases y adelanta que ni se
diga... La que no pinta ni corta es la pobre Caridad, que no sé ni por qué está aquí. Si Tigre
tuviera conciencia, diría que a ello se debe. Según
dicen los detractores de mi marido, la fortuna
empezó por el abuelo de Caridad, un viejo veterano a quien Tigre se comió por una pata... Pero

a mí todo esto me importa un bledo... (*Desde-
ñosa.*) ¡Dios mío, yo no he nacido para esto! ¡Qué
va, hija, qué va! Te aseguro que si me imagino
que el dinero de Tigre me iba a traer esta vida
de perro... Al principio, sí, mientras no nos casamos... Mucho abanico de marfil, mucho colla-
rito de perlas, mucha servilleta de hilo, mucha
copita del Rhin, mucho cubierto con baño de
plata; pero después, papel sanitario por todas
partes... Que si el Ministerio de Gobernación le
dio la mala... Que si la Primera Dama se hace
papelillos... Después que me convertí en "señora"
todo se acabó... A la larga, hasta se acabó "aquello"... (*Hacia ellos.*) Y aquí me ven con Lobo, con
Aura y con el bicho de Lobito... Y la pobre Caridad, pese a que tiene sus cosas, no cuenta. ¿O
tendrá que ver algo con este entuerto? (*Pausa.*)
El caso es que de aquellas fiestonas del Cerro,
¡nada! ¡Abur, Lola! (*Más conversacional.*) ¡Me
gustaría contarles tantas cosas! Solamente para
que se hagan una idea y salir de estas cuatro
paredes... Eramos tres hermanas, y papá, que
era muy bueno, nos dejó una casa en el Cerro
cuando se murió... Como mamá estaba muerta
también y no teníamos a nadie que nos chivara,
comenzamos a divertirnos... Y no nos vino mal,
¡ah, no!, ¡de ningún modo! ¡En esa casa se daban
las fiestas más divertidas de La Habana! ¡Qué
ratos aquellos, señor mío! Un día el Secretario de
Justicia, al otro el Secretario de Hacienda Pública y al tercero el Secretario de Comunicacio-
nes... ¡Ay, Dios mío, el Secretario de Comunica-
ciones! Y ningún compromiso... Quítate tú para
ponerme yo... Liberales y conservadores... ¡Cuántas leyes del congreso se aprobaron allí! Y todo
en tono de relajo con orden, sin dejar uno de

divertirse... Hasta que vino Tigre... Ya estábamos un poco maduras y una comenzaba a resen-
tirse... Los pelengues aquellos producían su des-
gaste... Blanca Emilia, la mayor, estaba realmente preocupada, ya estaba en los cuarenta y no
había nada en firme... En fin, que fue la primera
en asentar cabeza... Sindulfo Arias, comerciante
en vinos y licores... Y no le fue muy mal, aunque
nos visitaba poco... Hasta que llegó el viajecito
a España... La aldea... La cristiana dándose golpes de pecho y haciendo de señora... Marina, la
del medio, no se decidió por nada. Y por ahí
anda, tirando de un lado para otro, más mal que
bien, pero mejor que yo... (*Pausa.*) Yo conocí a
Tigre... Le quitan la barriga y la joroba y
tendrán una idea de lo que fue... Nada del otro
mundo, pero daba su plante... Me llevaba quince
años y pensé que si navegaba con buen rumbo,
tal vez podría celebrar su entierro... En todo
caso, no me daría mala vida... ¡Para qué fue
aquello! Casarme fue lo peor que pude hacer...
¡Qué tacañería, Dios mío! ¡Y tener que verlo a
todas horas! ¡Para sacarle un centavo me costaba
un ojo de la cara! (*Señalando su piel.*) ¿Ven esta
piel? Un poco vieja, pero muy buena, eso sí... Se
la saqué una semana antes de la boda... Y el
collar, y los aretes, y la sortija... Todo más o
menos bueno... Después, baratijas... En fin, que
comencé a cargar con la chiveta de Tigre y no
pude dar marcha atrás... ¡Y aquí me ven, jodida
hasta estas santas horas!

TIGRE. (*Malhumorado.*)—¡Caridad... Caridad!

CUCA. (*Molesta y conversacional.*)—¡Ya comenzamos...!

TIGRE. (*Molesto, a* CARIDAD, *que lo ayuda a sentarse
en una butaca.*)—¡Suéltame, Caridad, pesas de-

masiado! A veces parece que hasta la pequeña Caridad quisiera arrastrarme... (*Por momentos* TIGRE, *como el resto de los personajes, se mueve en el pasado —pero pasado y presente es una línea difícil de definir—. Salvo en las secuencias marcadas con comillas, donde el tono debe ser enfático, caricaturesco a veces, burlón quizás, acentuando mucho el juego; en otros momentos los personajes pueden pasar de presente a pasado y viceversa, de un modo natural, sin particulares alteraciones.*) Espero que no me haya llamado el Secretario. ¿Por qué no me avisaste, Lobo? El Consejo estaba señalado para las tres y voy a llegar tarde. Repartirán sin mí... (*A* AURA.) Y a ti, Aura, procuraré conseguirte un abono para la ópera, de esos que reparten en la Alcaldía... (*Gritando.*) ¿Por qué no me han llegado los caballos? ¡Contesta, Lobo! ¿Por qué no me han llegado los caballos?

AURA. (*A* LOBO.)—Actúa...

LOBO. (*A* AURA.)—Delira...

TIGRE.—Por lo visto, en esta casa todo el mundo conjura... ¿No lo ha notado mi fiel Cuca? ¿Y los liberales qué hacen? ¿Ya se saben los escrutinios de Camagüey?

CUCA.—Para Camagüey se va Panchita...

TIGRE.—¡Cállate, Cuca! ¡Contesta, Lobo!

LOBO.—Estaba seguro que Bolaños te iba a hacer traición...

CUCA. (*Directamente a* LOBO.)—¿Te ha hecho caso tu padre alguna vez?

LOBO.—Pero como no me hiciste caso, ahí lo tienes. Ahora será el corre corre y todo el mundo querrá impugnar las elecciones.

CUCA.—¡Liberales y conservadores! ¿Pero es que no hay otra cosa que hacer? No hagas juego, Tigre.

Ni tú le hagas el juego, Lobo. Son las cuatro de
la tarde...

TIGRE.—El Partido Conservador no puede alcanzar
la Alcaldía...

LOBO.—¿Y la coalición? ¿Qué me dices de la coalición?

TIGRE.—¿Qué sabes tú de la coalición? Te he dicho
que eso no va. Los liberales llevan la delantera
con la compra de las cédulas. Siempre te he dicho que la política de la mano abierta es la mejor. ¿Qué averiguaste del reparto del dinero?

AURA. (*Aparte, a* LOBO, *también en el pasado.*)—Es
necesario exigir ahora. No te demores más. Dispone de ti como una ficha en el tablero. Exige
ahora, Lobo. Es el momento.

TIGRE.—¿Qué averiguaste, Lobo?

LOBO. (*A* TIGRE.)—No he podido averiguar nada,
papá.

CUCA. (*A* AURA.)—¿Por qué pierdes tu tiempo? Es
inútil con él.

TIGRE.—Lobo dice que yo frustré su carrera política, Aura. Pero tú debiste haberlo conocido antes.
Si lo hubieras visto, ni siquiera te hubieras casado con él. Cuentos, cuentos...

CUCA.—No es que esté de su parte, Tigre. Lobo, después de todo, nunca ha sido santo de mi devoción, pero tenía algunas simpatías por el barrio
de San Lázaro...

TIGRE.—Ninguno valía dos kilos. ¿Qué pasó cuando
vino el ejército y les sonó el cuero? Nadie fue
a la manifestación. Se acabó en la misma expla-
nada de la Punta.

LOBO. (*Violentamente.*)—¡Suéltame, papá, suéltame!

TIGRE.—Si pretendes ir contra mis propios intere-
ses, allá tú. Haz lo que te parezca, si crees que
sirves para algo, pero no voy a repartir botellas

entre una pila de vagos que no aportan nada. (*A* AURA.) Convéncete, mujer. No servía para nada. ¿Por qué tú crees que lo hice mi secretario? Nunca sirvió para otra cosa que para ser un mal secretario... ¿Cuántas cédulas conseguía? (*A* LOBO.) ¿Cuántas cédulas conseguiste, Lobo?

AURA. (*Confidencial, a* LOBO.)—No hagas eso. Es el trabajo sucio.

TIGRE.—¿Por qué se mete tu mujer? ¿Qué cartas tiene ella en este asunto? ¿Quién le dio vela en el entierro?

CUCA. (*Vivamente.*)—¿En este entierro?

AURA.—¿Ha dicho en este entierro?

LOBO. (*Esperanzado.*)—¿En este entierro, papá?

TIGRE.—¿Por qué te mete en su falda?

LOBO.—Si te crees eso...

TIGRE. (*A* AURA, *con ironía.*)—¿No has conseguido nada mejor?

LOBO. (*Violentamente.*)—¿No era ridículo que fuera tan sólo tu secretario? ¿No tenías nada mejor que ofrecerme?

TIGRE. (*A* AURA.)—¿Lo oyes? Así se ponía. Parecía histérico.

> (*Se sienten mientras, leves, indefinidas convulsiones de* CARIDAD, *que ha quedado hacia el fondo.*)

AURA.—¿Qué le pasa a Caridad? ¿Por qué está gimiendo?

CUCA. (*A* CARIDAD.)—Caridad, hija, no seas boba...

LOBO. (*A* AURA.)—Es Caridad. No le hagas caso. Cuando subimos las escaleras sintió pasos y comenzó a sentirse nerviosa. No es necesario despertarla.

CUCA. (*A* AURA.)—Vete, Aura, vete... No te acerques a la hoguera... Este calor... Esta casa es un in-

fierno... No te cases con Lobo... Oye mis consejos... ¿No ves que está jorobado?

TIGRE.—Déjala, Cuca... Métete la lengua... No te
metas en lo que no te importa. La muchacha sabe lo que hace. Está bastante crecida. Si no fueras una vieja chismosa te iría mejor.

LOBO.—El egoísmo de papá. ¿Qué puedo hacer frente al egoísmo de papá?

TIGRE.—¿Ha vuelto Caridad con eso?

CUCA.—Es mejor que Caridad se calme. ¿Qué le
pasa a esa muchacha?

AURA.—Es que está preocupada.

CUCA.—¿Preocupada por qué?

AURA.—Tigre sabrá. El es quien todo lo sabe.

CUCA. (*A* CARIDAD.)—Niña, ¿pero dónde te duele?

AURA. (*Confidencial, a* LOBO.)—No te dejes coger la
baja. Hay que hacerle frente.

TIGRE. (*Gritándole a* LOBO.)—Oye, dile a Aura que
no siga empujando.

LOBO.—¿Por qué no me das ese puesto? ¿Es que voy
a ser el portero de la Secretaría?

TIGRE.—Vete, Lobo, la puerta está abierta...

CUCA. (*A* CARIDAD, *que se ha puesto de pie y parece
que va a salir de escena.*)—¡No, Caridad, siéntate,
no es contigo! ¡Cálmate! Y tú no puedes salir
de aquí, ya lo sabes... Nosotros estamos aquí para ayudarte.

> (*La hace volver a su sitio original.*)

AURA. (*A* LOBO, *que ha dado unos tímidos pasos como si fuera a salir también, aunque en dirección
opuesta a* CARIDAD.)—No podrás irte. Estamos copados. El ejército. La guardia rural. La policía.
Es un cuento. Tiene relaciones. Todos son sus
amigos... ¡La política, Lobo! ¡Es un callejón sin
salida!

CUCA. (*Detrás de* CARIDAD, *que se ha vuelto a levantar y camina.*)—¡Caridad, Caridad!

CARIDAD. (*A* AURA.)—Por aquí, conozco el camino...

(*La toma por un brazo.*)

LOBO. (*Como si estuviera ciego.*)—¿Es Caridad?

AURA.—Caridad conoce el camino.

CUCA. (*Riendo burlona.*)—¡Dios mío, Caridad conoce el camino, me orino de la risa!

TIGRE.—Supongo que si a ustedes les resta un ápice de sentido común, no irán a hacerle caso a nuestra desquiciada mocosa. Pero en fin, Cuca, no será Tigre quien vaya a detenerlos... Vete tú, a lo mejor te encuentras con una hermosa piel de sapo...

CUCA.—Está bueno, Tigre, está bueno...

TIGRE.—Vamos, Cuca, embúllate. ¡Lárgate!

CARIDAD. (*A* AURA.)—Es cierto... No hay razón para quedarse... En la galería que conduce al piso alto yo he descubierto... Ven, por allí podríamos salir... (*Haciendo que* AURA *dé unos pasos.*) Ahora... Ahora...

LOBO. (*Deteniendo a* AURA.)—¿Es que nos vamos a dejar guiar por la locura de Caridad? Caridad no entra en el juego. No sabe. ¿Y qué pasará cuando salgas de aquí? Tú misma, hace un momento, me lo decías... (*Aferrándose a* AURA.) ¡Tigre tiene razón! ¡No vayas!

TIGRE.—¿Lo ves, Aura, lo comprendes?

CUCA.—Pero si Caridad es una niña...

CARIDAD.—Tuve un sueño...

TIGRE.—Esta es la parte para los eme come...

CARIDAD.—Iba por un camino bordeado de arecas. Era el camino. Se le da la vuelta al laberinto. Recuerdo el laberinto en el parque, los otros niños persiguiendo y empujando la salida final que había que alcanzar después de aquellos golpes... Y entonces nos dejamos caer, nos deslizamos por la pendiente...

Lobo.—¿Hacia dónde...?

Tigre.—¡Hagan juego, señores, hagan juego! ¿Alguien quiere arriesgarse?

Aura. (*Como si bajara por alguna parte y temiera caerse.*)—¡No puedo bajar! ¡Esos escalones! ¡Mis zapatos de tacón alto! ¡Puedo resbalarme...!

Cuca. (*A* Caridad.)—Pero muchacha, ¿todo ese viaje a pie?

Tigre.—¡El Premio Gordo! ¡Hagan juego! ¡Hagan juego!

Caridad.—El pájaro de plata...

Cuca.—¡El avión! Muchacha, ¿pero por qué no lo dijiste antes? A mí dame Panamérican...

Aura. (*Extendiendo la mano en el vacío.*)—Dame la mano, Lobo... Me puedo caer...

Lobo.—No, no tienes derecho a dejarme solo...

Caridad.—El pez de acero...

Cuca.—¡El Magallanes! Hija, pero si esto se pone bueno, buenísimo... La verdad es que a mí me encantan los viajes... Voy a divertirme de lo lindo... ¡Un viaje, un viaje!

Aura. (*Retrocediendo, alejándose de* Caridad.)—Pero el viejo Tigre... ¿Dónde está el dinero del viejo Tigre?

Cuca. (*A* Caridad.)—Caridad, nena, ayúdame a empacar...

Caridad.—Deje todo eso... No lleve nada...

Cuca. (*Sorprendida.*)—¿Cómo? Pero, niña, yo no voy a dejar todo esto... Este vestido de organdí... Esta saya de tafetán... Esta sayuela de tul...

Tigre.—La pobre Caridad. Y las pobres tontas de esta casa le hacen caso. Caridad necesita un hombre, Aura. Eso es todo. Un poco de insuficiencia ovárica.

CARIDAD.—¡Miente, miente! ¡Quiero irme! ¡Tengo que salir!

AURA.—¡La ropa! ¡Toda esta casa llena de plata! ¡Los años perdidos! ¿Cobrarán por los años perdidos?

TIGRE.—Cincuenta veces te he dicho, querida nuera, que no podrán ir a ninguna parte. Los caminos están inundados por la lluvia. Además, perderás el abono para la ópera que me regalaron en la Alcaldía...

AURA. (*A* LOBO.)—¿Es verdad?

TIGRE. (*A* LOBO.)—Tu mujer no cree nada de lo que digo.

CUCA. (*Contando equipaje imaginario.*) — U n o... Dos... Tres... Cuatro baúles... Ocho maletas... Dos jabas de papel...

TIGRE. (*Agarrando a* CUCA *violentamente.*)—Vieja pelleja, si te largas de aquí te vas encuera... (*Arrancándole la piel.*) A lo sumo con lo que tienes puesto...

AURA. (*A* CARIDAD.)—Comprende, si al menos fuera posible esperar un tiempo... El tiempo para ver si Tigre se acaba de morir y si todo termina... Necesito preparar el equipaje, Caridad... Hay que esperar, aunque sea unas horas...

CUCA. (*Vencida, llorando grotescamente.*)—No soy demasiado vieja, Caridad, pero ya no soy joven...

CARIDAD.—¡Nunca será de ese modo! ¡Jamás! ¡Yo no tengo que pensarlo! ¡Por aquí..., por aquí...!

AURA. (*Vacilante.*)—¿Y Lobo, dónde se ha quedado Lobo? (*Llamando en voz muy baja.*) Lobo... Lobo...

CARIDAD. (*A* AURA.)—Vamos, vamos, abriremos la puerta, vamos...

AURA. (*Igual.*)—Lobo... Lobo...

LOBO.—Me quedo. El dinero de papá.

CARIDAD. (*A* LOBO.)—Podemos salir del laberinto.

LOBO.—¿Qué dice Caridad? Estoy sordo y no oigo bien... ¿Qué dice?

CARIDAD.—Podemos salir del laberinto...

LOBO.—Me quedo... El dinero de papá...

AURA. (*Separándose de* CARIDAD *y acercándose a* LOBO.)—El camino está lleno de fango. Saldré otro día, cuando deje de llover.

CUCA. (*Como si fuera sorda.*)—¿Cómo?

CARIDAD.—Podemos salir del laberinto...

CUCA.—¿Que a Lobo le hace falta un cinto?

AURA.—¿Qué dice Caridad? ¿Alguien sabe lo que dice Caridad?

LOBO. (*Acercándose a* CARIDAD.)—Habla alto, Caridad. Nadie puede escucharte. (*A* TIGRE.) ¿Qué dice Caridad?

AURA. (*Acosando a* CARIDAD.)—¿Qué dice Caridad? ¿Por qué no habla más alto? (*A* CUCA.) ¿Qué dice? Caridad, Lobo? ¿Qué dice?

CUCA.—¿Caridad? ¿Qué Caridad? ¿Alguien ha visto a Caridad?

LOBO.—¿Pero es que aquí está Caridad?

CARIDAD. (*Tirando de* LOBO, *desesperada.*)—¡Huyamos, Lobo! ¡Pronto!

LOBO. (*Empujándola.*)—¡Suelta, no me toques!

(*Va junto a* TIGRE.)

CARIDAD. (*Tratando de arrastrar a* AURA.)—¡Ahora, ahora!

AURA. (*Empujándola.*)—¡No, no! (*Corriendo hacia* TIGRE, *instintivamente, como buscando protección.*) ¡Tigre, Tigre!

CARIDAD. (*Tirando de* CUCA.)—¡Por aquí! ¡Por aquí!

Cuca. (*La empuja y la tira en el piso.*)—¡Solavaya!
¡A esta chiquilla lo que hay que hacerle es un
despojo! (*Buscando protección en* Tigre.) ¡Tigre,
Tigre!

Tigre.—Decir que yo no tengo la solución a todos
los problemas es comer de lo que pica el pollo.
Todo el mundo que se ha sometido a ese régimen
alimentacio, ha tenido que lamentarlo. Yo soy el
hombre fuerte del partido. Los negocios son los
negocios. La política es la política. Y aquí la política no conduce a otra cosa que a los buenos
negocios. ¿Para qué te crees que me metí en el
negocio del Acueducto de Vento?

Cuca. (*A* Aura, *que vuelve a separarse de* Tigre.)—
Convéncete, Aura, Tigre es un bicho y no podemos nada contra él.

(*Toma la piel de nuevo.*)

Aura. (*A* Lobo, *que también está lejos de* Tigre.)—
¿Está tu padre metido en el negocio del Acueduc-
to de Vento? ¿Sabes tú lo que le ha rendido eso?
¿Qué parte te ha dado?

Lobo.—Las piltrafas. Eso es lo que me ha dado.

Aura.—Te odio, Lobo.

(Caridad *se ha puesto de pie y está
como oculta entre los muebles y la
sombra.*)

Tigre. (*Escuchando algo.*)—¡Silencio! (*Pausa. Todos escuchan.*) ¿Es Caridad la que baja las escaleras?

Cuca. (*Un poco insolente.*)—¿Por qué preguntas?
¿Acaso no eres tú quien guardas las llaves?

Aura. (*Mirando por la ventana.*)—¿Es Caridad la
que camina por el traspatio?

Lobo.—Anoche vino Caridad y me dijo que tenía la llave del laberinto.

Cuca.—¿Sigue con ésa?

Aura.—Habrá que llevarla al siquiatra.

Cuca.—Caridad come gofio.

Aura.—¿A qué hora fue? ¿A eso de las tres?

Cuca.—¿No eran los pasos que se escucharon a eso de las cinco?

Lobo.—El reloj daba doce campanadas. Estoy seguro.

Aura. (*Asustada.*)—¿Y quién vino a las cinco?

Cuca.—¿Era Tigre? ¿Era Lobito?

Aura.—Si uno pudiera ver la realidad y no las visiones de la realidad.

Lobo.—¿Y quién puede asegurarnos que Caridad es la realidad?

Aura.—¿Y quién puede asegurarnos que Caridad no es la realidad?

Lobo.—¿Por qué no te callas?

Aura.—Tienes razón, Lobo. Si uno no hubiera perdido estos años en el laberinto, te aseguro que estaría dispuesta a salir de él. ¿Pero qué ha sido de mí m'sma? ¿Y qué puedo encontrar un poco más allá? ¿Es que alguien lo sabe? Tendremos que matar a Caridad. Yo no la resisto. Ella habla de salir, pero ¿hacia dónde? Además, ella acabará deformada, como todos los demás.

Lobo.—Hay que hacer como Tigre.

Tigre.—¿Es que yo la tomo en serio?

Cuca.—Tigre se ríe de ella.

Aura.—La maldita seguridad de Tigre. Es verdad. Es demasiado tarde. Aun para arrepentirse.

Tigre.—Yo no me arrepiento de nada.

Aura. (*Dura.*)—Ya lo sabemos. Pero yo no me arrepiento tampoco.

Tigre. (*A Lobo.*)—Nunca me gustó. ¿La ves? ¿Te has

fijado en esos ojos vidriosos, Lobo? ¿Cómo puedes dormir con ella? (*Tomándole las manos a* AURA.) Y mira esas manos: tiene uñas de cuervo, como las mías... Podría sacarte los ojos, aunque fuera sin querer. Se han visto casos... Aprende de mí... Cuca por lo menos sabe esperar y se conforma con una piel de gato. Es violenta, pero no es peligrosa...

CUCA. (*Confidencial a los otros.*)—¿Lo ven? Es la enfermedad que avanza.

TIGRE.—Es muy fácil querer ahora todo esto. Pero, ¿por qué se creen ustedes que llegué a la Secretaría de Justicia? ¿Por mi linda cara? ¿Por mis manos limpias? Pero el señorito de la puñeta no se las quería manchar... Un juego sucio... ¿Sabe Aura lo que es un juego sucio?

AURA.—Lo comprendo. Este es un juego sucio.

TIGRE.—Es nuestra especialidad. ¿Quién no sabe lo que es un juego sucio? Un juego limpio sería la excepción.

CUCA. (*Jubilosa casi.*)—La enfermedad... Son los síntomas...

AURA.—¿Esta vez va en serio?

LOBO.—¿Va en serio esta vez?

AURA.—Lobo tiene miedo todavía.

LOBO.—Se alimenta bien.

TIGRE. (*Ligero.*)—No le hagas caso, Lobo.

CUCA.—Come bien, pero tiene miedo.

AURA.—Ese es un buen síntoma.

LOBO.—No te acuerdas. Hace quince años. (*Con énfasis.*)

—"¿Qué peligro puede ofrecernos?"

AURA.—Pero Cuca dice, Cuca afirma...

TIGRE. (*Que siempre parece oír, saberlo todo.*)—¿Y qué certidumbre tienes, Aura, de que Cuca la Cava no esté de acuerdo conmigo?

Cuca.—Oigan esto: cuando bajaba las escaleras se
inclinaba tanto sobre la pobre Caridad que creí
que ambos iban a rodar hacia abajo... Yo tenía
que apoyarme de la baranda... Presentía que iba
a suceder... Y tenía miedo por mí... Ya saben
que cuando veo caer a alguien, especialmente si
tiene bastón, me orino de la risa...

Tigre. (*Tomando a* Cuca *por la barbilla y enfren-
tándola a* Lobo.)—Esta vieja bruja es la madras-
tra que te di, Lobo. ¿Qué te parece?

Lobo.—No quiero hacer alarde de que soy tu hijo,
pero tengo tu apellido... ¿Acaso no es normal...?

Tigre.—No harás alarde, pero cada vez que com-
pras algo lo pones a cuenta mía... Y tu mujer
hace lo mismo...

Aura.—¿Qué esperanza hay, Lobo?

Lobo.—Ninguna. (*Pausa.*) ¿Su muerte? He llegado a
dudarlo.

Tigre.—Si te interesa la política, podría darte una
oportunidad por Las Villas. ¿Qué tiene de malo
Las Villas? Si emplearas ese entusiasmo en abrir-
te un porvenir con tus propias manos...

Aura. (*Corriendo y abrazando a* Lobo.)—¡Dile que
se muera, Lobo, no lo tolero más! (*Pausa.*) Cuando subí las escaleras por primera vez hacia el
piso alto, temblaba... Tenía las manos heladas...
Apenas pudo reconocerte... Parecían estertores
de agonía... ¿Qué peligro podía ofrecernos? Y
sin embargo, está aquí, como si cada día lo hiciera más fuerte...

Tigre.—Lobo no tuvo coraje para decirte que lo
que hacías era un disparate... Como estaba acostado, no notaste que mi joroba era mayor que
la de Lobo... Fue a mí a quien debiste echarle
garra... Por supuesto, yo sigo prefiriendo a Cu

ca... Tiene arranques, pero no duran... (*A* Cuca.) ¿No es así, Cuca?

Cuca. (*Cansada.*)—Sí, Tigre, sí.

Tigre.—Pero Lobo no me dejaba hablar. Decía: (*Parodiando.*)

—"¿Necesito una mujer, papá, no seas malo..." ¿Y dónde iba a conseguir una con aquel mal color, aquella falta de carácter y aquella joroba sin dinero? Pero apareciste tú, mi pequeña Aurita, y él se afiló los dientes para comerse el pollito: (*Parodiando.*)

—"Hazte el muerto, papá, hazte el muerto."

Aura. (*A* Lobo.)—¿Es cierto eso?

Lobo.—Está mintiendo, Aura, está mintiendo...

Tigre.—"Hazte el muerto, papá, hazte el muerto."

Lobo.—Está mintiendo, te juro que está mintiendo...

Aura. (*Amargamente.*)—¿Es cierto? ¿Pero te das cuenta, Lobo, que hay instantes en que ni siquiera me importa...?

Tigre.—A nadie le gusta mi historia, por lo visto... Claro que todo el mundo se baña y se defiende... "Tiburón se baña pero salpica"... Oye el lema, Cuca, pero no te afiles los dientes... "La política de la mano abierta..." Muy bonito, pero Cuca sabe que yo la abro para otra cosa... A lo que iba, Lobo... Todo lo que hay aquí lo hice yo y no lo hizo la pellejería de Cuca... La pellejería de Cuca la pagué yo... Por eso quiero un inventario de todo lo que dejo... Al menos, cuando me muera, quiero hacerlo en gracia de Dios...

Cuca.—El viejo Tigre se divierte con sus funerales... "A esto le zumba, apenas sintió la conga el muerto se fue de rumba..."

Tigre.—Cuca, mira a ver si te metes la lengua...

Cuca.—Hijo, ¿pero es que aquí no se puede siquiera hacer una broma?

TIGRE.—Esto va en serio, vieja pu...

CUCA.—Entonces es mejor que Caridad prepare una taza de café.

TIGRE.—No es necesario que Caridad vaya a preparar nada. El café es un estimulante y nosotros no necesitamos ninguno...

CUCA.—Lo que eres tú, no... Pero yo necesito un estimulante para soportar todo esto y soportarte a ti... Es demasiado, Tigre. No voy a poder soportar todo esto sin una taza de café o algo...

TIGRE.—Hacer un inventario no es otra cosa que un trabajo de contador público. Dramatizas. En esta casa todo el mundo dramatiza... Además, es un asunto de justicia... La justicia es lo que más me interesa...

AURA.—Creí que habías sido Ministro de Justicia para poner la balanza de su parte.

TIGRE.—¿Quieres ver mayor interés en la justicia? La oposición era injusta cuando me atacaba.

LOBO.—No metas las manos de ese modo, papá. Te desacreditas.

TIGRE.—¿Y quién te ha dado vela en el entierro, Lobo?

AURA.—Hay muchos modos de hacer las cosas, Tigre. No es necesario...

LOBO.—¿Es que yo no llevo tu apellido?

TIGRE.—Con el apellido no se come... Por lo menos, tú comes con algo más que con mi apellido...

LOBO.—Lo haces para mortificarme, papá. Los periódicos ya están hablando del asunto.

TIGRE.—Para ver con cuánto dinero le tapan la boca.

LOBO.—Pero todo tiene su límite...

TIGRE.—La oposición era injusta cuando me atacaba. ¿Cómo iba a edificar todo esto sin la ayuda de la Justicia? En Cuba ha habido muchos buenos Ministros de Justicia, pero yo les he dado punto y raya a todos...

CUCA.—Eso mismo digo yo...

TIGRE.—La Justicia es ciega y hay que abrirle los ojos... Recordarás cómo te entusiasmabas a veces, Lobo... Tu madre no lo entendía... Ella era hija de veteranos y andaba creyendo en los cuentos del abuelo Liborio...

CUCA. (*Al público.*)—Eso fue exactamente lo que yo supe aprovechar... Las ambiciones de Tigre... Fue en la casa del Cerro cuando Tigre comenzó a abrir los ojos tanto, que hasta yo, que los había visto bien abiertos, comencé a asustarme...

TIGRE.—Yo siempre tuve los ojos bien abiertos, Cuca... No empieces a coger galones. No fue precisamente para que me abrieras los ojos a lo que iba a la casa del Cerro.

CUCA. (*Gritando.*)—Pero yo tengo corazón, Tigre... Yo soy un ser humano... Yo tengo cerebro...

TIGRE.—El del mosquito, nadie lo discute. De todos modos, cuando la Justicia abrió los ojos y me vio, se puso de mi parte... No es tan boba como parece. Sabe lo que hace.

CUCA. (*Como si quisiera terminar.*)—Son las ocho y cuarto...

TIGRE.—¿Debajo de qué está mi dinero, Cuca? ¿Dónde, Lobo? ¿En qué lugar, Aura?

LOBO. (*Apremiándolo.*)—Cuenta pronto. Es demasiado tarde.

TIGRE.—Empecemos por los cubiertos de plata...

CUCA.—Necesito una taza de café. Caridad, haz el favor de preparar un poco de café... Tengo mareos...

AURA.—Por favor, Cuca...

LOBO.—Empieza, papá.

TIGRE.—Cuca se enrosca esa piel al cuello y se ahoga... Por gusto... La joroba se le ve de todos modos...

CUCA.—Hay cosas que no puedo pasar por alto, Lobo. Y una taza de café ahora es una de ellas.

TIGRE.—Está bien, Cuca... No eres ni siquiera ambiciosa como la pobre Aura... Aura necesita algo más que una taza de café para vivir... Caridad, prepara el café... (*Hay una pausa.* CARIDAD *no se mueve.*) ¿Oíste, Caridad?

AURA.—¿No es posible que Caridad apresure un poco este asunto?

LOBO.—¿Oíste, Caridad?

CARIDAD. (*Vagamente.*)—Escuchaba...

LOBO.—Me refiero a si oíste a Tigre.

CARIDAD.—Escuchaba... Los manteles de hilo, la vajilla, los cubiertos de plata... Hablan como si quisieran vivir... Esperan, por una vez, un poco de calor...

CUCA.—¡Oh, no, no, lo que faltaba! ¡Que no venga Caridad con una de sus jerigonzas!

TIGRE.—La romántica Caridad... Da gusto verla...

AURA.—¿No podría Caridad colaborar y ayudar a terminar todo esto?

TIGRE.—Encuentro que esta ocasión hay que celebrarla.

CARIDAD. (*Evocando palabras que dijo alguna vez.*)
—"¿Ponemos los cubiertos? ¿Usamos el servicio de plata?"
—"¿Y la panera? ¡Al menos la panera!"
—"¿No es posible, por una vez, encender los candelabros?"

AURA. (*Gritando desproporcionadamente.*)
—"¡La plata también se destruye, Caridad...! Se mancha, se ensucia... ¿Cuántas veces te lo tengo que repetir?"

LOBO.—¿Por qué no te callas, Lobo?

AURA.—¿Por qué no te callas, Aura?

CUCA.—¿Por qué no te callas, Cuca?

LOBO. ⎫
AURA. ⎬ ¿Por qué? ¿Por qué? ¿Por qué?
CUCA. ⎭

TIGRE.—Bien, la pequeña Caridad podrá realizar un viejo sueño. Es la ocasión. Podrá usar el servicio de plata... Después de todo, me gustaría usar por una vez en la vida ese servicio de plata...

CARIDAD.—El servicio de plata...

TIGRE.—Y las tacitas de la vajilla...

CUCA.—Sí, Caridad, hija, el servicio de plata... (CARIDAD *camina hacia el mueble situado al fondo y al centro. Todos la miran, vacila.*) ¿Qué esperas? ¡Quiero tomar café!

CARIDAD.—Cuando uno abre algo, siempre tiene miedo. Nadie sabe lo que hay adentro.

LOBO.—¿Es que Caridad no puede tener sentido de la realidad?

CUCA.—¡Abre, Caridad, abre!

CARIDAD. (*Abre lentamente la gaveta. Dice sin volverse.*)—No hay nada. El servicio de plata ya no está. Es demasiado tarde. Todo está vacío.

CUCA.—¿Vacío?

LOBO.—Caridad ha dicho vacío.

AURA.—Sí, vacío...

TIGRE.—¡Hagan juego, señores, hagan juego con el viejo Tigre!

CUCA.—Estoy segura que anoche...

AURA.—Estoy gritando desde hace horas...

LOBO.—¿No eras tú?

AURA.—Anoche, a las tres, comencé a escuchar pasos en el tejado...

LOBO.—¿No eras tú?

Cuca.—¿No eras tú?

Aura.—¿No eras tú?

Tigre.—Construye una casa, edifica una torre, inclina la balanza... Al final: ¡porquería!, ¡basura!, ¡ladrones! ¿Pero qué se han creído ustedes? ¿Es que van a jugar conmigo?

Cuca. (*Arrodillada.*)—¡Piedad, piedad, yo soy inocente!

Lobo.—Yo no he hecho nada malo, papá.

Aura. (*Con cierta energía, pero temerosa.*)—Yo, yo tampoco.

Tigre. (*Dando grandes pasos.*)—¡Porquería! ¡Basura! ¡Ladrones! ¡Ladrones!

Cuca.—No hay constancia de los ladrones, Tigre.

Lobo.—¿Ladrones? ¿Es que hay ladrones?

Aura. (*Tapándose los oídos.*)—No escuches a Caridad. Puede abrir la puerta y caer al vacío.

Cuca.—Es necesario que la policía tome cartas en el asunto. ¡Ladrones! ¿Se han enterado? ¡Ladrones!

Lobo. (*A* Cuca.)—Debes v'gilar a Cuca.

Aura. (*A* Lobo.)—Debes vigilar a Lobo.

Cuca. (*A* Aura.)—Debes vigilar a Aura.

Lobo.
Aura. } Vigilar... Vigilar... Vigilar...
Cuca.

Lobo.—¿Quién era?

Cuca.—¿Quién tocó?

Aura.—¿Quién llama?

Tigre. (*Gritando, deteniéndose.*)—¡No se atraquen más! Está claro. ¡Fue Lobito!

Aura.—El verano es ardiente. Me ahogo. La noche es larga.

Cuca.—La educación de ese muchacho, a propósito, no es justamente la más correcta. La moderna pedagogía...

TIGRE.—La moderna pedagogía me la paso por el trasero. Lobito y yo arreglaremos cuenta. ¿Oíste, Aura? Esto quedará bien claro.

AURA.—¿Está seguro? ¿No es posible que sea otro?

TIGRE.—¿Otro? ¿A qué carajos te refieres?

LOBO.—¿Qué seguridad tenemos, papá?

TIGRE.—¿Lo apañan? Les sacará los ojos. A mí no.

AURA.—¿Qué sabemos nosotros?

LOBO.—¿Qué sabes tú, papá?

TIGRE.—¿Están locos? ¿Qué cuento de chino es éste? ¿Es un cuento de Caridad?

AURA. (*A* CARIDAD.)—Caridad, ¿es que tú sabes algo?

LOBO. (*A* CARIDAD.)—Di, no te hagas la mosquita muerta.

CUCA. (*A* CARIDAD.)—Habla, niña, no seas boba, no tengas miedo.

CARIDAD. (*Retrocediendo.*)—¡No, nada, no, no...!

TIGRE.—¡Cabrones, malditos cabrones! ¡Dejen a la come gofios ésa! ¡Déjenla en paz, pandilla de bastardos! Aquí hay dos ladrones y ustedes lo saben bien, porque ustedes, a la larga, son incapaces... Son una partida de cobardes... Pero Lobito es de mi misma especie... Pero calcula mal... Conmigo no va eso de ladrón que roba a otro ladrón... Con ése ya arreglaré las cuentas... Pero de algo quiero que estén seguros: lo que soy yo, no me voy a morir... Bicho malo nunca muere... (*Pausa. Dsepués, a* CUCA.) ¡Cuca la Cava, vieja bruja y pelleja, ayúdame a subir!

> (*Y empieza a retirarse con la ayuda de* CUCA.)

CARIDAD. (*Mientras el escenario se oscurece hasta que sólo se ve ella, iluminada.*)—Cuando volví la cabeza, ya las arcas no estaban. El verano había avanzado demasiado y hacía demasiado calor.

Todo parecía quemarse. Todo ardía. La playa estaba desierta y comencé a caminar. El mar tenía olas, inmensas olas rojas con espumas de sangre. Todo el mundo comenzaba a conjurarme, pero en el fondo sólo había un abismo... Era el mar, me decía, porque la isla sólo tenía mar por todas partes y nadie podría librarme de aquel mar que ya era rojo, de un solo color. Comencé a correr como si aquella huida tuviera significado, pero no la tenía... ¡Cuántas ilusiones dentro del mar que nunca fue azul! Y no tenía sentido abrir puertas, porque todo era lo mismo. Yo sabía que al final de cada puerta sólo hallaría el abismo. ¡Cuánta lástima sentía por mí misma! ¡Cuánta dolorosa piedad! Y nadie me daba la mano para ayudarme. No tenía sentido. Pero yo me empeñaba en correr, y en correr, siempre engañada y rodeada por el mar, la arena, las arecas, las palmeras, las cañas... Y aquel verdor de los campos se perdía en aquel mar que yo había soñado azul y que era rojo, con aquella proliferación maligna...

(*Las luces se van apagando hasta un completo oscurecimiento.*)

TELÓN LENTO

(*El escenario aparece casi totalmente
a oscuras. Hacia el frente, reclinada en
un chaise-longue, aparece* AURA, *la cabeza hacia atrás, los ojos cerrados.* LO-
BO, *al fondo, apenas se distingue. La
escena se irá aclarando lentamente.*)

AURA. (*Muy vagamente.*)—Sentí cuando abriste la
puerta.

LOBO.—Dormía. La situación es bien simple. La noche en que desapareció el servicio de plata, fuiste
tú la que corriste fuera de este cuarto. Oíste a
Lobito. Yo no me moví. Me hice el sordo. ¿Por
qué tratas de encubrir a Lobito?

AURA.—¿Y qué certidumbre tenemos? Cualquiera
de nosotros...

LOBO.—Sabes que fue Lobito. Lo sabes mejor que
nadie, dentro de lo más profundo de tu alma.
¿Por qué lo encubres, Aura?

AURA.—¿Y qué puedo hacer yo para encubrirlo?

LOBO.—Decir en lo más profundo de tu corazón que
es inocente...

AURA.—Por favor, Lobo. ¿No te parece un poco tarde para hablar de nuestro corazón? ¿Acaso tenemos derecho a mencionarlo? Yo no puedo hacer
nada por Lobito. ¿Quién puede hacerlo? Es el
viejo Tigre quien tiene la palabra... Como siempre... O Lobito mismo... (*Pausa.*) A menos que

alguien estuviera dispuesto a confesar...

LOBO.—Nadie puede confesar. Sólo el culpable. Y nosotros somos inocentes.

AURA. (*Sarcástica.*)—Desgraciadamente...

LOBO.—Hubieras preferido que fuera yo, ¿no es cierto?

AURA.—Por varias razones. Entre otras, porque él es mi hijo.

LOBO.—Y porque siendo él el ladrón, lo robado nunca será tuyo.

AURA.—En parte.

LOBO.—Cría cuervos y te sacarán los ojos.

AURA.—¿Qué ganas con herirme?

LOBO.—Yo no he dicho nada.

AURA.—Acabo de escucharte.

LOBO.—¿Y qué certidumbre tenemos de nuestras propias palabras?

AURA.—¿No te parece un modo demasiado abyecto de defenderse?

LOBO.—Uno como otro cualquiera.

AURA. (*De pie.*)—Podría acusarte.

LOBO.—¿Qué ganas con defenderlo a él?

AURA.—Soy su madre.

LOBO.—¿Crees que el viejo Tigre no te conoce? Lo sabe todo mejor que tú y que yo. Sabes que tratas de encubrir a tu fiel, adorado Lobito. Aunque cierres puertas y ventanas, Tigre siempre sabe la verdad.

AURA.—¡Tigre, siempre Tigre! Merecemos un castigo por no darle fin a todo esto. (*Desfallecida, se vuelve a tirar en el chaise-longue. Cierra los ojos.*) Yo no toqué la puerta. Estaba tendida en la cama con los ojos abiertos. Tú caminabas de un lado para otro en el cuarto. Me vigilabas a través del espejo...

LOBO.—¿Y qué certidumbre tenemos el uno del

otro? Estabas demasiado cansada para vigilar en aquel instante. Cuando cerraste los ojos, ¿qué hice yo en aquel momento en que cerraste los ojos?

AURA. (*Casi superficial.*)—No soy tonta. Soy una mujer celosa. Te amo. No había tiempo para nada.

LOBO.—¿Te das cuenta que la respiración se nos escapa?

AURA.—¿Acaso hemos respirado alguna vez? (*Incorporándose.*) ¿Oyes? ¿Será Lobito? Todos lo esperamos, ¿no es así?

LOBO.—Atacará, no te preocupes. (*Pausa.*) ¿Es posible que lo ames?

AURA.—A ti te odio por cobarde. A mí también. A él lo amo y lo odio. Lo quiero ver vivo y lo quiero ver muerto. Son dos pasiones intensas.

LOBO.—El es el mayor enemigo, más que Tigre.

AURA.—¿Lo crees? Estamos vencidos. No luchemos contra nadie.

LOBO.—Yo pienso que quizás ellos se devoren el uno al otro.

AURA.—Cuca la Cava te diría: "El que vive de ilusiones muere de desengaños."

LOBO.—No sé, pero Cuca repite para que estemos atentos: "Tigre no duerme, Tigre no duerme." Espera también. Lobito está descubierto. Ha jugado con fuego. Tigre no dejará que se salga con la suya.

AURA.—¿Qué adelantamos nosotros con que Lobito no se salga con la suya y con que Tigre se salga con la suya? ¿Qué adelanta Caridad?

LOBO.—Lobito es joven y fuerte. Tigre es viejo. Por ley natural tendrá que morir.

AURA.—"Bicho malo nunca muere."

LOBO.—"No hay mal que dure cien años..."

AURA.—No quiero ilusiones, Lobo. Me hacen má
daño todavía. (*Sobresaltada. Vuelve a escuchar.*
¿Oíste? ¿Fuiste tú? La casa está llena de sonido
extraños...

LOBO.—Es Tigre que respira...

AURA.—Es el pulso de Cuca que tintinea...

LOBO.—Es el corazón de Tigre que palpita... O qu
parece romperse...

AURA.—Soy yo, que no puedo escapar... (*Desfallecí
da.*) Hace un instante, cuando cerré los ojos
se abrió la puerta, creí que era Lobito que re
gresaba... ¡No lo puedo evitar! ¡Es mi hijo
temo por él! ¡Te imaginas lo que hará Tigre?

LOBO.—¿Y si no lo hace?

AURA.—Lo sé. Lobito nos comerá vivos.

LOBO. (*Sarcástico.*)—Eres una "mater dolorosa"..
Entre la espada y la pared...

AURA.—Lo quiero y lo odio. No sé cómo es posibl
querer y odiar tanto a la vez...

LOBO.—¿Y Tigre? Porque él lo ama también. A s
modo y manera. (*Sarcástico.*) ¡La madre se en
ternece! ¡El abuelo se enternece! ¡El nieto ha
heredado sus dientes! (*Transición.*) Pero en la
reglas de Tigre, Lobito ha cometido un error gra
ve. Es su oro. Tigre ama a su oro un poc
más.

AURA.—Quisiera proteger a mi hijo...

LOBO.—Matarlo también...

AURA.—Protegido de todo por un muro de cris
tal...

LOBO.—Protegidos nosotros por un muro de cris
tal... (*Sarcástico.*) ¿No sería mejor una jaula d
hierro?

AURA.—Yo también amo a Lobito...

LOBO.—Deshojando margaritas: lo amo..., lo odio..
lo amo..., lo odio... ¡Lo odio!

Aura.—¡Lo amo!

Lobo. (*Repite, burlón.*)—¡Lo amo!

Aura. (*Siguiendo el juego.*)—¡Lo odio!

Lobo. (*Riéndose.*)—¿No ves? Es lo que digo yo.

Aura.—Eres un tramposo... (*Pausa.*) Cuando el viento sopla, creo que es Lobito que vuelve y que ahoga al viejo Tigre para librarme, como tú nunca supiste hacerlo...

Lobo. (*Sarcástico.*)—¿Es el pequeño Lobito tu pequeño ángel guardián? ¿Es el pequeño Lobito tu pequeño demonio que abre las puertas del infierno?

Aura.—¿Y por qué no habría de salvarme?

Lobo.—¿Y por qué no habría de devorarte? El pequeño Lobito recibe lecciones, hace ejercicios de sangre...

Aura.—Sí, el viejo Tigre...

Lobo. (*Sobre ella.*)—Por las tardes se inclina sobre él y le dice lo que debe hacer con las mujeres...

Aura.—Eso es natural... Los hombres son así... Por eso no dejará de quererme...

Lobo.—Acabarás obligándome a lo peor...

Aura.—¡No, no lo hagas!

Lobo.—Seré tu Lobito. Diré sus palabras. Te lo pondré cara a cara.

Aura.—Ten piedad.

Lobo. (*Escuchando.*)—¿No es Caridad ésa?

Aura. (*Escuchando.*)—¿La que baja las escaleras?

Lobo. (*Escuchando.*)—Las sube Se. acerca al cuarto de Tigre.

Aura. (*Escuchando.*)—¿Son ésos los pasos de Caridad?

Lobo. (*Escuchando.*)—¿Y qué hace Caridad en el cuarto de Tigre?

12

AURA. (*Tapándose los oídos.*)—¿Cómo podemos saberlo? ¡No escuchemos más!

LOBO. (*Escuchando.*)—Anoche oí esos mismos pasos. Bajaban muy lentamente.

AURA.—Pero no era Caridad. Caridad respiraba pesadamente y a eso de las tres comenzó a gritar. Tenía una pesadilla.

LOBO. (*Escuchando.*)—Entonces, no es Caridad ahora.

AURA.—Ya no se oye nada.

LOBO.—¿Te has movido tú? ¿Me he movido yo?

AURA.—En esta oscuridad, ¿cómo podemos saberlo? (*Hay una larga pausa.*) Es tarde. Lobito no llega. Cuando oí los pasos creí que era él.

LOBO.—Es la tos de Tigre. Retumba en todos los cuartos.

(*Escucha.*)

AURA.—¿No es la risa histérica de Caridad?

(*Escucha.*)

LOBO. (*Escuchando.*)—Es la risa de Cuca. Se divierte con las convulsiones de Tigre.

AURA.—¿Y qué sabemos nosotros?

LOBO.—Caridad necesita un hombre. Eso es todo.

AURA.—Cuando oigo el tic-tac del reloj me parece que el tiempo... Cuando Caridad se vuelve convulsa y mira alrededor... ¿Es que todos comenzamos a ver visiones? Todo es vago, difuso... A veces creo que me voy...

LOBO.—No escuches a Caridad... No escuches...

AURA.—Oigo, sin embargo... Pero no quiero ver la luz del sol. No hemos vivido para ver la luz del sol. Las cosas no podrán desvanecerse cuando alarguemos las manos. No hemos vivido para eso, Lobo. No puede ser tan horrendo.

LOBO.—¡Si alguien acabara de morir!

AURA. (*Temerosa.*)—¿Lobito?

LOBO.—Sí, debe ser Lobito.

AURA.—No puedo aceptar esa idea. Soy la madre de Lobito.

LOBO. (*Sarcástico.*)—El dilema de siempre. ¡Más mujer que madre o más madre que mujer! Cuando Lobito te alcance, no tendrás tiempo siquiera para proferir un grito... Cría cuervos y te sacarán los ojos...

AURA. (*Aniquilada casi.*)—Tu valor para aniquilarme es sólo una forma de tu cobardía...

LOBO.—Me obligas, Aura. ¿Por qué no acabas de odiarlo de una forma total, única, sin sombra de amor? No tiene sentido. Me obligas...

AURA. (*Suplicante.*)—No lo hagas.

LOBO.—Te pondré a Lobito ante ti y lo verás al frente, lo recordarás y no te quedará otro remedio que clamar por su muerte...

AURA. (*Vencida, en el chaise-longue.*)—Eso me destruye...

LOBO.—...como si al nacer te hubiera envenenado las entrañas... ¡Lobito, el santo Lobito, el inmaculado! Lo verás. Lo verás y devorará tus ojos. (*La toma violentamente y la vuelve frente al público, dominándola materialmente y retorciéndola.*) ¿Y tú, vieja bruja, te has mirado al espejo? ¿Te has mirado?

AURA. (*Rabiando.*)—¡Suéltame, suéltame!

LOBO.—¿Ves a Lobito ahora? ¿Lo reconoces?

AURA.—Soy yo. Eres tú.

LOBO.—Soy Lobito.

AURA.—Prefiero no verlo.

LOBO. (*Forzándola nuevamente.*)—¡Mírate bien, mírate bien tu joroba!

AURA.—¡Suéltame, suéltame, Lobito!

Lobo. (*Que juega a ser* Lobito, *a* Aura.)—No te escaparás, Tigre. Tú eres mi viejo Tigre, mamá, mi viejo Tigre que se enrosca y que se viste de mujer. Mi viejo Tigre devorador, mamá... ¿Son esos tus estertores de agonía?

Aura.—No sigas, Lobito... Basta, Lobo, basta...

Lobo.—Viviré miles de años, mamá. Tantos como el abuelo Tigre.

Aura.—¡Lobito...!

Lobo.—No quieres convencerte. ¿Por qué habría de quererte, mamá? Soy un monstruo creado a imagen y semejanza... En esta vida lo peor es la imposibilidad de hacer un pacto...

Aura. (*Lejanamente.*)—No... hay... remedio... para... la... soledad...

Lobo. (*La sacude, ya en el plano de* Lobo.)—¿Te rindes ahora? ¿Te convences?

Aura.—No, no es suficiente. Lobito es mi hijo. Pero está bien. ¡Entierra el puñal! Llévalo hasta el final. Sigue, Lobo, sigue con la verdad: acabaré recogiendo a mi hijo muerto y ya no me importará el crimen de Tigre.

Lobo. (*La suelta.* Aura *se desploma.*)—Aquella tarde...

Aura. (*Sin fuerzas.*)—Aquella tarde...

Lobo.—Recordarás aquellos meses en que estuviste enferma...

Aura.—Una terrible depresión... El viejo Tigre subía a visitarme... Nunca le vi tan alegre, tan complaciente... Lo recuerdo en la puerta: Tigre, tú, la vieja Cuca la Cava con su piel al cuello...

Lobo.—Y un poco más al fondo...

Aura. (*Repitiendo.*)—Y un poco más al fondo...

Lobo.—Habla...

Aura.—Y un poco más al fondo... el pequeño Lobito...

LOBO.—¿Los escuchabas?

AURA.—Creo que sí... Lejanamente... Decían...

LOBO.—"¿Cuándo se morirá, Lobo?"

—"¿Tendré nuevos juguetes, papá?"

—"Lobito comienza a pensar en sí mismo."

—"¿Cuándo se morirá? ¿Cuándo?"

AURA.—Entonces toda la casa comenzó a llenarse de aquel cuándo se morirá. Hasta yo misma comenzaba a preguntarme:

—"¿Cuándo se morirá la vieja Aura, cuándo se morirá?"

LOBO. (*Entusiasmado.*)—¡Hagan juego, señores, hagan juego! Si te dijera que estábamos llenos de tiernos pensamientos, no llegarías a creerme. Tigre preparaba un bonito funeral. Y yo estaba de acuerdo. Me gustan las ceremonias. Por un instante te inundamos de una nueva clase de amor. ¿No lo sentías?

AURA.—Sí, lo sentía. Era algo podrido que estaba en el aire.

LOBO.—Por un instante fuiste amada con fuerza. El viejo Tigre comenzaba a arrepentirse y se emocionaba fácilmente. Decía que hasta habías dejado de tener los ojos vidriosos, el brillo de reptil que te había encontrado siempre. Hablaba de tus virtudes: la constancia, el amor materno... Te aseguro, Aura, que fue mucho más generoso que cuando nosotros nos poníamos a pensar en su muerte...

AURA.—Le daré las gracias.

LOBO.—Nos sentíamos conmovidos. Te llevaría flores al cementerio, él y Lobito cogidos de la mano... El viejo Tigre aseguraba que iría todos los domingos... Y, sin embargo..., Lobito... Sólo Lobito...

AURA.—¿Era posible esperar algo de él? ¿Qué razón había?

LOBO.—Ninguna. Pero Lobito era quien te quería menos, aun muerta. Y no sabía esperar. Se agitaba. Subía a verte todas las tardes con la esperanza de una conclusión... Bajaba desmejorado, pálido, como si hubiera recibido un desengaño...

AURA.—Esas conversaciones de sobremesa... Las imagino... El viejo Tigre aprovecharía mi ausencia... ¿No era Tigre quien deformaba su tierno corazón?

LOBO.—Aura, no es el modo correcto de hablar de papá. Papá tiene sus sentimientos. Respeta los cadáveres. Preparaba los funerales con entusiasmo y se molestaba porque el pequeño Lobito no prestaba la menor atención. ¿Sabes lo que hacía mientras Tigre seleccionaba las oraciones para el recordatorio de tu misa de difuntos? (*Pausa. Ríe.*) Es grotesco: Lobito se sacaba los mocos...

AURA.—Era sólo un niño...

LOBO.—Pero terrible... Cuando subía a verte, temblaba mientras subía las escaleras. ¿Reconoces los síntomas?

AURA.—Sí... Pensaba:
—"Tiene las manos heladas. Apenas pudo reconocerme."

LOBO.—¿Reconoces los síntomas?

AURA.—Sí... Al verme... Al verme...

LOBO.—La sangre le calentó su cuerpo nuevamente...

AURA.—Sí, reconozco los síntomas... Hervía...

LOBO.—¿Sabes lo que es todo eso? ¿Te reconoces en sus propios sentimientos?

AURA.—No es necesario que sigas. Yo puedo hacerlo. Ellos dos se sentaban a la mesa y hablaban: Tigre y Lobito.
—"¿Es cierto que mamá está grave?"

—"Una depresión nerviosa... El corazón... La anemia avanzada..."

—"¿Y el médico?"

—"El médico ha perdido las esperanzas..."

—"¿Pero existe el peligro de una salvación?"

—"El médico se esfuerza, Lobito."

—"Pero nosotros podríamos hacer algo, abuelo Tigre. La ayudaríamos, ¿no es así?"

—"¿Lo ves, Lobo, el pequeño Lobito aprende rápidamente, acabará dándonos clases?"

—"¿No es una magnífica idea, papá? Mamá, después de todo, podría descansar un poco."

—"¿Una cura de cementerio, eh?"

(*Transición, directamente, tras una pausa.*) ¿Por qué no lo ayudaste, Lobo? ¿Qué te detuvo?

LOBO.—¿Pero no te das cuenta? ¿Y el miedo? Eran los dos: Tigre y Lobito. Yo no contaba. Jugaban a las cartas y yo lo veía. Reían y eran felices. ¿Dónde estaba yo? Aura, he vivido durante todos estos años a tu lado y ni por un instante has comprendido que te amaba... ¿Qué clase de amor? ¿Es que acaso importa?

AURA.—"Una dosis doble, abuelo Tigre, nada más que una dosis doble."

—"El pequeño Lobito acabará dándonos clases."

LOBO.—Entonces fue cuando subí las escaleras y comencé a llamarte. Si tenía algún aliado, el aliado eras tú. No te podías morir. Te habías alejado hacia un mundo desconocido al cual yo no tenía medios para llegar. Te perdías en un abismo y no encontraba modo de enfrentarte a la verdad de Lobito. Pero la verdad es tu única posibilidad de salvación. (*Delirante, oyendo.*) ¿Escuchas los pasos de Lobito? Despierta. Es él que se acerca.

AURA.—¿Es él? ¿Ha regresado? ¿Tigre lo sabe?

LOBO.—¿Te importa que Tigre lo sepa?

AURA.—Quiero estar ciega, muerta... (*Se desvane-*
ce casi.) Me voy, Lobo... Todas las siluetas se
alejan... Es Lobito que viene a hacerme el mal...

LOBO.—Tienes que entender... Lobito quiso subir...
La inyección... La droga... Te aplicará una doble
dosis y no podrás resistirlo... Tu corazón, Aura...

AURA.—Es... horrible... para... una... madre...

LOBO.—Pero así es. Tienes que hacerle frente. Si
abres los ojos, no podrá. Ni antes ni ahora. Y Tigre... y Tigre... ¿Dejarás que Tigre tome la justicia por sus propias manos...? Deja los hechos
en manos de Tigre...

AURA.—Los dejaré...

LOBO.—Cuando abra la puerta, debes estar de pie...

AURA. (*Escuchando.*)—Es Lobito. Ya ha regresado... Hay que avisar a Tigre...

(*Se incorpora, sostenida por* LOBO.)

LOBO.—Se acerca... Esperemos... El viejo Tigre es
el que manda...

AURA. (*Casi gritando.*)—Lobito ha regresado, Tigre... ¡Tigre, Tigre!...

TIGRE. (*Entra, jadeante, seguido de* CUCA LA CAVA.)
¿Ha regresado?

CUCA.—¿Ves? Te agitas y te fermentas. Acabarás
matándote. No puedes subir y bajar las escaleras de ese modo. Te lo vengo diciendo.

TIGRE.—¿La oyen? Resulta que ni siquiera Cuca
quiere que me muera. Cuca tiene miedo de Lobito. Teme que se lleve su piel de gato.

AURA.—Cada puerta que se abre es Lobito. Cada
ventana que se cierra es Lobito. Cada palabra se
torna Lobito una y otra vez. Cada instante es el
peligro de Lobito que nos amenaza. Estoy cansada. Vivo encerrada en el terror. ¡Acaba de una
vez, Tigre!

TIGRE.—Al fin la pequeña Aura se integra al seno del hogar. El feroz Lobito ha reunido a la familia. Me siento conmovido.

AURA.—¿Es que no he sufrido bastante? ¿Qué razón tengo yo para defenderlo? ¿Es que no tengo derecho a vivir este lejano rescoldo de mi juventud?

TIGRE.—Lo tienes, nena, claro que lo tienes...

CUCA.—Esta casa se volverá luz y alegría...

TIGRE. (*Sarcástico.*)—En la unión está la fuerza, ¿no? Y para la mano dura, no hay nadie mejor que el viejo Tigre.

CUCA.—Siempre lo dije. La educación de Lobito no era la más adecuada. Pero yo no he contado para nada en esta casa. Ahora tenemos las consecuencias. Y los mimos de Aura, las debilidades de Lobo, todo se unió para que Lobito acabara haciendo las cosas que no debía... Yo no he tenido la culpa... Si por mí hubiera sido, hace tiempo que le hubiera puesto a Lobito el correctivo necesario...

AURA.—¿El correctivo necesario?

TIGRE.—Son las recetas de Cuca. El conocimiento casero.

CUCA.—Pero muchas cosas se arreglan con conocimientos caseros. ¿Qué son las medicinas sino conocimientos caseros embotellados? Eso lo sabe hasta el más pinto de la paloma. Simplemente, hemos malcriado a Lobito.

AURA.—Nunca es tarde, si la dicha es buena...

LOBO.—Arbol que crece torcido jamás su tronco endereza...

CUCA.—¿Podía alguien en esta casa regañar a Lobito? ¿Quién lo castigaba cuando no quería compota? ¿Quién podía cambiarle los pañales cuando se orinaba en la sala? ¿Quién lo requería cuando mordía los animales? Nadie. Aura, convéncete, así no se puede criar a un muchacho. Era yo quien decía, quien señalaba, quien hacía referencia. Pero nadie me hacía caso. Ahora tenemos las consecuencias.

Tigre.—Tienes un cerebro de mosquito, ya lo dije. En cierta medida, y hasta cierto punto, era el orgullo de mamá, de papá, del abuelo... Hay cosas, vieja pu y repú, que se llevan en la sangre...

Cuca.—¿El robo se lleva en la sangre? ¿La pu..., la pupú... se lleva en la sangre? ¿El odio se lleva en la sangre?

Aura. (*Ahogadamente.*)—Precisamente, en la sangre.

Lobo.—Si Cuca se largara para el piso alto. No es necesario que custodies a Tigre. Tigre sabe custodiarse bien, Cuca.

Tigre.—Escuchemos sus consejos. Vamos a ver, vieja tapú, ¿qué debemos hacer?

Cuca.—Un correctivo, ya lo dije.

Tigre.—Cuca ha sugerido, concretamente, que le quitemos el medio de la merienda.

Cuca.—Bueno, no hay que exagerar... Detesto la tragedia. Soy una mujer alegre. Si Tigre me dejara, esta casa sería tan alegre como aquella en el Cerro... Y quizá Lobito, en un ambiente más alegre... ¡Qué vida aquélla! Sentarse, levantarse, acostarse, dormirse, despertarse, irse, venirse, peinarse, desvestirse, vestirse, desnudarse, sobarse, alegrarse, orinarse, cagarse, olerse, bañarse, apestarse, tentarse, chuparse, romperse, gozarse, enfriarse, calentarse...

Tigre.—¡Cállate, Cuca la Cava! ¿Adónde vas a parar?

Cuca.—Al asunto de Lobito. ¡Sangre, no, Tigre, sangre no! Una entrada de patadas, pase... Pero sangre, no... No es que quiera a Lobito. ¿He dicho yo tal cosa? ¿Quién habla de castigo? Lobito nunca ha sido santo de mi devoción. Es como es. Pero así y todo creo que con un correctivo se arreglaría todo, sin ir más lejos...

LOBO.—Cuca cura el cáncer con aspirinas...

CUCA.—La herida tal vez no sea demasiado profunda...

AURA.—Pero la infección... Tiene pus...

CUCA.—¿Existe la penicilina, no?

AURA.—Nadie puede ir a la farmacia con esta lluvia.

LOBO.—No hay yodo...

AURA.—Ni mercurocromo...

CUCA.—Pero una madre...

AURA.—¡Ya no doy marcha atrás, Cuca la Cava! Si no te gunsta la tragedia, lárgate con la música a otra parte. A mí tampoco. Yo he vivido sin un minuto de amor. ¿Sabe alguien lo que es ni un minuto de amor? ¡Suéltame, Caridad! ¡Suéltame, Cuca! ¡Suéltame, Lobito! Ya yo sé mi camino. Lobo me lo dijo. ¡Tigre, acaba de una vez, acaba con Lobito, acaba conmigo, acaba con todos si es necesario, pero acaba de una vez!

TIGRE.—No te pongas así. Todo se andará a su debido tiempo. Nunca ha sabido tener paciencia. Estoy aquí. No hay que perder la calma. ¿La pierdo yo porque un mocoso intente ponerme rabo? No es necesario encender las luces. Todavía soy el hombre fuerte. No me gusta que jueguen conmigo. No me ha gustado la jugada de Lobito. Yo me encargo de todo, Aura.

CUCA.—Pero no te excites. Eso te sube la presión.

TIGRE.—Ahora soy yo quien se sienta al borde. El pequeño Lobito no era más que un pequeño Tigre feroz que subía sobre la mesa. Todo el mundo lo recuerda. Las paredes están llenas de fotografías: Lobito cumpliendo tres años, Lobito cumpliendo cinco años.

Lobo.—Es que teníamos una camarita de la Kodak.

Tigre.—Lobito tomando el biberón. Lobito encaramándose en la mesa. Lobito rompiendo el jarrón de porcelana. Lobito golpeando los muebles. Lobito destruyendo.

Aura.—La fotografía es un hobby que se ha puesto de moda.

Tigre.—Era el feroz Lobito. La educación que le dábamos. Formaba parte de la disciplina. Colgábamos los retratos. Mirábamos las fotos. Acariciábamos los dientes.

Lobo.—¿En qué fallamos, papá?

Tigre.—Fuimos demasiado lejos.

Lobo.—Sí, fuimos demasiado lejos.

Aura.—Demasiado... lejos...

Cuca.—¿No lo decía yo? Demasiado lejos.

Tigre.—De acuerdo. Por primera vez estamos de acuerdo. ¿Cuál ha sido el pago por ese rescoldo mimoso de amor? Lo sabemos bien. No es necesario que nadie lo diga. Y a mí, en particular, a su propio abuelo... Después de viejo, un mal paso. Una cáscara de plátano. Un hueso partido. El viejo Tigre con un hueso partido. Detesto la injusticia, Aura. Me gusta la Justicia cuando está de mi parte. Cuando la Justicia no está conmigo, me dan ganas de echar mano a mi pistola. El pequeño Lobito ha hecho mal. Soy su abuelo del alma, pero tengo que reconocerlo. Pero el pequeño cabronzuelo se ha puesto a jugar con el dinero del abuelo...

Cuca.—Tienes toda la razón. Yo sólo quiero que no te excites...

Tigre.—¡No quiere que me excite! ¡Me ponen rabo, me parto una costilla y Cuca la Cava quiere que me calme! ¡Me excito, me violento, me vuelvo un toro! Ya le he pasado bastante. Recordarán que lo mimaba yo también, yo que soy una fiera... Recordarán que le compré un tren eléctrico cuando tenía cinco años y lo rompió a patadas y no le dije nada... Voy a castigarlo y todos están conforme... ¿Es que alguien se opone? Lobito apesta, apesta...

Lobo. (*Escuchando.*)—¿Oyen ustedes...?

Cuca.—Sí, son los pasos de Caridad. Cojea levemente y se apoya contra la baranda. Los puedo reconocer.

Aura. (*Firmemente.*)—Es Lobito...

> (Lobito *entra de pronto, muy rápidamente. Queda paralizado ante el súbito encuentro con todos los demás. Todos están de pie y lo miran muy fijamente. Por la escalera que conduce al piso alto aparece* Caridad. *Durante toda la escena que sigue permanecerá en la escalera, que irá bajando muy lentamente, escalón por escalón, hasta el final de la escena.*)

Lobito.—¡Ñoco, la familia!

Aura.—¡Por lo visto sigue tan sucio y malhablado como antes!

Tigre.—¡Bah, déjate de mogigaterías, Aura! ¡Lobito repite lo que oye! Todo el mundo dice sus ñetas y sus ajos... ¿No es cierto, muchacho?

Lobito.—Mamá, ya sabes... Siempre aguanto las fiestas... Como se pasa la vida con el rosario... Chiva un poco...

Cuca.—¿Estás seguro, Lobo, de que no es la hora...? (*Vacilante.*) No sería... mejor... que subieras a tomar... las gotas...

TIGRE.—La vieja Cuca... Acabo de bajar y no voy a subir tan pronto, mucho menos cuando el pequeño Lobito acaba de llegar... ¿No es cierto, Lobo?

LOBO.—Tú dirás... Es asunto tuyo, papá...

TIGRE.—De acuerdo, ya lo sabemos... Fue una pregunta tonta... Tú serás el mismo hasta el final. (*A* LOBITO.) Tu padre se escandaliza por las pequeñas traiciones, muchacho... Por las que hacen los demás, claro... Es una lástima, Lobito. ¡Tú me entiendes tan bien! Sabes que soy una cosa sucia, pero que siempre me visto de limpio...

CUCA.—Tigre, yo detesto los problemas de familia.

TIGRE.—¿Problemas de familia? ¿Pero qué problemas hay aquí?

CUCA.—Quiero decir... ¿Podría subir a acostarme?

TIGRE.—No estás contratada de enfermera. Si quieres, sube y vete al diablo. Nadie te obliga a quedarte. Si no fuera por esa curiosidad malsana y enfermiza, vulgo chisme, estarías roncando. No te necesito ni a ti ni a Lobo... Se pueden largar, pero no hagan la comedia de lavarse las manos como Pilato... En todo caso, con la ayuda de Aura...

AURA.—Sí, con mi ayuda...

LOBITO.—¿Pero qué ñoco pasa ahora?

AURA.—Es que Cuca da marcha atrás...

TIGRE.—Un pasito pa'lante, un pasito pa'trás... Así, bruja vieja, no se va a ninguna parte...

CUCA.—Todo esto acabará afectándote la digestión... ¿Acaso no sería mejor dejar para mañana el caso de Lobito? Cuando se consultan los asuntos con la almohada...

LOBITO.—¿Qué sucede ahora? ¿Qué pasa conmigo?

CUCA.—Vete a jugar, Lobito... Vete a jugar a la pelota...

TIGRE.—Cuca sigue siendo una piruja del Cerro. No puede cambiar.

LOBITO.—Me voy. Esto huele a queso. Me voy a jugar al patio.

AURA.—Demasiado tarde. Puedes molestar a los vecinos.

CUCA.—Hija, si es temprano...

TIGRE.—¡Lárgate, Cuca! Eres una bruja pelleja y cobarde. Pero aquí no haces falta para nada.

CUCA.—Si quieres algo, pega un grito.

TIGRE. (*Mientras* CUCA *sale.*)—No lo pegaré.

LOBO.—Supongo que a mí tampoco me necesitas.

AURA. (*Firme.*)—Soy yo la que no quiero que te vayas. ¿No te parece demasiado fácil?

LOBITO.—Tengo sueño. Quiero irme a la cama, mamá.

TIGRE. (*Amablemente.*)—Siéntate, Lobito. (LOBITO *se sienta.* LOBO *retrocede unos pasos y permanecerá entre las sombras hasta su próxima intervención.* TIGRE *habla con cierta dulzura falsa.*) Nuestro pequeño Lobito quiere dormir. Nuestro pequeño Lobito vuelve a la infancia. Nuestro pequeño Lobito quiere jugar con su álbum de recortes.

LOBITO.—¿Qué pasa, mamá, que ñoco se traen? ¡Ñoco, tapú, está bueno ya!

TIGRE. (*A* AURA, *amablemente.*)—Nuestra familia degenera. El cerebro de Lobito no da para mucho. Me gustan las malas palabras. Yo soy el primero en aprobarlas. Yo también las decía. Pero las mezclaba con otros asuntos: "partido conservador", "partido liberal". (*Volviéndose a* LOBITO.) Tú sólo dices: ñoco, ñoco, tapú, tapú...

LOBITO.—Sólo soy un niño, abuelo...

TIGRE.—Acabarás haciendo llorar a tu madre. Eso sería demasiado triste.

AURA. (*Se acerca tiernamente a* LOBITO.)—Sólo

Dios sabe lo que he querido a Lobito. Es mi hijo.
He sufrido por él y eso no ha sido una comedia.

TIGRE. (*Irónico.*)—¿Y quién ha llegado a dudarlo?

LOBITO. (*Con ingenuidad que se hace falsa.*)—¿Y
quién ha llegado a dudarlo, mamá? (*A* TIGRE.) Yo
nunca he dudado del cariño de mamá.

AURA. (*Alejándose.*)—¿Nunca? (*Muy despacio.*)
—"Mientes..., mamá..., haces... trampa... Tramposa..., cochina..., tramposa..."

TIGRE. (*A* AURA.)—No irás a hacerle caso a un juego de muchachos. Lobito sólo jugaba contigo.
(*Mirando a* LOBITO.) ¿No es así?

LOBITO.—Claro, abuelo.

TIGRE.—El juego de las trampas abiertas. Basta jugar y el que pierde grita: "Tramposa, cochina,
tramposa". Es decir: un halago, un premio.
Cuando uno habla de estas cosas se siente joven
otra vez. Vuelvo a la infancia. Quisiera jugar, Lobito. ¿Qué me dices? ¡El juego de las trampas
abiertas! ¿Hay algo más divertido? ¡Corro! ¡Me
agito!

LOBITO.—Estás muy viejo, abuelo. Podrías caerte.

TIGRE.—Ese es el juego. Me partiría un hueso, pero
podríamos divertirnos un rato. Aura, ¿qué te parece? Tú eres una mujer de empuje, ¿qué dices?

AURA.—Si el niño y el abuelo quieren... Ellos mandan...

TIGRE.—¡No, no, Aura, recuerda que las mujeres
mandan!

LOBITO.—¡Sí, mamá, déjanos jugar!

AURA.—¿Cómo podría oponerme? ¡Juguemos, angel
mío!

TIGRE.—¡Jugaremos! ¡Me siento joven otra vez...!

(*Comienza el juego. Los tres personajes se disponen a sí mismo como fichas
de un tablero y comienzan a moverse,*

> dando saltos, como si el piso fuera un tablero. Así cambiarán de posición en el transcurso de la escena. Usarán una silla, que cambiarán indistintamente de posición y que entra en el juego también. El director podrá ir disponiendo a los personajes como fichas, pero en lo posible establecerá relaciones dramáticas entre ellos de acuerdo con las sugerencias del diálogo. Todo debe estar dispuesto para que haya suficiente espacio para que el juego se pueda realizar con movilidad. Algunos muebles podrán o deberán moverse de sitio.)

LOBITO.—Vamos a disponer las fichas. Juega, mamá, juega...

AURA. (*Moviéndose.*)—Es difícil. Me puedo caer.

TIGRE.—Un paso más, Aura... Un paso hacia el centro...

LOBITO.—¡Cuidado! Hace juego el abuelo...

TIGRE. (*Se corre de lugar.*)—Este es el tablero. La vieja Aura al centro. Un juego de damas.

AURA. (*Moviéndose.*)—Me entusiasmo... Lobito es un niño y volvemos otra vez a la cuna... "Duérmete, mi niño; duérmete, mi amor..."

> (AURA y TIGRE *van jugando de tal modo, que van cercando a* LOBITO *junto a la silla.*)

TIGRE. (*Moviéndose.*)—"Duérmete, pedazo de mi corazón."

AURA. (*Acercándose.*)—"No lo dejaré salir. No podrás salir, mi pequeño, mi bebito. No lo dejaré

13

ir esta vez, Lobo. Será para mí. Por siempre par
mí. Sin peligro.

(*Pero* LOBITO *salta y se le escapa.*)

TIGRE.—¡Tonta! La trampa, Aura, en tu corazón..
Allí mismo... Estuviste a punto de caerte...

LOBITO. (*Desde el otro extremo.*)—No le hagas ca
so, mamá. Un paso hacia adelante... Juega, jue
ga... Nadie puede detenerse...

AURA. (*Moviéndose y c a n t a n d o.*)—"Este niñ(
lindo..."

TIGRE.—Haces trampa, Lobito.

AURA. (*Apoyándose en la silla.*)—Me empujas, m
hijo. Así no vale.

LOBITO.—Es el juego. Un juego lleno de trampas..

AURA.—"...que nació de día..."

TIGRE.—Un paso mal dado...

AURA.—Y como si nos lanzáramos al abismo...

LOBITO. (*Mientras salta, como si pasara por vario.
cuadros a un mismo tiempo y como si rodeara (
*TIGRE *y a* AURA.)—Tengo catorce años, viejo T
gre. ¡Salto! ¡Yo puedo saltar así! ¿Lo ves, viej
Tigre? Hay que saltar. Darle la vuelta a la sill
y saltar junto a ella. Como un canguro. ¡Teng(
catorce años, abuelo! ¡No puedes hacerlo! Do
fichas. Voy más allá del tablero. Estoy ganando

AURA.—"...quisiera que lo lleven..."

TIGRE. (*Molesto.*)—Yo saltaba, Lobito. Por encim;
del partido conservador y del partido liberal. Er
las mismas narices del presidente. Yo saltaba e
La Habana como no saltaba nadie. Aún pued(
hacerlo.

AURA.—"...a la dulcería..."

LOBITO.—¡Salta, abuelo, salta!

AURA. (*Angustiada, a* TIGRE, *casi un aviso.*)—¡Sal
taba, saltaba!

LOBITO. (*Haciendo alarde.*)—¡Salto, s a l t o como un canguro! ¡Salto como un hombre!

AURA.—¡Saltaba! ¡Pasado! ¿No entiendes que no es el presente?

TIGRE.—¡Calma, Aura! Salto. (*Dando un pequeño salto, grotescamente corto.*) Salté. (*Agitado, se sienta en la silla.*) Gano la silla para el jugador.

LOBITO. (*Furioso.*)—¡Mamá hace trampas! ¡Esto es una eme! ¡Mamá avisa de las trampas! ¡Tapú, ñoco, tapú, ñoco!

TIGRE.—Es el juego de las trampas, muchacho. Todo está permitido. Hacemos trampa. De otro modo no tendría sentido. (*Alargando sus brazos, sentado aún.*) Ven, te ayudaré a saltar.

LOBITO.—¡Bravo! ¡Me ayuda el viejo Tigre! (*Reaccionando.*) Pero si yo salto más, viejo.

TIGRE. (*Se pone de pie.*)—No lo creas...

AURA.—Pronto, Tigre, de una vez...

LOBITO.—Juguemos contra mamá, abuelo...

AURA. (*Mientras* TIGRE *se mueve cerca de* LOBITO.) Cuidado al caminar. Una cáscara de plátano. Un viejo con una costilla partida. ¿Hay algo más ridículo?

LOBITO.—Yo no la puse, abuelo. Son cuentos de mamá.

AURA.—Un paso en falso... La trampa está abierta...

TIGRE.—¿Lobito abrió la trampa esta vez?

AURA.—"Este niño lindo... que nació de noche..."

LOBITO.—La abrió mamá. ¡Cuidado! Ha movido las fichas. ¡Han movido la trampa en el tablero!

AURA.—"Quieren que lo lleven... a pasear..."

LOBITO. (*Alegre, eufórico.*)—"¡En coche!"

TIGRE. (*Burlón.*)—"¡En coche!"

AURA. (*Lúgubre.*)—"en... coche..."

LOBITO.—¿Dónde está la trampa, Lobito?

TIGRE.—¿Dónde está la trampa, Tigre?

AURA.—¿Dónde está la trampa, Aura?

> (*El área del juego se va reduciendo
> hacia el centro del escenario. La esce-
> na se va oscureciendo, menos hacia el
> centro, que queda como un centro de
> luz.*)

TIGRE.—¿Quién apagó las luces?

AURA.—¿Quién movió las sillas?

LOBITO.—¿Quién escondió las fichas?

TIGRE.—¿Quién hace temblar el tablero?

AURA.—¿Eres tú?

TIGRE.—¿Eres tú?

LOBITO.—¿Eres tú?

AURA.—¿Yo? ¿Tú? ¿El?

TIGRE.—¿Nosotros? ¿Vosotros? ¿Ellos?

LOBITO.—Es mamá quien pone trampas en esta casa. Mamá es la tramposa. ¡Tramposa, cochina
tramposa!

TIGRE.—¡Juega, juega ahora, Aura!

LOBITO.—¡Tramposa, cochina tramposa!

TIGRE.—¡Juega, juega ahora, Aura!

LOBITO. (*Feroz, de espaldas a* TIGRE, *frente a* AURA.)
¡Tramposa, cochina tramposa!

AURA.—¡Ten cuidado, Lobito! ¡Por la espalda! ¡Rápido! ¡Entierra el cuchillo de plata!

> (LOBITO *impulsado por el juego y el
> instinto saca un cuchillo de plata, cre-
> yendo que* TIGRE *está a sus espaldas
> para hacerle algún daño. No sabe que
> ha caído en la trampa.*)

TIGRE.—¡Canalla, el cuchillo de plata! (*Rápidamente* TIGRE *sostiene el brazo en alto.* LOBITO, *al des-
cubrirse culpable, pierde fuerzas.* TIGRE *lo domi-*

na.) Calma esa violencia, muchacho. Yo pensaba un poco las cosas antes de hacerlo. ¿Qué tiene de malo el robo? El robo, después de todo, es un sistema usual. Todo el mundo lo usa.

LOBITO. (*Desconcertado.*)—¿No es un juego? Jugaba al juego.

TIGRE.—¿No es un juego? Jugabas al robo, pequeño Lobito.

LOBITO.—¿No es un juego? ¿No está permitido el juego? Tú mismo has dicho...

TIGRE.—Con todos, pero no conmigo... En ese juego llevas la de perder...

LOBITO. (*Con fuerza.*)—Juego al robo, abuelo. Es legal. Aun contra ti. Yo no te tengo miedo. Ladrón que roba a otro ladrón... ¡Tengo catorce años y puedo saltar y puedo acabar con todo!

TIGRE.—¡El cuchillo, los cubiertos, el servicio de plata! ¡La plata de esta casa! ¡Mi plata! ¡Robaste, ladrón, robaste! ¡Me robaste!

LOBITO. (*Parece dominar a* TIGRE.)—¡Robé, robé este cuchillo de plata! ¡Sólo éste! ¡Pero con él voy a terminar con todo, contigo, con mamá, con papá! ¡Con todos, viejo Tigre!

(*Se lanza sobre él.*)

LOBO. (*Pero* LOBO *da un paso y crea la duda, abre la trampa, grita y* LOBITO *se vuelve.*)—¡Ten cuidado, Lobito! ¡Tu madre! ¡Aura! ¡El pico de Aura!

> (*Al volverse* LOBITO *y darle la espalda a* TIGRE, *éste aprovecha la oportunidad para lanzarse sobre él. Hay una lucha violenta.* TIGRE *hace que el propio* LOBITO *se entierre el cuchillo de plata al caer, pero éste, al mismo tiempo, tiene fuerzas suficientes para en-*

terrárselo a TIGRE *en el último momento. Todo esto muy rápido. Hay un oscurecimiento total, salvo un cono de luz que cae directamente sobre el rostro de* CARIDAD *que está ya al pie de la escalera.*)

CARIDAD.—¡No, a mí no! (*Gritando espantada.*) ¡Socorro! ¡Socorro!

(*Y se lleva las manos a los ojos. Todas las luces se apagan. Se oyen voces.*)

LOBO.—¡La luz! ¡La luz!
AURA.—¡Luz, por favor! ¡Luz!
CUCA.—¿Qué ha pasado? ¿Un cortacircuito?
CARIDAD.—¡No veo! ¡No veo!

(*Sigue un oscurecimiento algo prolongado. Al encenderse la escena, todos los objetos de plata han desaparecido. Hacia un extremo del escenario aparece* CUCA *colocando una horrenda guirnalda de papel. Sobre algunos lugares hay otras cosas, quizá horrendas flores artificiales.* CUCA LA CAVA *hablará siempre a gritos, como si* AURA *y* LOBO *estuvieran en mundos muy alejados al suyo. Durante la mayor parte de esta escena,* CARIDAD, *ahora ciega, deambulará por la escena, tropezando con los muebles y también como si estuviera en otro mundo.* AURA *y* LOBO *hablarán en un tono más normal, más bien bajo, como si tuvieran miedo a alzar la voz, salvo cuando se dirigen a* CUCA. *Entonces hablan a gritos y como si* CUCA LA CAVA *estuviera sorda.*)

Cuca.—¿Está demasiado alta? ¿Lucirá bien? ¡Tengo miedo de caerme, pero me gusta esto! ¡Dios mío, si Tigre me viera! ¡Se volvería a morir!

Aura.—Habla como si estuviera muerto.

Lobo.—Lo está, ¿no?

Cuca.—¿Colocaré la guirnarla un poco más allá? ¿Sería mejor colocarla un poco más acá? Soy partidaria, sencillamente, de pintar las paredes.

Aura.—En ese momento se apagaron las luces.

Lobo.—Una mera coincidencia.

Cuca.—Y sería mejor correr aquella butaca, ¿no te parece?

Aura.—Pero cuando se volvieron a encender los cadáveres no estaban allí.

Lobo.—¿Y este mal olor? ¿Acaso no es prueba suficiente de que están muertos? ¿Muertos y bien muertos? Ni las siete potencias de Cuca la Cava hacen desaparecer este tufito que casi no nos deja respirar.

Aura.—Por eso sería mejor encontrarlos. Me sentiría más segura y podríamos respirar un aire más puro.

Lobo.—¿No es lo que estamos haciendo? Pero no hemos tenido suerte.

Aura.—Ni los cadáveres, ni el oro, ni la plata... ¡Como si se los hubiera tragado la tierra!

Cuca. (*A* Caridad, *que pisa una guirnalda.*)—¡Muchacha, mira por dónde caminas, me estás pisando las guirnaldas!

Lobo.—Para mí, que ella tiene que ver.

Aura.—¡Se hace la loca para ver el entierro que le hacen!

Lobo.—Debemos enredarla en sus propias redes.

Aura.—Me canso.

Lobo.—Eres feroz, pero te desanimas.

AURA.—Para ti fue muy fácil. Sólo interviniste en el último momento.

LOBO.—Una intervención decisiva. Tú estabas a punto de fallar.

AURA.—El juego era agotador. Tengo los nervios destrozados.

LOBO.—Pero ganamos. Matamos dos pájaros de un tiro.

AURA.—Yo no estoy tan segura de eso. Y, además, todo ha sido decepcionante. ¿Qué ha dejado Tigre? ¿Qué hemos podido encontrar? Encontramos la gaveta llena de papeles, documentos, libretas de banco con las cuentas cerradas, papeles que no tienen ningún valor. Sólo ha dejado este mal olor, este desagradable olor a muerto...

LOBO.—Es natural... Pero quedan todavía algunos resquicios...

AURA.—¿Y los cadáveres? ¿Es que pueden estar entre los resquicios?

LOBO.—Hay que seguir buscando hasta encontrarlos. A ellos y a los cadáveres.

AURA.—A veces he llegado a pensar... Sería mejor que los dos estuvieran vivos...

LOBO.—Eso, eso es lo que quieren ellos... Que te dejes vencer aun después de muertos... No puedes hacerlo...

AURA.—Apenas tengo fuerza...

LOBO.—Mira, seamos sensatos por una vez en la vida. Esta es nuestra oportunidad de resarcirnos de todo lo que hemos sufrido... Aquí hay dos vivos... ¿No es así?

CUCA.—¿Qué te parece, Aura? No has dicho nada. ¿Hacia la derecha? ¿Hacia la izquierda? ¡Esto me hace recordar tantas cosas...!

AURA.—Todo está mezclado, como si no pudiéramos definir un papel del otro: fotografías, expedientes, recortes de periódicos, tarjetas postales, sellos, hipotecas, cuentas por cobrar, números. ¿Es que hemos llegado a una conclusión? ¿Dónde está el dinero, el oro, la plata...?

LOBO.—Contesta. Acabo de preguntarte.

AURA.—Sí, Cuca la Cava y Caridad.

LOBO.—Y todo lo que tiene valor ha desaparecido. No hay tiempo para pensar en los muertos, sino en los vivos.

AURA.—Pero Caridad se ha quedado ciega. Ella bien poco puede hacer.

LOBO.—¿Ciega? ¿Qué seguridad tenemos? ¿Y si es un truco?

AURA.—¿La crees capaz?

LOBO.—Aquí todo el mundo es capaz de todo. Además, ha dicho que ha visto a Tigre.

AURA.—Y a Lobito.

LOBO.—¿Entonces? ¿Está ciega o ve?

AURA.—Pero tú mismo has dicho que Tigre y Lobito están muertos. Te contradices. ¿Están muertos o están vivos?

LOBO.—Está bien. Me contradigo. Dejemos las visiones de Caridad a un lado...

AURA.—Los ciegos, sin embargo, tienen una cualidad especial para ver...

LOBO.—Te digo que dejemos a Caridad a un lado. Tracémonos un plan de acción. Concentrémonos en Cuca. Lo importante ahora es Cuca, por si acaso.

CUCA.—¿Pero es que a ti no te gusta así?

LOBO.—Contesta. Cuca te ha preguntado.

AURA. (*A* CUCA.)—Hacia la derecha, Cuca. Esa guirnalda roja es preciosa. Cuando las luces caen sobre ellas, brillan una barbaridad. ¿Están contenta?

CUCA.—¡Soy tan feliz! Hija, si Tigre viviera, me podría cantar aquello que dice (*Canta.*): "Ya tengo la casita, que tanto te prometí; muy llena de margaritas, para ti, para mí."

AURA.—¡Ay, Cuca, eres la pata del diablo!

CUCA. (*Que va cambiando la silla de lugar y sigue arreglando las guirnaldas por la pieza.*)—¡Me recuerdan los carnavales del año veinte! ¡Qué carnavales aquellos, Virgen santa! ¡Hace dos días que vivo recordando los carnavales del año veinte!

AURA.—¡Pero si estamos en Navidad, mujer!

CUCA.—¿Y qué más da? ¿Ha pasado el tiempo? Vino la parranda de Santa Clara. (*Canta.*) "Ahora seremos felices, ahora podremos cantar, aquella canción que dice así, con su ritmo tropical." ¿Es posible que ya Tigre no esté por ninguna parte?

AURA. (*A* LOBO.)—¿La oyes? Eso lo dice con intención.

LOBO.—Es una vieja bruja, pero te aseguro que no nos costará mucho trabajo.

AURA.—Prefiero el drama. Prefiero la tragedia. Detesto la farsa que ahora tengo que representar. Me da asco. Es una mujerzuela.

LOBO.—Tus estúpidos escrúpulos. Piensa en las ganancias.

AURA.—Nos cuesta demasiado. No hay garantías.

LOBO.—¿Dónde iba a esconder Tigre su dinero contante y sonante? ¿Salía de esta casa? ¿No vigilábamos a todas las horas del día y de la noche? ¿Podemos hacer otra cosa que perseguir a Cuca antes que Cuca se nos escape?

CUCA.—¿Lobo, ha pasado mucho tiempo desde que en mi casa del Cerro...?

LOBO. (*A* CUCA.)—Deja el tiempo a un lado. No hay que contarlo. Eres joven todavía.

CUCA.—¡Ya verán, ya verán! ¡Esta casa será la más alegre de La Habana! Si no estuviera en Miramar, juraría que estamos en la del Cerro. Llamaremos a mi hermana Marina y todos sabremos lo que es vivir y divertirse. ¿Ha limpiado Caridad la mancha de sangre?

LOBO.—Ha hecho lo que ha podido.

CUCA.—¡La pobre! (*Mirando al piso.*) Sí, lo ha hecho bastante bien para no ver nada. Es increíble. ¿Quién iba a pensar que Tigre tenía tanta sangre dentro? ¿Y Lobito? Aquí casi se podía nadar en sangre. Yo creo que se ahogaron en su propia sangre, ¿no te parece, Aura?

AURA.—Sí, eso debió ser.

CUCA. (*Sigue adornando la pieza y canta.*)—"Esto le zumba, apenas sintió la conga el muerto se fue de rumba."

AURA.—¿Oyes lo que canta?

LOBO.—¿Es que quiere tomarnos el pelo?

AURA.—¿Tendrá el dinero del viejo Tigre?

LOBO.—¿Vamos a dejar que ella se salga con la suya?

AURA.—¿Es un truco lo que se trae entre manos?

LOBO.—¿No nos hemos ganado el pan con el sudor de nuestra frente?

AURA.—¿Es que no hemos vivido año tras año en acecho?

LOBO.—¿Dónde está el dinero?

AURA.—¿Debajo de la cama de Tigre?

LOBO.—¿Debajo de la cama de Cuca?

AURA.—Buscar, buscar, siempre buscar...

CUCA.—No pongas esa cara, Aurita. ¿Qué te pasa? ¡Aprende de mí! Hago de tripas corazón. Lo que te digo: no hay que tirarse a morir. Lobito era tu hijo, de acuerdo; pero no vamos a negar que estaba bien malcriado. Al fin y al cabo, hizo co-

mo Chacumbele. Y a la larga verás que todo ha
sido mejor así. El y Tigre estaban cortados por
la misma tijera y no hubiéramos podido vivir
en paz si Tigre hubiera dejado a Lobito o Lobito
hubiera dejado a Tigre. Y ahora los dos están
juntos, ¿no? Uno a la diestra o siniestra del otro
Y aquí paz, y en el cielo gloria. (*Se baja de la
silla, la carga, cruza al otro lado del escenario,
sigue su tarea, canta.*) "Si me pides el pescao
te lo doy... Si me pides el pescao te lo doy..."

LOBO. (*A* AURA.)—¿La oyes? Canta, se escapa... Esa
casa del Cerro la tiene fascinada... Y si la segui-
mos hasta ella, si nos metemos en ella con ella,
acabará hablando, diciendo toda la verdad... Hay
que seguirla... Hay que caerle detrás para saber
todo lo que ella sabe...

AURA.—¿Y si no sabe nada?

LOBO.—¿Y si nos hace trampa? No, Aura, a lo mejor cree que nos chupamos el dedo... Le ofreceremos el pasado como un manjar envenenado...

CUCA. (*Siguiendo sus arreglos, cantando.*)—"¡Arroz
con picadillo, yucá! ¡Sal de la cueva, cuacuá!"
(*A* AURA.) ¿Más a la derecha, nenita? ¿Más a la
izquierda? ¿Cómo te gusta más, monina? ¿Luce
la casa alegre, Lobo?

AURA. (*Como un eco.*)—Le... ofreceremos... el... pasado... como... un... manjar... envenenado...

LOBO.—¡Contesta, contesta!

AURA.—Contesto. (*A* CUCA.) Tengo el doble nueve,
Cuca. ¿No es la ficha más alta?

LOBO. (*Riendo.*)—No hace trampa. ¿Por qué eres
tan desconfiada, Cuca?

CUCA. (*Mientras se baja de la silla.*)—La aguja sabe
lo que cose y el dedal lo que empuja.

> (*Mientras este diálogo tiene lugar y
> el que le sigue,* CARIDAD *ha seguido ca-*

minando por la estancia, tropezando,
cayendo a veces, palpando las paredes
como si buscara algo, haciendo gestos
extraños, tapándose los ojos como si
no quisiera ver, etc., acompañando to-
dos estos movimientos, a veces, con
sonidos inarticulados. A partir de este
momento, el diálogo entre AURA, CUCA *y*
LOBO *será algo menos altisonante, más*
familiar, aunque de vez en cuando las
voces alterarán su tono sin ningún
motivo lógico. El clima nunca deberá
ser del todo realista. Se procurará una
especie de disonancia en la voz huma-
na. El diálogo va creando un cambio
escénico en el tiempo, de igual forma
a como se ha practicado antes.)

AURA. (*Agradable.*)—No sería capaz, Cuca, de hacerte trampa. Sé lo mucho que querías a Lobito... Ese detalle... En su memoria...

CUCA.—Lo cortés no quita lo valiente. Doble nueve. Doble ocho. Doble siete. Doble seis. ¿Coloca-
remos aquí el fonógrafo? Es un RCA. Los vasos, supongo, deberán quedar sobre la mesa. La
mesa deberá quedar sobre el piso. Pero todo
está lleno de polvo. ¿Qué le pasa a Caridad que
no limpia?

LOBO.—Es que no ve bien... Como no tiene espe-
juelos...

AURA. (*Riendo.*)—Eso me recuerda... Es una cuestión de Marina...

CUCA.—¿Marina? No me hagas reír... ¿A qué sacas
a mi hermana Marina en todo esto? Aura, tú
tienes guayabitos en la azotea. Doble siete. Doble
cinco. Doble cuatro. (*Riendo.*) ¡Marina! ¿Alguien

dijo Blanca Emilia? Tiene gracia. La verja de
hierro estaba pintada de negro y la podíamos
abrir para salir de la antesala al zaguán, la antigua cochera, donde estaba la bastonera con
el espejo...

AURA.—Era una imprudencia que Marina se aso-
mara por los postigos.

LOBO.—Veíamos los ojos. No veo que tuviera nada
de malo.

CUCA.—Eso pensaba yo, pero no Blanca Emilia. La
mampara de cristales conducía al cuarto de papá, al que había sido cuarto de papá... Era un
hombre chapado a la antigua...

AURA.—Se sentaba siempre en el sillón de mimbre
junto a la ventana... Mamá prefería la comadrita
junto a la verja.

CUCA.—Durante los primeros meses Blanca Emilia
no quería abrir puertas y ventanas.

AURA.—¿No había sido papá todo un veterano?

CUCA.—Ya sabemos cómo era Blanca Emilia. Una
exagerada que todavía hablaba del tiempo de Estrada Palma.

AURA.—En aquella casa del Cerro todo se volvía
Estrada Palma.

CUCA.—¿Cómo lo sabes?

LOBO.—No te pongas sobreaviso, Cuca. Durante
años nos has estado contando, a hurtadillas, claro, esas historias... ¡El portal, el zaguán, la antesala, la sala, los cuartos...!

CUCA.—Tigre no me dejaba hablar. ¿Qué razones
tenía? ¿Qué daño le hacía que yo fuera feliz?
Pero ahora está muerto. ¿No está ahí la mancha
de sangre?

LOBO.—Tú lo sabrás.

CUCA.—Yo no estaba presente. Yo me fui para el
piso alto.

AURA.—A propósito, ¿qué hacías tú en el piso alto?

CUCA.—Escuchaba "El derecho de nacer".

AURA.—¿Cómo puedes probarlo?

CUCA.—Esa noche habló don Rafael del Junco, el personaje que no podía articular palabra.

AURA.—¿Y qué hacías mientras escuchabas la novela?

CUCA.—Estaba tirada en la cama. (*Molesta.*) Pero ¿a ti qué te importa?

LOBO.—Cuca, Aura, abre la verja de la casona del Cerro.

CUCA.—Sí, que entren los concejales, los alcaldes, los representantes, los gobernadores, los secretarios, los senadores...

AURA.—¿Y Blanca Emilia?

CUCA.—Blanca Emilia, en fin, no quería... Que qué diría papá... Que si la memoria de mamá... Que si éramos hijas de veteranos... Que Marina era muy joven...

AURA.—Hija, tengo edad suficiente...

CUCA.—¿Pero quién convencía a Blanca Emilia? Que si sería un mal ejemplo... Que si era un caso de conciencia... A mí, cuando oía esto, me entraban unos ataques de risa que me orinaba... Porque, ¿qué había hecho papá, Santo Dios? Predicar: que si Estrada Palma andaba a pie por el Malecón, que si Manuel Sanguily había presentado un proyecto de ley en el Senado, que si José Martí no contaba para nada... Con tanto patriotismo, el caso fue que Blanca Emilia abrió puertas y ventanas y todo lo que tenía por delante... Porque cuando se decidió a dar el "mal paso", aquello fue el acabóse...

AURA.—Pon el fonógrafo, Cuca, hay que divertirse.

CUCA. (*Cantando.*)—"Si me pides el pescao te lo doy, si me pides el pescao te lo doy..."

AURA.—No pierdas la cabeza, Cuca, hay que tener los pies sobre la tierra y tener abiertos los ojos...

CUCA.—Mira, Marina, en cuanto a eso de tener abiertos los ojos...

AURA.—Saca cuenta. Cobra. No te conformes con un abaniquito de marfil. Para eso hacen los negocios sucios. ¡Dinero, Cuca, dinero!

CUCA.—Ya lo sé, Blanca Emilia. Pero ¿acaso hacen daño la buena ropa y los buenos zapatos? ¿Y los collares de perlas? ¿Y los aretes de brillante?

AURA.—No pierdas la cabeza, Cuca. El dinero en efectivo es lo mejor.

CUCA.—No la pierdo, nena; me divierto, pero no la pierdo.

AURA.—Entonces, ¿cuánto te ha dado?

CUCA.—¿Quién?

AURA.—Tú lo sabes bien. Tigre.

CUCA. (*Retrocediendo instintivamente.*)—¿Tigre?

AURA.—Sí, no te hagas la inocente.

CUCA. (*Canta, evasiva.*)—"Si me pides el pescao te lo doy, si me pides el pescao te lo doy..."

AURA.—Cobra, esconde el dinero de Tigre.

LOBO.—Toma, Cuca, guarda mi dinero.

> (*Hace como si le diera algo.* CUCA *no llega a cogerlo.*)

AURA.—¿Dónde lo metiste?

LOBO.—Guarda mi dinero, Cuca... Escóndelo bien...

AURA.—¿Dónde lo metiste? ¿En la cómoda? ¿En la mesa de noche? ¿En el escaparate? ¿Debajo del colchón? ¿Dónde, Cuca, dónde?

CUCA. (*Confusa.*)—No entiendo, Tigre, no entiendo... Te aseguro, Blanca Emilia... ¿Blanca Emilia? ¿O eres tú, Marina? Mira, hija, Marina o Blanca

Emilia... ¡Hija, pero qué cambiada estás! ¡Pero qué vieja te has puesto! Bueno, la que sea, lo que sea, yo también estoy hecha una pasa, ¿no? ¿El dinero de Tigre? ¡Qué mal me salió todo! ¿El dinero del viejo ese? ¡Dios me perdone, pero espero que el diablo lo haya cogido por el rabo! Todas las noches lo metía en un lugar diferente. Esperaba que me durmiera para cambiarlo. Yo me hacía la dormida, pero a veces no podía más y me dormía de verdad... Y a la mañana siguiente me ponía a buscar como una loca por los rincones... ¡Nada, nada! Anoche, cuando Lobito y Lobo y Aura y Tigre comenzaron a luchar, subí las escaleras... Me repugnaba todo aquello y tenía miedo de que todo acabara demasiado pronto y que todos se lanzaran sobre mí... Temblaba... Quería llegar a tiempo... Pero la escalera se hacía demasiado larga y sentía un peso que me aplastaba las sienes y una opresión en el pecho que no me dejaba respirar... Ya no soy una niña... No había nacido para esta lipidia... ¿Quién me había recomendado con el viejo ese? ¿Tú? ¿Marina? ¿Blanca Emilia? ¿Yo misma? Y a estas alturas, ¿qué más da? Yo subí corriendo... ¿Dónde había metido el dinero el viejo Tigre la noche antes? Buscaba y no lo podía encontrar... Lo que yo quería era encontrarlo de una vez, para largarme... Lobito me daba miedo... Aquello se ponía de mal en peor... Si al menos Tigre me hubiera dejado meter mi dinero en un banco suizo... Pensaba coger el *Magallanes*, o el *Marqués de Comillas*, o lo que fuera, y largarme bien lejos para pasar en paz y en tranquilidad los últimos años que me quedaran por vivir... Pero nunca podía empatarme con aquella maldita plata que él metía por alguna parte, no-

che tras noche, en un lugar diferente... ¡Yo lo
que quiero es vivir, Blanca Emilia...! Pero ese
maldito dinero de Tigre, ¿dónde está? ¿Quién lo
tiene? (*Aferrándose a* AURA.) ¡Quiero vivir, Blanca Emilia! ¡Si tú tienes el dinero, dámelo, te lo
suplico, para salir de aquí!

AURA. (*Abofeteándola.*) — ¡Estúpida! ¡Vieja bruja!
¡Yo no soy Blanca Emilia!

LOBO. (*Sacudiéndola brutalmente.*)—¡Habla, Cuca la
Cava, habla! ¿Dónde está el dinero de Tigre?

CUCA. (*Suplicando.*)—¡Lobo, te juro por lo más sagrado, te lo juro, que yo no tengo el dinero de
Tigre!

AURA. (*A* LOBO, *que arranca las guirnaldas.*)—¡Mátala, mátala de una vez!

LOBO. (*Cogiendo a* CUCA *de nuevo.*)—¡Sube, vieja pelleja, que no te vea nunca más! ¡Tengas o no
el dinero de Tigre no saldrás viva de esta casa!
¡Aquí ya nadie tiene derecho a divertirse!

CUCA. (*Recogiendo unas guirnaldas.*)—¡Me han robado! ¡Tigre, me ha robado! ¿Quién me hizo
trampa? ¿Por qué me hizo trampa? ¡Tramposo,
cochino, tramposo!

(*Comienza a subir las escaleras.*)

CARIDAD. (*Interviene de pronto, espantada. Está
junto a la escalera, al pie de la misma. Sus movimientos, en todo momento, son los de una ciega. Pero dice ver.*)—¡Allí, Cuca, cuidado! ¡El cuchillo al final de la escalera!

CUCA. (*Subiendo decidida.*)—¿Y qué me importa?
¡Lobito! ¡Tigre! ¡Aquí tienen a Cuca la Cava, la
vieja revieja y pelleja!

(*Sale. Se oyen unos gritos desgarra-
dores.*)

CARIDAD.—Son ellos. Están ahí.

AURA. (*Se aleja de la escalera.*)—¡Lobo! ¿Qué es esto? ¿Qué está pasando ahora?

LOBO. (*Sin acercarse, temeroso.*)—¿Caridad, qué es lo que estás diciendo?

CARIDAD.—Son ellos. Están ahí.

AURA.—¿Quiénes? ¿Quiénes?

CARIDAD. (*Volviéndose.*)—Es Tigre. Es Lobito.

AURA.—¿Y Cuca? ¿Pero qué le ha pasado a Cuca?

CARIDAD.—La han matado. Está tinta en sangre.

LOBO. (*A* AURA.)—No le hagas caso. Caridad está loca. ¿No te das cuenta, Aura, que Caridad está ciega?

AURA.—¿Ciega? ¿Cómo podemos estar seguros de ello? (*A* CARIDAD.) ¡Júrame, Caridad! ¡Háblame, no nos engañes!

CARIDAD.—Los he visto. Estaban allí, al final de la escalera, con el cuchillo en alto.

LOBO.—Esa muchacha miente.

AURA.—¿Y los gritos de Cuca? ¿Por qué iba a gritar así?

LOBO.—¿Y no era natural después de lo que pasó con ella? ¿Acaso no tuvimos una discusión violenta? ¡Cuca la Cava ha sido siempre una exagerada!

CARIDAD.—Cuca la Cava está muerta; está desangrada.

AURA.—¿Pero por qué le han hecho eso? ¿Y quién era? ¿Tigre? ¿Lobito?

CARIDAD.—Primero vi a Tigre... Porque había una sola figura al final de la escalera... Y después era Lobito, allí mismo, donde había estado Tigre... Pero Tigre no se había ido, y de algún modo, estaba igualmente allí... Porque Tigre, en realidad, estaba muerto...

AURA.—¿Y Lobito?

CARIDAD.—Lobito estaba muerto también, pero tenía el brazo en alto, vivo, dispuesto para el crimen...

LOBO. (*Acercándose a* AURA.)—Aura, por favor, te suplico, razona. No te dejes llevar por la mente desquiciada de Caridad... Además, ella no pudo haberlos visto, porque está ciega... Son los nervios... Estamos alterados, confundidos, pero pronto encontraremos una salida, una solución, ¿no es cierto?

AURA.—Dile a Cuca que baje.

LOBO. (*Vacila. Se dirige al pie de la escalera.*)— ¡Cuca, por favor, ven acá...! ¡No tenías que gritar así! ¡Lo sentimos! ¡Vuelve!

AURA.—¿Están ahí?

LOBO.—¿Quiénes?

AURA.—Lobito y Tigre...

LOBO.—No seas loca... ¿Cómo iban a estar?

AURA.—¿Has mirado bien?

LOBO.—Claro que he mirado bien. No hay nadie.

AURA.—Dile a Cuca que baje.

LOBO. (*Llamándola.*)—¡Cuca, por favor, ven! Te pido perdón por lo de las guirnaldas. Compraremos unas nuevas, mejores, más bonitas... Todo será mejor que en la casa del Cerro... Baja, Cuca, ven...

CARIDAD.—¡Está muerta! ¿Acaso no he dicho que está muerta?

LOBO.—¡Estás inventando, Caridad! ¡Quieres volvernos locos! ¡Inventas para ganar tú, para quedarte tú con todo!

AURA. (*Firme, a* LOBO.)—Sube...

LOBO.—¿Qué dices?

AURA.—Sube... Sube tú a buscarla...

LOBO.—Eso no tiene sentido. Si Cuca no quiere bajar, que no baje.

Aura.—Cobarde...

Lobo.—¿Pero es que voy a tenerle miedo a dos invenciones del cerebro enfermizo de Caridad?

Aura.—¿Por qué no dejas de ser cobarde por una sola vez? ¿Por qué no te llenas de valor y subes y acabas con ellos de una vez para siempre?

Lobo.—Estás loca, Aura. Ellos están muertos.

Aura.—Ellos están ahí. No subes por eso.

Lobo.—Es Caridad, ¿no te das cuenta? Todo ha sido una intriga de ella, desde el principio. ¡La inocente! ¡La mosquita muerta! ¿Quién dijo que el servicio de plata no estaba? ¿Acaso no fue ella? ¿Y no fue eso lo que sublevó a Tigre y los llevó a la muerte?

Aura.—Sí, es cierto.

Lobo.—¿Entonces? ¿Qué seguridad tenemos en una sola cosa de lo que ella diga o deje de decir? Y ahora quiere que tú y yo nos dividamos, para así aniquilarnos. Porque si han muerto Tigre, Lobito, y si la misma Cuca...

Aura.—¿Cuca? ¿Es que tú dices que Cuca acaba de morir?

Lobo. *(Confundido.)*—Estoy confundido... No me interpretes mal... *(Desesperado.)* No es posible que Cuca haya muerto, Aura... ¡Es una locura!

Aura.—Lobo, no nos engañemos más...

Lobo.—Eso no puede ser... Ellos mismos... Lo vimos con nuestros propios ojos...

Aura.—Lobo, estamos perdidos. No hay remedio. Ellos están ahí.

Lobo.—Se mataron el uno al otro...

Aura.—¿Sabes lo que pienso? Que no era el cuchillo de plata... Era el cuchillo de goma, de juguete, que Tigre le regaló a Lobito cuando cumplió cinco años... Ellos están ahí, Lobo... Nos espe-

ran, para matarnos... Ya es hora... Yo voy a subir...

Lobo. (*Deteniéndola.*)—No, Aura, te lo suplico, no
vayas... No podría resistir esta soledad...

Aura.—¿Y qué vamos a hacer, Lobo?

Lobo.—Quedarnos.

Aura.—Al final no nos quedará otro remedio... Ga-
narán... Nosotros, no; pero ellos..., ellos son in-
mortales...

Lobo.—Hay que jugar al juego...

Aura.—¿Otra vez?

Lobo.—Siempre.

Aura.—¿Y Caridad?

Lobo.—¿Y Caridad?

Aura.—¿Subirá Caridad?

Lobo.—¿Subirá?

Aura. (*Llamándola.*)—Caridad... (Caridad *se vuelve
hacia* Aura.) Caridad, Lobo pregunta si tú subirás...

Caridad.—Es... como... si... ya... hubiera... subido...

Lobo.—¡Ese es un truco, Caridad! ¡No nos vengas
con trampas ahora! ¿Subirás o no subirás?

Caridad. (*Hacia la escalera.*)—Subiré...

Aura.—No, no vayas, quédate... Si es cierto que
Lobito o Tigre están al final de la escalera...

Caridad.—Están... Es cierto... Pero ¿qué daño...
podrían... hacerme...?

Aura.—Pero tú eres inocente, Caridad. Tú nunca
nos has hecho daño...

Caridad. (*Mirando hacia arriba.*)—Allí está... Me
espera...

Lobo.—Podrías quedarte... Te daremos... Todo lo
que... tenemos...

Caridad.—Es él, Lobito, que se lo ha llevado todo.
Es el oro de Tigre. El oro de Tigre está en las

entrañas de Lobito. Y allí me iré a ahogar... En las entrañas mismas de Tigre...

AURA.—No vayas, Caridad... Esta casa, todavía..., podría... reedificarse... Y todo sería alegría... tal vez...

CARIDAD. (*Mientras va subiendo las escaleras.*)— Cuando volví la cabeza, ya las arecas no estaban. No habían estado nunca. Yo las había soñado alguna vez. El verano había avanzado demasiado y hacía demasiado calor. Todo ardía. Todo parecía quemarse. Yo misma era una llama, porque me habían prendido fuego y empezaba a arder. No existía nada de mí, porque todos me habían despojado. Y entonces fue cuando todo se iluminó de pronto, hecho ya un rayo que me cegaba. Inútilmente gemía, inútilmente palpaba las paredes, porque había visto. Y de ver tenía que cegarme, porque al ver todo se me había revelado. La playa estaba desierta y comencé a caminar, pero ya yo sabía hacia adónde. El me esperaba, como si fuera el Otro, y el Otro y El eran uno solo, que yo siempre había tenido. El mar tenía olas rojas con espumas de sangre. Voces inútiles las mías mismas. ¡Cuánto gemir! ¡Cuánto palpar inútil! Porque ellos me desposaban para siempre y yo no podía decir ni que sí ni que no, sino desposarme con El, único, todo y lo mismo, siempre al final de la escalera. Porque la isla tenía mar por todas partes y nadie podía librarme de aquel mar que ya no era rojo, de un solo color. Pero ya no corría, sino que avanzaba porque había comprendido. Y no tenía sentido abrir puertas, porque todo era lo mismo. Y eso se lo dejaba a otros, que ya estaban muertos, pero se engañaban en la sal. Ya no sentía lástima de mí, porque ciega por haber visto, había

comprendido. Y ya no soñaba aquel verdor del
campo ni aquel azul del mar que nunca había
sido, sino que subía hacia ellos, que era El, de
los tres uno, hecho carne misma él, nunca aban-
donado sino siempre protegido del Padre, la Paloma que bajaba en verbo, unida yo a la unidad
en tres y desposada, pero me prometía tan sólo
un grito ahogado en aquella unión en el mar, sumergida yo en aquella Trinitaria proliferación
maligna.

> (*Sube sin volver la cabeza. Apenas se
> escucha un lejano gemido.*)

AURA.—¿Entonces?

LOBO.—Abre...

AURA. (*Que se adelanta al centro del escenario, de
frente al público, como si abriera una puerta.*)—
Cuando uno abre algo, siempre tiene miedo. Nadie sabe lo que puede encontrar.

LOBO.—¡Abre, abre! Es el opio, ¿no? Es el engaño,
¿no? ¡Jugar al juego! ¡Abre!

> (*A partir de este momento* AURA *y*
> LOBO *abrirán puertas imaginarias en
> busca de salidas imaginarias hacia so-
> luciones imaginarias.*)

AURA. (*Abre.*)—Es el pasillo. ¿No es éste el pasillo?
¿Qué pasillo es éste? ¿Adónde va? ¿De dónde
viene?

LOBO. (*Abre.*)—¡Aura! ¿Dónde estás, dónde te has
ido?

AURA. (*Abre.*)—Enciende una luz. Tengo miedo y
siento que estoy a punto de caerme.

LOBO. (*Abre.*)—¡Aura, ven, Cuca la Cava viene hacia
mí! Tiene la cabeza partida y me entrega un ojo
que lleva en la mano...

AURA. (*Abre.*)—¡Lobito! ¿Dónde está mi hijo?

LOBO. (*Abre, palpa, busca.*)—Palpa las paredes, Aura. Busca el dinero. El maldito Tigre lo ha escondido por alguna parte.

AURA. (*Abre.*)—He visto una sombra blanca. ¿Quién podría ser?

LOBO. (*Abre.*)—Tengo las manos manchadas de sangre. Es la sangre de Lobo.

AURA. (*Abre.*)—Tengo las manos manchadas de sangre. Es la sangre de Aura.

LOBO. (*Abre.*)—Alguien te persigue, Aura. He visto una sombra detrás de ti.

AURA. (*Abre.*)—Ten cuidado, Lobo. Siento los pasos del viejo Tigre. (*Gritando.*) ¡No, no abras la puerta!

LOBO. (*Abre.*)—¡Socorro, Aura, es Tigre, viene hacia mí con un cuchillo!

AURA. (*Abre.*)—¿Dónde estás, Lobito, hijo de mis entrañas?

LOBO. (*Abre.*)—¡Es una pendiente, se inclina hacia abajo!

AURA. (*Abre.*)—¡Ha cruzado! ¡Ha dejado un rastro de sangre!

LOBO. (*Abre.*)—El cuerpo mutilado de Cuca la Cava.

AURA. (*Abre.*)—¿Me has tocado?

LOBO. (*Abre.*)—¿Los brazos? ¿La cabeza? ¿Los pechos?

AURA. (*Abre.*)—Es Caridad... Ha sido estrangulada...

LOBO. (*Abre.*)—Los escalones. Siento los pasos del viejo Tigre. ¿Sientes algo, Aura? Sobre la baranda, una cosa fría, escamosa, que se enrosca y penetra hasta los huesos.

AURA. (*Abre.*)—¿Dónde estás, Lobo?

LOBO. (*Abre.*)—Una sustancia gelatinosa, asqueante...

AURA. (*Abre.*)—Fría y helada, que se adhiere a la piel. ¿No comprendes, Lobo? La he reconocido yo. Son los ojos de Lobito.

LOBO. (*Abre.*)—No pienses, Aura. Busca el dinero nada más. El dinero del viejo Tigre. Eso es todo. Hay que registrar por todas partes. Entre los calcetines de Tigre. Entre la ropa interior de Lobito. Entre las medias de Cuca.

AURA. (*Abre, busca, escarba.*)—Busco. Escarbo. Nada, ¡nada!

LOBO. (*Abre.*)—Busca entre nosotros mismos. Entre tus vestidos. Entre mis trajes.

AURA. (*Abre.*)—Busco. Nos han robado.

LOBO. (*Abre.*)—Es Lobito. Lo ha sacado todo de esta casa. Lo destruye. Lo quema. Nada se puede hacer.

AURA. (*Abre.*)—No tenemos nada.

LOBO. (*Abre.*)—¿Es que estamos desnudos?

AURA. (*Abre.*)—¡Lobito, no me entierres el cuchillo no, no, no!

LOBO. (*Abre.*)—Oro. Oro. Escarba. Toca los muebles. Busca en la arena.

AURA. (*Abre.*)—Escarbo. Toco los muebles. Busco en la arena.

LOBO. (*Abre.*)—Papá, no, no me hagas daño, no no...

AURA. (*Abre.*)—¡A Lobito! ¡A Tigre! ¡A Lobo!

LOBO. (*Abre.*)—¡A Aura! ¡A Tigre! ¡A Lobito!

AURA. (*Abre.*)—¡Me muero, me ahogo, yo no puedo más!

LOBO. (*Abre.*)—¡Entierra, Tigre! ¡Un poco más! ¡Un poco más!

AURA. (*Abre.*)—¡Lobo, ayúdame, me persiguen, acabarán conmigo!

LOBO. (*Abre.*)—¡Me ahogo, me ahogo, no puedo respirar!

AURA. (*Abre.*)—¿Dónde está el oro ahora, Lobo?

LOBO. (*Abre.*)—Allí, allí, un poco más allá...

AURA. (*Abre.*)—¿Está vivo Tigre?

LOBO. (*Abre.*)—¿Está muerto Lobito?

AURA. (*Abre.*)—¿Está muerto Tigre?

LOBO. (*Abre.*)—¿Está vivo Lobito?

AURA. (*Abre.*)—¿Dónde estamos?

LOBO. (*Abre.*)—¿Reconoces el camino?

AURA. (*Abre.*)—¿Es ésta la sala?

LOBO. (*Abre.*)—¿Es éste el cuarto?

AURA. (*Abre.*)—Por aquí, un poco a la derecha, un poco hacia atrás, entre las cuatro paredes de este laberinto.

LOBO. (*Abre.*)—¡Nos han robado, Aura! ¡No hay oro!

AURA. (*Abre.*)—Yo quiero morir. Yo quiero subir las escaleras y morir. A ellos. A ellos, Lobo... A El...

LOBO. (*Abre.*)—Yo quiero morir. Yo quiero subir las escaleras y morir. A ellos. A ellos, Aura... A El...

AURA. (*Abre.*)—No nos atrevemos. No me dejes sola Lobo. Sigue... Abre... Sigue...

LOBO. (*Abre.*)—Abre... Sigue... Abre... Sigue... Muere... Abre... Sigue...

> (*El telón va cerrándose muy lentamente, pero no terminará de cerrarse hasta el final de la secuencia que sigue.*)

AURA.—Padre nuestro... Abre... Muere... Sigue... Son las tres...

LOBO.—Que estás en los cielos... Abre... Muere... Sigue... Son las cinco...

AURA.—Hágase tu voluntad... Abre... Muere... Sigue... Son las siete...

Lobo.—Así en la tierra... Abre... Muere... Sigue...
Son las nueve...

Aura.—Como en el cielo... Abre... Muere... Sigue...
Son las once...

Lobo y Aura.—El pan nuestro... Abre... Muere... Sigue... Es la una... De cada día...

T E L Ó N

NOTA.—*La sal de los muertos* se escribió en 1960 en Cuba. El autor intentó la publicación de la misma a mediados del año 1961. Terminada de imprimir con posterioridad a la salida del autor del territorio cubano, la obra fue confiscada por el Estado.

EL SALVADOR

En la historia del teatro de El Salvador se señalan varias etapas; la primera, la del precursor Francisco Díaz; la de Francisco Gavidia luego, a fines del siglo XIX y principios del XX; la etapa de los elencos europeos —sobre todo españoles— que va de 1920 a 1928, aproximadamente, y durante la cual hace su aparición José Llerena, fundador de la Escuela de Prácticas Escénicas; la de Gerardo Neva (1928 a 1935) y la contemporánea iniciada por Waltér Béneke, Waldo Chávez Velazco y Roberto Arturo Menéndez.

El estreno de *La ira del cordero* por el elenco de la Dirección General de Bellas Artes en el Teatro Nacional, en 1959, fue la entrada formal de las obras del autor a la escena en vivo. Antes había desarrollado una amplia labor teatral de actor y director, pero no es hasta la publicación de esta pieza y su consecuente representación, que el autor se siente como tal, instalado en un ambiente que conoce a la perfección y usando, para la concepción de su pieza, de los recursos técnicos aprendidos en años de práctica teatral. Es esta misma experiencia escénica la que le ha hecho decir a Hugo Lindo en conferencia pronunciada en "La Prensa Gráfica" el 16 de julio de 1967: "Menéndez es, en los actuales momentos, a nuestro parecer, el salvadoreño más enterado en asuntos de teatro y el

escritor que mejor conoce y domina las técnicas de
la escena y los recursos de quien escribe para ella.
Como que sus primeras armas en la materia las
hizo como actor, y ha entregado buena parte de
su vida a las bambalinas, conoce, pues, el teatro
desde adentro".

La ira del cordero se explica con más claridad a
través de la interpretación de dos textos bíblicos.
El primero del Génesis: aquel que se refiere al
asesinato de Abel a manos de su hermano Caín, y
aquel otro de las Revelaciones del Nuevo Testamento del apóstol San Juan, relativo a la apertura de
los siete sellos y la subsiguiente "ira del cordero"
que estaba como inmolado.

La trama transcurre en dos actos, y los personajes centrales son miembros de una familia integra-
da por Andrés, María y sus hijos Saúl y Adán. En
su primer acto aparece un hombre que comunica
al desventurado Andrés la terrible noticia del fra-
tricidio de Adán. Andrés, envuelto en el dolor de
la nueva trágica, muere de un síncope cardíaco, no
sin antes pronunciar palabras de reproche contra
sí mismo, ya que no ha sabido amar a sus dos hijos por igual, despreciado la "ofrenda" de amor de
Adán al que considera inútil, mientras pondera y
elogia la actividad de su hermano Saúl. El escenario se encuentra lleno de personajes secundarios
que transitan indolentemente ante la tragedia familiar y la muerte. A ratos intervienen en la conversación o son testigos presenciales del aconteci-
miento, pero casi siempre responden al dolor con
frialdad y separación, evidenciando la actitud de
los "otros" seres humanos de espaldas al sufrimiento de sus hermanos.

En un interesante y bien logrado párrafo, en el
que el autor maneja con habilidad los recursos

técnicos disponibles, la escena se transforma mientras pasan, por arte de la imaginación de María, del presente al pasado, en el cual los esposos recomienzan juntos una escena familiar en un parque en día de domingo. El segundo acto —dividido en dos cuadros— transcurre en la casa. De un lado, se escuchan los murmullos de un rezo por las almas de los muertos (Andrés, Saúl y más recientemente Adán que se ha suicidado), y del otro, María vuelve a recordar y revivir el pasado en el cual cobran vida, de nuevo, las figuras de su marido y de sus hijos.

Toda la tragedia del despertar de la envidia, del despecho y del odio acumulado tanto en Saúl como al final en Abel —el cordero noble despertado, el alma angelical vuelta satánica por la circunstancia odiosa—, se elabora en los dos actos de recuerdos de María, que dice vivir tan sólo del pasado:

MARÍA.—¡Yo necesito recordar! ¿Lo entiendes? Solamente así los hago vivir de nuevo. Solamente así los pongo en pie, los levanto de la entraña misma de la sombra, los pongo a navegar en mis aguas, los coloco de nuevo en mi paisaje...

La pieza desarrolla, por lo tanto, una idea, es obra de tesis y, aunque religiosa en fundamentos, tiene honda repercusión humana. Alfonso Orantes, crítico de arte guatemalteco, ha dicho sobre la pieza en cuestión en *Guión literario* (febrero de 1959) que la tesis es "la de la voluntad divina que imprime carácter a lo que hace y ocurre al hombre. La culpa tiene entonces explicación. El hombre es instrumento que ejecuta el bien y el mal. Invirtiendo los términos —procedimiento que emplea Menéndez—, Abel puede ser Caín y Adán y Eva culpables o no. Procrearán sin responsabilidad un pecador o

15

un santo, un genio o un criminal. Estas contradicciones se resuelven en la rebelión del hombre, el cual se hace creyente o ateo, blasfemo o apóstata, sacrílego o réprobo, y al increpar al Creador llega, como en un pasaje de la obra, a negarlo y disparar su arma al cielo intentando matar a Dios". Por otro lado, Willis Knapp Jones en trabajo sobre dos dramaturgos salvadoreños comenta que "la tesis del autor es que Adán y Eva son tan culpables como Caín por la muerte de Abel, ya que, sin sentido de responsabilidad, un santo puede manifestarse como pecador y un genio como criminal. Debido a indeterminaciones y contradicciones, el hombre se rebela y puede terminar en ateo o creyente. Sin embargo, para contradecir la inevitabilidad de su tragedia, el poder de Dios puede interponerse evitando fatalismos". Otro aspecto interesante a descubrir en la pieza es esa crisis tremenda de los valores humanos tan contemporánea, y que mezclada a la gran preocupación metafísica que en ella tiene lugar, el control de la técnica escénica desplegada por Roberto Arturo Menéndez hacen de la pieza una excelente muestra de lo que va produciendo el nuevo teatro hispanoamericano en un plano más universal y menos restringido a los colores locales.

Otra obra más reciente del autor es *Nuevamente Edipo*, en la que sobresale la utilización del mito clásico. Aquí Edipo es acusado de los consabidos delitos de parricidio e incesto y llevado a tribunal para ser juzgado ante la ley. Al final de la pieza Edipo es dejado en libertad a declarar el jurado no haber podido llegar a un acuerdo sobre la inocencia o la culpabilidad del acusado. Al otorgársele a esta obra el segundo premio del XII Certamen Nacional de Cultura se especificó que la entrega del mismo se basaba en que la obra, "a pesar de que no contiene algún aporte considerable al mito clásico, se ha apreciado su depurada técnica, su juego de transiciones y su limpieza de lenguaje" (1).

(1) "Acta del jurado", en *Nuevamente Edipo*, obra citada.

ROBERTO ARTURO MENENDEZ

ROBERTO ARTURO MENÉNDEZ nace en San Salvador (El Salvador), el 13 de febrero de 1931. Entre sus actividades artísticas se encuentran las de actor, autor teatral, poeta, cuentista y director de teatro. Ocupó la dirección de la Escuela de Arte Dramático de Bellas Artes de su país y fue jefe del Departamento de Teatro de la misma institución. Roberto Arturo Menéndez ha obtenido varios premios por sus piezas teatrales: Primer premio en el Certamen Nacional Permanente de Ciencias, Letras y Bellas Artes "15 de septiembre", de Guatemala, en 1958, por su obra *Los desplazados*. El mismo año obtiene la Medalla de Oro y primer premio —compartido con el autor dramático Walter Béneke— en el IV Certamen Nacional de Cultura por su obra *La ira del cordero*, representada luego el 5 de junio de 1959 en el Teatro Nacional. En 1963 se le concede el primer premio del XIII Certamen Cultural Universitario por su pieza *Prometeo II*, estrenada más tarde (23 de diciembre de 1965) por el elenco del Teatro Estudio de Arte bajo la dirección escénica de Eugenio Acosta. En 1966 el autor obtiene el segundo lugar en el Certamen Nacional de Cultura con su *Nuevamente Edipo*, que se estrena dos años después, el 23 de octubre de 1968, por el Grupo Experimental "Los Orfebres", con dirección de Ernesto Mérida.

También por su obra poética el autor ha recibido altas distinciones. A su libro *Teu Amuxte* (*El libro sagrado*) le fue otorgado el primer premio de poesía del XI Certamen Cultural Universitario Centroamericano en 1961. En 1962 obtiene el primer premio de los Sextos Juegos Florales de Nueva San Salvador por su libro *Génesis*, y en 1964, también el primer premio "Facultad de Humanidades" por su pieza *La zorra*, aún inédita. Por su labor en el campo del derecho se le concede en 1964 el premio "Dr. Ricardo Moreira" de Ciencias Jurídicas por su trabajo "La culta Grecia y su justicia bárbara".

En 1966 viaja a España becado por su Gobierno para concluir estudios diplomáticos. Ha recorrido Europa extensamente y prepara un libro de narraciones: *El tercer ojo*. En la actualidad ejerce la diplomacia y se encuentra radicado en Madrid (España).

OBRAS PUBLICADAS:

La ira del cordero. Ed. de Cultura de El Salvador, Dirección General de Publicaciones, 1958.

Prometeo II, en la antología de Carlos Solórzano *Teatro breve hispanoamericano*. Ed. Fondo de Cultura Económica, México, 1966.

Nuevamente Edipo. Ed. de Cultura de El Salvador, Dirección General de Publicaciones, 1966.

Dirección del autor:
Calle Pez, 4.°, izqda.
Madrid-10 (España)

LA IRA DEL CORDERO

De
ROBERTO ARTURO MENÉNDEZ

ESCENARIOS

ACTO PRIMERO.—El escenario escueto. En el fondo y en los laterales grandes cortinajes negros formarán una gran cámara. Este acto no se desarrolla en un lugar determinado. En el escenario no habrá ninguna clase de adornos. La cerca que separa a los músicos del resto de los actores hacia la mitad de este acto, lo mismo que la silla y la lámpara de pie que se utilizan, son todos de color claro. La alfombra será de un color neutro: ni claro, ni oscuro. Los actores y actrices que aparecen inmóviles e indiferentes durante escenas enteras de este acto representan a la humanidad: ajena e insensible a todos los problemas que no les atañen directamente. De entre todas las tragedias y dramas cotidianos, solamente destacamos uno, el de ANDRÉS y MARÍA. Los demás son simples espectadores del dolor.

ACTO SEGUNDO. *Cuadro I.*—Sala en casa de MARÍA.

Unos días después de la muerte de su esposo y sus dos hijos.

Cuadro II.—El mismo del cuadro primero, inmediatamente después.

En la presente pieza usamos los términos "derecha" e "izquierda", siempre con referencia al actor colocado frente al público. Decimos también "arriba" y "abajo". Por "arriba" entendemos la parte del escenario más lejana del espectador; y por "abajo", la parte más próxima al espectador. En medio queda el área del centro con sus subdivisiones "arriba" y "abajo".

ACTO PRIMERO

El escenario: cámara negra. Alfombra neutra. Al
levantarse el telón varios grupos formados por
hombres y mujeres en actitud completamente está-
tica. Como formando un cuadro vivo, un coro. AN-
DRÉS ocupará el área de abajo centro, casi de perfil
y en actitud, aunque inmóvil, que simule que se
dirige hacia el área izquierda abajo de la escena.
ANDRÉS es un hombre alto y delgado de rostro ce-
ñudo y enjuto, enturbiado por una afectada expresión de arrogante superioridad. De carácter seco
y duro. De cuarenta y cinco años. Es reservado y
terco. Hay una pausa larga. Todos los actores per-
sisten en su inmovilidad. Parecen haberse detenido
para no volver a moverse nunca. Ninguno de los
actores enfatizará el área ocupada por ANDRÉS. Durante la larga pausa, una luz pareja, azul y muy
clara, iluminará el tablado. Comienza la acción.

> (EL HOMBRE *entra rápidamente por*
> *el fondo y se dirige hacia el lugar don-*
> *de estará* ANDRÉS. EL HOMBRE *llega has-*
> *ta colocarse a espaldas de* ANDRÉS *y*
> *dice.*)

EL HOMBRE. (*Agitado, nervioso.*)—Andrés... Andrés...
ANDRÉS. (*Se vuelve rápidamente. Los otros actores*
continúan en sus mismas posiciones.)—Dime,
¿qué pasa? ¿Ocurre algo?

EL HOMBRE.—Andrés, tus hijos...

ANDRÉS.—Mis hijos... ¿Qué...?

EL HOMBRE.—Adán y Saúl...

ANDRÉS.—Habla, por Dios... Dime. ¿Qué ocurre...?

EL HOMBRE.—Saúl ha...

ANDRÉS. (*Casi sin voz.*)—¡Ha...!

EL HOMBRE. (*Concluye.*)—¡Muerto!

> (*Una luz súbita, intensa y roja iluminará a partir de este momento esta escena.*)

ANDRÉS.—¿Muerto? (*Se lleva las manos al pecho.*) ¡Muerto! ¿Muerto has dicho?

EL HOMBRE.—Sí. ¡Muerto! ¡Eso dije!

ANDRÉS.—Pero... ¿Cómo?

EL HOMBRE.—Lo mató el otro... Tu otro hijo... Pelearon... y...

ANDRÉS.—¡No! ¡No es posible...!

EL HOMBRE.—Sí.

ANDRÉS.—¿Adán?

EL HOMBRE.—¡Adán!

ANDRÉS.—¿Cómo pudo?... Mi pequeño, mi dulce Adán... ¡No puede ser!

EL HOMBRE.—Fui testigo... Lo he visto yo. ¡Fue Adán!... ¡Adán!

ANDRÉS.—¡No! ¡No digas que fue Adán! ¡En nombre del cielo, no digas eso!

EL HOMBRE.—Te digo que fue él. Lo he visto yo...

ANDRÉS. (*Rotundo.*)—¡Tú no has visto nada! ¡No fue Adán te digo! ¡No! ¡Adán no!... ¡Soy yo el que ha matado, yo! ¿Entiendes eso? ¡Yo! ¡Yo mismo! ¡Con mis propias manos! (*Mostrando las manos avanza un paso hacia* EL HOMBRE.) ¿No ves su sangre? ¡Fui yo quien mató! ¡Yo! ¡Míralas! ¿No ves sangre?... ¿Sangre?... (*Trata de avanzar unos pasos hacia el arca de arriba, pero no logra sino dar dos o tres para caer finalmente en los brazos de* EL HOMBRE *y deslizarse suavemente, tratando de aferrarse al cuerpo de éste. Cae de rodillas y hunde la cabeza entre las piernas de* EL HOMBRE, *emitiendo un fuerte sollozo. Pausa. Alza la cara y dice.)* ¿Por qué?... ¿Por qué? ¿Lo sabes tú? *(Con rabia.)* ¡Porquería! ¡Porquería de padre, eso soy! *(Sube las manos crispadas hasta tocar las mangas de la chaqueta de* EL HOMBRE, *las cierra convulsivamente y dice.)* ¡La ira! ¡La ira del Cordero! ¡El gran día de su ira ha venido!... ¿Y quién podrá estar firme? *(Pausa. Sollozo ahogado. Mitad oración, mitad ironía.)* ¡Tú no puedes permitir esto, mi Dios y Señor!

> *(Rueda por el piso y finalmente queda inmóvil, con los brazos en cruz, y de cara al cielo.)*

EL HOMBRE.—¡A mí! ¡Por favor, ayudadme!

> *(Todos los actores que han permanecido quietos parecen no haber oído una palabra de la escena anterior, se precipitan ahora sobre el cuerpo de* ANDRÉS.*)*

MUJER. *(En voz alta.)*—¡Un médico! ¡Llamen a un médico!

> *(Mutis de varios actores por distintos lugares. Confusión. Un hombre bajo y grueso se abre paso por entre todos los que rodean a* ANDRÉS.*)*

EL HOMBRE. *(Agitado.)*—¿Es usted médico?

EL EXTRAÑO.—No. Soy carpintero.

EL HOMBRE. *(Agitado. Habla alto y urgido.)*—¡Aquí se necesita un médico!

EL EXTRAÑO. *(Con cierta calma.)*—¡Aquí se necesita

un hombre! Y yo soy hombre, amigo. Usted grita como una mujer.

EL HOMBRE. (*Siempre alterado, voz menos alta.*)— ¡Estoy preocupado! ¡Soy su amigo!

EL EXTRAÑO.—Razón de más para no gritar.

EL HOMBRE.—¡No tiene usted que ordenarme nada! (*Gritando.*) ¡No quiero que le ocurra nada malo!

EL EXTRAÑO. (*Grita más alto.*)—¡Cállese! (*Pausa. Hay un silencio absoluto. Todos se apartan y dan paso al* EXTRAÑO. *Este llega y se arrodilla junto al cuerpo de* ANDRÉS. *Le mira, luego alza la cara y pregunta.*) ¿Quién es?

MUJER.—Es Andrés... (*Vacila.*) No sé el apellido. (*Pausa breve.*) ¿Cómo está? (EL EXTRAÑO *se inclina nuevamente sobre el cuerpo de* ANDRÉS. *Apoya su cara contra el pecho de éste. Pausa. Insiste.*) ¿Cómo está?

EL EXTRAÑO.—Está muerto.

(*Un murmullo se levanta entre los hombres y mujeres que rodean el cuerpo de* ANDRÉS.)

EL HOMBRE. (*Con extrañeza.*)—¡No puede ser! (*Incrédulo.*) ¡Es inaudito!

EL EXTRAÑO.—Pero absolutamente cierto. ¡E s t á muerto!

(*Entran precipitadamente los actores que salieron en busca del médico.*)

GUÍA. (*Habla hacia fuera de la escena. Se dirige al médico, que aún no ha aparecido.*)—Por aquí, doctor, por aquí...

(*Entra el* DOCTOR *con un maletín negro en la mano. Viene rodeado de dos*

*o tres enfermeras. Todos visten impe-
cablemente de blanco. El* DOCTOR *viene
comiendo una manzana.*)

DOCTOR. (*Indolente.*)—¿Qué ha sucedido?

EL EXTRAÑO.—Un hombre ha muerto.

DOCTOR.—¿Muerto?

EL EXTRAÑO.—Sí.

DOCTOR. (*Con evidente repulsión.*)—¿Un balazo?

EL EXTRAÑO.—No. Una noticia.

DOCTOR. (*Da un mordisco a la manzana.*)—¡Menos
mal! ¡Me repugna la sangre! (*Pausa. Un nuevo
mordisco a la manzana. Come abriendo la boca.*)
¿Dónde está?

EL EXTRAÑO.—Ahí

(*Señala el lugar. El* DOCTOR *avanza
hacia el sitio señalado. Se inclina hacia* ANDRÉS; *saca un estetoscopio del
maletín, da un último mordisco a la
manzana y la tira. Le ausculta, una
pausa larga. Silencio absoluto. Se levanta finalmente, vuelve a guardar el
estetoscopio; todos miran al* DOCTOR
inquisitivamente.)

EL HOMBRE.—¿Qué le sucede, doctor?

DOCTOR.—Trombosis coronaria.

EL HOMBRE.—¿Y eso qué significa, doctor?

DOCTOR. (*Con enorme desprecio profesional. Sonríe.*)—Significa que hay que enterrarlo, amigo. ¡Murió instantáneamente! ¡Estallido del corazón!

(EL EXTRAÑO *saca una cinta métrica
del bolsillo, se inclina sobre el cuerpo
inanimado de* ANDRÉS *y después de
arrodillarse principia a tomar medidas
al cadáver.*)

MUJER.—¿Qué hace usted?

EL EXTRAÑO.—¿No lo ve? Lo mido...

EL HOMBRE.—¿Qué piensa hacer?

EL EXTRAÑO.—La caja. ¿No ha oído decir que está muerto?

EL HOMBRRE.—¡Es usted un cínico!

EL EXTRAÑO. (*Tranquilamente.*)—No, señor. Soy un carpintero, ya se lo he dicho. Yo necesito comer. ¡Vivir! Por eso fabrico ataúdes.

EL HOMBRE.—¡Usted es un buitre!

EL EXTRAÑO. (*Sonríe.*)—¡Qué más quisiera! Así podría oler y descubrir dónde hay un cadáver.

DOCTOR. (*Tose, para llamar sobre sí la atención.*)—¿Tenía esposa este hombre?

GUÍA.—Sí.

DOCTOR.—Llámenla. Los hombres necesitamos mojar los cadáveres de lágrimas antes de sepultarlos.

LA AMIGA.—Voy por ella.

GUÍA.—¿La acompaño?

LA AMIGA.—No.

GUÍA.—Como usted guste.

LA AMIGA.—Las malas noticias se reciben mejor sin testigos.

(Sale.)

GUÍA. (*Se acerca al cuerpo de* ANDRÉS, *le mira y dice.*)—Se miraba tan sano.

DOCTOR.—Lo estaba... Parece.

GUÍA.—Entonces, ¿por qué murió?

DOCTOR.—Morir del corazón no es una enfermedad. ¡Es una excusa! (*Todos, hobres y mujeres, le rodean.* EL EXTRAÑO *toma medidas.*) La trombosis forma coágulos en los vasos sanguíneos. Existen dos arterias que llevan las sangre al corazón; éstas se conocen como coronarias. Un coágulo allí y ¡paff! ¡Un largo viaje hasta el otro mundo!

EL HOMBRE. (*Dolido.*)—¡Yo le di la noticia!

DOCTOR.—¿Era usted su amigo?

EL HOMBRE.—Sí.

DOCTOR.—Entonces no tiene nada de extraordinario. ¡Los amigos siempre nos destrozan el corazón!

EL HOMBRE. (*Se excusa.*)—Había que darle la noticia de todos modos.

EL EXTRAÑO.—¡Claro...! ¡Nacen miles y miles de hombres todos los días! Hay que desalojar un poco el ámbito. (*Sonríe cínico.*) Sucede como con los automóviles; hay que destruir muchos para que haya de sobra lugares de estacionamiento. Por eso se explica que haya choques a diario.

EL HOMBRE.—¡Este no es momento para bromas!

EL EXTRAÑO.—No bromeo. Lo digo absolutamente en serio.

DOCTOR. (*A* EL EXTRAÑO.)—Opino igual que usted. (*Transición.*) Bien, aquí no queda nada más por hacer. Me marcho antes de que llegue la viuda. ¡Me repugnan las lágrimas!

GUÍA. (*Con sarcasmo.*)—¿Las ajenas, naturalmente?...

DOCTOR. (*Sonríe, vacila.*)—Y también las propias. No hay espectáculo más terrible que las lágrimas de los hombres. (*Bosteza.*) Buenas tardes. ¿Vamos, lindas?

> (*Sale acompañado de las enfermeras. Pausa.*)

MUJER.—¿Qué hacemos?

EL HOMBRE.—¡Levantémosle!

EL EXTRAÑO.—No. Tienen que reconocerle los forenses.

GUÍA.—Cubrámosle el rostro.

16

EL EXTRAÑO.—¿Para qué?... Ahora ya no tiene nada de qué avergonzarse.

EL HOMBRE. (*Amenazador.*)—Le ruego que se vaya de aquí inmediatamente.

EL EXTRAÑO. (*Le mira tranquilo.*)—Muy bien. Tampoco esperaré a la viuda. No siento esa curiosidad morbosa por los malos momentos. Adiós.

(*Mutis. Silencio largo.*)

EL HOMBRE.—¡Vivir! ¡Morir! (*Suspira.*) Andrés no merecía esto.

MUJER.—¡Era tan bondadoso!

GUÍA.—¿Le conocía usted?

MUJER. (*Sin pensarlo.*)—No. (*Turbada.*) Bueno..., por referencias.

EL HOMBRE.—¡Era el mejor amigo del mundo!

GUÍA.—¡Siempre tan tranquilo y tan sereno!

EL HOMBRE. (*Adulador.*)—¡Tan cariñoso, tan simpático y tan...!

(*Entran* LA AMIGA *y* MARÍA.)

MUJER. (*Interrumpe.*)—¿Quién es esa mujer?

GUÍA. (*En un susurro.*)—¡La viuda!

LA AMIGA. (*Cariñosa.*)—Pasa, mujer, por este lado...

MARÍA.—¿En dónde?...

LA AMIGA.—Aquí.

> (*Todos se apartan un poco para dar paso a las dos mujeres.* MARÍA *es el prototipo de la madre buena pero débil, evidentemente ha sido dominada en vida por el carácter seco de su marido. De inteligencia normal. De cuarenta años, rolliza, de rostro dulce y*

gentil. Ha sido hermosa. Viste un tra-
je de color brillante con flores estam-
padas.)

MARÍA. *(Transida.)* — ¡El! ¡El también! ¡Muerto!
(Suavemente, con voz muy dulce.) Andrés... Andrés...

LA AMIGA. *(Compasivamente.)*—Sí, ¡Andrés! ¡También Andrés ha muerto! ¡Tienes que resignarte!
¡También el padre de tus hijos se ha marchado...! ¡Ten valor!

MARÍA. *(Protesta suave.)*—¿He flaqueado?

(Vuelve a ver el cuerpo de ANDRÉS.)

LA AMIGA. *(Le mira también.)*—Andrés siempre fue
débil. Es natural, no podía soportar.

MARÍA. *(Volviendo la vista hacia* LA AMIGA. *Irónica.)*
¿No? *(Pausa corta.)* ¿Por qué puedo yo, entonces?

LA AMIGA.—¡Las mujeres estamos hechas de otra
pasta!

MARÍA.—Sí. Ahora puedo decirlo. ¡Los hombres son
los seres privilegiados de la naturaleza! ¡No pueden llorar! Pero cuando las lágrimas son imprescindibles, cuando las lágrimas ascienden hasta
los ojos, o cuando se anudan a la garganta... los
hombres no lloran: ¡Matan... o se mueren...!
¡Valientes héroes! *(Sonríe amarga. Vuelve a mirarlo, se arrodilla lentamente.)* ¡Andrés...! ¡Andrés...! *(Solloza suavemente. Su voz es dulce.)*
Entonces..., ¿es verdad? ¿Te has ido, Andrés?
¿No fui yo la que traté de cambiarte? ¿No te dije, acaso, que no era esa la manera de criar a
los chicos? Es inevitable, Andrés... ¡Mírame!
¡Ahora estoy sola! ¡Sin ti, y sin ellos! ¡Sola! Uno
ya es cadáver. El otro..., el otro... ¡Dios lo per-

done! (*Toma suavemente la cabeza de* ANDRÉS *y la coloca cariñosamente sobre su regazo. Lentamente se sienta en el suelo.*) ¿Es justo de tu parte, irte y dejarme sola? ¿Abandonada? ¿No te has preguntado qué será de mí? (*Se limpia los ojos con el dorso de la mano.*) Estoy sola... ¿Ves? ¡Sola! ¡Infinitamente sola! ¡Tú ya no puedes hablar! ¿De quién serán mi voz... y mis quejas, si tú te has ido para siempre? (*Pausa. La voz ahogada.*) ¿Y los niños...? ¡Nuestros niños, Andrés! ¡Tu Adán, mi Adán...! ¡Nuestro Saúl! ¿Y la casa? Qué inmensa y sola me parecerá la casa sin ellos. Sin sus risas; ¡sin tu risa, mi Andrés! ¡Sin tu calor! ¡Sin nuestro amor! (*Pausa. Solloza suavemente.*) Entonces... ¿ya no vendrás más a casa con olor a whisky, y a gasolina, y a mujeres, y a tabaco, y a "chicle"...? (*Ríe. Llora. Torna a reír. Su voz se quiebra en un hondo, largo, profundo sollozo. Hunde la cara entre sus manos mientras solloza fuertemente y un largo rato. Todos le miran consternados. Pausa. Vuelve a los sollozos, ahora muy suaves. Confidencial.*) ¿Quieres que te diga algo? No me gusta el olor a whisky..., cuando tu aliento me daba en la nariz, recordaba el viejo cedro de la casa de mi padre, donde yo vivía cuando éramos novios... Luego tú me pediste... (*Sonríe. Dulce.*) ¡Nunca olvidaré ese día! Decididamente no me gustó nunca el olor a whisky..., sabe a madera, ¿no es cierto? Prefería que volvieras a casa con olor a ron. ¡Te sentía más hombre! ¡Más mío! (*Pausa. Le mira cariñosa.*) ¡Andrés! ¡Mi pobre Andrés! (*Maternal. Como si hablase a un niño.*) Tengo que dejarte... ¿Sabes? ¡Tengo que ir a llorar sobre el cadáver de Saúl! Su cadáver está ahora sobre mi cama. ¡Nuestro pequeño Saúl! (*Muy dulcemente.*) ¿No

te disgustas, verdad? ¡Siempre fuiste celoso!
Ahora serás bueno y me dejarás marchar. ¡Déjame, por favor! ¡Te lo ruego! Saúl me necesita
también. Tienes que compartir mis lágrimas con
él. (*Le acaricia la barbilla con el reverso de la
mano.*) ¡Estás barbado! ¿Quieres agua caliente y
colonia...? Ayer compré media docena de navajas
alemanas para que te rasures; son más resistentes y no pierdan el filo. (*Enumerando con los
dedos, dice.*) Compré loción, tres jabones, aspirinas; compré de las francesas: sé que las prefieres porque tu bisabuelo era francés... ¡Ah!, y
compré también... (*Le dice algo al oído. Ríe divertida.*) El último que nos quedaba se acabó
hace tres días. (*Suspira convulsivamente como
lo hace alguien que ha dejado de llorar.*) ¿Qué te
parece? ¿Soy o no soy una buena ama de casa?
Entonces..., ¿quiere decir que esto es una tragedia? ¿Es esto lo que se siente? ¡Es duro!, ¿verdad? (*Pausa. Muy seria. Reclama.*) Andrés... ¿No
te duele verme llorar por tu culpa? (*Llama como
lo hace alguien que no ha sido oído.*) ¡Andrés...!
¡Los problemas están planteados! ¡Ha llegado la
hora de las resoluciones! (*Despectiva.*) ¡Ahora te
vas! Precisamente ahora, cuando las nubes se
han cargado y se desata la tempestad. ¡Hoy pliegas las alas y te marchas en busca de otros cielos! (*Brusca, rabiosa.*) ¡Vamos, no huyas! ¡Cobarde! ¡Los pollos están alborotados..., y el gallo
se suicida! (*Sonríe despectivamente.*) ¿Qué soy?
¿Tu escudo? ¡Una cortina de humo! ¡Hay que escabullir el bulto cuanto antes!, ¿verdad? ¡Todo
está perdido! ¡Ahora te escondes! ¡Cobarde! (*Llora casi histérica. Pausa. Traga con esfuerzo. Suavemente arrepentida.*) ¡Perdóname! ¡Ultimamente
he estado muy nerviosa! ¡Perdona! Pero..., ¿ver-

dad que es injusto que yo me quede sola mientras que tú te marchas? ¿No comprendes que tu partida me condena a una s o l e d a d sin límites? Pues mira..., oye bien lo que voy a decirte: ¡Yo también te condeno! ¡Te ataré a mi vida, y vivirás conmigo en el pasado! (*Se limpia los ojos con un gesto brusco, sacude la cabeza y dice.*) ¡Empecemos a vivir! (*Los actores y actrices que hasta este momento han estado rodeando a* MARÍA *y a* ANDRÉS, *empiezan a retroceder poco a poco, luego formarán pequeños grupos y parecerán haberse olvidado por completo de ellos, platican en voz baja.* EL GUÍA *sale.* MARÍA, *soñadora, sin ver el cuerpo de* ANDRÉS. *Con la vista perdida. Reminiscente, como si nada hubiese sucedido. Habla con naturalidad.*) Hace cinco años, el día que estrené este vestido que llevo... por la tarde fuimos al parque. (*Poco a poco irán las luces cambiando desde el rojo intenso hasta el azul claro del principio del acto. El cambio no será brusco. Sonríe.*) A ti nunca te gustaron esos paseos al parque: te parecían anticuados, ¿no es cierto? (*Pausa.*) ¿Qué? ¿No contestas? (*Su voz es dulce y cariñosa.*) ¡Andrés, hablo contigo! ¡Levántate!

> (*Esta es una escena de recuerdos.* ANDRÉS, ADÁN y SAÚL *sólo viven en la memoria de* MARÍA.)

ANDRÉS. (*Natural.*)—No. ¡Se está bien aquí!

MARÍA.—Sí. Pero el césped está muy húmedo, puede caerte mal, estás débil. ·

ANDRÉS.—Estoy tan fuerte como siempre.

MARÍA.—¡Qué sabes tú! ¡Eres un necio! ¡Qué sabes tú!

ANDRÉS.—¿Es necesario ser médico para saber cuándo uno vive con todas sus células en orden?

MARÍA.—Ese es tu peor defecto: ¡Eres testarudo!

ANDRÉS. (*Sonríe.*)—¡Bah! (*Todos los actores que se encuentran en escena han comenzado a pasearse. Algunos cogidos de las manos; otros —los más jóvenes—, juegan o bromean y ríen. En general la conducta de todos ellos será la que habitualmente se observa en un lugar público, digamos: un parque.*) ¿Y los chicos...?

MARÍA.—Por ahí... (*Pausa.*) ¿Te sientes bien?

ANDRÉS.—Sí... (*Pausa.*) Deja ver... (*Pausa.*) Quizá un poco aburrido.

MARÍA.—¿Por qué?

ANDRÉS.—Me chocan estos paseos los días domingos al parque... ¡Es absurdo!

MARÍA.—Nunca dejarás de ser el mismo.

ANDRÉS.—¿Dónde está tu chal...?

MARÍA.—Quedó en el banco, también tu saco. Los chicos cuidan de eso.

ANDRÉS.—Vamos a casa. Este ambiente me ahoga.

MARÍA. (*Ruega.*)—Espera. La orquesta llega ahora.

> (*Una reja en forma de cerca de kiosco viene empujada desde el lateral derecho y con una ligera inclinación hacia arriba de la escena, de manera que forme una especie de triángulo que aislará a los músicos de los demás actores. Los músicos entrarán vestidos de calle, y buscarán de inmediato este sitio: área derecha arriba. Los músicos colocarán sus atriles y comenzarán a afinar sus instrumentos, los que llevarán consigo al hacer la entrada a escena. El director de la orquesta da la señal y comenzarán los músicos a interpretar una melodía s u a v e y triste.*)

*Mientras los músicos ejecutan todo lo
anteriormente descrito,* ANDRÉS *y* MARÍA
*han continuado conversando en voz
muy baja, inaudible, y sin hacer foco
—en ningún momento— hacia el área
ocupada por los músicos. Después de
una pausa.)*

ANDRÉS. (*Contrariado.*)—¡Esto es ridículo! ¡Anticuado! ¡Extravagante!

MARÍA. (*Sonriente.*)—Calla, grandísimo malcriado.

ANDRÉS.—¿No tenemos radio, acaso?

MARÍA.—No es lo mismo. Me gusta el parque los domingos. ¡La casa es una caja! Los chicos se ahogan. Necesitan aire, luz, vida.

ANDRÉS.—¡Tonterías!

MARÍA. (*Coqueta.*)—¿Te gusta mi vestido?

ANDRÉS. (*Afirma.*)—¡Mmjjmm!

MARÍA. (*Señala una flor de su vestido.*)—Mira esta flor.

ANDRÉS. (*Con fastidio.*)—Vamos a casa. Llama a los chicos.

MARÍA.—Aquí están.

(*Efectivamente,* SAÚL *y* ADÁN *entran
por el fondo en ese instante.* SAÚL *es
alto y atlético, de ojos grandes y profundamente negros, cabello negro y rizado. De rostro alegremente burlón y
desafiante. Hay una eterna y enigmática sonrisa jugueteando de continuo
en sus labios. Su voz es grave y profunda.* ADÁN *es un muchacho alto, guapo, fuerte, de ojos oscuros, de sonrisa
agradable y mirada franca. Su voz es
suave y extrañamente dulce. Su rostro
denota cierto aire de temor infantil.*

> *La edad de ambos frisa entre los die-*
> *ciocho y veinte años. Ambos visten tra-*
> *jes muy juveniles de colores brillantes.*
> SAÚL *lleva en las manos el chal de*
> MARÍA *y el saco de* ANDRÉS.)

SAÚL. (*Entregando las prendas.*)—Aquí tienes, papá, tu saco. (*A la madre.*) Tu chal, mamá.

ANDRÉS. (*A* ADÁN.)—¿Cuándo aprenderás a ser aten- to como tu hermano?

ADÁN.—Papá, yo...

ANDRÉS.—¡Está bien! ¡Calla!

> (*Se levantan del suelo donde han per-*
> *manecido sentados* MARÍA *y* ANDRÉS;
> *éste se pone el saco.*)

ADÁN. (*Insiste.*)—Papá, los traía yo... Saúl me los quitó, por eso le perseguía...

SAÚL.—No mientas. Nunca agarras la parte difícil, todo tengo que hacerlo yo. (*Transición.*) El no quiso traerlos, papá, dijo que no era el criado.

ADÁN. (*Sorprendido.*)—Saúl, ¿qué dices...? ¡Estás mintiendo...!

ANDRÉS.—Calla. Ya repetirás esas palabras al lle- gar a casa.

ADÁN. (*A* MARÍA.)—Mamá, ¡no es cierto!

MARÍA.—Hijo, yo...

ANDRÉS. (*Corta.*)—Calla tú también. ¿Es que estáis confabulados? ¡Saúl nunca miente! (SAÚL *sonríe satisfecho.* MARÍA *calla.* ADÁN *baja la cabeza.*) La gente nos mira. Paseemos.

> (*Echan a andar:* ANDRÉS *y* MARÍA, *del*
> *brazo;* ADÁN *adelante y* SAÚL *les sigue.*
> SAÚL *empuja violentamente a* ADÁN,
> *mientras dice.*)

SAÚL.—Camina rápido, nos estorbas.

(ADÁN *da un traspiés y cae.*)

MARÍA.—¡Saúl, cuida tus modales...!

ANDRÉS. (*Sonriendo.*)—Déjale, no vale la pena. Son chicos, mujer. (*A* ADÁN.) ¡Levántate, no te quedes ahí como un bendito!

> (*La gente empieza a retirarse poco a poco. Haciendo mutis por los laterales. Se despiden con expresiones* ad libitum. *La luz irá bajando de intensidad.* EL HOMBRE *se acerca a los cuatro protagonistas. Los demás actores continúan saliendo. Hay despedidas y abrazos. Finalmente salen todos.* EL HOMBRE, ANDRÉS, MARÍA, SAÚL *y* ADÁN *continúan en escena.*)

EL HOMBRE.—¿Se van ya?

MARÍA.—Andrés dispone.

ANDRÉS.—Me aburre esto. Me parece tonto y anticuado, no lo crees?

EL HOMBRE.—Yo disfruto de las viejas costumbres. Me parecen tan sanas.

MARÍA.—Lo son...

ANDRÉS.—A mí me chocan. ¡Tengo ideas revolucionarias...! ¡Admiro las innovaciones! (*Vuelve a ver a los músicos que continúan en el área derecha arriba, ejecutando.*) Prefiero la radio a estas antiguallas.

EL HOMBRE.—Eres un hombre contradictorio (*Sonríe.*), especial...

ANDRÉS.—Soy un espíritu aparte. Eso es todo.

EL HOMBRE. (*Pausa.*)—Hace calor. (*Mirando a los chicos.*) Han crecido los retoños.

MARÍA.—¿Te parece así?

EL HOMBRE.—Lo advierto.

(*Mira el reloj de puño.*)

ANDRÉS.—Se hace tarde, ¿no crees?

EL HOMBRE.—Aún no dan las ocho.

MARÍA. (*A* ANDRÉS.)—¿Lo ves? Es muy temprano.

ANDRÉS. (*Firme.*)—Es tarde para mí. Tú lo sabes muy bien, salgo al campo cuando apenas nace el sol.

MARÍA.—Sí, y regresas cuando el sol se ha puesto. (*Reflexiva.*) Lo dicho: trabajas demasiado... y no te diviertes.

EL HOMBRE.—Tu mujer tiene razón, deberías divertirte.

ANDRÉS.—¡Bah! No tiene caso. Voy para viejo.

MARÍA.—No es bastante razón... (*A* EL HOMBRE.) ¿No crees?

ANDRÉS.—Para mí lo es... y basta...

EL HOMBRE.—¿Qué tienes? Estás nervioso, irritable. ¿Qué te sucede?

ANDRÉS.—No sé..., no sé qué tengo..., lo único que sé es que me chocan las preguntas.

EL HOMBRE.—Perdona. No haré una más.

ANDRÉS. (*Apenado.*)—Perdona tú. No sé lo que digo. Es ilógico, me molesta todo, todo... No me siento bien. Estoy algo fatigado.

MARÍA.—Yo sugeriría...

ANDRÉS. (*Corta.*)—Perdona, pero no he pedido opiniones.

(MARÍA *calla. Hay un silencio embarazoso.*)

EL HOMBRE. (*Cambiando. Por decir algo.*)—Los músicos se marchan. (*En efecto, los músicos han recogido sus atriles e inician el mutis por donde entraron.*) Bien, yo me despido: Adiós, María, cuida a los chicos. Adiós, Andrés, que lo pases bien.

(*Sale, hay una pausa.*)

ANDRÉS. (*Vacila, luego dice.*)—Perdona mi brusquedad. María, estoy insoportable, lo sé. No lo puedo remediar, créeme. Algo anda mal.

MARÍA.—¿Qué sucede, Andrés?

ANDRÉS.—Quiero descansar. No me siento bien.

(*Se lleva las manos a la cara.*)

ADÁN. (*Solícito.*)—¿Puedo hacer algo por ti, papá?

ANDRÉS.—Sí. Marcharte. Déjame, ¿quieres?

(ADÁN *retrocede.* SAÚL *sonríe.*)

MARÍA.—¿Qué ocurre, querido?

ANDRÉS.—Nada... Un mareo. Ya pasó.

MARÍA. (*Después de una pausa. Mientras caminan hacia el lado derecho de la escena tratando de distraer a* ANDRÉS *hablando de otra cosa.*)—Sabes, Andrés..., estaba pensando que con los viejos arados podríamos hacer un bonito negocio. El viejo Pedro tiene gran interés en poseer unos, y creo que si tú quisieras, podrías...

ANDRÉS.—No. Los arados nuevos, tanto como los viejos, me son indispensables si deseo prosperar. Desgraciadamente me hacen falta brazos..., y de estos dos (*Por los chicos.*), solamente cuento con Saúl. Adán se pasa el día echado cuidando los rebaños...

ADÁN.—Si tú quieres, yo podría...

ANDRÉS.—No. Tendrías que aprenderlo todo. Desde el principio. Se perdería un tiempo de oro contigo.

ADÁN.—¡Las ovejas también son importantes!

SAÚL.—¡Bah! Las ovejas se cuidan solas. La siembra es lo que importa. ¡Pero tú eres un inútil! Te has convertido en comadrona de las ovejas con cría.

> (*Ríe.*)

ADÁN.—Sin ovejas, nada...

ANDRÉS.—Bueno, ¿quieres acabar de callarte? ¡He dicho que estoy cansado! Menos mal que ya hemos llegado.

MARÍA. (*Mientras se quita el chal.*)—¿Quieres que traiga una silla?

> (*Medio mutis. Han llegado al extremo del área derecha abajo.*)

SAÚL. (*Se adelanta.*)—Deja... Iré yo...

> (*Sale.*)

ANDRÉS. (*A* ADÁN.)—Y tú trae mis anteojos. (ADÁN *hace mutis por el mismo lado del escenario.*) Este calor es insoportable. (*Se quita el saco.* ADÁN *entra con los anteojos, un libro y una lámpara de pie.* SAÚL *entra trayendo una silla mecedora.* ADÁN *enciende la lámpara que estará colocada junto a la silla.* ANDRÉS *se sienta cómodamente en ésta, y empieza a leer.* MARÍA *tiende el chal a* ADÁN, *éste lo toma y hace mutis.* ANDRÉS *entrega el saco a* SAÚL *y éste sale. —Hay una pausa—.* ANDRÉS *busca despreocupadamente una página determinada del libro, mientras* MARÍA *lo observa de pie y en silencio.* ANDRÉS *lee durante un momento. Reparando en que ella le ve obstinadamente.*) ¿Qué ocurre, mujer? ¿Qué haces...?

MARÍA. (*Sonríe.*)—Nada..., te veía simplemente...

(*Sumisa.*) ¿Te molesta? (*El ha dejado de leer. Ella se arrodilla de pronto y abandona su cabeza en la rodilla de* ANDRÉS, *mientras dice.*) ¡Andrés, querido mío!

> (ANDRÉS *pasa su mano por la cabeza de* MARÍA. *Pausa.*)

ANDRÉS.—¿Qué ocurre, mujer?

MARÍA. (*Sonríe y dice dulcemente.*)—No sé..., estaba pensando.

ANDRÉS.—¿Puede saberse qué?

MARÍA.—Sabes, cuando era chica me costaba mucho trabajo dormir..., y en mis noches de insomnio pasaba largas horas con la mirada perdida en el cielo a través de la ventana. Me acurrucaba entre las sábanas y clavaba la vista por horas y horas en el cielo oscuro y opaco. Y soñaba..., soñaba cosas absurdas. Algunas veces me miraba rodeada de hermosas mujeres que se decían amigas mías; otras, miraba miles de flores y mariposas, y gigantes, y arco iris, y enanos. Toda una vida. Todo un mundo de fantasías me rodeaba. (*Se sienta en el suelo y continúa.*) Me pasaba los días deseando que corrieran las horas rápidamente, para irme a acostar. Y los días me parecían enormemente largos. Una vez...

(*Se interrumpe.*)

ANDRÉS. (*Interesado.*)—¿Una vez...?

MARÍA. (*Sonríe avergonzada.*)—Tenía yo dieciséis o diecisiete años. Empezaba a fijarme en los muchachos del pueblo. Hacía mucho calor, y yo descansaba en ropas íntimas, de pronto, el viento empezó a soplar fuertemente, y el perfume del enorme cedro que estaba plantado en el patio de nuestra casa llenaba con su olor acre toda mi habitación. ¡Mi padre era muy severo, tú lo sabes! (*Transición.*) De pronto empecé a soñar..., a soñar despierta... como todas las noches..., como siempre. Tenía los ojos perdidos en la enmarañada copa del cedro y me pareció descubrir, entre las hojas, unos enormes ojos verdes que me miraban. Ojos de hombre. Sentí vergüenza. Nunca antes había sentido vergüenza a ningún hombre, pero de pronto me vi el cuerpo y fue como si de improviso despertase de un largo sueño. De un largo sueño que hubiese durado toda mi vida. Como si me viese a mí misma por primera vez. Instintivamente me vi el cuerpo descubierto, semidesnudo... La luz de la luna entraba a raudales por la ventana abierta. Desde las ramas del viejo cedro los imaginarios ojos verdes, seguían mirándome. Sentí una vergüenza enorme y me escondí entre las sábanas.

(*Se interrumpe.*)

ANDRÉS. (*Sonríe.*)—¿Y qué pasó después?

MARÍA.—¡Nunca más volví a abrir las ventanas! Tenía la sensación de que alguien me vigilaba desde el aire, desde el cielo, desde el árbol. (*Sonríe.*) Es absurdo, ¿verdad? Fue un descubrimiento que me dejó anonadada..., había descubierto que ya no era una niña, sino una mujer. ¡Una mujer que abría los ojos de pronto! Me sentí como debe de sentirse alguien que ha vivido en sombras eternamente, y de pronto descubre un sol rojo y ardiente que le inunda de luz, que le baña el cuerpo totalmente. (*Suspira.*) Luego te conocí. Pero esa visión extraña, de los ojos verdes y profundos, me asalta de tarde en tarde. (*Transición. Apasionada. Brusca.*) ¡Andrés...! ¿Por qué no eres el mismo de antes?

ANDRÉS. (*Deja la silla y se sienta junto a ella en el piso.*)—¿Es que he cambiado tanto...?

MARÍA.—Sí. ¡Mucho! ¡Demasiado!

ANDRÉS.—Dime, ¿por qué dices que he cambiado?

MARÍA.—Mírate, ahora mismo. Hacía mucho tiempo que no te sentabas conmigo en el suelo.

SAÚL. (*Entra y dice.*)—Papá, ¿puedo llevar la lámpara? Ha oscurecido ya.

> (ANDRÉS *hace un gesto afirmativo.* SAÚL *llama con un movimiento de mano a* ADÁN, *y entre los dos sacan la silla, la lámpara, el libro y los anteojos.*)

ANDRÉS.—¿Tiene algo que ver que yo me siente o no contigo, en el suelo?

MARÍA.—Hace algunos años, cuando nos casamos, tú eras más cariñoso, más dulce... Menos duro. ¡Y me hacías feliz! ¡Los días eran de miel! También entonces deseaba que volaran las horas para que volvieras del campo y tenerte conmigo. ¡Todo..., todo mío! Los chicos aún no habían nacido. ¡Tú lo eras todo para mí! ¡Mi cielo y mi tierra! ¡Mi Dios! ¡Nadie se interponía entre nosotros! ¡Eramos todo uno! ¡Eramos la perfecta unidad! ¡Nadie..., nadie entre los dos! ¡Eramos como dos pájaros encerrados en una jaula de amor! (*Suspiro.*) Pero pasaron los años... (*Sonríe melancólica.*) Los niños vinieron al mundo casi al mismo tiempo, y la casa se pobló de risas dobles. (ANDRÉS *se ha recostado desde hace unos momentos en las rodillas de* MARÍA *y ha cerrado los ojos adoptando la misma postura de unos momentos antes —principio del acto—.*) Las visitas empezaron a rodear nuestra soledad. ¡La casa se tornó en una isla, rodeada de ojos por todas partes! (*Empiezan a entrar los actores del prin-*

cipio del acto y poco a poco volverán a rodear a MARÍA *y a* ANDRÉS, *con la misma actitud de curiosidad que se adopta ante un cadáver.*) ¡Te juro, Andrés, te juro que sentí renacer en mí, el viejo impulso de cerrar las ventanas! La gente comenzó a profanar nuestra alegría. Estamos rodeados de gente, siempre a todas horas.

GUÍA. (*Entra seguido de tres hombres vestidos con trajes oscuros.*)—Por aquí, señores... Por aquí. Pasen por aquí... (*Se abre paso entre la gente.*) ¡Paso a los Forenses...!

EL FORENSE.—¿Dónde está el cadáver?

(*Llega frente a* MARÍA *y a* ANDRÉS, *se detiene. Se agacha lentamente sobre el cuerpo de* ANDRÉS. *Las luces se van extinguiendo mientras baja suavemente el*

T E L Ó N

FIN DEL ACTO PRIMERO

17

ACTO SEGUNDO

PRIMER CUADRO

Unos días después. Se oye el tañido de la campana
de la Iglesia. Escenario: arriba y al fondo una
puerta y dos ventanas practicables, una a cada
lado de la puerta. Izquierda arriba una escalera
que conduce a las habitaciones superiores. Puertas
a derecha e izquierda. La casa es una caja rodeada
de soledad, de esterilidad, de frío. A través de las
ventanas se advierte un paisaje yermo, pintado en
grises, neblinoso. Un viento caliente y pesado sopla
de vez en cuando llenando de fuego los pulmones.
La habitación es desproporcionada: las cosas parecen demasiado grandes y pesadas, parecen ago-
biar a los personajes. De inmediato se advierte que
ese no es lugar para la risa. El color de las paredes
y el techo es amarillo, un amarillo sucio, casi color
de tierra. Sobre la puerta de arriba centro hay una
corona fúnebre. Falta muy poco para la puesta
del sol. Los rayos moribundos del astro dan una
luz lechosa y extraña hacia el fondo, una luz nebli-
nosa y fofa. La atmósfera es casi irrespirable. En
el área derecha arriba hay varias mujeres y hombres en actitud de orar, visten todos colores oscuros y están formando un grupo, arrodillados todos,
de espaldas al público. MARÍA viste luto riguroso
y está casi apartada del grupo. En este acto los
personajes ANDRÉS, ADÁN y SAÚL sólo viven en la
imaginación de MARÍA. S u s movimientos —de

ellos— son reposados para dar la sensación de seres irreales; la campana de la Iglesia suena con intervalos regulares de tiempo. Comienza la acción.

MUJER.—...Hágase tu voluntad, así en la tierra como en el cielo.

CORO.—El pan nuestro de cada día, dádnoslo hoy y perdónanos nuestras deudas así como nosotros perdonamos a nuestros deudores; y no nos dejes caer en tentación. Líbranos, Señor, de todo mal. Amén.

MUJER.—Ilumínale con tu luz, Señor. Dadle alivio y descanso eterno.

CORO.—Ten piedad de tu siervo.

MUJER.—Descanse en paz.

CORO.—Amén.

MUJER.—Misterios dolorosos. En el primer misterio se contempla...

> (*Sigue hablando bajo, de manera que no quede interrumpido el diálogo.*)

MARÍA. (*Abandona la silla como impulsada por una extraña fuerza y se adelanta en dirección al proscenio mientras dice.*)—¿Por qué lo hicimos...? ¿Por qué, Dios mío?, ¿por qué?

LA AMIGA. (*Mientras los demás continúan rezando, ella se desprende del grupo, se adelanta y va hacia* MARÍA.)—¿No ibas a orar?

MARÍA.—No sé, estaba pensando.

LA AMIGA.—Piensas demasiado, mujer.

MARÍA.—Lo necesito. ¿Es que no lo comprendes...?

LA AMIGA.—Te atormentas.

MARÍA. (*Con dolor.*)—¿Qué importan mis tormentos?

LA AMIGA.—¿Has llorado?

MARÍA.—¡Bah!...

LA AMIGA.—¿Has llorado?

MARÍA.—¡Sí! (*Muy suave.*) ¡Sí!

LA AMIGA.—Ten calma, trata de olvidar... (*Pausa. Trata de tomarla por un brazo.*) Vamos, siéntate..., sigue orando...

MARÍA. (*Se aparta.*)—Necesito alimentarme de recuerdos...

LA AMIGA.—¡Tienes que olvidar!

MARÍA.—¡Lo dices en un tono!

LA AMIGA.—Olvidar no tiene más que un tono, uno sólo; solamente en ese tono se puede decir. Es como oír cantar un grillo, eternamente monocorde. Olvidar es cerrar los ojos y no ver, no sentir, no pensar, no hablar, hasta que el tiempo pase y nos cubra de arena el alma. Es como tomar un compás y hacer un enorme círculo de sombras. Es como perder de pronto el peso y caernos hacia arriba, al vacío. ¡Eso es olvidar! (*Pausa.*) No pienses en nada, María...

MARÍA.—¡Yo necesito recordar! ¿Lo entiendes? Solamente así los hago vivir de nuevo. Solamente así los pongo de pie, los levanto de la entraña misma de la sombra, los pongo a navegar en mis aguas, los coloco de nuevo en mi paisaje...

LA AMIGA.—Ellos sufrirán...

MARÍA.—¡Los muertos no sufren! (*Pausa. Sonríe amarga.*) Linda noticia la última; el suicidio de Adán. El suicidio del último de mis cariños. Dime, ¿no es como para celebrarlo? ¿No es como para mandar invitaciones a todos los vecinos y formar una "Kermesse", una feria...? ¿No es una noticia como para mandarla a los periódicos? ¿Publicarla en hermosas letras rojas y en la página de notas sociales? Una noticia que diga, por ejemplo: (*Con ironía.*) Hoy, este día, un cálido agasajo luctuoso será celebrado en la casa de María por el feliz suicidio del último de sus hijos: Adán, el homicida, el adorable muchacho que mató a su hermano ahogándole con sus delicadas manos y a su padre de un simpático síncope cardíaco. (*Sube la voz, estrangulada, está próxima al colapso.*) Vayan para la dichosa madre nuestra enhorabuena, y para el recién muerto muchos años de venturoso descanso. (*La voz se le quiebra y un ronco sollozo se escapa de su garganta. Esconde la cara entre las manos. Y solloza por unos momentos. Su cuerpo tiembla como si tuviese fiebre. Con violencia, entre sollozos y con voz entrecortada.*) Ahora... el último de mis cariños... también se ha marchado... (*Con violencia.*) Lo dicho: Los muertos no sufren. ¡La muerte no le duele al que se marcha, sino al que se queda!

LA AMIGA.—María, pobre María..., no pienses más en eso...

MARÍA. (*Como si nada hubiese oído. A media voz.*) También Adán... También el menor de mis hijos... (*Sube la voz.*) ¡He quedado en cuadro! ¡Sola como la una! ¡La compañía del ahorcado! ¡Echada del mundo! ¡Como tangente en círculo! (*De improviso desfallece y solloza débilmente.*) Andrés, ilumíname, ¿qué puedo hacer...? Todos ustedes me volvieron la espalda... ¿Qué hago, Andrés...? (*En este momento aparece ANDRÉS bajando las escaleras. Avanza con naturalidad y se encamina hacia MARÍA. Nadie, excepto MARÍA, se percatan de su presencia. Viste un traje oscuro. MARÍA, al verle.*) ¡Andrés...!

LA AMIGA.—Comprendo tu dolor... (*Compasivamente.*) María, por lo que más quieras... (*Advierte que MARÍA no la escucha, sino que mira obstinadamente hacia el área izquierda por donde ha aparecido ANDRÉS.*) ¿Qué miras...?

ANDRÉS. (*A* MARÍA.)—Sí, ¿qué miras? ¿Qué me miras?

MARÍA. (*Bajando la cabeza. Suavemente.*)—Nada...

LA AMIGA.—Es que me pareció...

ANDRÉS.—¿Dónde están tus hijos, mujer...?

MARÍA. (*A* ANDRÉS.)—No sé, andarán por ahí...

LA AMIGA. (*Con extrañeza.*)—¿De qué hablas?

MARÍA. (*A* LA AMIGA, *con naturalidad.*)—De mis hijos.

LA AMIGA.—Mujer... (*Suspira.*) ¿Cuándo acabarás de olvidar?

ANDRÉS. (*A* MARÍA.)—No debes de dejarlos mucho tiempo solos, los hijos son como las plantas, necesitan del agua de nuestro cuido. ¡Hijos sin cuidado son como rosales sin jardinero!

MARÍA. (*A* ANDRÉS.)—Nunca lo olvido.

LA AMIGA. (*Siguiendo el hilo de su conversación.*)—Pues haces mal. Los muertos solamente alcanzan la paz cuando los vivos nos llenamos de humo la garganta y pisoteamos el grito que se pone vertical en nuestra lengua. ¡Hay que morderse el corazón para evitar que grite! (*Pausa.* MARÍA *continúa viendo a* ANDRÉS *que, con las manos en jarra, se ha plantado compartiendo la escena.*) ¿Qué miras? (ANDRÉS *mueve significativamente la cabeza, se vuelve de espaldas y da unos pasos hacia la penumbra y hace mutis por una de las puertas laterales. Antes de salir se vuelve, mira a* MARÍA, *sonríe y suspira.* LA AMIGA *insiste.*) ¿Qué miras, mujer?

MARÍA. (*Pausa. Desalentada.*)—Mis recuerdos...

LA AMIGA.—Vamos a dejarlo. ¿Quieres?

MARÍA. (*Transida.*)—¿Pero es que crees seriamente que se puede olvidar? Me enferma la mirada de tus ojos, que tratan de hacerme no pensar. Quiero pensar, pensar mucho en ellos, quiero traerlos aquí, tenerlos aquí, de pie, firmes, junto a mis lágrimas.

LA AMIGA.—Estás pálida. ¿Qué tienes? Infundes miedo...

MARÍA.—¡Yo misma me doy miedo! ¡Mi pecho es un fuelle, el corazón una brasa! ¡Es que estoy aturdida! ¡Estoy loca! ¿Lo oyes? Sin remedio. ¡Desquiciada! Loca por no haber gritado lo que necesito gritar. Lo que manda el corazón que grite. Tengo un alarido aquí. (*Las manos al cuello.*) Aquí, horizontal en mi garganta. Un grito como un puñal, una daga, una punta de hielo que no me deja respirar. ¡Un grito! ¿Qué es? Una palabra, una frase, una idea. Un rayo de luz. Un fantasma en gestación. (*Se dirige hacia la puerta en centro arriba.*) Toda la vida está apachurrada, apabullada por el dolor y la verdad de las ideas; el dolor de los muertos, la verdad de un más allá que sólo existe en las palabras, en las ideas. ¿Quién rige la actitud en la vida de los hombres? ¡Los muertos! Es gracioso, ¿verdad? Los muertos, desde el más allá siguen dando órdenes. Los hombres, cuando mueren, están más vivos que nunca. ¡Dios mío...!, ¿por qué nunca morirán los muertos...? (*Ríe sin alegría, con dolor inmenso.*) ¿Y a esta comedia absurda le llamamos vida...? ¿Es esto vivir? Vivir es suspender los recuerdos, como una bandera, y agitarlos, como estandarte, e iniciarnos en el culto secreto de los muertos. ¡Esto es vivir! ¡Vivir es encender una luz entre cuatro infinitos muros de sombra! ¡Vivir es correr eternamente por un desierto ahogándonos de sed y correr..., correr..., correr en busca de agua! ¡Vivir es salir de un agujero y hacer equilibrios extravagantes, unos cuantos años, para no precipitarnos rápidamente en otro agujero!... Nosotros no vivimos, no hacemos más que aspirar de continuo el perfume de los muertos..., un desfile de cariños idos que vuelven cuando ellos se lo proponen. (*Ríe amarga. Transición.*) Vete a rezar, mujer. ¡Reza por ellos!

LA AMIGA.—¿Y tú...?

MARÍA.—Yo iré después. (LA AMIGA, *haciendo un gesto de resignación, se aparta de ella y se une al grupo que continúa rezando suavemente.* MARÍA *llega hasta la puerta. Da muestras de cansancio. Mira hacia afuera. Hay una pausa. Su rostro se va transformando poco a poco y un brillo nuevo, de alegría, aparece en sus ojillos cansados y hundidos. Con el tono más dulce de su voz dice casi sonriendo.*) ¡Entrad! Hace frío ahí afuera.

> (*Entra* ADÁN, *viste pantalón y camisa de trabajo. Su rostro bien formado y gallardo, tiene ahora una madurez que no se advierte en el acto anterior. Una expresión llena de extraño resentimiento. Su voz es suave y llena de cierta dulzura.*)

ADÁN. (*Solícito.*)—Madre, ¿qué tienes? ¿Están cansada?

> (*Un haz de luz azulada le seguirá siempre en el transcurso de la representación, como una luminosa sombra. El haz de luz será independiente de la del resto de la escena.*)

MARÍA.—Nada. No tengo nada. (*Con cierto extraño temor.*) ¿Y Saúl? ¿Tu hermano?

ADÁN.—Está aquí.

> (*En efecto,* SAÚL *está de pie en la puerta. En ropas de trabajo. También*

éste parece haber madurado de pronto.
Hay en su rostro hermoso un aire sal-
vaje y brutal. El cabello está en desor-
den. Sus ojos negros —oscuros y desa-
fiantes— brillan con una luz cínica y
cruel. Su voz es áspera y ronca.)

SAÚL.—¿Qué hay...? ¿Pasa algo?
MARÍA.—Nada. No pasa nada...
SAÚL.—¿Dónde está papá...?
ANDRÉS. (*Saliendo de la puerta por donde hiciera*
mutis unos momentos antes.)—Estoy aquí.

(*Pausa. Estira los brazos dando mues-*
tras de cansancio.)

ADÁN.—Tú también estás cansado, papá..., se advierte...
ANDRÉS. (*Fríamente.*)—¡Bah!...

(SAÚL *sonríe cínicamente.*)

ADÁN. (*Con cierto aire de ingenuidad.*)—¿De qué
ríes, Saúl?
ANDRÉS. (*Duro.*)—Déjalo que ría. ¿Está acaso prohibido reír?

(*La madre asiste a la escena como*
fascinada. Su rostro se ilumina con una
alegría enfermiza, como si su dolor to-
do se hubiese convertido de golpe en
un infinito placer, un placer obsceno,
morboso. Mira sonriente de uno a otro
y actúa con una especie de frenesí.)

MARÍA.—Adán, Saúl... (*Sonríe. No tiene nada que*
decir.) Hace fresco, ¿no es verdad?
ADÁN.—Sí, madre.

SAÚL.—No es cierto. Yo me ahogo de calor. (*A AN-DRÉS.*) ¿Y tú?

ANDRÉS.—Sí, hace un calor de los demonios. (*A ADÁN.*) Estaba pensando que si tú...

ADÁN. (*Solícito.*)—¿Qué deseas, papá? ¿Es algo que yo pueda hacer?

ANDRÉS.—No es nada... Deja.

ADÁN.—Insisto, padre..., ¿de qué se trata?

ANDRÉS. (*Brusco.*)—Vamos a dejarlo. ¿Entiendes?

> (SAÚL *sonríe. Hay un tiempo largo y pesado.*)

ADÁN. (*A* MARÍA.)—Madre, la más grande de mis ovejas ha parido esta tarde, te traje la cría, está hermosa. Ninguno de los pastores que cuidan ovejas ha visto jamás animal más bello.

ANDRÉS. (*Con marcado fastidio.*)—¡Ovejas! ¡Bah! ¿Te crees que la casa es un corral...?

SAÚL. (*Aspero.*)—Estorbos. (*Ríe y mira a* ADÁN *de soslayo. Transición.*) Padre, el cerezo ha dado ya frutos, cogí algunos y los traje. Todos los arbustos están floreando.

ANDRÉS.—María, ¿lo oyes? ¿No es maravilloso...? Pronto tendremos una abundante cosecha...

SAÚL. (*Ha salido hace un instante por la puerta del fondo y ahora vuelve con dos pequeñas canastas. Entrega una canasta a* ANDRÉS.)—Toma.

ANDRÉS. (*Saca algunos frutos de la canasta y se los lleva golosamente a la boca.*)—¡Caramba! ¡Deliciosos...!

SAÚL. (*A* MARÍA.)—Para ti traje duraznos.

> (*Le entrega la otra canasta.*)

MARÍA. (*Las toma y sale por una de las puertas laterales mientras dice.*)—Gracias... (*Muy alegre-*

mente subiendo de pronto la voz.) Haré merme
lada con ellos.

ADÁN. (*Con un leve reproche.*)—Mamá... ¿qué hag
con la cría...?

> (MARÍA *no responde. Sale rápidamer
> te y sin volver a ver a* ADÁN. SAÚL *mir
> furtivamente a* ADÁN *y ríe por lo baj*
> ADÁN, *desconcertado, permanece uno*
> *instantes de pie sin decir ni ver nade*
> *De pronto hace un gesto de dolor, s*
> *mirada se vuelve dura y siniestra, su*
> *puños se cierran y girando rápidamer*
> *te se dirige hacia los escalones qu*
> *conducen a las habitaciones superir*
> *res.*)

ANDRÉS. (*Severo.*)—¡Adán!... ¡Adán!... (*Duro.*) ¿Qu
tienes...? "¿Por qué has inmutado tu rostro?
"¿Por qué te has ensañado...?" (1).

> (ADÁN *está de pie, solamente ha s*
> *bido dos o tres escalones.* MARÍA *entr*
> *en escena.* SAÚL *ríe de pronto a carc*
> *jadas. Corre a la puerta. El padre gr*
> *ta.*)

ANDRÉS.—¿Adónde vas?

SAÚL. (*Desde dentro.*)—A matar conejos.

ANDRÉS. (*A* ADÁN.)—Ve con él, Adán.

ADÁN.—No me gusta matar animales...

MARÍA.—Obedece, Adán. Es tu padre quien te man
da...

ADÁN.—Pero, mamá...

MARÍA.—No repl'ques... Ve...

ADÁN. (*Permanece un instante inmóvil. De pront*

---

(1) Génesis 4-6.

baja ágilmente los escalones y se dirige a la puer-
ta de la calle. Se detiene. Se vuelve y dice.)—
Está bien... (*Medio mutis.*) Perdón, mamá, no
quise... Adiós.

(*Sale.*)

ANDRÉS.—Es un muchacho extraño...

MARÍA.—Creo que eres demasiado severo con él.

ANDRÉS.—¡Bah! Ya es un hombre... No vamos a
pasarnos la vida calentando el biberón para el
nene. Hay que ser fuertes. Los hijos son como
animalitos salvajes y de vez en cuando hay que
hacer restallar el látigo. ¡Eso no tiene vuelta de
hoja!

MARÍA.—No es ésa la manera de criar a los hijos.

ANDRÉS. (*Llanamente.*)—¿Quieres callar? ¿Quieres?

MARÍA. (*Baja la cabeza y solloza suavemente.*)—
Adán es bueno..., es dulce...

ANDRÉS. — ¿Y el otro...? ¿Qué dices del otro...?
¿Quieres decir que el otro es malo?

MARÍA.—No he dicho nada.

ANDRÉS.—Lo has insinuado...

MARÍA.—No he dicho nada..., absolutamente nada...

ANDRÉS. (*Ido. Con una idea fija.*)—Quieres decir
que el otro es malo...

MARÍA. (*Grita.*)—¡No he dicho nada!...

ANDRÉS. (*Con una idea girando en la cabeza.*)—
Los hijos malos son como las prendas en mal
estado, hay que cuidarlas, hay que vigilarlas, para que no tomen el camino del basurero. (*Pausa.*)
¿Callas...? ¿Por qué no dices nada?

MARÍA.—¿Qué quieres que diga?

ANDRÉS.—Realmente no lo sé. Creo que... no se

puede decir nada... Tenemos bueno y malo bajo
del mismo techo, ¿no crees...?

MARÍA. (*Sin convicción.*)—Sí... (*Muy suave.*) Creo
que sí...

ANDRÉS. (*Repentino.*)—¿Lo ves...? ¡Lo has dicho
ahora!

MARÍA. (*Sorprendida.*)—No sé... Hablé sin pensar...
No quise decir eso... Perdona.

(*Pausa larga.*)

ANDRÉS.—Perdóname tú a mí. (*Gran transición.*)
¿Has visto el jardín? El rosal tiene ya botones.
(*Se dirige hacia la puerta del fondo en centro
arriba. Se vuelve.*) Estaré allí, en el jardín...

> (*Hace mutis. MARÍA se queda en el
> centro del escenario, de pie, durante
> un largo rato. Luego se dirige lenta-
> mente hacia su silla. Acompaña por un
> momento el rezo de los otros. Se lim-
> pia los ojos con un pañuelo. El rezo
> sube de volumen. Hay una pausa. De
> pronto se levanta y grita.*)

MARÍA.—¡Andrés! ¡Andrés!... (*Todos se vuelven a
mirarla sorprendidos. La amiga les dice con un
gesto que la dejen en paz. Todos vuelven a rezar. Agitada. Llamando.*) ¡Andrés! ¡Andrés!...

> (*Aparece ANDRÉS en lo alto de la es-
> calera, viene con las gafas puestas y
> con un periódico en la mano. Como
> se comprenderá, por la parte posterior
> del escenario habrá un practicable pa-
> ra ascender a lo que sería el segundo
> piso de la casa.*)

ANDRÉS.—¿Qué sucede...? ¿A qué vienen esos gritos...?

MARÍA.—Los chicos no han regresado...

ANDRÉS. (*Sonríe.*)—No te preocupes, ya vendrán.

MARÍA.—Es muy tarde ya...

ANDRÉS.—Es temprano aún, apenas si acaba de esconderse el sol.

(*Baja los escalones.*)

MARÍA. (*Mirando por una de las ventanas.*)—Ha oscurecido.

ANDRÉS.—¡Bah! Ellos saben cuidarse. Ya son hombres, mujer. No hay por qué preocuparse. Te inquietas por nada... (*Ríe.*) ¿Recuerdas el día que los muchachos fueron a cazar conejos...?

(*Ríe, divertido.*)

MARÍA.—Es extraño... Hace unos momentos estaba pensando en eso...

ANDRÉS.—Adán no quería ir. ¿Recuerdas que dijo que no le gustaba matar animales...?

MARÍA.—Sí, sí lo recuerdo.

ANDRÉS. (*Ríe.*)—Volvió con el zurrón de caza repleto de hermosas liebres...

(*Ríe.*)

MARÍA.—Lo recuerdo muy bien. Llegó con una cara muy difícil de olvidar. Sus ojos brillaban con una luz distinta. Estaba como atontado... De pronto... (*Como si la escena volviera a tomar vida y se desarrollara en ese instante.*) se puso de pie en ese mismo lugar (*Señalando un sitio en la escena.*), tomó la escopeta y comenzó a decir a grandes voces: "Soy un miserable, he matado, he matado, he matado; pero no tiene importancia, lo difícil es empezar..." Luego salió al patio y blasfemó... ¿Recuerdas que blasfemó...? Levantó su escopeta hacia el cielo mientras gritaba... Gritaba con todo el aire de sus pulmones: "Tú estabas presente, mi Dios, ¿verdad? Tú viste que iba a matar a una de tus criaturas. ¿Por qué no hiciste que estallaran mis ojos? Maté una liebre, dos, tres..., no sé cuantas. ¡Ahora me toca matarte a ti! ¡Tú has sido mi cómplice! ¡Es justo que mueras! ¡Yo era limpio, pero tú me has teñido las manos! ¡Muere, canalla! ¡Muere, Dios de barro!" Y disparó hacia el cielo. ¡Disparó hasta hartarse! ¿Lo recuerdas?

ANDRÉS. (*Sombrío.*)—Sí, lo recuerdo...

MARÍA.—Esa noche no pude dormir... Me acerqué varias veces a su puerta... Se pasó toda la noche sollozando y gimiendo... Decía: "Lo difícil es empezar, ahora estoy convencido..." (*Pausa larga. Da unos pasos vacilantes hacia la silla.*) Estuvo llorando toda la noche..., toda la noche... (*Transición.*) Ha oscurecido ya, ¿no es cierto?

ANDRÉS. (*Cruza hacia la puerta.*)—No te preocupes, mujer, ya vendrán... (*Mira hacia afuera. Con cierta alegría.*) ¿Lo ves...? Ya te lo decía... Ahí está ya Saúl.

MARÍA.—¡Gracias a Dios!... No sé por qué, pero es Saúl quien realmente me preocupa.

SAÚL. (*Entrando.*)—¡Hola!...

(*Va a tomar asiento a una silla.*)

MARÍA.—¿Por qué has tardado tanto...?

SAÚL. (*Sin verla.*)—Me entretuve...

MARÍA. (*Acercándose.*)—¿Por qué...?

SAÚL. (*Irónico.*)—Porque el par de alas que me habéis dado no me funcionaron bien esta noche. ¿Ya?

> (ANDRÉS *sonríe ante la ocurrencia.*)

MARÍA.—¿Qué te pasa...? ¿Qué tienes...?
SAÚL.—¡Nada!

> (*Vuelve la cabeza como evitando encontrar el rostro de* MARÍA. *La madre pasa por detrás de la silla y busca la cara del hijo.*)

MARÍA. (*Enérgica.*)—¿Has bebido? Contesta, ¿has bebido? (SAÚL *calla.*) ¿Por qué lo has hecho?
ANDRÉS.—Déjalo, mujer. Ya es un hombre, lo habrán invitado.
MARÍA.—Nunca lo había hecho antes...
ANDRÉS.—¿Cuántas veces hay que decirlo, mujer? Los años pasan, los hijos crecen...
MARÍA. (*Tras una pausa se dirige a la puerta.*)— ¿Dónde está Adán, tu hermano?
SAÚL.—No sé. "¿Soy yo guarda de mi hermano?" (1). (*Pausa. Falsamente apenado.*) Se quedó en la cantina. Entró dispuesto a que yo dejara de beber. Dijo que estaba malo que yo lo hiciera... Creo..., creo que lo golpeé.
MARÍA.—Oh... ¿Dónde está?
ANDRÉS.—Calla... (*A* SAÚL.) ¿Qué pasó después...?
SAÚL.—Después..., después los amigos que estaban conmigo también lo golpearon... Lo echaron a puntapiés. (*Pausa.*) Le hubieras visto, me gritó como un energúmeno... Me daba órdenes... Me metía las manos por la cara...
ANDRÉS. (*Duro.*)—¡No está bien que quiera darte órdenes! ¡No en esa forma!

---

(1) Génesis 4-9.

SAÚL. (*Envalentonado.*)—¡Eso dije yo! Adán se defendía. Yo vine corriendo por la calzada. El me llamaba a gritos: "Saúl, vete a casa. Saúl, ven, no me dejes..." Creo que dijo también: "Van a matarme, Saúl..." (*Pausa.*) Es un gallina. Los golpes no matan. Los golpes hacen a los hombres.

> (*Pausa larga.* ANDRÉS *mira a* MARÍA. MARÍA *solloza bajo.*)

ANDRÉS.—Vamos, mujer... Volvemos a lo mismo... Déjales correr, déjales libres, todos los muchachos tienen experiencias de esta clase. Recuerdo que un día, yo era un muchacho entonces, me lié a golpes con un estibador... Me barrió por completo... (*Ríe.*) Pero eso son cosas de muchachos... (*Pausa. Se dirige a* SAÚL. *En tono de broma.*) Dices bien, los golpes hacen a los hombres. Eso es filosofía, mi hijo. Filosofía de la vida...

> (*Aparece* ADÁN *en el umbral de la puerta. Viene con las ropas destrozadas y manchadas.*)

MARÍA.—Adán...

> (SAÚL *sonríe.*)

ANDRÉS. (*Cruzándose de brazos le da la espalda, mientras dice, severo.*)—¿Es ésta hora de volver a casa...?

> (ADÁN *va a decir algo, pero se calla.*)

MARÍA. (*En un impulso natural se acerca a su hijo* —ADÁN—, *pero se detiene en mitad del camino al reparar en la mirada agria que* ANDRÉS *le dirige. Sólo acierta a decir suavemente.*)—¡Mi buen Adán...!

ANDRÉS. (*Aspero.*)—¡Sube a cambiarte!

(ADÁN *mira a* ANDRÉS, *da un paso hacia él, se detiene. Un gesto de desaliento se advierte en su rostro; baja los
puños sin ánimo para nada.* SAÚL *sonríe mientras juguetea con una navaja,
sin verle.* SAÚL *se recuesta y estira cómodamente en una silla mientras deja
escapar una breve y amarga risita. Con
repentina actitud,* ADÁN *se vuelve y mira de frente a* SAÚL. *Como una fiera
dispuesta al zarpazo.* MARÍA *deja escapar un gritito.* ADÁN *repara en ella,
hay una pequeña pausa, su gesto se
suaviza; gira lentamente y cruza la escena con dirección a la escalera. La
escena se oscurece.*)

FIN DEL PRIMER CUADRO

SEGUNDO CUADRO

La acción dentro de la casa, inmediatamente después. La misma decoración del cuadro primero. Los personajes siguen rezando, apartados totalmente de las escenas que van sucediendo entre la madre, el padre y los hijos (MARÍA, ANDRÉS, ADÁN y SAÚL).

> (MARÍA *está separada unos pasos de los que oran, mira fijamente el piso.* ANDRÉS *aparece por la puerta de la calle —centro arriba— en traje de campaña y se dirige hacia el lugar que ocupa* MARÍA. *Toma asiento junto a ella y empieza a quitarse unas botas de campo.*)

ANDRÉS. (*Casi al oído de* MARÍA.)—¿Rezas...? (*Pausa.* MARÍA *no contesta.*) Haces bien... Hay que hablar con Dios, pedirle perdón por nuestros actos...

MARÍA. (*Firme.*)—¡Yo no pido perdón ni a Dios ni a nadie! ¡Me perdono a mí misma! ¡Eso es todo!

ANDRÉS. (*Sorprendido.*)—¡Ah, mujer, con qué amargura hablas...!

MARÍA. (*Desesperada, sin poder soportar por más tiempo la tensión.*) Tú me ayudaste a hacerlo... ¿Por qué?

ANDRÉS.—No me agrada que preguntes tonterías. No lo hicimos nosotros, ¡fue el destino!

MARÍA.—¡El destino lo hacemos nosotros mismos!

ANDRÉS.—¡Estás diciendo tonterías!... (*Se levanta. Hace una flexión.*) ¡Ahoo!... Hemos correteado hoy... (*Mira a* MARÍA.) ¿El destino? (*Ríe.*) ¡Bah!...

MARÍA.—El destino lo hacemos nosotros, con las uñas, con los dientes, con las manos..., con las manos, que a veces se nos tiñen de sangre...

ANDRÉS.—¡Palabras!... (*Despectivo.*) ¡Hojarasca...!

MARÍA.—¿Palabras? Sí, palabras que duelen como látigos, que arden, que queman. Palabras, ¿verdad? Sí, óyelo bien, prefiero el potro a esto. El suplicio, la tortura, el tormento, todo ello es un paraíso si lo pongo en la balanza con las palabras..., las palabras que queman, porque son verdades. Verdades como brasas, como soles, así de grandes y ardientes.

ANDRÉS.—No debes pensar más en eso.

MARÍA.—¡Qué más quisiera yo! ¡Si pudiera no pensar! Si pudiera cerrar los ojos, pero cerrarlos con tanta fuerza que no pudiera abrirlos nunca más. ¡Nunca más! Necesito una piedra para golpearme el alma; para romperme la boca y no escupir el vómito que tengo aquí de pie en la punta de lengua: ¡El grito! ¡El llanto! Un grito que es un dolor..., un alarido enorme que pugna por brotar.

ANDRÉS. (*Con violencia.*)—¿Quieres callar ya?

MARÍA.—¡No! ¡He callado ya demasiado!

ANDRÉS.—¡Tienes que callar!

MARÍA.—¡No quiero callar! ¡Métete esto en la cabeza! No tengo derecho de callar. Tengo la sensación de que no soy yo quien habla, sino mi conciencia, ella que no está tranquila. Es su voz la que repica estas campanas que llevo en el cerebro. Esa voz la que me empuja en los oídos una palabra. ¿Sabes cuál? Esta: ¡Asesina! ¡Asesina! (*Va a llegar al llanto.*) ¿Aún quieres que calle...? ¿Aún así quieres que no piense más en ello...? ¿Tú...? ¿Tú el que...?

ANDRÉS. (*Con un escalofrío. Amenaza.*)—¿Qué vas a decir?

MARÍA. (*Vencida.*)—Nada...

ANDRÉS. (*Con tono de reproche.*)—¿Qué ibas a decir?

MARÍA.—¡Oh, deja...!

> (*Va hacia la ventana.* ANDRÉS *la sigue. Nadie de los presentes parece advertir nada de lo que ahí ocurre, todos siguen rezando Padrenuestros y Avemarías sin volverse en ningún momento aunque los actores lleguen a los gritos. El rezo debe apenas percibirse.*)

ANDRÉS. (*Idem.*)—¿Qué ibas a decir, María...?

MARÍA.—¡Nada! ¡Nada que tú desconozcas! (*El ceño fruncido.*) Fuimos culpables de todo lo que pasó, Andrés. ¿Es que no lo comprendes?

ANDRÉS. (*Con convicción.*)—Hicimos nuestro deber. Es lo único que comprendo.

MARÍA.—¡No! ¡No era ese nuestro deber! No es el deber de un padre el repartir el cariño de sus hijos en partes desiguales.

ANDRÉS.—¡Yo los quise por igual a los dos!

MARÍA.—Yo también..., creo.

ANDRÉS.—¿Entonces...?

MARÍA.—Lo malo estribó en no dejarlo traslucir así.

ANDRÉS.—Era necesario actuar como lo hicimos...

MARÍA.—Es posible. (*Firme.*) Pero no es justo.

ANDRÉS. (*Forzando una sonrisa.*)—¿Pero es que vas a hablar también de justicia?

MARÍA. (*Atormentada.*)— ¡Voy a hablar de todo! ¡Adán era bueno!

>   (*Aparece* ADÁN *en el umbral de la puerta, no dice una sola palabra, sino que se limita a ir avanzando a medida que se va hablando de él.*)

ANDRÉS.—Ya lo creo que era bueno.

>   (ADÁN *avanza un paso.*)

MARÍA.—Nunca tuvo ni ceniza, ni humo, en la cabeza.

ANDRÉS. (*Recordando.*)—Ciertamente, fue lo que se dice un alma de Dios.

>   (*Avanza* ADÁN *otro paso.*)

MARÍA.—Cuidaba las ovejas. Las amaba con su alma de catecismo.

ANDRÉS.—Siempre trajo a casa los primogénitos de sus ovejas y nos obsequiaba con ellos, y de su grosura.

>   (ADÁN *avanza un paso más.*)

ANDRÉS.—Pero nosotros...

>   (*Se detiene.*)

MARÍA.—Sigue... Pero nosotros...

ANDRÉS. (*Con esfuerzo.*)—Pero nosotros no miramos propicio a Adán y la ofrenda suya.

>   (ADÁN *da un paso más, quedando así en el área centro abajo —el área de las escenas culminantes—; permanece rígido, estatuario, hasta que se le señale movimiento. Un silencio largo, intenso, profundo.*)

MARÍA. (*Suavemente.*)—Todo por la maldita idea de que es a los hijos malos, y no a los buenos, a quienes hay que vigilar y dar muestras de amor. (*Deprimida.*) ¡Los hijos son hijos, y nada más! (*Con vehemencia.*) Que unos hayan sido hechos de buena o de mala pasta, nada tiene que ver. Somos nosotros, los padres, los que les vamos fabricando el alma.

ANDRÉS. (*Con vestigios de culpable alarma.*)—¡Yo no creí hacer mal!

MARÍA.—Ni yo. (*Con visible remordimiento.*) ¡He aquí nuestro error! (*Riéndose.*) Se puede ser malo de hecho o por omisión. ¿No es eso...?

ANDRÉS. (*Asintiendo, como si sólo la hubiese oído a medias.*)—Sí... Creo que sí...

MARÍA. (*Cambiando de tono.*)—Saúl, nuestro otro hijo... Creo que ése sí era malo...

ANDRÉS.—No tenía por qué serlo. Ni tú ni yo somos malos.

MARÍA. (*Siniestramente burlona.*)—¡Los rosales dan rosas y espinas!

ANDRÉS. (*Murmura casi.*)—Dices unas cosas...

MARÍA. (*Inexorablemente. Con huellas de confesión culpable.*)—Saúl era malo, y nosotros peores. (*Ruda.*) Fuimos nosotros los que propiciamos su maldad. Nosotros. Siempre cerramos los ojos a la evidencia. Vimos llagas y no aplicamos ungüentos, sino que provocamos ulceraciones. ¡Fuimos nosotros..., sí, nosotros...!

ANDRÉS.—Calla.

MARÍA. (*En un acceso de acongojada y repentina ira.*)—¡No he de callar! ¡Ha sonado la hora de la verdad!... (*Pausa.*) ¿Recuerdas? "Bienaventurado el que lee, y los que oyen las palabras de esta profecía y guardan las cosas en ellas escri-

tas, porque el tiempo está cerca" (1). Es de la
Biblia. Pues bien, esa hora, ese tiempo, ha llegado. Ha llegado la hora de la verdad.

ANDRÉS. (*Suavemente.*)—Cálmate, mujer, no puedes
vivir siempre de recuerdos. Los recuerdos nos
hacen parecer ingratos.

MARÍA. (*Con los ojos cerrados, dice, con voz ronca.*)—Sí, Andrés, nos hacen parecer ingratos; pero los recuerdos son una especie de vida para
mí. No puedo vivir de otra cosa. Soy como los
vampiros: los recuerdos son mi sangre. Mi vida
es esto: Recuerdos. Si quieres que olvide, me estás quitando mi sangre. Vivo en un mundo con
una troposfera de recuerdos, quitármelos es robarme el aire. ¿Es que no lo comprendes...?

ANDRÉS. (*Con dureza, sin mirarla.*)—¡Eso es maso-
quismo!

MARÍA.—Es posible. Pero nadie puede vivir una vida eternamente dulce. Por eso dudo que Dios
nos mande al cielo después de morir... Por eso
dudo del cielo mismo. No soportaría una vida,
si puede llamársele así, una vida infinita de dulzura. Siempre hace falta un poco dolor, de hiel.
(*A* ADÁN.) ¿No lo crees así, pequeño?

> (ADÁN *no responde. Continúa de pie
> en su sitio, la mirada perdida, de cara
> al público, sin ver nada.*)

ANDRÉS.—¡Estás blasfemando!

MARÍA. (*Sonríe con sarcasmo.*)—Dios no puede castigarme por pensar mal de un cielo que no soportaría. Dios castiga el mal y premia el bien, dicen.
Dios da, nunca quita.

---

(1) Apocalipsis 1-3.

ANDRÉS. (*Con amarga burla.*)—El caso es que es
tamos muertos.

        (*Cruza hacia izquierda arriba.*)

MARÍA. (*Rápidamente.*)—¡Dios no quita la vida!
ANDRÉS.—¿Entonces...?
MARÍA. (*Violenta.*)—¡No esperes que responda a
eso! Tengo la firme convicción de que quitar
algo es robar; por eso mismo, no puede quitar
la vida. Dios no es un...
ANDRÉS. (*Cortando. Brusco.*)—¡Calla! ¡Estás loca!..
MARÍA.—¡Todo es cuestión de razonar! (*En otro to*
no.) No, no me digas nada. (*Se adelanta hasta*
ADÁN, *que permanece en su sitio, imperturbable.*)
¡Míralo! (*Hablando al hijo.*) ¿Eres tú, realmente
hijo mío?... Cierro los ojos y te miro pequeño,
en tu cunita, te llevo pintado aquí, en el centro
de la frente. Eras pequeño, y sonrosado. ¡No!
(*Fatigada.*) No sé lo que me digo... Creo..., creo
que te he confundido con la primera rosa que
coseché en el huerto... Perdona... (*Sonríe amar-*
ga.) Perdóname.

        (*Le da la espalda y vuelve junto a*
        ANDRÉS, *cerca de una de las ventanas.*)

ANDRÉS. (*Ha permanecido de espaldas a* MARÍA *y*
ADÁN; *ahora se vuelve y dice suave.*)—Mujer, no
te atormentes...
MARÍA. (*Tristemente, con dificultad.*)—¡Cuánto mal
hemos hecho, sin quererlo! ¡Fuimos nosotros los
que provocamos la ira de este cordero! ¡Saúl no
tiene nada que ver!

        (*En este preciso momento entra* SAÚL
        por el fondo y con extraordinaria ce-
        leridad se acerca a ADÁN, *que aún per-*

*manece inmóvil y con la vista perdida
en el vacío. Lleva las manos atrás y al
llegar junto a* ADÁN *se coloca compartiendo escena y le muestra las manos:
están rojas de sangre.)*

SAÚL. (*Con una alegría malsana se frota las manos
manchadas de sangre ante los asombrados ojos
de* ADÁN. *Hay algo de voluptuosidad en sus ojos
negros y profundos. Hoy más provocantes que
nunca. La apariencia salvaje de su rostro se ha
acentuado. Habla paladeando las frases.*)—¡Mira!
¡Mira mis manos! ¡Es sangre!...

ADÁN. (*Como si hasta ese momento cobrara vida.*)
¿Qué has hecho, infeliz?

SAÚL. (*Con deleite infinito.*)—¡He matado!...

ADÁN. (*Horror.*)—Saúl, tú no estás bien... ¿Qué has
hecho?

SAÚL.—¡He matado la más hermosa de tus crías!
(*Ríe.*) ¡He matado la más querida de tus ovejas!...

(ADÁN *escucha palpitante de rabia y
de dolor. Repentinamente, se vuelve y
trata de tomar a* SAÚL *por un brazo, éste, que espera el ataque de un momento a otro, da un pequeño salto atrás y
repentinamente ríe a carcajadas, con
una risa salvaje y desproporcionada.
Con movimientos elásticos y firmes retrocede hacia la puerta —centro arriba— donde apareciera hace unos instantes. Trata de ganar la puerta de un
salto, pero* ADÁN *es más rápido y se
interpone, cortándole la salida.* ADÁN y
SAÚL *están frente a frente; la expresión
de resentimientos de* ADÁN *se ha con-*

vertido en una máscara de venganza y rencor. El gesto brutal de SAÚL *se acentúa. Parecen dos fieras dispuestas a embestir. Se miden. Es sorprendente el parecido físico de ambos. De pronto* ADÁN *se impulsa y salta sobre* SAÚL, *trabándose en una lucha feroz.* ADÁN *pone una mano sobre la garganta de* SAÚL *y lo empuja hacia la puerta. Con furiosa vehemencia, dice.)*

ADÁN.—¡Ah, malvado..., te obligaré a realizar el único acto decente de tu vida! ¡Muere! ¡Muere!

(Le toma por el cuello, le sacude violentamente hasta ahogarlo... SAÚL *quiere hablar, defenderse, pero sólo logra emitir un gritito y un horrible estertor.* SAÚL *se dobla poco a poco, sus fuerzas le abandonan, finalmente cae contra el muro de piedra del fondo y hacia el lado de fuera de la casa, su cara se estrella contra la pared, produciendo un ruido sordo y seco. La escena se ha verificado con tal celeridad que los padres, sorprendidos por lo súbito de los acontecimientos, apenas si han tenido tiempo de darse cuenta de lo que sucede. Reaccionan casi al mismo tiempo.)*

ANDRÉS. *(A* ADÁN.)—¡Asesino! ¡Caín! ¿Qué has hecho de tu hermano?

(ADÁN ha retrocedido espantado ante la enormidad de su acción. A la voz de "Caín" las luces de la escena se encien-

den y apagan simulando relámpagos.
Un juego de parlantes habrá sido con-
venientemente instalado en la sala.
Truenos y rayos darán grandiosidad a
la escena.)

Voz. (*Por los parlantes.*)—¿Qué has hecho de tu
hermano...? Caín, ¿qué has hecho de tu hermano?

> (*Todo ruido cesa de pronto y una os-*
> *curidad casi total se hace. Por las ven-*
> *tanas y puerta del fondo la luz del sol*
> *se ha vuelto rojiza y mortecina.* ADÁN
> *está de pie en la puerta y mira espan-*
> *tado hacia ambos lados sin decidir qué*
> *debe hacer. Terriblemente asustado.*
> ANDRÉS *trata de acercarse a él.*)

ANDRÉS.—¡Asesino! "Maldito seas tú de la tierra que
abrió su boca para recibir la sangre de tu hermano" (1). ¡Asesino, mil veces asesino...!
ADÁN. (*Acusador.*)—¡No fui yo... no soy yo el asesino! Han sido ustedes. Ustedes dos, los dos...
Este es el día de tu duelo y mi día de feria. Maté tu cordero el día de mi fiesta. Di, ¿no era
justo...?

> (*Al decir esto desaparece corriendo*
> *por uno de los laterales. Vuelven los*
> *relámpagos y truenos. Las luces se apa-*
> *gan casi totalmente quedando apenas*
> *algunos matices azulados iluminando*
> *desde las baterías el cuadro. Gran pau-*
> *sa. El murmullo del rezo sube de pron-*
> *to para que la mujer diga.*)

---

(1) Génesis 4-11.

MUJER.—"Santa María, madre de Dios, ruega por nosotros, pecadores, ahora y en la hora de nuestra muerte. Amén."

> (*Vuelve a bajar el volumen de las voces que contestan:* "Dios te salve, María...", *etcétera.*)

ANDRÉS. (*Como bajo el peso de una horrible carga.*) "Y he aquí que fue hecho un gran terremoto; el sol se puso negro como un saco de cilicio, y la luna se puso toda como de sangre" (1). (*Una intensa luz roja se advierte a través de la puerta y ventanas del fondo. A la madre. Con una sonrisa amarga.*) También esto es de la Biblia, ¿lo recuerdas?

> (*Poco a poco, las luces vuelven a su normal equilibrio, como al principio de la escena.* MARÍA *llora con la cara entre las manos. De pronto como impulsada por una fuerza se adelanta hacia* ANDRÉS *y dice.*)

MARÍA.—Andrés..., Andrés, pero es que no te das cuenta... Hemos vuelto a cometer el mismo error. Ahora veo claro.

ANDRÉS.—¿De qué hablas...?

MARÍA.—El mismo error... Dos veces el mismo error...

ANDRÉS.—¿Qué quieres decir...?

MARÍA. (*Va a una mesita y toma la Biblia.*)—Le hemos matado dos veces..., dos veces...

ANDRÉS.—María..., mujer..., ¿te has vuelto loca...?

MARÍA.—Loca, sí. Loca de dolor... ¿Verdad que has comprendido?

---

(1) Apocalipsis 5-12.

ᴀɴᴅʀÉS.—No sé qué quieres decir...

ᴍᴀʀÍᴀ. (*Avanza con la Biblia en alto.*)—¿No sabes...? ¿No? ¿No? Escucha... (*Busca una página determinada de la Biblia: El Génesis, capítulo IV y lee en voz alta y desgarrada, casi en el llanto.*)—Escucha: "Y aconteció andando el tiempo que Caín trajo del fruto de la tierra una ofrenda a Jehová." "Y Abel trajo también de los primogénitos de sus ovejas y de su grosura." "Y miró Jehová con agrado a Abel y a su ofrenda" (1). (*Deja de leer y dice con extraña alegría. En voz alta.*) ¿Lo ves? ¡Fue él! (*Señala hacia el techo.*) ¡El de arriba, el que propició la rivalidad!... ¿Vas comprendiendo? (*Vuelve a leer con una especie de frenesí.*) "Mas no miró propicio a Caín y a la ofrenda suya. Y ensañóse Caín en gran manera y decayó su semblante" (2). (*En otro tono.*) ¡Lo mismo! ¡Exactamente lo mismo! "Y habló Caín a su hermano Abel: y aconteció que estando ellos en el campo, Caín se levantó contra su hermano Abel, y le mato..." (3).

> (*Se interrumpe y solloza fuertemente.*)

ᴀɴᴅʀÉS.—¡Calla, mujer! ¡Es estúpido todo esto!

ᴍᴀʀÍᴀ.—¿Lo has comprendido, verdad? Yo también lo he comprendido. ¡Pero si está más claro que la luz del día! (*Continúa leyendo con los ojos opacos de lágrimas y con voz entrecortada por los sollozos.*) Y Jehová dijo a Caín: "¿Dónde está Abel tu hermano?" Y él respondió: "No sé. ¿Soy yo el guarda de mi hermano?" Y él le dijo: "¿Qué

---

(1) Génesis 4-(3 y 4).
(2) Génesis 4-5.
(3) Génesis 4-8.

has hecho? La voz de la sangre de tu hermano clama ante mí desde la tierra. Ahora, pues, maldito seas tú de la tierra que abrió su boca para recibir la sangre de tu hermano... (*Deja escapar un gran sollozo.*), de tu mano" (1). (*Solloza y prosigue con aire embotado.*) Ahora sí es fácil decirlo. ¡Fuimos tú y yo..., tú y yo sus verdugos..., sus asesinos!

ANDRÉS. (*Gime. Tapándose los oídos.*)—¡No digas eso, María..., por piedad, calla, no hables más...! (*Pausa.*) ¡Es demasiado para mí!

> (*Lentamente se dirige hacia la escalera y sube.*)

MARÍA. (*Lentamente y con desgarrada voz.*)—¡Yo no quería hacerlo!... ¡No quería!

> (MARÍA *cruza el escenario apáticamente, como sumida en su marasmo. Vuelve a la silla que ocupara al principio del cuadro segundo.* MARÍA *toma asiento en el momento preciso en que* ANDRÉS *hace mutis por la puerta de las habitaciones superiores.*)

MUJER. (*Sin reparar absolutamente en nada.*)— "Dios Creador y Redentor de todos los fieles, concede a las almas de tus siervos el perdón de todos sus pecados, y por las piadosas súplicas alcancen aquéllas tu indulgencia, que siempre desearon. Que vives y reinas por los siglos de los siglos. Amén."

> (MARÍA *sacude la cabeza, como si despertase de un largo sueño, mientras el coro contesta.*)

---

(1) Génesis 4-(9-10 y 11).

Coro. (*Incluso* María.)—"Dadles, señor, el descanso eterno."

Mujer.—"Y la luz perpetua brille sobre ellos."

Coro.—"Descansen en paz."

Mujer.—"Amén."

Coro. (*Se signan.*)—"Por la señal de la santa cruz..."

(*En este momento todos callan.* María *toma su Biblia y lee.*)

María. (*Leyendo.*)—"... Y el cielo se apartó como un libro que es envuelto; y todo monte y las islas fueron movidas de sus lugares. Y los reyes de la tierra, y los príncipes, y los ricos, y los capitanes, y los fuertes, y todo siervo y todo libre, se escondieron en las cuevas y entre las peñas de los montes; y decían a los montes y a las peñas: Caed sobre nosotros y escondednos de la cara de Aquel que está sentado sobre el trono, y de LA IRA DEL CORDERO. Porque el gran día de su ira es venido, y ¿quién podrá estar firme?" (1).

(*Inclina la cabeza sobre el pecho y suspira. La escena se oscurece totalmente.*)

T E L Ó N

F I N

---

(1) Apocalipsis 5 (14, 15-16 y 17).

GUATEMALA

Es, sin duda, Carlos Solórzano una de las figuras de más relieve en el panorama teatral hispanoamericano. Sus obras han alcanzado gran difusión y han sido traducidas a varias lenguas; su indispensable *Teatro latinoamericano en el siglo XX* ha sido, y es, fuente, de donde se extrae copioso material informativo sobre la escena contemporánea de todo un continente hispano.

En el planteamiento general de sus dramas —siempre humano, vital en todo momento— se destaca su preocupación con la libertad del hombre, libertad tanto física como espiritual y que una vez conquistada hagan desaparecer los obstáculos que otros hombres se esfuerzan por imponer, entregando al angustiado la felicidad para la que está dispuesto. Véase si no esta constante en todas sus piezas. *Doña Beatriz* es aquel drama de "la sin ventura" Beatriz de la Cueva, esposa de Pedro de Alvarado, conquistador de Guatemala, enviado por Cortés. Partiendo de la historia y no pasando más allá de lo que demanda el requerimiento artístico y la concepción solorziana del drama, pone, frente a frente, a Beatriz con Leonor, hija mestiza de su esposo. El drama que viven los personajes se diría que es el mismo de la nueva tierra violada y domada a golpe de hierro. Los símbolos que parecen representar estos seres se avienen con la urgencia de la circunstancia que rodea a la conquista. Cada uno de los puntos a considerar en la tragedia se oponen entre sí, Beatriz a Leonor, don Pedro a don Rodrigo y éste a don Jorge, uno conquistado por su espacio vital, otro destruyendo todo lo que se oponga a sus empeños. La misma naturaleza toma cartas en el asunto y como magistral personaje, el más poderoso y esencial al cabo, aniquila a Beatriz, que se deja arrastrar por algo que cree ser un mandato divino, sometiéndose a la muerte cuando comprende su falta de acomodo al Nuevo Mundo. Leonor sobrevive a la catástrofe general y queda como símbolo del territorio descubierto, mientras doña Beatriz desaparece interpretándose con ello la abolición de toda una civilización europea que no se ajusta a los nuevos derroteros.

Las manos de Dios, representada por primera vez en el Teatro del Seguro Social de la ciudad de México el 24 de agosto de 1956, conquista un éxito casi inmediato. Los escritores Albert Camus y Michel de Gherderode encomian al autor por el logro de la pieza. Camus, en carta a Solórzano desde París, escribe: "Es usted un talento dramático verdadero y original, tiene todos los dones necesarios para lograr esa trasposición de la realidad que es, según mi opinión, el fin último del Arte." La pieza es una donde el mito transcurre en un ambiente más conocido, el de un pequeño poblado hispanoamericano cualquiera, con su cura local y su iglesia, su "justicia", representada aquí por el carcelero que cumple órdenes del amo y Beatriz (de nuevo el mismo nombre femenino tan repetido en las piezas de Solórzano), muchacha del pueblo que desespera por no poder libertar a su hermano encarcelado por haberse atrevido a pedir lo que legalmente le pertenece, un pedazo de tierra para el cultivo. Un personaje axial es el llamado "Forastero", que no es otro que el diablo en persona. Este "alegre y buen mozo" joven representa, paradójicamente, la libertad y el amor y es quien aconseja a Beatriz que pague por la libertad de su hermano robando las joyas de la imagen del Padre Eterno que se encuentran en la iglesia. Al saber la noticia, la gente del pueblo, enfurecida ante el robo, ata a la muchacha y la deja morir en soledad, con la sola compañía del diablo, que, sollozando, se queja, de haber perdido otra batalla de rebeldía contra la falsa justicia. Compelido éste por la joven moribunda, hace la resolución final y pronuncia palabras que parecen salir de las entrañas del pueblo mismo, de su propia tragedia de mediocridad, pobreza, ignorancia y pasividad asesina:

> "Está bien... Seguiré luchando; libraré de nuevo la batalla, en otro lugar, en otro tiempo, y algún día, tú muerta y yo vivo, seremos los vencedores."

A raíz de leer sus piezas *Los fantoches* y *El crucificado*, el dramaturgo belga Michel de Ghelderode envía una carta a Solórzano, en la que le felicita con entusiasmo: "He leído sus dos piezas, las he releído, las he visto, las he vivido. Son fascinantes, son las obras de un dramaturgo y de un poeta auténtico. No reniegue nunca de estas visiones crueles y enloquecedoras en que gimen y blasfeman los hombres de siempre... Siga alejándose de la literatura vana, de la belleza convencional, sepa disgustar y hacerse odioso en su búsqueda por el amor de un público... Permanezca fiel al pueblo inspirador, pues en el pueblo está todo, y el arte de usted, como el de Lorca y el de Alberti, profundamente nacional, rebasará pronto las fronteras. Eso mismo fue lo que constituyó también mi lucha..."

Los fantoches (mimodrama para marionetas) es una obrita corta circunscrita a la vieja tradición —como lo indica su título— de los títeres en el teatro europeo, pero con ambiente mexicano, el de la conocida festividad de "la quema de Judas". Luego de terminada la pasión de Cristo, durante Semana Santa, se hace en las calles la quema simbólica del traidor Judas, utilizando para ello muñecos confeccionados con bambú y papeles de colores. Estos muñecos representan personajes variados, desde el diablo o la muerte hasta conocidas figuras de la vida pública mexicana. En la pieza en cuestión, los personajes tienen una capacidad distinta: la mujer ama, el joven trabaja, el artista sueña, el cabezón piensa, el viejito cuenta, y Judas —el único con nombre propio— calla. Junto a éstos aparece la figura del viejo que fabrica los muñecos y su hija, siniestra y caprichosa niña, con cara de calavera y que representa la muerte. Poco a poco, la niña va eligiendo su muñeco preferido y todos los fantoches van siendo exterminados. En un principio, todos creen que esta niña es liberadora y que viene al rescate para transportarles a zonas azules, donde todo brilla, a una especie de meseta elevada, "o a la cresta más alta del oleaje del mar", pero pronto se percatan de la exterminación metódica a que los somete el personaje y viven momentos de angustia ante la inminente desaparición. En excelente artículo para la revista "Latin American Theatre Review" (4/2, Primavera de 1971). Douglas Radcliff-Umstead ha analizado este mundo de "marionetas atormentadas" y descubre las intenciones de Solórzano al concebir la pieza.

Por un lado —afirma el autor del artículo— los títeres caracterizados por sus actitudes van a poner
en evidencia lo inútil del intelecto y del esfuerzo
humano. De nada vale todo el trabajo *del joven* y
todo el racionalizar *del cabezón*, tampoco el ideal
del artista ni el quehacer y el filosofar *del viejito*
sirven para contener el designio destructor de la
muerte. Al mismo tiempo es obvio que cada uno
de los fantoches lleva consigo un sistema de explosivos que les acarreará la muerte. Cada uno
lleva el germen de su propia destrucción. Con la
muerte las marionetas se disolverán en la nada,
sin esperanza de un mundo ulterior. Aquí la concepción de Solórzano está más cerca de las angustias unamunianas que de la concepción cristiana de
un Calderón en *El gran teatro del mundo*. En éste
la vida del hombre sólo adquiere significado con la
muerte y el encuentro con la vida eterna, mientras
que en *Los fantoches* sólo espera el vacío del no
existir.

Otras piezas cortas del autor serán *El crucificado* (farsa trágica en un acto), *Cruce de vías* (vodevil triste) y *Mea culpa*. Esta última recoge la
angustia de un hombre herido de muerte que se
acerca a un confesonario y se arrepiente de haber
condenado a un hombre que se hacía llamar el salvador. El confesor, sorpresivamente, sale aterrado
de su confesonario y pide perdón al penitente por
no haber podido hacerle feliz y por exigir de éste
un sacrificio de fe en nombre de un salvador a
quien él mismo ignora. Su obra *El crucificado* pone
de relieve el rol trágico de un hombre embriagado
que hace el papel de Cristo en una pasión local
y al cual se le sacrifica de veras, dejando a su madre y novia sumidas en la desolación y el dolor.
Cruce de vías es una "pantomima dramatizada so-

bre los esquemas del cine mudo" y que pretende
—según declaración del propio autor— romper con
el ritmo total de la pieza y con éste el de la vida
misma, debiendo dar el cuadro escénico "todas las
disociaciones de los tiempos psíquicos que vuelven
imposible la comunicación entre los seres del
mundo contemporáneo". En *El sueño del ángel*,
Solórzano representa la tortura de una mujer siempre "vestida de negro", que debe recordar, una y
otra vez, su terrible pecado: la entrega total al
único hombre que ha amado y que resulta ser el
marido de su hermana. Su ángel custodio, "joven,
fuerte, sonriente, con una expresión de autoridad
cruel en el rostro", la obliga a este recuerdo diario
además de flagelarse, para borrar aquel terrible
instante del pecado en que éste, al dormirse, la
dejó a solas con sus apetitos e instintos. La acción
es de pantomima y el ángel es en la trama un ser
destructor.

El 16 de julio de 1954 y bajo la dirección de Charles Roones, se estrena en el Teatro del Seguro Social su pieza *El hechicero*. Sus personajes prin-
cipales son, Merlín, el alquimista con ideales, su
hija Beatriz, Casilda, su esposa, y Lisandro, hermano de Merlín; junto a éstos toda la pobre gente de esa ciudad sojuzgada por los impuestos y las
injusticias del Duque que la gobierna, además del
hambre y la sequía que arrasa las cosechas. Merlín es el buscador infatigable de remedios con los
que asistir las necesidades que rodean a los suyos;
su proyecto más ambicioso es el de descubrir la
fórmula de la piedra filosofal, que hará la felicidad
de todo el pueblo. Su mujer, Casilda, convence a
Lisandro de que la ayude a aniquilar a Merlín después de arrancarle el deseado secreto. Ambos hermanos perecen ante la codicia insaciable de Ca-

silda, que, luego de asesinar a Lisandro y arrebatarle un papel con lo que cree que es la fórmula
de su marido, escucha el júbilo del pueblo, que,
sorprendido, ve reverdecer el pasto y brotar los
campos fertilizados con las milagrosas cenizas del
cuerpo del mago. Beatriz cierra la pieza con una
pregunta tan esencial como de incalculable actualidad:

> "Pero ¿cómo hacer para purificar la
> vida, para no seguir siendo lo que so-
> mos? ¡Pobres seres enloquecidos per-
> siguiéndonos y matándonos siempre
> por equivocación!"

Sobre *El hechicero* se han expresado múltiples
opiniones críticas; una de las más acertadas es la
de Emmanuel Robles, que figura en la edición llevada a cabo por *Cuadernos Americanos*: "El hechicero —dice Robles— es una pieza que recuerda a
esos frutos en los que es necesario abrir la corte-
za para saborear la pulpa. Quiero decir que aquí
el espectador debe colaborar con el autor, que debe
ir más allá de la anécdota para llegar a captar
todas las secretas vibraciones. Es una obra de
contenido universal, que se presentaría en cualquier teatro de cualquier país sin perder interés.
Ciertamente, con esta obra estamos más cerca de
Camus que de Bernstein: entramos de lleno y sin
reservas, a través de una leyenda poética, en el corazón mismo de nuestra tragedia en este mundo
de hoy."

La pieza está sumergida en un ambiente donde el mito cobra vida y se mezcla con las preocupaciones de la realidad actual y actuante: los personajes, simbólicos como casi todos los del autor,
se acercan a una tragedia que aunque pareciera

estar localizada en el medievo histórico no dista
nada de la época contemporánea, por eso valga lo
que dice Solórzano en cuanto a localizar la obra en
"los comienzos de esta Edad Media que aún no ha
terminado". *El hechicero* —de acuerdo con su autor— tiene "un tema noble, un tratamiento que
ahora —pasado el auge del Teatro del Absurdo—
vuelve a cobrar vigencia inusitada en el mundo
entero. En mis recientes viajes he visto que el teatro de ideas retorna, victorioso, expresando la
problemática de nuestro tiempo, en imágenes re-
trospectivas".

El teatro de Carlos Solórzano, con su parentesco
con las mejores concepciones de un Ghelderode
y su mundo de marionetas, su entronque con los
esperpentos valleinclanescos, su acercamiento ideo-
lógico a Camus y su influencia del teatro de Ar-
taud y de Brecht por un lado, y del teatro clásico
por el otro, es uno de los más serios y exitosos in-
tentos que se han llevado a cabo en Hispanoamérica.

CARLOS SOLORZANO

CARLOS SOLÓRZANO (San Marcos, Guatemala, 1922) es una de las personalidades más conocidas de Hispanoamérica no sólo por su producción teatral, sino por su interés en la historia crítica del teatro en este continente hispano. Su instrucción primaria y secundaria transcurre en Guatemala. En 1939 se traslada a México para ingresar en la Escuela de Arquitectura de la capital mexicana. En 1941 estudia en la Facultad de Filosofía y Letras mientras colabora en diversas revistas literarias que le llevan a mantener un estrecho vínculo con la vida cultural de México. En 1945 obtiene su título de arquitecto y en 1946 se gradúa de Doctor en Letras. Un año después viaja a Europa y en 1949 se le otorga la Beca Rockefeller para hacer estudios de arte teatral en Francia. Ese mismo año escribe su primera pieza, *Doña Beatriz*, que se estrenará en 1952 a su regreso a México. Ya en la capital se le nombra director del Teatro Universitario, cargo que desempeña durante varios años. Siendo director del mismo se llevan a escena piezas de Camus, Ghelderode, Kafka, Pirandello, Ionesco, Beckett y otros. En 1956 estrena su obra *Las manos de Dios*, que del mismo modo que la anterior se representará en varios países, arrancando sonadas polémicas. Otras obras de Solórzano serán: *El hechicero, Los fantoches, Mea culpa, El*

crucificado, Cruce de vías y *El sueño del ángel*
obras breves, todas ellas que han sido vertidas :
varios idiomas. *Cruce de vías*, bajo su título inglés
Railroad Crossing, es estrenada en el Greenwich
News Theatre de Nueva York en 1969.

Carlos Solórzano ha sido un incansable expositor
de los problemas del teatro hispanoamericano. Ha
dado numerosas conferencias sobre el tema, tante
en los Estados Unidos como en la URSS. En 1966
siendo profesor de Arte Dramático de la UNAM
(Universidad Nacional Autónoma de México) e
ascendido a catedrático de carrera. Desde entonce
ha dictado cursos en varias universidades interna
cionales. Su más reciente obra teatral, *El zapato*
(pieza en un acto) se estrenó en marzo de 1970 en
el Teatro de la UNAM.

OBRAS PUBLICADAS:

Teatro.

Doña Beatriz, Ed. Helio, Col. "Teatro Mexicano"
  México, 1954.
El hechicero, Editada por Cuadernos Americanos
  40, México, 1955.
Las manos de Dios, B. Costa-Amic Editor, México
  1957, y en *El teatro hispanoamericano contempo
  ráneo,* tomo II, Fondo de Cultura Económica
  México, 1964, o en P. G. Earle, *Voces hispano
  americanas,* Harcourt, Brace and World, Inc
  Nueva York, 1968.
Tres actos (contiene *Los fantoches, Cruce de vía*
  y *El crucificado*), El Unicornio, México, 1959.
El sueño del ángel, en *Tercera antología de obras e*
  un acto, México, 1960.

El zapato, en "Crononauta", 2, México, 1966, pp. 31-33.

Novela.

Los falsos demonios, Mortiz, México, 1966.

Crítica.

Teatro latinoamericano del siglo XX, Ed. Nueva Visión, B. A., 1961, 2.ª ed. ampliada, Ed. Pormaca, México, 1964.

Antología del teatro hispanoamericano contemporáneo, 2 tomos, Fondo de Cultura Económica, México, 1964.

Teatro guatemalteco contemporáneo, Sel. y prólogo del autor, Aguilar, Madrid, 1964.

Antología del teatro breve hispanoamericano, Aguilar, Madrid, 1971.

Nota: No se incluye una larga lista de artículos sobre el teatro aparecidos en varias revistas y diarios de Hispanoamérica. Consúltese la bibliografía de Carlos Solórzano llevada a cabo por Pedro F. de Andrea en *Comunidad latinoamericana de escritores,* boletín núm. 7, México, 1970.

Dirección del autor:

Cóndor, 199, Tlacopac,
México 20, D. F., México.

Carlos Solórzano.

EL HECHICERO

De

CARLOS SOLÓRZANO

Esta obra fue representada por primera vez en el
Teatro del Seguro Social de la ciudad de México el
16 de julio de 1954.

PERSONAJES

El Heraldo.

El CORO formado por:
        UN HOMBRE VIEJO.
        UN HOMBRE JOVEN.
        OTRO HOMBRE JOVEN.
        UNA MUJER VIEJA.
        UNA MUJER JOVEN.
        UN MUCHACHO.

        MERLÍN (Alquimista).
        BEATRIZ (Su hija).
        UN PRISIONERO.
        UN SOLDADO.
        CASILDA (Mujer de MERLÍN).
        LISANDRO (Hermano de MERLÍN).
        LA MUJER VELADA.

La acción se desenvuelve en una pequeña ciudad
sojuzgada, en los comienzos de esta Edad Media
que aún no ha terminado.

ACTO PRIMERO

ESCENA PRIMERA

Estancia amplia, desnuda, sin techo, formada por arcos góticos, amueblada al estilo del Primer Renacimiento italiano. Pocos muebles. Ningún adorno. La impresión general debe ser de desnudez, de ruina, de absoluta miseria. A un lado y al fondo una plataforma sobre la que hay una puerta con signos cabalísticos pintados. En el foro a la izquierda, la puerta de la calle, a la derecha otra puerta. A través de los arcos se ven los campos calcinados y dominando la escena un cielo tempestuoso, violento, como un cielo de "El Greco".

> (*Al alzarse el telón se oyen clarines y trompetas. Aparecen en la calle, fuera de los arcos, un* HERALDO, *acompañado por el* HOMBRE VIEJO, *la* MUJER JOVEN, *la* MUJER VIEJA *y otro* HOMBRE JOVEN. *Al terminar la música dice el* HERALDO.)

HERALDO.—Hombres y mujeres de este pueblo, en nombre del Duque, Nuestro Señor, dueño de vidas y haciendas, ciudades y tierras, vengo a reclamar el tributo que esperamos desde hace mucho tiempo. Hace ya tres meses que esta ciudad fue derrotada, y ocupada por las tropas del Duque,

Nuestro Señor, quien estableció como condición
para retirar sus tropas de la comarca, que cada
uno de los habitantes de esta ciudad pagara en
oro o en especie un precio de trescientas doblas
por cabeza.

TODOS.—¡No!

HERALDO.—Es un precio irrisorio para comprar la
libertad... El Duque establece un plazo de ocho
días a los habitantes que no hayan pagado su
tributo. Yo advierto, que pasado ese plazo, serán
suspendidos los repartos de provisiones, repartos
que, generosamente, Nuestro Señor había concedido. Advertimos también que cualquier distur-
bio o motín, será castigado con la muerte.

> (*Se oyen clarines y trompetas. El* HE-
> RALDO *se marcha, se oye el canto lasti-*
> *mero de los sembradores.*)

SEMBRADORES.

> ¡Ya ven, oh dulce lluvia!
> los campos a regar,
> los surcos que duerme
> la flor que el fruto da.
> Tu llanto será el trigo,
> el trigo será el pan.

HOMBRE JOVEN.—Merlín, ¿estás allí?

VIEJO.—¡Ayúdanos!

MUJER JOVEN.—¡Vamos a morir!

MUCHACHO.—¡No nos dejes solos!... ¿Qué podemos
hacer nosotros sin ti?

VIEJA.—Tú eres sabio..., tú eres bueno... ¡Ayúdanos!

MUJER JOVEN.—No hay respuesta...

VIEJO.—Tenemos los cuerpos marchitos..., tan marchitos como esos campos.

MUJER JOVEN.—Siempre creímos en ti. ¿Vas a abandonarnos ahora?

MUCHACHO.—Ayúdanos, si no...

MUJER JOVEN.—¡Merlín, no quiero morir...!

HOMBRE JOVEN.—¡Ayúdanos!

> (*Penumbra fuera de los arcos. Se ilumina el interior en donde se ven* MERLÍN *y* BEATRIZ. *Se oyen nuevamente algunos compases del canto lastimero* "¡Ya ven, oh dulce lluvia!")

BEATRIZ.—Si al menos no cantasen...

MERLÍN.—Yo tampoco puedo escuchar ese canto... Cantan esperando la muerte.

BEATRIZ.—Han perecido muchos ya..., mujeres y niños. Uno de los chicos de allá enfrente ya no puede moverse, al otro le faltan fuerzas para hablar.

MERLÍN.—Ayer vi pasar muchas mujeres. Todas tenían los pechos secos y trataban inútilmente de dar a sus hijos una vida que no tienen ellas mismas.

BEATRIZ.—¡Nunca creí que llegaríamos a esto! (*Conteniendo las palabras.*) A morirnos de hambre. ¡Maldita guerra!

> (*Se oyen nuevamente el ruido de clarines y tambores lejanos.*)

MERLÍN.—Todos piden mi ayuda, pero ¿qué puedo hacer yo? Sólo los ricos mercaderes pueden pagar el tributo. Tienen sus provisiones y viven como antes de la guerra o mejor, y no se preocupan de los demás.

BEATRIZ.—¿Por qué habían de hacerlo? Yo que he visto a mi propia madre...

MERLÍN.—No hables de ella ahora.

BEATRIZ.—¿Por qué? Ahora más que nunca siento el odio que me tiene. Ni el hambre ni la miseria han logrado ablandar en ella su indiferencia. ¡Como si yo no fuese su hija! Puedo asegurarte que por mi parte está igualmente recompensada. Sólo tú, a pesar del desprecio que te manifiesta, sigues tratándola como si fuese una esposa abnegada..., como si en verdad te quisiese.

MERLÍN.—No quiero discutir ahora el cariño de tu madre. Hace tiempo que me acostumbré a verla como a una extraña. Desde que perdió la esperanza de poder realizar a mi lado sus sueños de riqueza. (*Con ironía.*) ¡Mira lo que hemos logrado!

BEATRIZ.—Ayer la vi comer a escondidas. Estoy segura de que ella conserva para sí misma una ración igual a la que reparte entre todos nosotros.

MERLÍN.—No lo creo, seguramente has creído verla. Siempre exageras. Es verdad que es indiferente, pero tu aversión hacia ella la aísla más.

BEATRIZ.—¿Es que acaso se ha ocupado de mí alguna vez? Me odia, lo sé. Me odia porque soy tu hija.

MERLÍN.—Si has de seguir hablando así, prefiero no oírte más.

BEATRIZ.—Está bien, pero sé lo que digo. Me sigue con la vista, ayer la sorprendí cerca de esta puerta; la puerta de tu gabinete. Al advertir mi presencia, lanzó un grito. Había en su aspecto algo resuelto y terriblemente animal, como si hubiese temido ser sorprendida por alguien.

MERLÍN.—No olvides que también ella sufre.

BEATRIZ.—No era sufrimiento lo que vi en sus ojos.

(*Se oye otra vez el canto de los sembradores.*)

MERLÍN.—No pienses más en eso. (*Pausa. Se pasea.*) ¡La misma canción, siempre la misma canción! Hay que hacer algo por ellos.

BEATRIZ.—Padre, ¿vas a volver de nuevo a esas ideas locas de querer redimir el mundo en un día con tus fórmulas mágicas?

MERLÍN. (*Sentándose con fatiga.*)—¡Si pudiera lograrse en un siglo!

BEATRIZ. (*Quitándole un libro de las manos.*)—Deja eso, padre. Tú mismo necesitas descanso. Te ves agotado, envejecido.

MERLÍN.—No puedo ver cómo sufren, no duermo. Sus gritos resuenan en mis oídos...

BEATRIZ.—Pobre padre. (*Lo besa.*) No te atormentaré más con mis tristezas.

MERLÍN.—Tú eres lo único que tengo, Beatriz. (*Se pone de pie.*) Tengo que decirles, ¡hablarles!...

BEATRIZ.—Supongo que no vas a prometerles nada, ¿verdad?

MERLÍN.—No, no...

(*Intenta irse.*)

BEATRIZ. (*Lo detiene.*)—Voy contigo. Iremos a los campos, lejos de esos gritos que tanto te atormentan y que no puedes remediar.

> (MERLÍN *la toma con ternura de la mano y salen. Inmediatamente después entran por otra puerta* CASILDA *y* LISANDRO. *Fuera de los arcos* MERLÍN *y* BEATRIZ *tropiezan con dos soldados que conducen a un prisionero con las manos atadas seguidos por un hombre y un niño.*)

MERLÍN.—¿Qué sucede?

PRISIONERO.—El Señor Duque, Nuestro Señor, en su conocida generosidad, se preocupa mucho de mi salud. Me proporcionó este cortejo para que me conduzca directamente al patíbulo.

MERLÍN.—¿De qué se te acusa?

SOLDADO.—Trató de robar el depósito de las provisiones comunales. ¡Vamos!

(*Lo empuja.*)

PRISIONERO.—No pierdes nada si me permites despedirme. ¡Adiós, Merlín!, no nos volveremos a ver.

(*Lo abraza.*)

SOLDADO.—¡Vamos!

(*Se van todos.*)

ESCENA SEGUNDA

CASILDA. (*Con un suspiro.*)—Se fue por fin. Cuando se va, siento que el aire se despeja. ¿Qué querían estos hombres del pueblo?

LISANDRO. (*Pensativo.*)—Le piden que les ayude.

CASILDA.—Lo siguen con frecuencia. Confían en él. ¿Adónde va? ¿Lo viste entrar en alguna casa? ¿Hablar con alguien?

LISANDRO. (*Viendo absorto por la ventana.*)—No, se fueron a los campos él y tu hija Beatriz.

CASILDA.—¿Y no habló con nadie? El está muy raro últimamente. A veces pienso que no sólo lo sabe todo, sino que...

LISANDRO. (*Interrumpe.*)—No lo veo cambiado. Ahora mismo caminó como siempre, como si no le importara el lugar que pisan sus pies, sino otro lejano a donde espera llegar. Absorto en sus propios pensamientos, ni siquiera respondía a su hija.

CASILDA.—¿Crees que desconfía?

LISANDRO.—Me torturaba esa idea siempre, pero no, ayer hablé con él largamente. El es como siempre, como ya te dije, no sabe nada.

CASILDA. (*Se acerca y le acaricia.*)—¿Entonces? ¿Qué es lo que tienes? Parece que algo turbio te vela la frente.

LISANDRO.—Acaso es porque me siento culpable.

CASILDA.—No te sentías así hace un año, cuando comenzamos a querernos. La vida era algo que los dos íbamos a conquistar para nosotros.

LISANDRO.—Fracasé en todo lo que quise lograr, el tiempo ha pasado y...

CASILDA.—Comprendo, comienzas a cansarte de mí,
te lamentas que yo sea una mujer casi vieja, y
que...

LISANDRO.—No, no es eso. Tú sabes que te necesito,
tú eres mi voluntad, mi fuerza; sin embargo, la
amargura de estos últimos tiempos ha sido demasiado para mí; la guerra, la derrota de nuestro
pueblo, el hambre. Lo que hacemos parece más
terrible en estas circunstancias.

CASILDA. (*Apasionada.*)—Cuando siento que las entrañas se me cierran pidiendo algo que las nutra
y las lágrimas me llenan el pecho de rencores,
me consuelo pensando en el día en que todo cam-
biaría para ti y para mí.

LISANDRO.—Es cierto eso, pero... es que no puedo
resistir el modo del que nos valemos para salvarnos.

CASILDA.—Lo único importante es salir de esta miseria; será como salir de un largo purgatorio.

LISANDRO.—Estamos derrotados, no debemos desear
nada.

CASILDA.—Si dejamos de desear, moriremos antes
del día que el destino nos señale.

LISANDRO.—¿Qué podemos hacer?

CASILDA.—Lo sabes bien. Se acerca la hora de actuar, de tomar nuestras vidas en nuestras manos.
Ahora puede ser.

LISANDRO. (*Inquieto.*)—Tú planeas algo que no consiste sólo en satisfacer tu hambre. Dime ¿qué es?

CASILDA. (*Convincente.*)—Tú lo sabes, durante largo
tiempo me parecía un sueño y ahora puede ser
la realidad.

LISANDRO.—Te rogué que huyéramos juntos, lejos
de esta ciudad. Para mí, sería suficiente con que
tú estuvieras conmigo.

CASILDA.—Pero ¿no comprendes que hubiéramos

muerto en el camino? Nadie ha salido de la ciudad después de la derrota. Huir es siempre la peor solución; no habríamos llegado a ninguna parte. Habríamos muerto sobre esos campos arrasados.

LISANDRO.—Todo es preferible a esta quietud, a esta espera. ¿Qué es lo que esperamos?

CASILDA. (*Irónica.*)—Todos esperan que los campos vuelvan a germinar, cantan rogándole a Dios, pero tú y yo, esperamos algo más firme, más definitivo, y ahora que él ha salido, podemos llevar a cabo nuestros planes. Vamos. Vamos allá arriba.

(*Señala la plataforma con la puerta.*)

LISANDRO.—Espera, ¿no crees que al menos *eso* no tenemos derecho de hacerlo?

CASILDA. (*Con angustia.*)—Es nuestra única solución, ¿o prefieres esperar tranquilamente la muerte?

LISANDRO. (*En un ruego.*)—Quizás germinen los campos...

CASILDA.—¿Y si no germinan? ¿Y si las cosechas son pobres, como lo serán, estando los campos calcinados? ¿Quieres permanecer en esta miseria?

LISANDRO.—No lo sé. Sólo sé que no quiero hacer esto. Le he robado su propia mujer, no quiero robarle nada más.

CASILDA.—¿Es mi culpa que tú, el único hombre que he querido, sea su hermano?

LISANDRO. (*Con ironía.*)—Un hermano leal y confiado.

CASILDA.—Eres un niño. Hemos esperado durante mucho tiempo este momento en que él saldría, para enterarnos del gran secreto que él guarda. ¡Si tú no vas, iré yo sola!

LISANDRO.—Espera, Casilda.

CASILDA.—Bastante he esperado ya.

LISANDRO.—No es posible que el hambre te haya hecho olvidar la diferencia entre lo bueno y lo que no lo es.

CASILDA.—Lo bueno..., lo malo, ¡palabras solamente! No sé de ninguna moral para los tiempos buenos y para los tiempos malos. Eres absurdo, conoces bien la vida que llevé a su lado, para él no soy más que un objeto cualquiera. El vivió siempre en el mundo de sus sueños, dejándome agonizar sin mover siquiera una mano para remediarlo, lo sabes muy bien.

LISANDRO. (*Después de una pausa.*)—¿Qué esperas de mí?

CASILDA.—Que no dejes de desear nunca. Nada más. El resto yo lo haré sola, basta con que tú no te opongas. Detrás de esta puerta está nuestra salvación.

(*Señala la puerta del gabinete.*)

LISANDRO.—Te haces demasiadas ilusiones.

(CASILDA *se aparta inquieta.*)

CASILDA.—¿Por qué dices eso? ¿Crees que él no ha descubierto aún ese secreto?

LISANDRO.—No lo sé, pero de ninguna manera podríamos descifrar sus fórmulas.

CASILDA.—Yo las descifraré. Anoche, cuando me asfixiaba, teniendo que dormir a su lado, le oí hablar entre sueños: le oí decir que ya había descubierto ese secreto.

LISANDRO.—No debes hacer caso de sus sueños. También despierto dice cosas que imagina.

CASILDA.—No me engaño, el corazón me dice que ya lo descubrió.

(*Ve con ansiedad a* LISANDRO, *como rogándole que vaya con ella.*)

LISANDRO.—Si nos sorprende, todo está perdido.

CASILDA. (*Cada vez más exaltada.*)—Por eso mismo. ¡Vamos de una vez! ¡Cuánto tiempo lleva diciendo que él descubrirá la Piedra Filosofal! ¡El mismo tiempo que llevo yo a su lado, soñando con ese secreto! Lo he soportado todo, viví a su lado sólo con la esperanza de que algún día vería brotar de esos frascos y redomas muchos granos de oro, grandes, tan grandes y tan brillantes como las piedras que arrojan los volcanes. En mis sueños, he visto estallar en medio de la noche una nube de vapores extraños, que se alejaba de mis manos y dejaba tras sí muchas estrellas de oro como espejos... Lisandro, si esta maravilla fuera nuestra...

LISANDRO. (*Contagiado por el entusiasmo de ella.*)— Sí, sí, tener la Piedra Filosofal...

CASILDA.—Y crear oro... arrebatar sus últimos secretos a la naturaleza... Lisandro.

LISANDRO.—Eres bella cuando hablas de estas cosas, pero la naturaleza se venga de quienes quieren arrebatarle sus secretos.

CASILDA. (*Sin oírlo.*)—¡Lisandro! El hombre más rico del mundo, Lisandro pasando por la calle sobre los hombros de sus esclavos.

LISANDRO.—¿Y tú crees que la felicidad de unos necesita ser la desdicha de los otros?

CASILDA.—Lo sabes, así está hecha la vida. Procuremos no ser nosotros miserables; es todo lo que podemos pretender. Ven, ¡sabremos de una vez qué es la Piedra Filosofal!...

LISANDRO. (*Dejándose llevar repite mecánicamente.*) ¡No ser miserable!

> (*Suben a la plataforma.* CASILDA *saca del pecho histéricamente unas llaves,*

*prueba algunas y en el momento en
que va a abrir la puerta del gabinete se
oye afuera ruido de pasos.)*

CASILDA. (*Aterrada.*)—¿Qué es eso?

LISANDRO. (*Corre a la ventana.*)—¡Es él, él y tu hija,
y muchos con ellos!

CASILDA. (*Fuera de sí.*)—¡Maldito seas!, todo perdido otra vez. Tus dudas, tus ridículos sentimientos lo han estropeado todo. Pero te juro, que ese
secreto, será mío, contigo o sin ti...

(*Sale.*)

LISANDRO.—Casilda, Casilda.

(*La sigue.*)

ESCENA TERCERA

(*Entra* Merlín *precipitadamente, detrás de él,* Beatriz, *seguida por los hombres y mujeres del pueblo famélicos y tristes.*)

Merlín. (*Angustiado.*)—¡Todos vienen a mí, todos!

Mujer joven.—¿Qué va a ser de nosotros?

Viejo.—Ayer dormimos todo el día. El hambre ya no nos deja mover, pero al dormir, el miedo a la muerte nos vuelve a despertar.

Vieja.—Sólo los ricos comen, ellos tienen sus bodegas repletas y sus casas bien guardadas.

Muchacho.—¡Ayúdanos! Se dice que curas a los enfermos graves.

Viejo. (*Supersticioso.*)—Y que resucitas a los muertos.

Mujer joven.—¡Cómo no ha de salvarnos de la miseria, de la opresión!

Vieja.—Este año no ha llovido, los campos no germinarán.

Muchacho.—No podemos pagar nunca al enemigo.

Viejo.—Tú con tu magia puedes hacerlos germinar.

Muchacho.—Sólo tú puedes hacer que esta espera no sea un plazo de muerte.

Mujer joven.—Tenía prometido casarme en la próxima fiesta de la colecta, mi novio volverá para entonces. Haz que pueda llegar viva a esas fechas.

Vieja.—Los campos no germinan aún. Todos los

días voy temprano a ver si ha brotado una aguja
verde y promisora, pero no hay nada.

MERLÍN. (*Exaltado.*)—Hay que tener confianza. Hay
que tener fe. La fe evita las derrotas.

MUCHACHO.—Hace tiempo que no esperamos nada.
Hemos rezado, hemos llorado, hemos torturado
nuestros cuerpos para complacer a Dios, pero
nada cambia; los campos arrasados que nos aís-
lan del resto de la tierra, son peores que la misma muerte.

VIEJO.—Por eso hemos preferido quedarnos aquí y
morir junto a nuestros recuerdos.

MUJER JOVEN.—No tengo recuerdos, y quiero tenerlos.

VIEJA. (*Con voz sorda.*)—El más fuerte tendrá que
sufrir más.

BEATRIZ. (*Que ha permanecido callada.*)—¿Y por
qué no se unen los pobres y asaltan las bodegas
de los ricos?

MERLÍN. (*Asombrado.*)—¡Beatriz!

HOMBRE JOVEN.—Están muy bien protegidas, nos
matarían.

VIEJO.—¡Inútil!

VIEJA.—¡Inútil!

TODOS.—¡Inútil!

HOMBRE JOVEN.—Si tu padre nos dijera el secreto de
la Piedra Filosofal, tendríamos para comprar alimentos, el mismo enemigo nos los vendería.

HOMBRE VIEJO.—En este mundo hay que comprarlo
todo, todo tiene su precio. ¿No son los precios
algo que ha nacido después de la vida? Ahora en
cambio, los precios son más importantes que
nuestras vidas.

VIEJA.—Siempre fuiste generoso, Merlín, aún recuerdo que durante la peste te encerraste tres

días en ese gabinete y saliste de él con un líquido extraño que salvó la vida de mi hija.

MUCHACHO.—¡El hambre es peor que la peste! ¡Peor! Claro, si tuviéramos oro..., si nos dieras la piedra mágica.

VIEJO.—Danos la piedra, sólo eso puede salvarnos. ¡La piedra!

TODOS.—¡La piedra!

MERLÍN. (*Exaltado.*)—Todavía no puedo dar a nadie la piedra mágica. Hay algo que todavía está oscuro.

MUJER JOVEN.—Pero no podemos esperar más.

VIEJA.—¿Revelarás el secreto antes de ocho días?

MUCHACHO.—¡Contesta!

TODOS.—¡Contesta, Merlín!

MERLÍN. (*Resuelto, habla rápido.*)—Antes de ocho días haré público el secreto, antes de ocho días todos los hombres y mujeres podrán ir a casa de los ricos mercaderes. Pero no a saquearlos, sino a comprarles lo que ustedes necesitan. Lo prometo. (*Solemne.*) Cumpliré mi promesa.

> (*Los hombres y mujeres se abrazan con júbilo, algunos besan la mano de* MERLÍN. *Salen uno detrás de otro.*)

MUJER JOVEN. (*Besa la mano de* MERLÍN.)—¡Que Dios te guarde y recompense tu bondad, eres el más sabio de los hombres!

> (*Sale.* BEATRIZ *vuelve después de haber salido a despedir a la* MUJER JOVEN.)

ESCENA CUARTA

BEATRIZ.—¿Por qué les has dicho eso?

MERLÍN.—Hay que darles algo más fuerte que el miedo.

BEATRIZ.—Deberías hablarles claro.

MERLÍN.—Ellos creen en mí, Beatriz.

BEATRIZ.—¡Les has mentido!

MERLÍN.—Es necesario hacerles confiar en algo que está fuera de ellos mismos, porque dentro sólo hay sombras. La verdad destruye a los hombres. No pueden soportarla.

BEATRIZ.—Sin embargo, no me explico por qué no les hablas claramente.

MERLÍN. (*Exaltado.*)—¿No has visto que esperan todo de la fórmula mágica? Al borde de la muerte, es lo único que les hace soportar la vida. Los he hecho creer en algo, podrán vivir hasta que los campos germinen.

BEATRIZ. (*Asombrada.*)—Pero tú sabes muy bien que no tienes la Piedra Filosofal. Lo sabes bien.

MERLÍN.—Si el mundo es como es, no veo por qué no hayamos de soñar con un mundo mejor.

BEATRIZ.—No puedes llevar adelante esa mentira piadosa, ahora no piden explicaciones, pero después de ocho días exigirán, serían capaces de matarte por eso.

MERLÍN.—Pero... ¿Qué daño les hago? Les doy todo lo que tengo: una imagen de ese mundo con el que he soñado; un mundo en que los campos dan espigas como soles, que llenan los cuerpos de los hombres; un mundo en el que todos podamos disfrutar de una porción de la vida. Y ese mundo lo haré yo con la Piedra Filosofal. Para eso la quiero. Para repartir el oro y hacer que los hombres, al poseerlo, dejen de perseguirlo. Es tan sólo un deseo de orden, una visión de arreglo de todas las cosas que en el mundo están mal distribuidas.

BEATRIZ. (*Lo contempla asombrada. Pausa.*)—Es un sueño, padre.

MERLÍN. (*Hace un gesto.*)—¡Es posible!

BEATRIZ.—La caridad no debe volverse engaño. Tengo miedo por ti. No me importa nadie más que tú. Padre, ellos necesitan saber la verdad para poder combatir la realidad.

MERLÍN.—¡Combatir! ¡Matarse mutuamente! Déjalos morir con un sueño. ¡Un sueño que los hará pasar a la muerte sin saber que mueren!

BEATRIZ.—Y por querer protegerles sus sueños, ¿quieres exponerte a su ira, a la ira de un pueblo hambriento?

MERLÍN. (*Con energía.*)—Yo descubriré esa fórmula, nunca estuve tan seguro como ahora. No me moriré sin descubrirla.

BEATRIZ.—Padre, siempre te veneré, todos me parecían muy poco a tu lado. Desde pequeña, viví con la ilusión de que podrías darme algún día todo eso con que tú soñabas, pero...

MERLÍN.—¿Perdiste la confianza?

BEATRIZ.—Sólo quiero que no te dejes vencer tú mismo por esa leyenda con que te rodean los hombres del pueblo. El día que ellos despierten, será horrible, pero para ti el despertar será peor, para ellos será una desilusión más; en cambio, para ti...

(*Se detiene asustada.*)

MERLÍN.—Termina, hija.

BEATRIZ.—Para ti será el fin. Sí, padre, el fin. Tú
no puedes vivir en medio de semejante mentira,
te conozco bien, tienes que afrontar la verdad
y decirles que no hay Piedra Filosofal.

MERLÍN. (*Con pasión.*)—¡Sí hay! ¡Sí hay piedra filosofal! Está oculta en la misma materia de las
cosas y los días. Antes de una semana, quizá pueda tenerla. (*Se oye de nuevo la triste canción de
los sembradores.*) ¡Ten fe, espera!

BEATRIZ.—Está bien, callaré hasta entonces...

MERLÍN.—Beatriz, no digas a nadie una palabra, no
olvides que no hay enfermedad más contagiosa
que la desesperanza.

BEATRIZ. (*Lo abraza.*)—¡Oh, padre! Tengo miedo.
¡Te quiero tanto y el cariño y el temor son una
mezcla tan extraña. Pero no sólo temo al pueblo,
me preocupa mi madre. Sé que ella trama algo...,
no sé lo que es, pero presiento un gran peligro...
Te quiero tanto, padre!

(*Lo abraza y sale.* MERLÍN *sube a la
plataforma y abre la puerta del gabinete en el momento en que entra en
escena* CASILDA.)

ESCENA QUINTA

CASILDA. (*Nerviosa.*)—¿Has vuelto ya?

MERLÍN. (*Cierra rápidamente la puerta.*)—Sí, debo trabajar mucho, noche y día.

CASILDA.—¿Por qué cierras la puerta tan de prisa? ¿Temes algo?

MERLÍN. (*Pensativo.*)—No, nada.

CASILDA.—Nunca me has permitido entrar en ese gabinete.

MERLÍN. (*Evadiéndola.*)—¿No? No lo había pensado.

CASILDA.—Pero ¿por qué estás tan inquieto? ¿Qué es lo que me ocultas? ¿Acaso has hecho algún hallazgo importante? Dime.

(*Pausa.*)

MERLÍN.—¿Un hallazgo? (*De pronto cobra un entusiasmo fingido, inusitado.*) Eso es..., el hallazgo más maravilloso que se conoce... Un hallazgo que cambiará la faz del mundo. No habrá pobres ni ricos, y los hombres ya no serán bestias hambrientas, sino seres capaces de pensar.

CASILDA. (*Tímida.*)—¿Te refieres a la Piedra Filosofal?

MERLÍN.—Sí, es el augurio de un nuevo mundo. ¿Sabes qué haremos?

CASILDA. (*Entusiasmada.*)—No.

MERLÍN.—Tú y yo, mi hermano y mi hija, todos nos dedicaremos a fabricar todo el oro imaginable, y después...

CASILDA. (*Sin poder contener el impulso de su ambición.*)—Sí, ¿y después?

MERLÍN. (*Después de una pausa.*)—¡Nada, déjame!

CASILDA. (*Imperativa.*)—Dime lo que estás pensando.

MERLÍN.—Iba a decir... (*Lento.*) No, no..., así no podría...

CASILDA.—Dime lo que piensas. No te comprendo.

MERLÍN.—¿No? Mira, si llenamos esta casa de oro, aunque sólo fuera por una noche... ¿No querríamos conservarlo sólo para nosotros?

CASILDA.—Naturalmente, pero espera..., déjame salir de mi asombro, siento que la cabeza me da vueltas... Dime.

MERLÍN. (*Al verla perder el sentido.*)—Si el oro en abundancia ha de pervertir nuestros corazones, lo mejor sería ir haciéndolo poco a poco. Iremos haciendo diariamente un poco nada más. Lo necesario para ir repartiendo entre todos los hombres de la ciudad.

CASILDA. (*Con asombro e ira contenida.*)—¿Qué dices?

MERLÍN.—Sí, siempre he pensado cuál sería el mejor sistema. ¿Dar a todos por igual? ¿Dar a cada quién lo que merece? ¿Y qué es merecer? ¿Por qué merecen unos más que los otros? ¡Oh!, a veces es desalentador.

(*Se toma la cabeza entre las manos.*)

CASILDA. (*Seca.*)—¿Qué?

MERLÍN.—No saber nunca qué camino tomar. ¡Qué hacer para que surja un mundo nuevo sobre las cenizas de la miseria!

CASILDA.—No he comprendido bien, pero por lo visto piensas dar el oro a todos los hombres del pueblo. ¿Piensas hacer eso?

MERLÍN.—Por supuesto, ¿para qué otra cosa podría servirme?

CASILDA. (*Violenta.*)—¿No comprendes que tienes una fórmula mágica y que vives entre seres hambrientos? ¡Mírame! Casi no me has visto en estos últimos años: estoy envejecida y enferma. La fórmula nos pertenece a mí y a tu familia.

MERLÍN.—¡Oh, no! La Piedra Filosofal, el secreto de la riqueza eterna, es demasiado para pertenecer a una sola familia o a mil familias. Debe pertenecer a todos los hombres. No, no querría hacerte el daño de convertirte en una mujer rica en medio de este mundo de miserias. Te quiero demasiado para eso.

CASILDA.—Pero, ¿es que quieres burlarte de mí?

MERLÍN.—Por el contrario, no quiero convertirte en uno de esos seres inútiles que no pueden ver dentro de ellos mismos sin sentir angustia al ver el vacío que llevan dentro. No, tú me ayudarás, serás mi compañera; veremos surgir de nuestras manos, todos los días, muchos granos de oro, sin detener ninguno, seremos como un río que lleva el precioso metal, y sigue su curso indiferente para desembocar impasible en una muerte gloriosa y dilatada. (CASILDA *lo mira sin comprender. Lo oye hablar como enajenada.*) ¡Es que no puedes acostumbrarte a la idea de no desear la riqueza! Cuando la Piedra Filosofal haya cambiado al mundo, los hombres ya no serán víctimas del vicio de la codicia.

CASILDA. (*Asustada.*)—¡No puedo creerlo, voy a volverme loca! ¿Para esto me he sacrificado? ¿He llevado una vida oscura y solitaria, para que tú lo estropees todo en un arrebato de piedad? No, no lo consentiré.

MERLÍN.—¡Casilda!

CASILDA. (*Muy enérgica.*)—¡No, esa fórmula nos pertenece, me pertenece! De niña viví en la abundancia, pero desde que me casé contigo, tuve que sufrir esta pobreza. Mis sueños de juventud se estrellaron con tu despreocupación, con tu indiferencia, por todo lo que en el mundo se puede adquirir con la riqueza. Luego nació nuestra hija y esto sirvió para agrandar más la pobreza. Por eso debes comprender que esa fórmula es mi única esperanza.

MERLÍN.—¿Serías capaz tú también de despojar a los hombres de nuestro pueblo? ¿Me traicionarías?

CASILDA. (*Rotunda.*)—Sí, sí. Has sido cauteloso con tus malditos secretos, pero te juro que si el haber vivido a tu lado tantos años oyendo tus absurdos monólogos, soportando en medio de mi soledad tus sueños, que eran para mí como un insulto; si eso me ha servido para saber que tienes la fórmula, me doy por bien recompensada.

MERLÍN.—Eso era lo único que te importaba.

CASILDA.—¿Y qué otra cosa podría haber sido? ¿Se puede estar casada con una idea, cuando hay sed, cuando nunca nos hemos sentido satisfechos?

MERLÍN.—¡Incapaz de tener un ideal, no comprendes que...!

CASILDA. (*Interrumpe.*)—No, no quiero comprender más. (*Con una carcajada.*) ¡Un mundo mejor! (*Ríe cada vez más insolente.*) No te dejaré cometer la locura de hacer pública esa fórmula, para que alguien se adueñara de ella y todo volviera a ser lo mismo. ¿Por qué no ser nosotros los dueños? Siempre habrá amos y esclavos, ricos y pobres.

MERLÍN.—¿Y no crees que los hombres pueden ser también justos?

CASILDA.—¿Justos? ¿Qué es la justicia? Algo que nos hace ocultar siempre nuestros verdaderos deseos. Los hombres no sienten satisfacción con ser justos. (MERLÍN *intenta irse.*) ¿Te vas?

MERLÍN.—Es que no tengo nada más que decir.

> (*Ella lo detiene, se domina. Trata de disimular su ira. Adopta tono conciliador.*)

CASILDA.—Debes ser paciente conmigo. He sufrido tanto... Si no me explicas, nunca llegaré a comprenderte. Todavía no me has dicho en qué consiste esa fórmula. ¿Has producido oro dentro de tu gabinete?

MERLÍN. (*Frío.*)—No, ni un solo grano.

CASILDA.—¿No? Supongo que eso no tiene ahora importancia. Habrá tiempo de sobra para hacerlo, teniendo en nuestras manos la fórmula prodigiosa. (*Ríe con malicia.*) Ya comprendo, todavía no lo has hecho por temor de que te lo roben. Eso explica que hayas cerrado la puerta del gabinete como si temieses que alguien entrara en él.

MERLÍN.—No, no, no es eso.

CASILDA. (*Se aferra a* MERLÍN.)—No lo niegues. Si tú me confiaras el secreto...

MERLÍN.—No insistas, ¡es inútil!

CASILDA.—Te juro que sería capaz de...

> (*Se detiene, asustada.*)

MERLÍN.—¿De qué?

CASILDA. (*Contrita.*)—No, de nada... Sólo quise decir que sería capaz de cualquier cosa, de cualquier locura.

MERLÍN.—¿De hacerle daño al que tuviera la fórmula?

CASILDA. (*Confusa, al borde de las lágrimas.*)—¡Oh, no, no quise decir eso! ¡Dime qué metales son los que mezclas, dime eso siquiera! Dímelo. Dímelo. Dímelo.

> (*Se aferra con mayor fuerza a él.*)

MERLÍN. (*Se aparta.*)—¡Oh!

CASILDA. (*Enajenada.*)—¡Dímelo! Quiero oír esas palabras que han de deshacer el nudo de la miseria dentro de mi pecho. Es cierto que hemos estado alejados, pero aún puede cambiar todo... si tú tienes confianza en mí.

MERLÍN.—¿Te hace sufrir mucho pensar que yo tenga la fórmula y que tú nunca puedas conocerla?

CASILDA.—Sí, sí, vas a volverme loca.

MERLÍN.—Pero te haría sufrir más saber que esa fórmula no existe, que no existirá jamás.

CASILDA. (*Con espanto.*)—¿Qué quieres decir?

MERLÍN.—Nada, optaremos por lo que te hace sufrir menos.

> (*Se aleja.*)

CASILDA. (*Enloquecida, se arroja sobre él.*)—¡Dame esa fórmula! Dámela. ¿Dónde la tienes?

> (*Trata de buscarla sobre de él. En este momento entra* LISANDRO.)

MERLÍN.—¡No la hallarás, está oculta junto al corazón!

CASILDA.—¿Junto al corazón? ¡Dámela! ¡Dámela!

MERLÍN.—¡Casilda!

CASILDA.—Por la fuerza, así, por la fuerza. (*Lo su-*

jeta fuertemente.) ¡Así, así! No te dejaré atormentarme más.

> (*Forcejea con él.* MERLÍN *la separa con fuerza. Ella cae al suelo.*)

MERLÍN.—¡Basta, parece que tienes razón, que los hombres son incapaces de compartir por igual, sin odiarse los unos a los otros!

> (*Sale.*)

CASILDA. (*Llorando.*)—¡Te odio, te odio!

ESCENA SEXTA

(LISANDRO *se acerca.*)

CASILDA. (*Se levanta.*)—¿Le quieres aún después de ver cómo me atormenta?

LISANDRO.—Había algo extraño en su mirada, algo como si sufriera por todos los hombres.

(*La levanta.*)

CASILDA.—Eres un niño, debes madurar, Lisandro.

LISANDRO.—Su mirada parecía la de... Eso es, la de un loco. (*La toma de los hombros y le mira la cara.*) Casilda, ¿y si toda esta historia de la Piedra Filosofal fuera una mera locura suya? El hambre puede volver locos a los hombres.

CASILDA. (*Muy firme.*)—No, él tiene ese secreto y nos está engañando. Lleva sus notas en el bolso, junto al corazón.

LISANDRO. (*Confuso.*)—Habla de la Piedra Filosofal como de algo que fuera superior a él. Como si tuviese temor de hablar de ella.

CASILDA. (*Fuera de sí.*)—¡Calla ya! Sabes que la tiene y que no nos la dará jamás. ¿No quieres comprender que sólo hay un medio para obtenerla?

LISANDRO. (*Con espanto.*)—¿Qué quieres decir?

CASILDA. (*Firme, lo ve a la cara.*)—Que esa fórmula debe ser sólo para mí y para ti.

LISANDRO.—Me das miedo, Casilda.

(*Viéndola alucinado.*)

CASILDA.—Después de haber descubierto ese secreto..., el papel de Merlín sobre esta tierra está cumplido. ¿Comprendes?

LISANDRO.—No, no quiero comprender...

CASILDA. (*Lo sujeta fuertemente del brazo.*)—¡Ten valor! Tenemos que escoger entre morir con el cuerpo henchido de piedad, o vivir destruyendo lo que nos es adverso... Debemos suprimir, en nombre de nuestro amor, lo que nos impide seguir viviendo. (*Se acerca a él hasta mezclar sus alientos.*) Después de este tiempo, de estos días de sufrimiento, habrá un silencio, un silencio que un hombre de tu edad no espera aún.

LISANDRO.—El ha prometido a todos un mundo mejor... Podríamos esperar.

CASILDA.—En unos cuantos días no se hace un mundo nuevo... Tú y yo, podremos sobrevivir..., pagar al invasor..., irnos lejos..., olvidar... No hay nada que la riqueza no pueda comprar.

LISANDRO.—Casilda, ¿no sería posible vivir sin dañar a nadie?

CASILDA. — Cuando no haya miseria ni opresión. Mientras tanto hay que suprimir lo que nos asfixia.

LISANDRO. (*Casi llorando.*)—Suprimir... Odio esa palabra, es como si la muerte tuviera un sentido inanimado.

CASILDA. (*Fría.*)—Es sólo una palabra.

LISANDRO.—Pero ¿por qué en vez de matarle... no nos sublevamos contra nuestros enemigos?... Ellos son los que nos impiden vivir.

CASILDA.—No podemos hacerlo solos tú y yo... Siempre es más fácil un crimen que una rebelión.

LISANDRO. (*Se vuelve desesperado.*)—Te odiaría si llegáramos a hacer eso.

CASILDA.—¡No, por el contrario! Me querrías más.

Yo no dejaré que esa muerte interponga odio entre nosotros. Estaremos más unidos que nunca. Más que nunca lo estuve con mi hija. A ella me unía el nacimiento. A ti me unirá la muerte.

(*Se abraza a él con desesperación.*)

LISANDRO. (*Casi sollozando.*)—Pero... es mi hermano...

CASILDA. (*Abrazada a él.*)—Es un hombre como otro cualquiera... Los sentimientos fraternales pertenecen a un mundo que tú y yo desconocemos. Sólo tenemos una verdad, la que nos une por las noches y nos hace ver el sol de la mañana con un cansancio de satisfacción... Ese cansancio es la felicidad, Lisandro. Los pobres humanos no podemos aspirar a otra mejor. Pero esa... Esa... la tendremos... (*Pausa.*) Mañana, cuando Beatriz haya salido...

LISANDRO.—¡Oh! Casilda... ¿Es que algún día podríamos olvidar eso...?

CASILDA. (*Convincente.*)—Sí..., mira a los enemigos, pasan por la calle con la cabeza erguida, y todos de un modo o de otro, han exigido el sacrificio de otras vidas para llegar a poseer lo que tienen.

LISANDRO. (*Con temor.*)—Entonces, ¿no hay más solución que...?

CASILDA. (*Crispada.*)—¡Matar!

LISANDRO.—¿Y el remordimiento?

CASILDA. (*Impasible.*)—Matarlo también.

(*Se miran inmóviles.*)

T E L Ó N

FIN DEL ACTO PRIMERO

ACTO SEGUNDO

ESCENA PRIMERA

*(Ocho días después. A telón corrido.
Clarines, trompetas, aparece el HERAL-
DO, que dice.)*

HERALDO.—Se comunica a todos los habitantes de
esta ciudad que los hombres que criminalmente
asaltaron el depósito de las provisiones comunales fueron ahorcados. Estos actos delictuosos,
que han defraudado la generosidad del Duque,
Nuestro Señor, fueron cometidos a consecuencia
de la maliciosa agitación de ciertos agitadores
profesionales. Se previene por última vez a los
habitantes de este pueblo que no presten oído
a las promesas de hechiceros sin conciencia. En
vista de estos acontecimientos, el Duque, Nuestro
Señor, fija el día de hoy como el último en que
se hará reparto de provisiones.

*(Clarines y trompetas. El HERALDO se
va. Se abre el telón y vemos el gabinete de alquimista de MERLÍN: Mesas,
estantes, cajones, frascos, redomas y
pomos. En el centro una gran mesa y
una silla. Una calavera. En el fondo
puertas a ambos lados. Al fondo una*

ventana por donde se ven los campos calcinados. Luz espectral. CASILDA *y* LISARDO *entran con una linterna.*)

CASILDA.—Ven, aquí lo esperaremos.

LISANDRO. (*Examinando el lugar.*)—Parecen tumbas esos arcones, cada uno encierra un secreto muerto... Huyamos de aquí, aún es tiempo, él no advertirá nada. Aún no hemos cometido la mala acción.

CASILDA.—¡Valor, Lisandro!

LISANDRO.—Tu voz es la misma que he oído en mis sueños, cuando imagino que mi cuerpo se va hundiendo en la tierra para no salir más de ella. Mi conciencia...

CASILDA. (*Fría.*)—Cuando nuestros padres comprenden que ya no les tememos, nos enseñan a tener miedo de nuestro remordimiento.

LISANDRO.—Tus palabras me sonaban de otro modo hace un año: Tenían un timbre claro y había en ellas un incierto temblor. ¿Es acaso la esperanza que se ha muerto y que se está pudriendo dentro de tu pecho?

CASILDA. (*Se detiene ante él.*)—Hace tiempo que dejé de dialogar con mi conciencia. No conduce a ninguna parte, mi alma ha llegado a ser como una cueva en que resuena sólo la voz de la necesidad.

LISANDRO. (*Ve la calavera.*)—¡Mira, mira!

CASILDA.—¿Qué es?

LISANDRO.—Es la imagen de la muerte, temo a la muerte.

CASILDA.—La temes y no eres capaz de huir de ella. Sabes que tenemos que obtener hoy la fórmula si no queremos morirnos de hambre.

LISANDRO.—Tengo miedo de matar y de morir, miedo, miedo. Preferiría morir yo si...

CASILDA.—No sabes lo que dices. ¡Morir! Es una palabra sonora y heroica, pero la verdad de la muerte es estar bajo la tierra aplanada sobre nosotros en la que crece la hierba indiferente a nuestro cuerpo que la nutre. ¿Es eso lo que quieres?

(*Lo ve inquisitiva.*)

LISANDRO. (*La rehúye.*)—No sé lo que quiero, no sé nada. Quizá el destino de los hombres de este tiempo es el de no saber nada de cierto. Haré lo que quieres sin comprenderte.

CASILDA.—¡Calla, ya vienen!

LISANDRO. (*Con un grito ahogado.*)—¡Merlín!

CASILDA.—Hay que ser fuertes ahora, Lisandro. No dejar que la conciencia fluya a nuestro corazón.

LISANDRO.—¡Calla! Ven, aquí no podrá vernos.

(*Salen.*)

ESCENA SEGUNDA

MERLÍN. (*Entrando.*)—¡Ocho días!... ¿Cómo pedir-
les fe a ellos, si yo no la tengo en mí mismo? Sesenta años perdidos —y pensar que si no soy yo,
quizá nadie más logrará descubrir la fórmula
de la felicidad—. (*Busca la báscula.*) ¡Ella quisiera robarme! ¡Si supiera que nadie puede robarme nada! (*Midiendo.*) ¡La materia de los sueños es inasible y cada quien viaja con los suyos!
¿Pero es que le puedo reprochar algo a ella? ¿Reprochar algo a nadie? (*Toma un libro con desaliento.*) No he encontrado lo que les prometí:
La fórmula para librarles de la miseria, para eli-
minar del mundo el robo y el crimen. Y, sin embargo, veo que llegará el día. Veo acercarse un
nuevo mundo. Lo veo venir en la huella del tiempo. Pero ¿cómo hacer para descubrirlo? ¿Cómo
hacer para que el plomo se convierta en oro?
(*Música disonante.*) Materia gris y fría del plomo, ¡conviértete en el dorado grano! En esta hora suprema les llamo, ¡fuerzas ocultas y superiores a nosotros! Oigan mi voz, elementos, que
conjuro por última vez. ¡Sométanse a la voluntad del hombre! (*Sube música, mezcla metales y
líquidos, humo.* MERLÍN *observa.*) ¡Nada! ¡Pensar
que ellos creían en mí como en un dios! ¿Un
dios? ¡Ningún dios puede resolver este enigma,
sino los mismos hombres! ¡Me siento tan alejado
de los hombres!

> (*Sube la música. Entran las figuras
> espectrales del pueblo, entre ellas la
> MUJER VELADA.*)

MERLÍN. (*Señalando a la velada.*)—¿Por qué no vuelve la cara?

MUJER JOVEN.—No quiere mirarnos.

MUCHACHO. (*Con cansancio.*)—Tenemos que seguirla, pero el aire que va dejando tras ella es pesado y turbador.

VIEJO.—Y sin embargo nos atrae.

MUJER JOVEN.—La conocemos demasiado bien. Siempre hemos estado con ella... Mi madre lo estuvo y me contó que sus abuelos y bisabuelos lo estuvieron también.

VIEJA.—Estamos muy habituados a ella.

HOMBRE I.—Es nuestra resignación.

TODOS.—Nuestra resignación.

MERLÍN.—¡Es la miseria! La reconozco bien. Trato de combatirla desde que nací. ¡Apártense de ella! ¡De ella no hay nada que esperar!

MUJER JOVEN. — Entonces, ¡danos elementos para combatirla! ¡Es necesario que halles la fórmula! ¡No quiero morir, soy joven! ¡La odio!

VIEJA.—Yo tampoco quiero someterme a ella.

VIEJO.—Yo tampoco. Soy viejo y la vida es para mí como una enfermedad, pero no quiero dejarla.

VIEJA.—Tengo muchos quehaceres todavía. Siempre hay motivos para vivir. ¡Ayúdanos!

VIEJO.—O... ¿Es que no puedes? ¿Es eso? ¡Di!

MUCHACHO. — ¿Por qué no haces reverdecer los campos?

MERLÍN.—Lo haré. Lo haré. Tengo la salvación. Llévense estas monedas mientras tanto.

(*Les tiende las manos.*)

MUJER JOVEN.—¿Qué es lo que nos ofrece?

MERLÍN.—¡Oro! ¡Oro!

TODOS.—¿Oro?

MERLÍN. (*Tomando una vasija de plomo en un arrebato de locura.*)—¡Tengan, tengan eso, coman sobre estos platos de oro!

VELADA. (*Con voz tajante e impersonal.*)—¡Son de plomo! ¡Mírenlos bien! ¡Son de plomo! (*Pausa.*) ¡Deja tus sueños de una vez! ¿O es que has llegado tú mismo a creer tu propia mentira?

MERLÍN. (*Fuera de sí.*)—¡Es oro, es oro!

VIEJO.—¿Con qué derecho hablas? ¡Tú nos has engañado!

MUCHACHO.—A nosotros que siempre te hemos querido. ¿Y es con mentiras que tú quieres salvar al mundo? ¡Farsante!

TODOS. (*En un grito.*)—¡Farsante!

MERLÍN. (*Grita.*)—¡No, no soy un farsante, no se dejen influenciar por ella!

VELADA.—Has querido derrotarme. Es una ilusión que les ha costado a muchos la vida. No lo lograrás. Mi poder es eterno: Cuando el sol está en el vértice del cielo, yo lo hago descender. Hago que los jóvenes encanezcan y se conviertan en viejos. ¡Todo lo que existe viene a finalizar en mí! Yo infundo el cansancio en las venas de los hombres, y quiero que todo sea como siempre fue. Los hombres tienen la ilusión de que van hacia algo, y ese único algo "soy yo".

MERLÍN. (*Levantándose.*)—¡Entonces somos enemigos eternos!

> (*Toma un puñal. Trata de apuñalar a la* MUJER VELADA; *ella hace una seña. Los hombres toman piedras invisibles y hacen gesto de apedrearlo.*)

VELADA.—¿Lo ves? ¡Te odian, te odian, te odian!

MERLÍN. (*Gritando.*)—¿Es que no sirve de nada haber sacrificado toda la vida para hallar esta verdad?

Joven.—No, si en vez de sueños no eres capaz de darnos la fórmula no sirve de nada.

Merlín.—¡Es una locura! Yo los salvaré. (*Busca en el jubón y saca un pliego que agita contra el viento.*) ¡Incrédulos! (*Salen sin hacer caso.*) ¡Aquí está la fórmula! ¡Véanla bien! ¡La fórmula de la felicidad! ¡Para esta lucha, necesitamos estar todos! No me dejen solo. ¡No me dejen con mi propia mentira! ¡Es lo único que me queda! (*Se derrumba.*) Sesenta años vacíos. Sesenta años sacrificados en bien de la humanidad... y no me dejan más que mi propia mentira.

> (*Arrasa con la mano todo lo que ha quedado sobre la mesa y quiere quemar la fórmula.*)

ESCENA TERCERA

LISANDRO. (*Apareciendo.*)—Espera.

(MERLÍN *se vuelve al distinguir a* LI-
SANDRO.)

MERLÍN.—¿Lisandro?

LISANDRO.—Sí, no temas nada.

MERLÍN.—El temor es un sentimiento de amor a la
vida, y yo no temo ya nada.

LISANDRO.—Pero ¿y la fórmula? ¿Por qué ibas a des-
truirla? ¿No crees ya en ese mundo mejor con
que soñabas?

MERLÍN.—No. (*Pausa.*)—Tú crees todavía en algo.
¡Tú sí!

LISANDRO.—¿Lo sabes?

MERLÍN.—Crees en tu propio provecho. Tú has entrado aquí a robarme, pero por lo visto no hallas
lo que buscas.

LISANDRO.—He visto que guardabas la fórmula junto al corazón. Ahora ya no hay dudas. (*Lo toma
del brazo.*) ¡Dámela!

MERLÍN.—Entonces..., ¿estás decidido a obtenerla?

LISANDRO.—Sí, y es mejor que me la entregues sin
hablar más. No sé si estás loco, si tu sueño de
este mundo mejor pueda cumplirse una vez. Lo
único que sé es que tienes la fórmula y que vas a
dármela.

MERLÍN.—¿Te crees con valor suficiente?

LISANDRO.—No me falta valor para llegar hasta lo último.

MERLÍN.—¿Serías capaz de matarme?

LISANDRO.—Soy capaz de todo lo que antes me creía incapaz.

MERLÍN.—Esperas librarte de la miseria con esta fórmula y no sabes que esperas demasiado de mi magia.

LISANDRO.—Tú mismo dijiste que harías cada día el oro necesario para dar a todos la felicidad. Confié en eso, pero han pasado ocho días y ahora he visto que tienes un plan siniestro...

MERLÍN.—No ganarías nada con matarme.

LISANDRO. (*Suplicante.*)—Sería todo tan fácil si me dieras a conocer ese secreto. Me iría lejos de aquí para no perturbar ese mundo con que sueñas, para poder vivir en paz. ¿Vas a dármela?

MERLÍN.—Aunque quisiera hacerlo, no podría.

LISANDRO.—¿Qué dices?

MERLÍN.—Ha llegado el momento de decirte la verdad. Te la diré porque no quiero hacer de ti un asesino; perseguí durante muchos años el secreto de la Piedra Filosofal. Cada noche, todas las noches de mi vida, me oculté en este gabinete con los ojos abiertos esperando el milagro, queriendo convertir la fría sustancia de los metales, en la sustancia tierna de la felicidad humana, pero si en mi delirio alguna vez vi un resplandor, era tan sólo el de los primeros rayos del sol que me sorprendían en mi trabajo inútil. Soñé que el hombre podría vivir sin el crimen, pero no, todo ha sido un sueño.

LISANDRO. (*Con miedo.*)—... Entonces, quieres decir que...

MERLÍN.—Es lo que piensas, hasta ahora no pude lograr nada.

LISANDRO.—¡Es increíble! ¡Tú mismo prometiste!

MERLÍN.—He mentido.

LISANDRO.—Es como si el cielo se hundiese bajo mis pies.

MERLÍN. (*Con ironía.*)—No hay momento de mayor sufrimiento que aquel en que perdemos definitivamente la esperanza.

(*Pausa.*)

LISANDRO. (*Abatido.*)—No es verdad, Merlín. Comprendo que quieras castigarme por haber querido robarte, pero no debes jugar con mi impaciencia. (*Vacilante.*) ¿Qué sería de nosotros si realmente no hubiera Piedra Filosofal?

MERLÍN.—No sé, quise mantener esa ilusión. Pero ellos vendrán hoy a saber mi respuesta. No hay salida.

(*Se acerca a* LISANDRO *en un último acceso de ternura.*)

LISANDRO. (*Se aparta.*)—¿Qué es lo que has hecho? ¡Has jugado con las voluntades de los hombres!

MERLÍN.—Para salvarlos.

LISANDRO.—Los engañaste para que creyeran en ti, por vanidad.

MERLÍN.—No es cierto.

LISANDRO.—No me convencerás de que has hecho esta farsa por caridad, por amor a tus semejantes. Pero ahora debes cuidarte. Les has prometido algo que sólo se puede pagar con la vida. Te matarán, te quemarán vivo, te crucificarán. ¡Eres un hechicero!

MERLÍN.—Me llamas hechicero porque el material con que he trabajado son los ideales de los hombres. Yo sólo quise hacerles creer que ese mundo mejor puede existir y si llegaran a creerlo, ese mundo existiría, el hechizo se volvería una verdad.

LISANDRO.—¡Te odio, te odio por traer ideales a este mundo de sombras y de miserias!

(*Aparece* CASILDA.)

ESCENA CUARTA

CASILDA. (*Muy decidida.*)—¡Qué inocente eres, Lisandro! ¿Crees todavía esa historia de sacrificios y de lágrimas? ¿Aún guardas dentro de tu pecho esos ridículos estertores de generosidad? ¿No comprendes que él trata de engañarte una vez más?

MERLÍN.—Lo que dije es la verdad.

CASILDA.—¡La verdad! ¿Sabes algo de ella? Tú, que vives en un sueño. ¡Ese estúpido sueño que hizo imposible todo lo demás: dejaste de pensar en mí, tu mujer!

MERLÍN.—¡No podía vivir sólo para ti! Tenía que pensar en los demás también.

CASILDA.—¡Pero la vida no detiene su curso! Y yo siento el peso de mi cuerpo, de todas mis insatisfacciones, de mi triste ambición desamparada. Ahora vas a saber toda la verdad... ¡Soy la amante de tu hermano!

MERLÍN. (*Vacilante.*)—No te creo.

CASILDA. (*Se acerca a* LISANDRO, *lujuriosa.*)—Puedes creerlo. Soy su amante. Tú escogiste tu sueño. Yo, mi satisfacción. Tú puedes consolarte pensando que fuiste generoso con todos, menos con tu propia mujer.

(*Pausa.*)

MERLÍN. (*Abatido.*)—Lo único cierto es que por debajo de todos mis sueños está la eterna miseria humana.

CASILDA. (*Con burla.*)—¿Vas a remediar todo esto en ese nuevo mundo? ¿Será posible que una mu-

jer olvidada pueda dejar de sentirse sola y
que...?

MERLÍN.—¡Cállate! Si no es posible suprimir el mal
sobre la tierra, podemos aspirar a que la miseria no sea un pretexto para encubrir la maldad,
ni para que los hombres traicionen a sus hermanos.

LISANDRO. (*Contrito.*)—¡Merlín! ¿Podrás perdonarme por todo?

CASILDA. (*Se interpone entre los dos.*)—No pidas
perdón. ¿Has olvidado que hace un momento
iba a destruir la fórmula, que la guarda ahora
mismo junto a su pecho? Este es el momento,
Lisandro. ¿Vas a arrebatársela por fin? ¿Es posible que hayas olvidado todo lo que nos cuesta
esta espera?

> (LISANDRO *se acerca lentamente a*
> MERLÍN.)

MERLÍN.—¡No te acerques!

CASILDA.—¡Ahora, Lisandro! Recuerda que para todo hay un premio o un castigo: Si vacilas tu
premio será la tranquilidad, pero también la
soledad. No me tendrás más.

LISANDRO. (*Avanza.*)—Ahora me darás esa fórmula.

MERLÍN. (*Retrocede.*)—No la tengo...

CASILDA.—En cambio, si le matas, lo tendrás todo.

LISANDRO.—No puedes escapar, tienes que dármela.

CASILDA.—¡Mátalo de una vez!

MERLÍN.—¡No tengo nada, no me mates! ¡Matarás
la esperanza!

CASILDA. (*Grita.*)—Acaba de una vez. ¡Mátalo! ¡Mátalo!

> (LISANDRO *se lanza sobre* MERLÍN *y lo
> sujeta por el cuello.* MERLÍN *cae sen-
> tado en el sillón.*)

MERLÍN.—¡No, no!... No. (LISANDRO *oprime el cuello de* MERLÍN. *Grita asfixiándose.*) No... No...
LISANDRO.—¡Calla! (MERLÍN *se extiende exangüe.*
CASILDA *extrae del jubón un pliego negro con ca-
racteres rojos. Casi al borde de las lágrimas.*)
¡Es ésa la imagen de lo que tanto tememos, Casilda! ¿Y si él hubiese logrado algún día ese mundo mejor?
CASILDA. (*Como enajenada.*)—No pienses más en
eso ahora. La fórmula es sólo nuestra. ¡Sólo
nuestra!

(*Golpes en la puerta.*)

VOZ DE BEATRIZ. (*De fuera.*)—¡Padre! (*Entra.*) ¡Es
necesario que les digas hoy mismo la verdad!
¡Padre! (*Se acerca a él.*) ¡Padre! (*Lo mueve.*)
¡Muerto! Madre, ¿fuiste tú?

(BEATRIZ *queda en suspenso.* CASIL-
DA, *desafiante.* LISANDRO, *abatido. Mientras, cae el*

T E L Ó N

FIN DEL ACTO SEGUNDO

ACTO TERCERO

ESCENA PRIMERA

(*Decorado*: *El mismo gabinete del segundo acto. Tres días después. Música. Trompetas y clarines. Aparece nuevamente el* HERALDO *y dice.*)

HERALDO.—Las investigaciones hechas por los servidores del Duque, Nuestro Señor, acerca de la muerte del mago y agitador Merlín, vienen a desmentir los rumores de que el mencionado hechicero haya sido asesinado. Murió, por causas naturales o posiblemente envenenado por alguna de las sustancias que él mismo manejaba en su turbia profesión. El Duque, Nuestro Señor, decreta que el cuerpo del hechicero que tanto daño hizo a la ingenua población de esta ciudad sea quemado y sus restos abandonados en el campo.

(*Sale el* HERALDO. *Entran* CASILDA *y* LISANDRO.)

CASILDA. (*Al ver la mirada fija de* LISANDRO *reacciona.*)—¿Por qué me ves así? Hay algo en tu mirada que me turba, como nada me turbó.

LISANDRO.—Han pasado tres días como tres infiernos.

CASILDA.—¡Llevas tres días odiándome! ¡Me odias,

o te odias a ti mismo por no odiarme bastante!

LISANDRO. (*Irónico.*)—Revuelves líquidos, mezclas metales, pero es inútil. No lograrás hacer el único metal que te importa. ¿Y sabes por qué? Porque ese metal es lo imposible.

CASILDA. (*Examinando el pliego.*)—Hay algo que no comprendo bien en estos signos.

LISANDRO. (*Con sonrisa patética.*)—El tiempo se hace corto, la muerte ronda cerca.

CASILDA.—¿Por qué te complaces en torturarme? Tú tampoco puedes apartar los ojos de este pliego y te sonríes al verlo. Anoche te sorprendí cuando ibas a robármelo. ¿Qué es lo que te propones? ¿Sabes algo que yo no sé?

LISANDRO.—No quieres aceptar que lo que hicimos ha sido inútil. Debemos destruir ese pliego y resignarnos.

CASILDA.—Sé que es difícil tener paciencia. El tiempo ha pasado y hasta ahora no logramos nada. Pero recuerda que estas fórmulas tienen a veces múltiples significados y que...

LISANDRO. (*Con dolorosa frialdad.*)—No vas a cansarte nunca. ¿Por qué no aceptas la verdad? El se llevó su secreto para siempre.

CASILDA.—¿Oíste lo que dijo el pregonero? Quemarán sus despojos y los hombres del pueblo lanzarán sus cenizas a los campos. Y siguen creyendo en él.

LISANDRO.—Sólo nosotros no podremos ya creer en nada...

CASILDA.—¿Por qué dices eso? Es terrible. Anoche, cuando desperté con tu mirada fija sobre mí, tuve un horrible presentimiento. (*Señala el pliego.*) ¿Dime, es éste el mismo pliego que arrebaté a Merlín? ¿No lo has cambiado?

LISANDRO. (*Burlón.*)—Ya comienzas a dudar de mí. Pronto dudarás hasta de ti misma y llegará un día en que dudarás de todo.

CASILDA. (*La duda la vuelve a asaltar.*)—No comprendo por qué resultan indescifrables estos signos. Los conozco bien. (*Con desaliento.*) Tenemos la fórmula, pero no la tenemos.

LISANDRO. (*Con tristeza profunda.*)—Como todo en la vida: Conocemos los signos, pero no comprendemos el significado.

CASILDA. (*Acercándose.*)—Y sin embargo hay algo que tú sabes y que te hace permanecer indiferente. Dime, ¿sabes algo?

LISANDRO. (*Con extraña tranquilidad.*)—No, no sé nada. Son mis remordimientos que se han muerto. ¿Acaso no querías que los acallara dentro de mí? Pues bien, lo has logrado, pero el peso de lo que hubiese querido hacer y no hice en la vida me hace aceptar la derrota y hasta la muerte con indiferencia.

CASILDA.—Y sin embargo... sonríes. No sabías sonreír antes. Ayer, comenzaste a sonreír. Me tortura la idea de que sepas algo y no quieras decírmelo. (*Al ver que* LISANDRO *no responde.*) ¿No comprendes que era necesario hacer lo que hicimos, que no había otra salida? Es horrible haber venido al mundo y tener la impresión de que no tenemos derecho a estar con él.

LISANDRO.—¿Ahora quieres que te compadezca?

CASILDA.—No podemos ser juzgados por el mismo juicio con que se juzga a los que no tienen hambre. Porque para nosotros no hay más que un futuro que tiene como única promesa la muerte. (*Pausa.*) Dime, Lisandro, ¿es este el mismo pliego que arrebaté a Merlín? ¿No lo has cambiado tú para redimir tus remordimientos?

LISANDRO.—No tienes por qué dudar de mí, sólo porque no acepto tu sucia esperanza, que es como una trampa que la vida nos va urdiendo para escondernos la muerte. ¡No hay esperanza, para nosotros llegó el fin!

CASILDA.—¿Tú lo deseas?

LISANDRO.—¡El miedo a dejar de ser no es peor que el miedo de existir! ¡Afortunado de Merlín que sintió ese asco nada más unos minutos!

(*Pausa.*)

CASILDA. (*Se abraza a él violentamente.*)—Yo tengo miedo de morir, Lisandro. Ahora sé por qué defendemos la vida con la violencia y hasta con el crimen. No tengas ahora esa indiferencia. Sé que la única defensa que los hambrientos podemos manejar a nuestro antojo es la indiferencia. Tenemos que obtener ese metal. No me culpes de nada, la culpa es de algo, de alguien que está por encima de los hombres, algo más malo y más frío que nuestro crimen, más indiferente que esa falsa indiferencia tuya, algo sin nombre, dios o demonio, que sitúa a todos los hombres frente a una misma muerte y no ha podido dotarlos con una misma vida. ¡Ayúdame, ven, tratemos de descifrar de nuevo estos signos!

(*Lo acaricia.*)

LISANDRO. (*Se aleja.*)—Quiero olvidar. Lejos de ti podría hacerlo. Déjame ir.

CASILDA. (*Con mueca dolorosa.*)—¿Irte?

LISANDRO.—Debo irme, veo su sombra pisando mis huellas, persiguiéndome como si quisiera alcanzarme y meterse en mi cuerpo. A todas horas, ¡él, él!

CASILDA.—¿Qué te dio él?

LISANDRO.—El me enseñó que la generosidad es algo con que nacemos todos los hombres y que un mundo absurdo nos la va matando con el correr del tiempo.

CASILDA. (*Excitadísima.*)—¿Y lo que yo he hecho? ¿Acaso no fue también generosidad? ¿No traté de darte una nueva vida? ¿No hice todo por eso? Un amor como el mío no florece con frecuencia, es atributo de los fuertes.

LISANDRO.—Necesito apartarme del crimen. Si tengo fuerzas, para eso, ya será bastante. Antes de morir lograré ser un hombre libre.

CASILDA.—¡Libre! No pronunciabas esa palabra cuando aceptaste mis planes. Entonces pensabas que la libertad o la muerte serían para los dos juntos.

LISANDRO.—Ahora todo ha cambiado. Tu codicia fría, inalterable, me ha hecho despertar, debo alejarme.

CASILDA. (*Aferrándose a él excitadísima.*)—¡No puedes dejarme sola! No dejaré que me traiciones. No vas a irte con el secreto de la fórmula. No me arrebatarás lo que es tan mío como tuyo. No te irás para olvidar tu crimen más fácilmente, lejos de mí, con otras mujeres. No te irás para pensar algún día que todo esto ha sido un mal sueño. No vas a... (*No puede seguir hablando.* LISANDRO *no contesta. Pausa. Con ternura dolorosa.*) Me aborreces porque desconfío de ti.

LISANDRO.—La desconfianza se ha interpuesto entre nosotros como entre todos los que matan por codicia.

CASILDA. (*Siguiendo su idea fija.*)—¡Dime! ¿Conoces algo en secreto que no me quieres decir?

23

LISANDRO.—No es posible que digas eso sin tener
asco de ti misma.

CASILDA. (*Como loca. Sin fuerzas.*)—Estoy habituada
a ese asco de mí misma: ¡quédate, Lisandro! Si
es verdad que no conoces de esa fórmula más
que yo, ¡quédate! Estoy cansada, para mí todo
es una sola cosa. (*Sigue.*) ¡Mi amor, mi desconfianza, tu remordimiento, mi esperanza...!, ¡quédate, quédate!

(*Se desvanece.*)

LISANDRO. (*La sacude.*)—¡Casilda! ¡Si pudieras pasar de este sueño a la muerte!

(*La toma en brazos y sale de la escena con ella. Cuando* LISANDRO *vuelve
solo entra* BEATRIZ *vestida de luto.*)

ESCENA SEGUNDA

BEATRIZ.—Juré que no volvería a esta casa...

LISANDRO.—¿Qué quieres? ¿A qué vienes entonces?

BEATRIZ. (*Lo ve con desprecio.*)—¡Es inútil disimular más... Sé quiénes mataron a mi padre!

LISANDRO.—No comprendo lo que intentas decir con eso.

BEATRIZ.—Sé que tú y mi madre le mataron.

LISANDRO.—¿Estás loca, Beatriz?

BEATRIZ.—Sé que lo traicionaron. Sé también que no vacilaron en sacrificarle para obtener su secreto.

LISANDRO.—No comprendes que...

BEATRIZ.—Hay algo que el entendimiento humano rechaza: obrar como tú has obrado. Matar para vivir. Mi padre era la razón de mi vida, y tú... (*El la ve con recelo. Con desprecio.*) Descuida, no voy a hacerte nada... Si hemos de seguir matando, la vida no tiene ningún sentido. Sin embargo, es preciso que la traición tenga su castigo y que el crimen no halle un lugar en esta tierra. Para esto vivió mi padre y yo hablo en su recuerdo. (LISANDRO *la mira incapaz de hablar.*) He venido a traerte una noticia. Se trata de algo que puede interesarte a ti y a ella.

LISANDRO.—¿Se refiere a la Piedra Filosofal?

BEATRIZ.—Sí.

LISANDRO.—¿Conoces tú la fórmula también?

BEATRIZ.—Conozco la verdad de esa fórmula.

LISANDRO.—Tienes que decírmela. Llevamos en este gabinete varios días tratando de descifrarla. Ahora sospecha tu madre que yo tengo el secreto y que no quiero dárselo. Está agotada, enloquecida.

BEATRIZ. (*Con intención.*)—¿Eso cree, eso sospecha?

LISANDRO.—Sí, es horrible, yo no sería capaz de traicionarla.

BEATRIZ.—Ya lo veo: aún guardas en tu corazón un pequeño lugar a la ternura para tu cómplice.

LISANDRO.—¡Beatriz!

BEATRIZ.—Pero si he venido aquí no es para ayudaros ni a ti, ni a ella, he venido para decirte que mi padre no tenía el secreto de la Piedra Filosofal.

LISANDRO. (*En un grito.*)—¡No es verdad lo que dices!

BEATRIZ.—Es la verdad, sólo yo lo sabía.

LISANDRO.—Dime que no es verdad.

BEATRIZ.—Aunque tu cobarde angustia no quiera admitirlo, es la verdad. Y todos: yo, tú, ella, estaríamos condenados a morir si no fuera porque...

LISANDRO. (*Interrumpiendo.*)—Siempre presentí que tras ese sueño había un enorme vacío; pero fue tu madre la que me empujó al crimen. Me sentí vivo matando, ya que no podía sentirme vivo tan sólo con mi propia vida.

BEATRIZ.—Puedes e s t a r satisfecho, seguirás viviendo.

LISANDRO.—¡Ya todo está perdido!

BEATRIZ.—Te he dicho que seguirás viviendo, pero sin esperanza. Al matar a mi padre, mataste para siempre la esperanza.

LISANDRO.—¿Pero por qué dices que seguiré viviendo?

(*Se escucha el canto de los sembradores y se ve una luz tenue sobre los campos.*)

BEATRIZ.—Esos cantos te contestan. Anuncian el regocijo del pueblo.

LISANDRO.—¿Por qué?

BEATRIZ.—Porque los campos han comenzado a reverdecer. Dentro de poco tiempo tendremos alimentos, los alimentos necesarios para no morir. Después de las cosechas podremos comprar la libertad, pero viviremos más miserables que nunca.

LISANDRO. (*Abatido.*)—¡Otra vez la vida, otra vez la miseria! Seré más desgraciado que antes.

BEATRIZ.—¡Sí, otra vez la vida, otra vez la miseria! Esa es la noticia que quería darte. Vivirás, sin esperar ya nada, sólo con tu conciencia, sabiendo que tu crimen fue inútil.

LISANDRO. (*Recobrándose.*)—Si esta es tu venganza, debes saber que prefiero aún así seguir viviendo.

BEATRIZ.—¡Cobarde!

LISANDRO.—Si cobardía llamas al amor a la vida, puedes llamarme cobarde.

BEATRIZ. (*Desesperada.*)—Pero no es justo.

LISANDRO.—¿Qué?

BEATRIZ.—Que tú sigas rumiando el sucio sabor de tu existencia. Los seres como tú, no tienen derecho más que a la desgracia.

LISANDRO.—Quizá. ¡Pero estoy vivo! (*Palpa su cuerpo con amoroso cuidado.*) ¡Eso es lo único que importa! ¡Estar vivo el mayor tiempo posible!

BEATRIZ.—Pero ¿no comprendes que el hombre vivo, como tú lo concibes, es sólo un comienzo? ¿Un comienzo para llegar a ser un hombre de verdad? Son los ideales los que nos unen a la eternidad. Vivir como tú quieres, sintiendo que tu cuerpo palpita y se estremece como el de un sapo, no es vivir realmente; pero si eso aún te

hace feliz te juro que sabré quitarte esa mezqui-
na felicidad a la que ya no tienes derecho.

(*En ese momento entra de nuevo* CA-
SILDA, *con aire ausente y la mirada ex-
traviada. No repara en* BEATRIZ *y se
precipita sobre* LISANDRO.)

ESCENA TERCERA

CASILDA.—Me quedé dormida. (*Con alarma.*) Espero que durante este tiempo...

LISANDRO. (*La detiene.*)—Todo ha cambiado ya.

CASILDA. (*Delirante.*)—¿Por fin lo lograste? ¡Quiero ver el oro! ¡Muéstramelo! ¡Quiero verlo!

LISANDRO.—No, no es eso.

CASILDA. (*Con aire demente.*)—Sí, tú has logrado hacerlo y quieres escondérmelo.

LISANDRO. (*Señala a* BEATRIZ.)—Beatriz ha traído esta noticia. Los campos volvieron a germinar, pero la Piedra Filosofal no existe.

CASILDA. (*Repara en* BEATRIZ *con extrañeza.*)—¿Tú dices eso?

BEATRIZ. (*Irónicamente fría.*)—La Piedra Filosofal existe, decía mi padre, es tan sólo cuestión de descubrirla.

CASILDA. (*Volviéndose a* LISANDRO.)—¿Por qué mientes entonces?

LISANDRO.—Beatriz, dile lo que me dijiste, que tú sabes que tu padre nunca tuvo ese secreto.

BEATRIZ. (*A* LISANDRO.)—¿Tienes miedo ahora? (*A* CASILDA.) ¿Y tú crees que Lisandro sería capaz de robarte? ¿Te haría muy desgraciada eso?

CASILDA. (*Cohibida.*)—Hay odio en tu voz...

BEATRIZ.—Lo sé todo. Tengo asco de mí misma por ser tu hija.

(*Esconde la cabeza entre las manos.*)

CASILDA. (*Resuelta va a* BEATRIZ.)—¡No hay lugar

para las lágrimas, no hay lugar para los reproches! Mañana, todo será un negro silencio. ¡Dime! ¿Es cierto que tu padre no conoció nunca esa fórmula o es que él quiere engañarme?

BEATRIZ.—¿Qué harías tú si él te engañara?

LISANDRO. (*Suplicante.*)—¡Beatriz!

BEATRIZ.—¿Qué harías si supieras que él por egoísmo y no por generosidad como mi padre, te callara la verdad?

CASILDA. (*Con voz sorda.*)—Sería capaz de matarlo.

LISANDRO. (*Grita.*)—¡Beatriz! ¡Dile lo que me dijiste! ¿Qué pretendes con tus insinuaciones?

BEATRIZ.—¿Ahora ya no estás tan seguro que yo no pueda hacerte daño?

LISANDRO.—¡Estás loca, debes decirle la verdad!

CASILDA. (*Toma a* BEATRIZ *fuertemente de los brazos.*)—Dime, ¿qué es lo que sabes?

BEATRIZ.—¡Déjame!

CASILDA. (*La sigue desesperada.*)—¡Dímelo! (*La sacude con fuerza.*) ¡Dímelo!

BEATRIZ. (*Con esfuerzo.*)—Pues bien, la Piedra Filosofal existe, su fórmula está escrita en ese pliego que robaste a mi padre al morir. Estoy segura de que Lisandro ha descifrado ya esos signos.

> (*Casi desfalleciente se vuelve de espaldas con gran esfuerzo para tenerse en pie.*)

CASILDA.—De modo que era lo que yo sospechaba: tú lo sabes todo desde hace días y dejas que yo muera.

LISANDRO.—¡No, no, es una locura!

CASILDA. (*Avanza hacia él.*)—Tú querías que yo muriera. Me habrías visto morir y entonces habrías sido libre.

LISANDRO.—¡Beatriz, por favor, dile lo que me has dicho!

CASILDA.—No confíes en que ella pueda ayudarte
ya; este es un asunto entre tú y yo.

LISANDRO. (*Detiene a* CASILDA.)—¡Tienes que escu-
charme! Tú, que me impulsaste al crimen... Por
favor, Beatriz, por Dios, por ese Dios que pone
dentro de nosotros el bien y el mal confundidos.
¡Dile la verdad!

BEATRIZ. (*Con voz impersonal.*)—Has cometido una
falta y debes pagar por ella.

LISANDRO. (*Exaltado.*)—Yo sabré rectificar; consa-
graré mi vida a descubrir ese secreto para darlo
a todos los hombres. Hazlo por tu padre. Si él
me oyera te diría que debes perdonarme. ¡Dile
que los campos han vuelto a germinar!

> (*Se arrodilla ante* BEATRIZ. *Pausa.*
> BEATRIZ, *implacable, dando la espalda.*)

CASILDA. (*Tras de él con el puñal.*)—¡No me engañes más!

LISANDRO. (*Se vuelve y la ve horrorizado.*)—¡Casilda!

CASILDA.—He de morir mañana, lo sé, pero no quiero que tú te beneficies con mi muerte. Nadie tiene derecho a beneficiarse con la muerte de otros.

BEATRIZ.—Eso debiste haber pensado cuando mataste a mi padre. (*Se vuelve.*) El que destruye todo para vivir, se destruye a sí mismo.

CASILDA.—Matarte, es matar todo mi deseo de seguir viviendo.

> (*Lo hiere.* BEATRIZ *se cubre horrori-
> zada la cara.*)

LISANDRO.—Te juro que me matas inútilmente.

> (*Expirando.* CASILDA *extrae enloqueci-
> da el papel con la fórmula y lo guarda
> en su pecho como enajenada. Por fuera*

*de los arcos se oye una flauta acompa-
ñada por una guitarra. Se acercan ale-
gres los hombres tocando la flauta y la
MUJER JOVEN tocando el laúd. Risas ale-
gres. Vienen también el JOVEN y el HOM-
BRE VIEJO.)*

ESCENA CUARTA

MUJER JOVEN.—¡Beatriz! ¡Mira este nuevo brote de los campos!

VIEJO.—¡Fueron las cenizas, Beatriz! ¡Las cenizas de tu padre!

(*Se dirige al interior.*)

MUCHACHO.—¡Ten, Beatriz! ¡Son los primeros brotes de los campos! ¡Huelen bien!

HOMBRE JOVEN.—Podremos volver a trabajar en los campos. Y nuestro trabajo los hará crecer.

VIEJA.—Las cenizas de Merlín no se fueron con el viento. Se posaron sobre las tierras y les dieron nueva vida.

MUJER JOVEN. (*Con júbilo.*)—¡Reverdecen los campos!

HOMBRE JOVEN.—¡Reverdecen los campos, Beatriz!

MUJER JOVEN.—¡Reverdecen los campos!

(BEATRIZ *toma el pequeño ramo y se acerca al cadáver de* LISANDRO.)

BEATRIZ.—¡Quisiste matar la esperanza, pero fue en vano!

CASILDA. (*Loca.*)—¡Sólo mío, mío!

(*Oprime el papel contra su pecho.*)

BEATRIZ.—Hasta ahora, los hombres como mi padre, siempre fueron sacrificados. ¿Cambiará esto alguna vez? (*Huele el ramo.*) Sí, creo que llegare-

mos paso a paso a alcanzar ese mundo mejor,
que mi padre soñó.

CASILDA. (*Loca.*)—¡Todo el oro del mundo me pertenece! ¡Todo!

> (BEATRIZ, *emocionada, sostiene el pe-
> queño ramo entre las manos.*)

BEATRIZ.—¿Pero cómo hacer para purificar la vida,
para no seguir siendo lo que somos? ¡Pobres seres enloquecidos persiguiéndonos y matándonos
siempre por equivocación! (*Ve hacia lo alto. El
canto jubiloso de los sembradores vuelve de
nuevo.*) ¡Padre, tu sueño de ayer, será la verdad
de mañana! ¡El tiempo es el único dios! Vamos
girando en su órbita como jinetes de este astro
ciego, que va buscando la luz. No es una fórmula
mágica la que necesitamos, sino una fuerza secre-
ta que germine dentro del corazón de los hombres, como los campos hoy han vuelto a germinar.

> (*Por la ventana entra una luz radian-
> te, a lo lejos se ven los campos rever-
> decidos. El canto llena toda la escena.*
> BEATRIZ *lo escucha arrobada, mientras
> cae el*

T E L Ó N

FIN

PANAMA

La actividad teatral que pudiéramos llamar contemporánea en Panamá, se inicia un poco antes de 1950. Las representaciones dramáticas solían aumentar en número bajo la dirección de dos mujeres: Haydee Dubarry y Anita Villalaz, que, desde el Conservatorio Nacional, brindaban un futuro prometedor al teatro. También por la época es digna de mención la extraordinaria participación de Rogelio Sinán al teatro infantil. Con el exitoso estreno ya en 1937 en el Teatro Nacional de *La cucarachita mandinga*, y sus fábulas escénicas de gran fantasía poética como *Chiquilanga* o *La gloria de ser hormiga*, ha contribuido decididamente al género. Dentro de la misma corriente de teatro infantil, se destaca la autora Eda Nela, que en 1950 estrena su versión de *La fuga de Blanca Nieves*.

Otros escritores panameños como Mario Augusto, Mario de Obaldía y Mario Riera Pinilla han brindado a la escena nacional importantes aportaciones: *Pasión campesina*, *En campaña* y *La muerte va por dentro*, respectivamente. Sobre todos ellos se destaca la participación de Juan O. Díaz Lewis y de Renato Ozores. Díaz Lewis estrena en 1949 su *Cerro de cositas*, representada por el Teatro Universitario y por el grupo de Cibrián-Campoy luego en el Teatro Nacional de Panamá. Hacia 1953 se funda el Teatro de Arte, bajo la dirección de Daniel Guigui, y en 1959 el Ministerio de Educación publica la obra de Ozores *La fuga*, que ya había sido galardonada con el premio Ricardo Miró, y va a ser representada en 1960 en el Teatro Nacional de Panamá con la actuación de las actrices Anita Villalaz y Gladys Cedeño. Renato Ozores es, además, autor de otras piezas teatrales entre las que sobresalen *Un ángel* y *Una mujer desconocida*.

José de Jesús Martínez se lanza al escenario nacional con dos piezas: *La mentira* y *La venganza*. Sin embargo, no es hasta *Juicio Final* donde se revela el gran dramaturgo. *Juicio Final* fue estrenada el 10 de julio de 1962 en el Teatro de la Universidad de México, bajo la dirección de Alejandro César Rendón. Ya, en un principio, sus obras indican una preocupación —como hace ver Carlos Solórzano— hacia "los problemas sociales y psicológicos en relación con el mundo contemporáneo y sus deficiencias", muy en la línea creativa de un Ozores y un Díaz Lewis. "Su *Juicio Final* —comenta Frank N. Duster— es una verdadera muestra de lo que se puede hacer trabajando casi en el vacío; emparentado con el teatro de Beckett pero de factura original, es una obra excelente de depurada expresión moderna".

La obra se centra en el juicio "post mortem" de un individuo cualquiera que al morir se enfrenta a un tribunal compuesto por un juez, un conserje y un funcionario. La obrita, de acto único, mantiene un diálogo bien llevado a través de una trama de factura sencilla, sin cambios ni módulos de ninguna clase. El autor juega con una serie de conceptos propios y de filosofías personalísimas: la muerte, el juicio y la correspondiente condena para el acusado es la "nada", la absoluta soledad; el premio o el castigo proverbial están eludidos, ya que el acusado simplemente no existe. El diálogo se ha logrado manejar con maestría y con extrema sencillez. El problema a definir en la trama es el hombre mismo, que aparece difuminado primero en "apariencias" de hombre común y corriente: individuo preocupado de su fortuna, del bienestar de su familia, de su hogar, de su ineludible amante y, luego, inexistente, ya que —como pone de relieve el juez de la obra— lo que se trata de juzgar en este juicio no es al hombre que ha quedado en el mundo de esa pasada realidad, ni siquiera las "obras" buenas o malas de ese muerto circunstancial; lo importante es encontrar al "hombre" verdadero, relevante —el alma— que queda después de la desaparición de carnes y huesos. Al no hallarse nada de ese hombre, es imposible proceder a la repartición de premios y castigos, y sólo resta dejar al juzgado enteramente solo, aislado, sumergido en la nada aquella que siempre ha sido y que, a todas luces, sigue siendo.

De *Caifás* se hizo una lectura dramatizada dirigida por Rogelio Sinán en la Universidad de Panamá, el 20 de junio de 1961. La pieza, muy dentro de las preocupaciones religiosas que atraen la atención del autor, recoge el conflicto último del Sumo Sacerdote judío Caifás y se lleva a cabo en Jerusalem, durante los días finales de la vida de Jesucristo.

El primer acto de *Caifás* nos muestra el conflicto a seguir. Tres hombres charlan sobre los males que azotan a Israel (la plaga, la peste, etc.), y dos de ellos llegan a la conclusión de que no son dignos del desfavor de Jehová, de que no merecen ese castigo de Dios. Caifás escucha la conversación y trata de convencer, sin éxito, a los descreídos. Es, en estos diálogos y en los que siguen, donde se muestra la maestría del autor. Aquello que en otras

24

manos menos hábiles pudiera haber resultado el
pobre teatro de largas exposiciones filosóficas
elocubraciones seudo-teológicas, cobra en el dram
de Martínez una vitalidad y una frescura sorpres
va. Aquí y allá se deja ver el conflicto existencia
que le acerca al autor, en intención, a aquel otr
de don Miguel de Unamuno, en el que se debate e
hombre entre la razón y la fe. La nota unamunian
está presente en la confesión de Saúl, el jove:
sacerdote, en aquella fe ciega a la que alude al re
ponder a Caifás: "No, no me explico nada. Cre
con los ojos cerrados. Tú mismo me has dicho qu
es así como se va a Dios sin tropezar." Es a es
mismo Saúl a quien trata de manifestar Caifás s
terrible duda. El Sumo Sacerdote se ha convert
do a la duda de Marta, se "martiriza", al mism
tiempo que siente que debe hacer algo por es
pueblo tan falto de fe como él mismo. Su misió:
de pastor de las ovejas descarriadas de Israel deb
ser llevada a cabo y, por sobre su duda, debe pr
valecer el reclamo de la felicidad: el amor a Dio
y la confianza en la justicia divina. La providencia
aparición de Judas en el templo viene a dar cc
mienzos al terrible plan de Caifás: el invento d
Cristo como el Mesías esperado.

Jesucristo le brinda la oportunidad de llevar
cabo una formidable comedia, en la que participa
rá no sólo el héroe de la pieza —Cristo—, sino tod
el pueblo judío. Caifás sabe que la unidad espir
tual de su pueblo está rota y los residuos de la f
casi exterminados. Su propósito es restablecer es
unidad, concentrando la atención en Jesús y ha
ciéndole pasar por el Mesías de las Sagradas Es
crituras.

Al final de la pieza, Caifás ha logrado aplaca
con el "dulce" engaño, el desespero de los hombre

haciéndoles invertir los polos de la queja al acusarse a sí mismos de su propia miseria humana. La "redentora" mentira —exclama Caifás al caer el telón— "hará que los hombres puedan adorar a Dios y les hará más llevadera la miserable vida."

En un principio esta pieza adolece de lo que, a primera vista, podría considerarse como prédica moral-religiosa, una perorata filosófica; sin embargo, todo ello contrasta con un fino sentido del gusto escénico que salva la pieza y que ayuda al diálogo. José de Jesús Martínez sabe resolver la trama de manera inteligente, sin caer en lo cursi. El diálogo parece descender a ratos a lo trivial o caer en otras ocasiones en cierto tipo de estereotipo, no obstante se supera gradualmente, gracias a esa maestría que hemos mencionado y a la economía de acción. El misterio es la clave del éxito de *Caifás*, y la sorpresa su gusto definitivo. La pieza está realizada dentro de los planos más auténticos de la verosimilitud, y ello contribuye al "suspense", a ese sabor a misterio irreparable que se debate entre lo real y lo fantástico. Con *Caifás* el autor ha creado una obra de altos quilates, una de esas ráfagas tremendas que nos encandilan con su fuego y que, al pasar, dejan un residuo de luz en nuestra pupila y un olor, como a quemado, en el olfato.

Enemigos, nuestra pieza antológica, es de 1962. En ella se presenta el inesperado conflicto de tres hombres emboscados por ellos mismos en un callejón sin salida, o con salida sólo a la muerte. La revolución mexicana, marco escénico de la pieza, sirve de excusa para hablar de los desórdenes espirituales que cualquier guerra provoca en aquellos que, por desgracia, tienen que participar directamente en ella. Estos tres personajes carecen de nombre, sólo les distinguirá el lector por su orden de entrada en escena: Primero, Segundo y Tercero.

El propósito de Martínez es obvio. La guerra no solamente liquida la vida, sino que destruye la identidad del hombre y sus esperanzas. Quizá en este poder aniquilador radique lo peor de estas catástrofes, mientras que la muerte física queda como única y benefactora salida, remedio al desespero. En la agonía de la propia salvación el amor humano no cuenta. Los seres en contienda pierden toda noción de humanidad, y los mejores frutos del hombre —piedad, comprensión, cariño, etc.— se despeñan junto a los mejores recuerdos y a los sueños más reivindicadores.

Ninguno de los tres personajes se identifica. Para qué. En la constatación del bando al que pertenecen está la posible muerte. Todos mantienen, durante el transcurso de la trama, un precavido silencio. Una palabra poco meditada les acarreará la muerte. En el ocultarse está la salvación. El autor parece gritar por identidad, quiere decirnos que abramos los brazos a una sola razón de hermandad: la de ser hombres, el pertenecer a una raza de proscritos hambrientos de amor y de justicia. La situación que provoca el meollo de la pieza pudiera resultar un tanto inverosímil, pero ciertamente no lo es el clamor de paz, de unión, de camaradería que da a luz la intención de *Enemigos*. El tema de la pieza no es de los que pasan, desgraciadamente, con las modas y los gustos. Querámoslo o no, las guerras parecen ser huéspedes asiduos de nuestros hogares y, querámoslo o no, despertarán ellas, sin nosotros saberlo, el enemigo que puede esconderse en cada mano abierta al saludo, en cada sonrisa del que pudiera ser un amigo leal.

JOSE DE JESUS MARTINEZ

José de Jesús Martínez nace en 1929 en Managua
(Nicaragua). De nacionalidad panameña, reside en
Panamá desde hace más de quince años, y está integrado, totalmente, al panorama teatral y poético
del país. Sus libros de poemas forman varios volúmenes, entre los que se destacan: *La estrella de la
tarde*, 1950; *Tres lecciones en verso*, 1951; *Poemas a
ella* y *Aquí ahora*, ambos de 1963; *Amor no a ti,
contigo*, 1965; *Poemas a mí*, 1966; *One way*, 1967, e
Invitación al coito, de publicación más reciente. En
el teatro se inicia con obras como *La mentira*, *La
venganza* y *Juicio Final*. Esta última se estrena por
primera vez en 1962 en el Teatro de la Universidad
de México. Su obra *Caifás* se publica en edición li-
mitada en 1961, al siguiente año publica su pieza
Enemigos, que reproducimos en esta antología. En
1963 sale a la luz su "juguete teológico" en un acto
Santos en espera de un milagro, y en 1964 *La retreta*, pieza en un acto estrenada ese mismo año
en el Teatro Nacional por el Grupo de Teatro del
Instituto Fermín Naudeau y bajo la dirección del
propio autor. Más recientemente, en 1967, las ediciones "9 de enero", de Panamá, ha editado su pie-
za-poema para cuatro voces *Amanecer de Ulises*.
Durante el Primer Festival de Teatro Nuevo en La-
tinoamérica, celebrado en México en los meses de
septiembre y octubre de 1968, José de Jesús Martí-

nez estrenó *Segundo asalto,* bajo la dirección de
Héctor Mendoza.

Obras publicadas:

Caifás. Ediciones de la revista "Tareas", Panamá,
1961.
Enemigos. Ibídem, Panamá, 1962.
Juicio Final. Ediciones "Estudios", Inst. Nacional
de Panamá, 1962.
Santos en espera de un milagro. Ed. "Tareas", Pa-
namá, 1963.
La retreta. Ibídem, Panamá, 1964.
Amanecer de Ulises. Ediciones "9 de enero", Pana-
má, 1967.

Dirección del autor:
Apartado postal, 6499
Panamá, 5; República de Panamá.

ENEMIGOS

(Pieza en dos actos)

De

JOSÉ DE JESÚS MARTÍNEZ

Homenaje a Don ENRIQUE RUIZ VERNACCI

P E R S O N A J E S

TRES HOMBRES.

Lugar del suceso: México (Durante la Revolución)

ACTO PRIMERO

Piedra y vegetal. A unos veinticinco metros de la carretera, a donde se va por una especie de cañón que forman dos piedras muy grandes. Esta salida natural es la única que hay. Todo lo demás está sitiado por la selva. Es una especie de isla. Tarde en la tarde. La poca luz que queda se va recogiendo poco a poco para seguir el mismo camino del sol, que ya se ha puesto. Anochecerá durante el transcurso de la primera parte del primer acto.

> (*Llega un* HOMBRE *sudoroso, cansado. Ha estado corriendo. Mira hacia atrás y sonríe. Se sienta sobre una piedra, de espaldas al sitio por donde entró, y se acaricia la cara. Poco a poco comienza a brotar ese estrato de su persona que la guerra recubrió de barro y odio. Sonríe otra vez. Esta vez es una sonrisa de vencedor ante los que creen en la docilidad del alma humana. Se quita las pesadas botas y se soba los pies con cariño. Los ve. También para ellos tiene una callada sonrisa. Una sonrisa de agradecimiento. Les da unos golpecitos como para felicitarlos y se los vuelve a acariciar, como si fueran perros fieles. Estando en esto, comien-*)

za a recordar y, sin dejar de acariciar-
se los pies, echa para atrás la cabeza
y tararea una canción lejana. Es como
si estuviera siguiendo, imitando lo que
en su memoria escucha. De pronto,
desde algún sitio inesperado, salta otro
recuerdo más urgente e inmediato. Interrumpe la canción y cambia de cara.
Vuelve otra vez a ver por donde entró
y se calza las botas. En ello está,
cuando por el mismo sitio e n t r a
otro HOMBRE. El HOMBRE PRIMERO
no lo ve por estar de espaldas. El
HOMBRE SEGUNDO desenfunda inmediatamente su pistola, pero al darse
cuenta de que no ha sido visto siente de pronto unas ganas de huir, de
salir corriendo. Tembloroso, comienza
a retroceder, pero el primer paso que
da hacia la huida tropieza con una rama seca cuyo crujido lo delata. El HOM-
BRE PRIMERO se inmoviliza en su gesto
de estar amarrándose los cordones de
las botas. No se atreve a mirar hacia
atrás. El HOMBRE SEGUNDO está encañonándolo. Le tiembla la mano. Pero no
se mueve, no dice nada. Todavía tiene
la esperanza de que de alguna forma
no se haya dado cuenta de su presencia. Al fin, el HOMBRE PRIMERO se re-
suelve a volver la cabeza poco a poco.
Es entonces cuando el SEGUNDO le grita.)

HOMBRE SEGUNDO.—¡No se mueva!

(El HOMBRE PRIMERO *alza los brazos.*)

HOMBRE PRIMERO.—Un momento. No dispare.

>   *(Empieza de nuevo a volver la cabeza.)*

SEGUNDO.—¡No se mueva! ¡No me mire! Levántese. (PRIMERO *le obedece.*) Suba más las manos. ¡Más! En el momento en que se vuelva le suelto plomo. Le estoy apuntando a la cabeza. Ya lo sabe.

>   *(Ha ido retrocediendo hasta salir. Pausa. El* HOMBRE PRIMERO, *que esperaba la muerte con alguna entereza al principio, comienza a temblar y a fruncir el entrecejo.)*

PRIMERO.—¡Dispara! ¡Dispara rápido!

>   *(El* HOMBRE SEGUNDO *vuelve a entrar con los brazos en alto. Inmediatamente después entra un* TERCER HOMBRE, *de típico porte ranchero, encañonando con su rifle a* SEGUNDO.)*

HOMBRE TERCERO. (*A* PRIMERO.)—Creo que le he salvado la vida, ¿eh, amigo? (PRIMERO *se vuelve.*) Téngalo, mátelo usted. Le pertenece.

>   *(*PRIMERO *desenfunda y encañona a* SEGUNDO.)*

PRIMERO.—Por eso no querías que te viera, ¿verdad? No tienes cara de asesino.

TERCERO.—Es un cobarde. Estaba temblando como una hoja cuando me lo encontré. Y yéndose para atrás, porque éste es de los que no pueden matar de cerca.

SEGUNDO. (*Ve las dos armas que lo amenazan.*)—Me parece que no estoy temblando ahora.

PRIMERO.—Es más fácil morir que matar, ¿verdad?

SEGUNDO.—Acaben de una vez.

PRIMERO.—Esperar. Eso es lo peor.

SEGUNDO.—Acaba de una vez.

TERCERO.—Tire, amigo, tire.

PRIMERO.—Me salvaste la vida. Quizá debamos salvársela a éste. (*Transición.*) ¿Por qué...?

TERCERO.—¿Por qué, qué?

PRIMERO.—¿Por qué me salvaste la vida?

TERCERO.—Pasaba. Vi a éste.

(*Gesto de "¿quién sabe?"*)

PRIMERO.—Mientras sucedan cosas así, que un desconocido ayuda a otro..., mientras sucedan cosas así, todavía hay remedio. (*A* SEGUNDO.) ¿Comprendes?

TERCERO.—No sea tonto. Mátelo. El lo iba a matar a usted. Tire.

PRIMERO. (*A* SEGUNDO.)—¿De qué bando eres?

SEGUNDO.—Me van a matar, ¿para qué andan con rodeos? (*Transición.*) Espera. Pensemos. Si ustedes dos no son amigos, si no se han visto antes, tampoco saben a qué bando pertenecen. Ni saben a qué bando pertenezco yo. (*A* PRIMERO.) Quizá tú y yo seamos del mismo bando, ¿eh? Nos podríamos cargar a éste. Dos contra uno. Es fácil. (*A* TERCERO.) O tú y yo, encargarnos de que se vaya éste a los infiernos. De cualquier bando que yo sea, soy del mismo del de uno de ustedes.

PRIMERO.—Más te valiera rezar que quererte salir con las tuyas. Si hay alguien a quien odio es a la gente como tú que embrolla las cosas pensando. (*Prensa el gatillo.*) Reza.

SEGUNDO.—No creo que haya necesidad. No vas a disparar.

PRIMERO. (*A* TERCERO.)—¿De qué bando es usted, compañero?

TERCERO. (*Lo encañona.*)—No. Usted a mí primero. ¿A qué lado pertenece, al federal o al revolucionario?

SEGUNDO.—Eso. Que te lo diga él primero, porque en el momento de decírselo tú, si no eres de su mismo bando, antes de que termines te llenará la barriga de plomo caliente.

(*Comienza a bajar las manos.*)

TERCERO.—No baje las manos. Este y yo seguramente somos del mismo bando.

SEGUNDO.—Bueno. Pregúntaselo. (PRIMERO *y* TERCERO *se miran, luego se encañonan mutuamente.*) No quiere. Dile tú. (*Lo mismo.* SEGUNDO *ríe un poco y baja las manos. Encañona con su pistola a los dos, los dos lo encañonan a él rápidamente, y él, riéndose, enfunda la pistola, probando con ese gesto que todos están con las manos atadas.*) Aquí la solución de cada uno es matar a los otros dos. Pero en el momento de matar a uno, el otro lo mataría a él. (*A* TERCERO.) Usted, con ese rifle, es el que está en peores condiciones. Porque ese no será uno de esos rifles modernos que tiran un tiro detrás de otro. (*Lo ve.*) No. Antes de poner la otra bala ya tendría una en la cabeza. Otra solución es la de averiguar a qué bando pertenecemos, porque dos de nosotros necesariamente hemos de ser del mismo bando. Basta que estos dos sepan quiénes son para liquidarse al que queda. Yo y tú, o yo y tú. O tú y tú, claro. ¿Cómo hacemos para saberlo? ¿Quién es el primero que se atreve a decir a qué bando pertenece? Esto nos pasa por no llevar uniforme. Los "dorados" de Pancho Villa, ésos sí que...

(PRIMERO y TERCERO *lo han encañonado.*)

TERCERO.—¿Qué ibas a decir de los "dorados" de Villa?

SEGUNDO.—Iba a decir que ésos sí llevan uniformes. Y los del ejército regular federal. Nada más, ni en pro ni en contra.

PRIMERO.—¿Y si te matamos, nosotros dos?

SEGUNDO.—A lo mejor soy de tu bando.

PRIMERO.—Pero ¿y si te mato, de todas maneras, como me pensabas matar tú, y éste y yo nos vamos cada cual por su lado?

SEGUNDO.—En el momento de darse la vuelta uno, el otro lo mataría. Vivo yo, soy un posible aliado de cualquiera de los dos.

PRIMERO. (*A* TERCERO.)—Te debo la vida. ¿Confías en mí?

TERCERO. (*Pausa.*)—No. (*Pausa.*) Matamos a éste, luego tú te das vuelta y te vas. Te he salvado la vida. ¿Confías en mí?

PRIMERO. (*Le duele, pero...*)—No. Conozco ese veneno de "patriotismo" que nos inyectan.

SEGUNDO.—¡Ja, ja, ja!

PRIMERO.—Tú has tenido la culpa. Te íbamos a perdonar cuando comenzaste a hablar, a razonar. Ahora serás el primero que caiga.

SEGUNDO.—Lo veremos.

PRIMERO.—Cuando no se piensa, se sale uno del camino y se le salva la vida a otro. Se perdona al que momentos antes nos iba a matar, pero se piensa, se embrolla, y mira: No nos podemos mover. (*Enfunda su pistola.* TERCERO *continúa con su rifle preparado. Es el que más desconfía.*)

¡Hay una solución! Vámonos todos, cada uno
por su lado, sin decirnos nada.

SEGUNDO.—¿Por dónde te irías tú, querido, una vez
en la carretera, por la izquierda o por la derecha?

PRIMERO.—Sin salir a la carretera. Aquí mismo.

SEGUNDO.—Es lo mismo. ¿Qué lado cogerías tú?

PRIMERO.—Cualquiera. Lo echaríamos a suerte.

SEGUNDO.—Nos toca el lado contrario y tenemos que
dar la vuelta a medio camino, si no queremos
caer en mitad del campamento enemigo, y nos
volveríamos a encontrar, pero entonces ya dos
contra uno, y cualquiera puede ser ese uno.

PRIMERO.—Pronto se hará oscuro completamente.
No nos veríamos.

SEGUNDO.—De noche es peor. Cazarnos en la oscuridad. (*Sonríe cínico.*) Aquí estoy más tranquilo.
Por lo menos sabré el momento en que voy a
morir. (*Idea.*) Nos podríamos marchar, con cierto intervalo de tiempo...

PRIMERO.—¡Sí, eso es!

SEGUNDO.—Pero no, porque sólo bastaría que el primero se escondiera, viera qué dirección coge el
segundo para aliarse con él o con el que queda.

PRIMERO.—¡Otra vez estás razonando! Podemos jurar que no nos esconderemos.

SEGUNDO.—¡Cómo quieres salvar la vida!

PRIMERO.—No es la vida lo que quiero salvar. Es
más. Podemos jurar que no nos esconderemos.

SEGUNDO.—Bueno. Sí. (*A* TERCERO.) ¿Tú crees en
esos juramentos?

TERCERO.—No.

PRIMERO.—¡Hay que hacer algo!

TERCERO.—Al que primero quiera irse de aquí le
pego un tiro.

SEGUNDO.—No asusta a nadie, jefe. Usted es el que
está en peores condiciones, con ese rifle.

TERCERO.—Puedo disparar y volver a cargarlo antes de que tú cuentes hasta uno.

SEGUNDO. (*Cínico.*)—¿Sí? Pruebe. (TERCERO *está en-
cañonando a* SEGUNDO. *Vuelve a ver a* PRIMERO.
PRIMERO *está con la mano presta a desenfundar.*)
Estamos en una trampa. (*A* TERCERO.) Tú debiste haber previsto todo esto y esperar a que yo
matara a éste y tomara mi camino, y entonces
matarme a mí o venirte conmigo, según el lado
que cogiera. Yo sí lo hubiera previsto. Tú, no,
claro.

PRIMERO.—¿Y si todos somos del mismo bando?
¡Sí! ¡Sí! ¿Y si todos somos del mismo bando?

SEGUNDO.—¿De cuál bando, cariño, del federal o del
revolucionario? Dilo tú. No hay otra solución que
la de sentarnos y esperar a que pase algo. Muy
rápido tiene que ser el que comience a disparar
para no ser muerto por el otro. El único que podría es usted, compadre..., si tuviera pistola,
porque con ese rifle... La única solución es sentarse... (*Se sienta en un extremo de la escena.*),
y esperar. Esperar.

PRIMERO.—¿Esperar qué?

SEGUNDO.—No sé.

> (PRIMERO *se sienta al otro extremo.*
> TERCERO *en la mitad, al fondo, de ma-
> nera que forman un triángulo. Todos
> están dándose el frente y la mano cer-
> ca del arma.*)

SEGUNDO.—Estamos más o menos a la mitad del camino entre ambos campamentos. Alguno de los
dos avanzará tarde o temprano. Que cada cual
espere que sea el suyo. (*Los mira.*) Es cierto.

Todos podemos ser del mismo bando. (*Pausa
corta.*) Está anocheciendo. Hoy ha sido dura la
pelea. De ambos bandos, se entiende. Empate.
Siempre, después de una batalla, hay unos cuantos que se quedan atrás por algún motivo y no
pueden retirarse a su campamento. Je, je. ¿Cuál
es el motivo de ustedes? Puesto que no podemos
hacer otra cosa que esperar, me parece bien que
hablemos, teniendo la precaución de no decir ni
dar a entender a cuál bando pertenecemos, si a
la izquierda o a la derecha. Yo estaba en un hueco. Desde el mediodía. Cuando ordenaron la re-
tirada, mi compañero, que estaba conmigo, salió
primero. En ese momento le reventaron la cabeza a balazos. Volvió a caer. Tenía los ojos... fuera. Quedó como sorprendido, como si no pudiera creer que... ¡Como si no lo pudiera creer!
(*Pausa.*) Permanecí ahí, hasta que no hubiera ya
nadie, y esperé y esperé, con él al lado. Desde mediodía. No he probado bocado. Regresaba a mi
campamento. Entré a descansar.

TERCERO.—¿Quieres?

(*Le tira una mochila con comida.*)

SEGUNDO. (*Asiente y come. De pronto se detiene. Voz
baja.*)—Le sacaron los ojos. ¡Pablo!

(*Aparta la comida y vomita.*)

TERCERO.—Ahí dentro hay aguardiente.
SEGUNDO.—No.

(*Pausa.*)

PRIMERO. (*A* TERCERO.)—¿Y tú?
TERCERO.—Vine a la guerra con mi hijo. Después

25

de la batalla de esta mañana, no llegó al campa
mento. Regresé a buscarlo.

(*Baja la cabeza.*)

PRIMERO. (*Grita. Tiene que ser un grito máximo
que trascienda, con mucho, el salón del público
En este grito toda moderación significaría vul
garidad y tendría un efecto contraproducente.*)—
¡Dios! (*Transición.*) Compañeros, óiganme. Se es
tán burlando de nosotros. No somos dignos
Nos están mirando en estos momentos. Yo soy
maestro de escuela. Soy un hombre de paz. Quie
ro decir... Probemos..., demostremos algo..., amé
monos de pronto.

SEGUNDO.—¡Ja, ja, ja! Ahora sí que estás cómico
¡Ja, ja, ja! (*Serio.*) Bueno, amémonos, amémo
nos. Empieza tú. Trata de hacerlo tú. (PRIMERO
comprende que no puede.) ¿Ves, imbécil? ¡Ja, ja
ja! Esto sí que es cómico. ¡Ja, ja, ja! Tú, padre
dame la comida. Comeré.

PRIMERO. (*De nuevo.*)—¡Dios!

SEGUNDO. (*Tranquilo.*)—¿Para qué haces eso? Lo úni
co que lograrás es hacer que vengan los de cual
quier bando. Espera que vengan ellos por su
propia cuenta. Me dará tiempo a comer.

(*Come.*)

TERCERO.—Hagamos un fuego.

SEGUNDO.—Sólo serviría para llamarle la atención
a los de cualquier bando. Oye, padre, qué bueno
está esto.

TERCERO.—Lo hizo mi mujer.

SEGUNDO.—¿Trajiste a tu mujer a la guerra?

TERCERO.—Sí.

SEGUNDO.—La soldadera. Qué país éste. Los solda

dos van a la guerra con mujer e hijos. Será hábil
en robar a los muertos tu mujer, ¿eh, padre? En
otros países los ejércitos tienen un servicio
de cocina, no tienen que llevar los soldados a su
propia cocinera. Aquí tenemos... Está bueno esto. (*Lo que come.*) Aquí tenemos que ser verda-
deramente patriotas para ir a la guerra. O ladrones. En otros países se les da un sueldo a los
soldados. Aquí el sueldo de uno es lo que robe.
México. Sin olvidar lo de los uniformes. Es una
ventaja. De esa forma ya no todos los hombres
son enemigos, sino sólo los que visten de azul,
o de verde. Tú debes ser bravo para la guerra,
¿eh, padre? ¿Era tu único hijo?

TERCERO.—No, tengo otro, niño todavía. Se quedó
con la madre de mi mujer.

SEGUNDO.—A lo mejor fuiste tú el que mató a mi
amigo. ¿Por qué no? Podría ser.

TERCERO.—A lo mejor. No sería la primera vez que
le desbarato los sesos a alguien.

SEGUNDO.—O a lo mejor mi amigo era tu hijo. Podría ser. ¿Por qué no? (*Pausa.* TERCERO *comprende que es posible.*) ¿Era un..., como de veinte
años?

TERCERO. (*Se levanta.*)—¡Sí!

SEGUNDO. (*Ve los bigotes de* TERCERO.)—¿Con bigotes?

TERCERO.—No.

> (*Se sienta de nuevo.*)

SEGUNDO.—Bueno, sí, no tenía bigotes. Vellos más
bien. ¿Un muchacho moreno, alto, fuerte? ¿Callado? No le gustaba hablar.

TERCERO. (*Otra vez comprende que es posible, pero
ya recela. Voz baja.*)—Sí.

PRIMERO.—Déjate de estar engañándolo, ¿quieres?

SEGUNDO.—Je, je, je.

PRIMERO.—Tu hijo no se llamaba Pablo, ¿verdad?

(*Al oír el nombre se le trunca la risa a* SEGUNDO.)

TERCERO.—No. Jacinto. Se llama. No llamaba.

SEGUNDO.—¿Cómo sabes que mi amigo se llamaba Pablo?

PRIMERO.—Tú lo dijiste. Hagamos ese fuego. Que vengan, qué importa. Sólo así podremos terminar con esta... Peores que bestias encerradas. (PRIMERO, *ayudado por* TERCERO, *comienza a hacer un fuego. Le dan la espalda a* SEGUNDO, *y éste aprovecha la ocasión para deslizar la mano hacia su cartuchera. A pesar de no parecer haber estado viéndolo. Sin volverse.*) Tendrías que hacer dos disparos certeros. Dos disparos únicos y rápidos. Y tú sabes que no puedes.

SEGUNDO. (*Sonríe cínico.*)—Tienes razón.

TERCERO.—Déjalo que comience. Yo también lo estaba viendo.

PRIMERO.—Y después matarme a mí, ¿verdad?

TERCERO. (*Sin darle pizca de importancia.*)—Sí.

PRIMERO.—Pero si me ibas a salvar la vida. Te saliste de tu camino para ayudarme.

TERCERO.—Entonces, sí. Ahora es otra cosa. O los mato yo o me matan ustedes.

PRIMERO. (*Le duele, pero...*)—Sí.

TERCERO.—Levanta el pie, esta rama arderá bien.

SEGUNDO. (*Burlón.*)—Oye, maestro, ¿por qué gritaste eso? Tú crees en Dios, ¿verdad?

PRIMERO.—Es Dios el que no cree en nosotros.

SEGUNDO.—Yo en lo que creo es en los ángeles. Sobre todo cuando están bien dotados de... (*Gesto libidinoso.*) protuberancias. Je, je. Recuerdo que una vez en..., bueno, en cualquier parte, en un pueblo que cogimos... Entramos en una casa, una casa de mampostería, lujosa. Buena gente. Estaban ahí, temblando, el padre, la madre y el ángel. ¡Y qué ángel! Matamos a los viejos, y a ella nos la repartimos entre todos. (*Con gusto, recreándose en mostrarse malo.*) Yo fui el primero. Ah, muchachos, ni les cuento cómo estuvo eso. El cielo. Yo mismo le movía las caderas, porque estaba desmayada. Ah, el cielo. Eh, maestro, ¿qué le parece? Esa pudo haber sido tu mujer. No, era virgen. Tu hermana, eso sí. Y ahora, viéndote bien, hasta creo que te pareces a ella. Sólo que ella..., claro... ¡Ja, ja, ja!

PRIMERO.—Sí, pudo haber sido. O pude yo haber hecho lo mismo con tu hermana.

SEGUNDO.—Yo no tengo hermana. ¡Ja, ja, ja!

PRIMERO.—Con tu mujer entonces. ¿O tampoco tienes mujer?

SEGUNDO. (*Serio.*)—No.

PRIMERO.—O tu madre. Porque los míos no respetan ni a las viejas. Los míos o los tuyos. Es lo mismo.

SEGUNDO.—Yo no tengo madre. ¡Ja, ja, ja!

PRIMERO.—Te lo creo.

SEGUNDO.—Comienzo a conocerte, ¿sabes? Tú eres uno de esos maestritos que creían en los ideales de la revolución y se van a luchar por ellos. Los maestros siempre están hablando de ideales. O que no creen en los ideales de la revolución y se van a luchar contra ella para guardar el orden. Los maestros siempre están hablando de orden. ¿De cuál clase eras tú? ¡No, cuidado, no lo digas! Has venido y te has encontrado con que aquí no se trata ni de orden ni de ideales, con que aquí sólo se trata de matar. Ese es el único ideal que existe. Y sólo cuando estemos todos muertos ha

brá orden. Te has de haber llevado una sorpresa,
¿eh, maestro?

PRIMERO.—Yo sabía a lo que venía.

SEGUNDO.—¿Sí? Yo también. Eso nos hace ser más
peligrosos todavía. (*A* TERCERO.) Ahora te diré por
qué estás tú aquí.

TERCERO.—Si me tratas de engañar otra vez o de
burlarte de mí te parto la cabeza.

PRIMERO.—Y lo hará. Tú lo sabes. De manera que
cállate.

SEGUNDO.—Si pudiera ya lo hubiera hecho. Con ese
rifle. Ja. Tú eres mi guardián, mi ángel guardián.
(*A* TERCERO.) ¿Eh, padre? Este y yo tenemos cinco balas que podemos soltar de corrido. Usted
una. ¿Quiere cambiar mi pistola por su rifle? ¡Ja,
ja, ja! A mí no me sirve la pistola, soy... cobarde, sí. Tengo miedo. A éste tampoco le sirve, al
maestrito. El maestrito es bueno. No quiere pecar. Cree en Dios. A usted sí que le serviría, ¿eh?

PRIMERO.—Cállate, te digo. Hablas demasiado. Todo es culpa tuya. Yo te quise salvar. Quise hacer
el bien. Este vino a salvarme. Quiso hacer el
bien. Sólo tú estás aquí por malo, y nos encerraste a todos hablando, razonando.

SEGUNDO.—Bueno, les diré por qué estoy yo aquí.
No, mejor no. Se reirían.

(*Pausa.*)

PRIMERO.—¿Oyen?

SEGUNDO. (*Escucha.*)—No se oye nada.

PRIMERO.—Eso. Hasta a los bichos los han matado.

SEGUNDO.—Oh, qué dolor, los pobres bichitos. Qué
inhumana es la guerra. ¡Ja, ja, ja!

PRIMERO.—¡Pablo! (*Surte el efecto que buscaba. Se
le corta la risa a* SEGUNDO.) ¡Ja, ja, ja! ¿Entonces

es de veras que era tu amigo? (*Transición.*) Perdóname. Hace fresco. Acérquese al fuego, padre. (TERCERO *lo hace.*) Yo tengo tabaco. ¿Quiere?

TERCERO.—Bueno.

PRIMERO.—¿Tú?

SEGUNDO.—Gracias.

(*Lían cigarrillos y fuman.*)

PRIMERO.—¿Usted es de por aquí, padre? Sí. Es mejor que no lo diga. Tiene razón. Esta tierra no es buena. Mucha piedra.

TERCERO.—De donde yo soy sí es buena. Para el frijol.

SEGUNDO.—Ajá. Entonces usted es del norte.

PRIMERO. (*Negándolo.*)—¿Por qué? ¿Acaso no se da el frijol también en el sur?

SEGUNDO.—Sí, es cierto. (*Pausa.*) No podemos ni hablar.

(*Pausa.*)

PRIMERO.—No podemos decir ni "soy de tal parte", ni "¿cómo te llamas?", ni "te quiero". (*Pausa. Se levanta y grita de nuevo.*) ¡Dios!

(SEGUNDO *se le tira encima furioso, lo tumba y le pone la pistola debajo de la quijada.*)

SEGUNDO.—¡Como vuelvas a gritar eso te mato, ¿me oyes?, te mato!

TERCERO. (*Apuntándolo con su rifle.*)—Suéltalo. O no, mejor no, mátalo, mátalo de una vez, para matarte yo y terminar esto.

SEGUNDO. (*Se levanta.*)—¿Me oíste? No es de camaradas. Hay que ser muy poco hombre... (*Tirita.*) Tengo frío.

PRIMERO. (*Sin rencor, al contrario.*)—¿Tanto así crees?

SEGUNDO.—No me preocupo de eso. Estoy nervioso.

(*Tirita.*)

PRIMERO. (*Se quita el saco y se lo da.*)—Coge, ponte esto.

SEGUNDO. (*Receloso.*)—¿Por qué?

PRIMERO.—Porque sí. Anda. Cógelo.

SEGUNDO. (*Lo coge.*)—Gracias. (*A* TERCERO.) Dame un trago.

PRIMERO.—Yo también tengo. (*Saca una botella de su mochila. Tiene una nueva esperanza.*) Qué importa que no nos podamos decir las cosas importantes si podemos decirnos cosas como "tengo frío", "coge mi saco". Todo no está perdido, mientrac nos podamos decir cosas así.

SEGUNDO.—A lo mejor se ponen ustedes a pensar que como soy friolento debo ser de la costa, y como la costa está en manos de... ¡Pero se equivocan! ¡No soy de la costa! Si tengo frío es porque estoy enfermo, me va a dar calentura. ¡Lo cual no quita que no sea...! ¡Oh!

(*Se aprieta la cabeza.*)

PRIMERO.—Entonces, ni eso.

SEGUNDO.—Ni eso. Coge tu saco.

PRIMERO.—No, déjatelo.

SEGUNDO.—Cógelo he dicho.

(*Se lo tira.*)

PRIMERO.—Y, sin embargo, todos somos algo, de alguna parte... Pero es un crimen ser lo que sea. Está prohibido. Sólo cuando está uno solo. Por-

que es un crimen ser. Y hasta decir "yo tengo
frío" es peligroso. Si el que está a tu lado se da
cuenta de que eres, te aplastará la cabeza. Es un
crimen. Bien. Vamos a jugar a que no somos, a
que estamos simplemente. (TERCERO *está rascán-
dose la espalda.*) Rascarse la espalda, eso es todo
lo que se puede hacer. (TERCERO, *desconfiado, deja de rascarse.*) Pero, cuidado, también eso puede
ser peligroso. Se pueden deducir cosas. ¿No es
cierto?

SEGUNDO.—Imbécil.

PRIMERO.—Eso es, defiéndete. (SEGUNDO *le quita la
cara.*) ¿Por qué no me miras? ¿Por qué no nos
miramos todos a los ojos? Terminaríamos acos-
tándonos juntos.

SEGUNDO.—¡Maricón, cállate!

PRIMERO.—A usted, papá, a usted le debe ser más
fácil todo esto. A usted no le gusta hablar. Es lo
más seguro en este juego de escondite. Jugamos
a que no somos, a que no existimos más que como esto, una cosa que bebe, o que se rasca la
espalda, que camina por la calle, que se sienta.
Nada más. Sí, me callaré. (*Transición.*) ¡Oh, estúpidos! ¡Oh, oh, estúpidos! ¿No se dan cuenta de
que esto es así porque nadie se ha atrevido nunca a hablar, porque nadie se ha atrevido a llorar
en las esquinas, o a decirle al de al lado: "tengo
frío"? El día que pase eso nos abrazaremos todos. De pronto comprenderemos que hemos hecho los estúpidos, que nos hemos dejado engañar, porque aquí estamos para abrazarnos los
unos a los otros. ¡Déjenme, déjenme besarlos en
la boca, y besarlos en los pies, para darles la
bienvenida a esta nueva vida, para demostrarlo!
¡Déjenme ser bueno, para probarles cómo inmediatamente lo serán ustedes también, y después

ellos, y después los otros, y después todos! ¡Será una nueva vida que habremos comenzado nosotros, aquí, en esta tierra de nadie, a escondidas! Yo voy a decir de qué bando soy, y lo vas a decir tú, y luego tú, y nos vamos a abrazar todos, porque habremos comprendido que no importa. Oigan, oigan, yo soy... (SEGUNDO y TERCERO *aprestan sus armas.* PRIMERO *comprende que uno de los dos lo matará en el momento en que diga de qué bando es.*) Yo soy...

(*Se dobla y llora.*)

SEGUNDO.—¿Qué, hablador de mierda, qué eres tú? ¿De qué bando eres? ¡Habla! ¡Habla! Para eso, para hablar, para eso sí eres bueno tú, para hablar de ideales, de orden. Son gente como tú los que están pudriendo al mundo, los que hacen la vida insoportable a los que sólo queremos quedarnos en casa, sin decir qué somos o qué no somos. Quedarnos simplemente y trabajar en lo nuestro. Que nadie me diga que tiene frío, que yo tampoco se lo diré a nadie. Yo sólo quiero... vivir... en paz... con lo mío. Aunque tenga que matar para ello. Porque yo vine aquí a matar. Me sería repugnante saber que tú y yo somos del mismo bando. Hablador. Te conozco. A la hora de hablar grande. A la hora de hacer lo que predican, mírate, maricón. (*Transición.*) No se puede hacer otra cosa que esperar. Hasta que cualquiera de los dos bandos venga. Lo más gracioso es eso, que todos podemos ser del mismo bando. Je, je, je. A lo mejor todos somos del mismo bando y los que vienen son los otros. Los habremos esperado, así, cruzaditos de brazos, para que nos maten. Y todo porque no hay nadie que... ¡Ja, ja, ja!

PRIMERO.—Todos "somos" del mismo bando. Sencillamente porque no hay dos bandos, hay uno sólo. Nos lo han hecho creer, pero hay uno solamente, uno sólo.

SEGUNDO.—¿Y cuál es ese bando único, querido, el federal o el revolucionario? ¿El que cree en los ideales, o el que cree en el orden? ¿El que quiere trastornar al mundo para implantar unos ideales, o el que está satisfecho con las cosas mientras pueda sentarse en algún sitio y fumar tranquilamente? Estoy hablando demasiado.

PRIMERO.—Tú eres un hombre de paz. Todos los hombres somos hombres de paz.

SEGUNDO.—¿Crees que soy federal? ¿No puede ser que yo haya salido a luchar por ese sitio en donde sentarme? ¿No puede ser que sea eso lo que signifique para mí la revolución? Sí, puede ser. O puede ser que ya lo tenía. ¡Adivínalo! ¡Arriésgate! Estoy hablando demasiado. Ya he dicho más de lo que conviene.

(*Tirita.*)

PRIMERO.—Pero decir "yo tengo frío", eso sí lo puedes decir.

SEGUNDO.—No. Tampoco. El padre, el padre es el más listo de nosotros. No habla. Espera a que uno de nosotros meta la pata para meterle él plomo en la cabeza. ¿Eh, padre? ¿Por qué no habla? ¿Por qué no dice nada?

TERCERO.—Cuando yo hable va a ser con ruido.

(*Gesto al rifle.*)

SEGUNDO.—Vamos a dormir, ¿qué les parece? Tú velarás mi sueño, ¿eh, padre? (*Transición.*) Lo decía en broma, pero sí, creo que sí se puede dor-

mir. Cada uno de ustedes cuidará de que el otro
no me haga daño, porque yo puedo ser de su
bando. (*Se echa. Transición. Se incorpora.*) Pero,
pensándolo bien (*A* PRIMERO.), tú puedes enga-
tusar a éste y aliarte con él de alguna forma. No,
no pueden. Entre dos es el mismo problema. Je.
A lo mejor entre mil sería lo mismo. O entre un
millón. Je. Sería gracioso. (*A* PRIMERO.) Sí, pero
conozco a los de tu clase y tu lengua. Tampoco
se puede dormir. (PRIMERO *se echa y cierra los
ojos. Bebe.*) ¿Quieres?

TERCERO.—No.

SEGUNDO.—Yo, sí. Me quita el frío. (*Bebe. Pausa larga. En voz baja, cuidando de que no lo oiga* PRI-
MERO, *a quien cree dormido.*) Padre, padre, ¿quiere salir con vida de esto?

TERCERO.—¿De qué bando eres?

PRIMERO. (*No dormía.*)—Sí, ¿de qué bando eres?
¡Dilo! ¡Porque juro que mataré al que no sea
del mío, y nadie es de mi bando! Dilo, ¿de qué
bando eres? ¡Traidor cochino! ¿Crees que dormía? Tigre, hay que ser tigre entre los tigres.

(*Los tres están encañonándose.*)

SEGUNDO. (*Cínico.*)—¿Ves? No se puede dormir. Esto va a durar toda la noche.

PRIMERO.—No. Esto va a durar hasta que se acabe
el mundo. (*Voz baja.*) ¡Dios, ayúdame! ¡Hazme
amar a estos puercos, Señor! Tú eres mi refugio.
¡Carajo, escúchame!

SEGUNDO.—Dios no existe, idiota.

TERCERO. (*Tranquilo.*)—Yo soy Dios. (*Pausa.* PRIME-
RO *y* SEGUNDO *lo miran.* TERCERO *se da vuelta de
pronto y sin previo anuncio visible, congestiona-
do de risa.*) ¡Ja, ja, ja! (*De pronto se vuelve, cree*

que venían hacia él.) ¡Cuidado, el que se me acerca se muere!

SEGUNDO.—Cuando los brutos abren la boca...

PRIMERO. (*Todavía bajo la impresión.*)—¿Quién es usted, padre?

TERCERO. (*Encañonándolo. Los tres están con las armas en la mano.*)—¡Adivínalo! ¡Arriésgate!

SEGUNDO. (*Voz baja.*)—Hasta que se acabe el mundo...

T E L Ó N

ACTO SEGUNDO

Lo mismo. El fuego se ha extinguido casi totalmente.

SEGUNDO. (*En la oscuridad. Voz baja.*)—¡Dios! ¡Dios!
¡Padre! ¿Está dormido? (*Se levanta y va al proscenio, camino de* PRIMERO. *A sí mismo.*) Está dormido. Todos duermen. Ahora..., ahora es la hora. Los mataré a los dos. Primero a éste. Será
más fácil. Pero en silencio. No debo despertar a
Dios. Lo estrangularé, en silencio, y después...,
el otro. Debo tener fuerzas. ¡Oh, qué hermoso
es esto! Estoy solo. Solo sobre la tierra. ¡Solo!
Pero no debo pensar en voz alta. Puedo despertar a Dios. A Dios Padre que anda buscando a
su Hijo. ¿Para qué lo mandó? Está bien que lo
haya perdido. Este es un juego para hombres.
Je, je. Está bien. Qué tiene que andar espiando.
Desvarío. Me ha subido la fiebre. No debo pensar. No debo pensar. Debo matar solamente, matar, matar. (*Transición.*) Abel, ¿duermes? Sí,
duermes. Confías en Dios. Pero Dios también está dormido. Ahora te mataré. Ahora...

(*Levanta el saco que hace de cobija
a* PRIMERO *y lo despierta.*)

PRIMERO.—¿Eh? (*Desenfunda rápidamente y prende un fósforo.*) Tú, claro.

(*Levanta más el fósforo para alumbrar a* TERCERO. TERCERO *está con el rifle al hombro, apuntando a* SEGUNDO.)

TERCERO.—En el momento en que lo mataras te ibas a ir detrás de él.

SEGUNDO.—¿Estabas despierto?

TERCERO.—Estaba despierto. Oyéndote.

SEGUNDO.—¿Y por qué no nos ha matado? ¿Por qué no nos ha matado usted a los dos? Pudo hacerlo. Este estaba dormido, habría tenido tiempo de cargar de nuevo su rifle. Era su gran oportunidad. ¿Por qué no lo hizo?

TERCERO.—No quiero ser yo el que empiece el tiroteo. Pero seguramente seré el que lo termine.

PRIMERO.—Porque es bueno. Todavía tiene esperanza de ser bueno. Déjalo. Tú eres el único perverso. En realidad, es tan fácil... Sólo hay que romper un hilo para desencadenarlo todo. Y nadie se atreve. Todos nos agarramos a ese hilo. Todavía tenemos esperanza. (*A* TERCERO.) ¿Verdad? (TERCERO *hace gesto de que ni lo sabe ni le importa.*) ¿Pero creen que si en el fondo nos quisiéramos matar no nos hubiéramos matado ya? Pero si es... Yo lo veo tan claro. Todavía tenemos esperanza de ser buenos. (*A* SEGUNDO.) Hasta tú, estoy seguro. Sí, hasta tú. Y no nos dejan. Hay una cosa que se llama naturaleza humana, buena, limpia, como la mano misma de Dios. Pero aquí todo conspira contra ella, quiere mancharla, hacerla mala, y tenemos que defenderla. (*A* TERCERO.) Es eso lo que estamos haciendo, defendiéndola, ¿verdad?

SEGUNDO.—No se trata de ningún hilo, maestrito. Yo no comienzo porque..., sí, porque soy cobarde. Y porque tienes el sueño muy liviano. Este no comienza porque no puede. Y tú no comienzas porque..., ¿sabes?, te lo creo, porque no te quieres manchar. (*A* Tercero.) Llamarte bueno. ¿Qué te parece, padre? Dios, ¿qué te parece? (*A* Primero.) Y, además, no empiezas el juego porque no eres lo suficientemente valiente para hacerlo. Yo sí lo soy. Duérmete, descuídate y verás. Yo, el cobarde, sí lo soy.

Tercero.—¡Empiézalo! ¡Empiézalo! Ya me estoy cansando. Pero sabe que yo no voy a dormir. Estoy siempre despierto. Y veo bien en la oscuridad.

Primero. (*A* Segundo.)—No. No empezarás nada. Te conozco. Eres cobarde. Y además, también tú tienes esperanza.

Segundo.—De salir con vida de esto.

Primero.—De salir limpio de esto. No hay por qué impacientarse. Al amanecer alguno de los dos bandos avanzará. El empate de esta mañana no durará siempre. Ellos empezarán.

Segundo.—Falta mucho para que amanezca.

Primero.—Sí. Faltan siglos todavía. (*Anima el fuego.*) Seguramente todos estaremos muertos para entonces. Será un amanecer muy bello. La tierra vacía, cara al sol, tostada. Reirá. Y no habrá tenido ninguna importancia. Alguien le habrá ganado la apuesta a alguien. Eso es todo.

Segundo.—Han apostado a que gano yo.

Primero.—Han apostado a que no gana nadie. Sólo El, Dios, seguramente sólo El saldrá con vida de esto.

Tercero.—Sí.

Primero.—Díganme, ¿por qué dijo usted eso, que era Dios?

Tercero.—Porque lo soy, comparado con ustedes, que son unas gallinas, que sólo saben hablar. Y

26

yo no hablo. Dios tampoco habla. Y para seguirles el juego, que está divertido. Uno de ustedes se va a delatar de un momento a otro. Algo me dice que los dos son del bando contrario. Y qué gusto me va a dar matarlos.

PRIMERO.—¿Para vengar a su hijo?

TERCERO.—Mi hijo no está muerto.

PRIMERO.—¿Por qué entonces? ¿Por qué?

SEGUNDO.—Porque es bueno, querido. ¿No lo dijiste tú antes? (*Transición.*) Porque es malo, como tú, como yo, como todos.

PRIMERO.—No.

SEGUNDO.—Descuídate y verás. Parecemos diablos con esta luz.

PRIMERO.—A mí me gusta. Alumbra más que la del día.

SEGUNDO.—Depende de lo que se quiera ver.

PRIMERO.—Sí. A ti. A mí. A Dios.

TERCERO.—Ya basta de esa broma. Empieza a cansarme.

PRIMERO.—Sí, debe ser muy cansado.

SEGUNDO.—Ustedes no saben. Hay... No. No debo hablar. ¡Pero no me gusta esta luz!

(*Va a apagarla, pero se le interpone*
PRIMERO.)

PRIMERO.—No. Ya una vez quisiste aprovecharte de la oscuridad.

TERCERO.—Déjalo. La oscuridad es la misma para todos. Y es él el que sale perdiendo. (*A* SEGUNDO.) Tú brillas. Tus ojos brillan.

SEGUNDO.—¿Mis ojos? No. No eran los míos. ¡Son éstos que recuerdo, que me miran! (*Desde su frente, de donde quiere arrancárselos. Tirita.*) Tengo frío. (PRIMERO *le ofrece su saco.*) ¡No! ¡No he dicho nada! Hagamos algo, hablemos de algo. Me pone nervioso no hacer nada.

PRIMERO.—Habla tú.

SEGUNDO.—De cosas sin importancia, que no nos comprometan.

PRIMERO.—Sí. Claro que se puede. ¿Ves? Yo te lo decía. Empieza. Se hará la noche menos larga.

SEGUNDO.—No. Empieza tú.

PRIMERO.—Bueno. Por ejemplo: Es una noche hermosa.

SEGUNDO.—Sí.

PRIMERO.—Las estrellas también. Son hermosas.

SEGUNDO.—Sí.

PRIMERO.—Yo me llamo, por ejemplo, Carlos.

SEGUNDO.—Sí.

PRIMERO.—O Enrique, o José.

SEGUNDO.—Sí.

PRIMERO.—A pesar de todo..., a pesar de todo, todavía hay esperanza.

SEGUNDO. (*Pausa.*)—¿De qué?

PRIMERO.—Pues... de que todavía haya esperanza.

SEGUNDO.—¿De qué?

PRIMERO.—De que la haya, de que la haya. De que amanezca mañana.

SEGUNDO.—De que se cierren esos ojos.

PRIMERO.—De que encontremos ese sitio en donde podamos sentarnos a fumar un cigarro.

SEGUNDO.—De que yo te mate a ti antes de que me mates tú a mí.

PRIMERO.—No, porque somos del mismo bando. Todos somos del mismo bando. Mañana, cuando amanezca, nos daremos cuenta de ello y nos arrepentiremos de haberla pasado así, en vez de cantando.

SEGUNDO.—Sólo el que tenga un amigo que se llame Pablo, al que le han roto la cabeza, al que le re-

ventaron los ojos, sólo ése es de mi bando. No
hago más concesiones.

PRIMERO.—Bastan. Yo.

SEGUNDO.—¿Te atreves a cargarte conmigo a Dios?

PRIMERO.—El también es de nuestro bando.

SEGUNDO.—Ya lo sabía. Eres cobarde.

TERCERO.—He dicho que ya me estaba cansando de
ese juego.

PRIMERO.—Algún nombre hemos de tener, para cu-
brirnos.

TERCERO.—El de padre está bien para mí.

(*Pausa.*)

SEGUNDO.—¡Bueno, pero que pase, que pase algo de
una vez! ¡Matémonos, si es que es eso lo único
que se puede hacer! ¡Tenemos horas de estar
aquí! ¿Hasta cuándo?

PRIMERO.—Se pueden hacer muchas cosas. Todavía
se puede hablar de muchas cosas.

SEGUNDO.—Ya lo has visto que no.

PRIMERO.—Se pueed vivir, simplemente. Aunque sólo sea así.

SEGUNDO.—¿Sí?

PRIMERO.—Sí. ¡Sí! ¡Se puede vivir!

SEGUNDO.—Déjenme ir a vivir entonces, déjenme irme de aquí.

(*Marca el mutis.* PRIMERO *y* TERCERO
lo encañonan.)

PRIMERO.—No puedo. Desconfío. Te puedes apostar
por ahí en lo oscuro y cargarnos.

SEGUNDO.—¿Ves? No me dejan.

PRIMERO.—Tú no nos dejas a nosotros. No podemos
confiar. Es una buena trampa en la que hemos
caído. No se puede dormir porque podemos soñar y salirnos por ahí. No se puede hablar. No

se puede nada. Pecar, solamente pecar. Matarnos solamente. (*Pausa.*) Ahora, en alguna parte,
hace de día. (*Pausa.*) Ahora ya hace tarde. (*Pausa.*) Ahora hace de día de nuevo. Sólo aquí, no.
Aquí no cambia. Estamos como fuera del tiempo. Con todo, es una buena oportunidad para
hablar sin prisas. Es lástima que no podamos
ponernos de acuerdo. Seguramente nadie tuvo
tanto tiempo para hablar como nosotros. Si no
estuviera prohibido. Podríamos habernos puesto
de acuerdo y mañana, cuando vengan a buscar-
nos y nos pregunten: "¿De qué bando son?", res-
ponderíamos: "del mismo." Algunos comprenderían y convencerían a los otros, y luego convencerían a los del bando enemigo de que no son
enemigos, de que son del mismo bando. E irían
los dos ejércitos donde sus jefes, los generales
gordos, los comerciantes —ellos sí se han puesto
de acuerdo— y les dirían: "No podemos pelear.
Somos del mismo bando. Fumamos los mismos
cigarros. Nos rascamos la espalda de la misma
manera. Lo hemos descubierto." Y entonces México le diría a las otras naciones: "No podemos
pelear contra ustedes. Somos del mismo bando."
Y ellos comprenderían. Todos comprenderían.
Sería domingo ese día. Los que entonces estén
enfermos sanarían milagrosamente. El que se haya olvidado de cuando era niño, lo recordaría
de pronto. Sería muy hermoso. Y todo esto lo
habríamos comenzado nosotros. Lo único que
se necesita es decir: ¡No! ¡No pasarán! (*Se pone
en pie e imita el tono de voz con que, en efecto,
se dirá esto al final.*) "¿De qué bando, de qué
bando serán éstos, que se paran así?", pregun-
tará uno. Del mismo, diremos nosotros: "Y us-

tedes no pasarán hasta que no reconozcan que
también son del mismo bando. ¡No pasarán!"

SEGUNDO.—Ja. Pasarían pisándonos la barriga.

PRIMERO. (*Sin ánimo ya.*)—Valdría la pena intentarlo. Quizás sea eso todo lo que haga falta. Se
ríen de nosotros, y de ellos, de todo el mundo.
(*Transición.*) ¿Por qué dijiste eso, que no es de
camaradas gritar..., tú sabes?

SEGUNDO.—Yo no dije eso.

PRIMERO.—Sí, lo dijiste, lo dijiste. Y me parece muy
bien. (*Gesto de "qué me importa" de* SEGUNDO.)
¿Sabes? Creo que nadie nunca ha hablado con
tanta sinceridad como nosotros. Todo el mundo
es capaz de hacerlo, pero nunca lo ha hecho nadie. La situación, el momento, no sé. Y eso que
no podemos hablar. Oh, si pudiéramos, qué de
cosas saldrían, que de nombres. (*Consigo mismo.*)
Consuelo, madre, me voy. Quiero tocar fondo,
encontrarme ahí con la gente, hablar. No fracasaré. Si fracaso, sí. Te lo prometo. Pero no fracasaré. Te lo prometo. (*A los otros, burlándose
de sí mismo.*) ¿Oyen? ¡No fracasaré! (*Es una risa
enferma.*) ¡Ja, ja, ja! (*Transición lenta. Otra vez
consigo mismo, o más bien con alguien imaginario.*) Hola, ¿qué tal? Mira. No, pero así no. Como
si estuvieras recién llegando. Pero no cansado,
curioso. No, tampoco. Más bien..., sí, algo así.
Como si estuvieras un poco más seguro, más
acompañado. Sí, ya sé, pero disimula. Se debe
sonreír. Y quedártelo mirando. Esta piedra, por
ejemplo. (*Recoge una y se la queda mirando.*)
Quedártela mirando hasta que se produzca el
milagro. De pronto las cosas comienzan a ser,
abren el párpado y se les ve el ojo, que también
te mira. ¿Ves? ¡Ahora! ¡Ahora! (*Hace un gesto
de tirar la piedra.*) ¡No, no la tires! (*Más calma-*

do.) ¿Viste? (*Cierra la mano. No ve más la piedra.*) Pues lo mismo sucede con la propia mano de uno. (*Suelta la piedra y se ve la mano.*) Pero hay que quedársela mirando por un buen rato. (*Se la deja de mirar antes de que se produzca el milagro.*) O por uno mismo, cuando se ve uno largo rato en el espejo. O con los otros. (*Mira a sus compañeros.*) Somos todos uno. Pero nos separan, nos dividen, nos vencen. (*Otra vez al alguien imaginario.*) No te dejes engañar, ven a mis brazos, ven. (*Los abre.*) ¡No! ¿Por qué me pegas? ¿Qué te he hecho? (*A sus compañeros.*) ¿Qué mal les he hecho? Díganme.

SEGUNDO.—¿Te has vuelto loco?

PRIMERO. (*Después de una pausa en la que recupera el uso de razón. Sonriendo para disimular.*)— Todo el mundo lo hace. Y todo el mundo sabe que todo el mundo lo hace. Y todo el mundo sabe que todo el mundo sabe. Y sin embargo... Es como las narices, que todo el mundo se las hurga cuando está solo.

SEGUNDO.—Otros se hurgan el culo. Ja, ja. Yo solamente cuando me baño.

PRIMERO.—¿Sí? ¡Qué hermoso!

TERCERO.—El también dijo eso.

PRIMERO.—¿Qué?

TERCERO.—Qué hermoso. Cuando te iba a matar.

PRIMERO.—¿Sí? (*A* SEGUNDO.) ¿De veras me ibas a matar?

SEGUNDO.—Sí.

PRIMERO.—No lo creo. Sabiendo que esto es tan hermoso, ¿por qué ibas a querer ensuciarlo?

SEGUNDO. (*A* TERCERO.)—Oye, ¿estás seguro de que yo dije eso? Yo sólo lo pensé. ¿Cómo sabes tú lo que yo pensé?

TERCERO.—Lo dijiste.

SEGUNDO.—Bueno, no tiene importancia.

(*Pausa.*)

PRIMERO.—¿Y si estuviéramos todos muertos? A lo mejor estar muerto es esto. Puede ser. Podría ser. Hay gente que cree en cosas más inverosímiles aún. Una bala en la cabeza. Pudimos no habernos dado cuenta. A estas horas en el campamento todos están bebiendo. Puede que haya mujeres. Sólo los muertos no están ahí. Tú mismo lo dijiste, antes. ¿Por qué no podemos ser nosotros? Nadie sabe. A lo mejor entra un ángel de un momento a otro y... (*Transición. A* TERCERO.) ¿Es cierto lo de su hijo? No mentía, ¿verdad?

TERCERO.—Yo sólo miento a los que les tengo miedo, y ustedes son gallinas.

SEGUNDO.—El Hijo de Dios. Lo crucificamos. Y después nos lo comimos. Yo me le comí los ojos. ¡Ja, ja, ja!

TERCERO.—Te advertí que no hicieras bromas conmigo.

PRIMERO.—No es broma.

TERCERO.—Mi hijo no ha muerto. No ha nacido todavía el hombre que pueda matarlo.

(*Piensa. Por un momento puede más el pensamiento que la realidad e inicia el mutis. Lo encañona* SEGUNDO.)

SEGUNDO.—Padre, ¿adónde vas? Está prohibido.

PRIMERO.—¡Déjalo!

SEGUNDO.—No. Me protege contra ti.

(TERCERO *vuelve a su sitio.*)

PRIMERO.—¿Estás sordo? ¿No me oyes que soy un hombre de paz? (*Lo sacude de la camisa.*) ¿No me oyes? (*Como si el otro estuviera lejano.*) ¡Tú, allá, lejos! ¿Me oyes? ¿Hay alguien ahí dentro?

SEGUNDO.—¡Suelta, suelta, fracasado! (*Logra desasirse.*) Ese es tu error, creer que la gente vive dentro. Adentro no hay nada, nadie. Sí, sí, todo lo que somos es esto, una cosa que bebe, que se rasca la espalda, que camina por la calle, que se sienta. Adentro no, maestrito, aquí afuera, mirándote.

PRIMERO.—¡Bueno, óyeme entonces, déjalo que se vaya! Soy un hombre de paz.

SEGUNDO.—Los hombres de paz no llevan pistola.

PRIMERO.—Sí, tienen que llevarla, mientras haya gente como tú. Pero hasta en ti creo yo. Hay gente que cree en cosas más inverosímiles. Yo creo en ti.

SEGUNDO.—Pruébalo, dame tu pistola.

TERCERO.—Si te la da, te mato.

PRIMERO.—No, no creo en ti. (*A* TERCERO.) Tampoco yo se la daría, padre. Hay que ser tigre entre los tigres. Chacal entre los chacales. Hombre entre los hombres.

SEGUNDO.—Entre los hombres lo que hay que ser es mujer. ¿Por qué no naciste mujer, maestro, una mujer entrada en carnes, como me gustan a mí? Estuviste tan cerca de ello.

PRIMERO.—Acabemos ya de una vez con esta tortura. ¿Cómo es que no ven el fuego? ¿Cómo es que no mandan una patrulla?

SEGUNDO.—Podemos llamarlos. ¿Llamo?

PRIMERO.—Sí. Llama.

SEGUNDO.—¿Llamo, padre? (*Gesto de "me da lo mismo" de* TERCERO.)—Ni hacia acá ni hacia allá, sino hacia acá, el justo medio. (*Grita.*) ¡Federarrevolucionarios! ¡Aquí! ¡Vengan todos, cualquiera! (*Tose.*) Dame un trago. Tengo una idea mejor. Cantemos. Una canción de los federales y otra de los revolucionarios. Y cuidado, poner el mismo entusiasmo en las dos canciones. El que desafine se muere. Es muy importante eso de cantar canciones, por lo visto. Venga, Dios, hágase usted más al fuego. Tú, tú también, vente para acá, vamos a cantar, como querías.

PRIMERO.—Sí. Ellos la oirán. Creerán que son los muertos los que cantan.

SEGUNDO.—Que sean dos canciones bonitas, conocidas. Por ejemplo... Caray, hay tantas. Por ejemplo, Adelita y Valentina. Adelita y Valentina, las dos hermanas enemigas. Cara, Adelita; cruz, Valentina. No. Me pueden ver la moneda. Esta piedra. La cara la mojamos, así. (*La moja con la lengua. Tira.*) Adela. Ganó Adela. Lo cual no significa nada, claro. Bueno, los tres a la vez. Uno dos y tres.

PRIMERO Y SEGUNDO.

Si Adelita quisiera ser mi esposa,
si Adelita fuera mi mujer...

SEGUNDO.—Venga, venga, padre. No nos haga pensar que no la sabe. Comencemos de nuevo.

PRIMERO, SEGUNDO Y TERCERO.

Si Adelita quisiera ser mi esposa,
si Adelita fuera mi mujer,
le compraría un vestido de rosa
pa' llevarla a bailar al cuartel.
Si Adelita se fuera con otro
la perseguiría por tierra y por mar,
si por mar, en un buque de guerra,
si por tierra, en un tren militar.
Etc...

(Gritos. Se entusiasman, toman aguardiente. El que más toma, cambia y se alegra es TERCERO.)

SEGUNDO. *(A* TERCERO.)—Buen grito, compadre. *(Risa sana.)* ¡Ja, ja, ja!

PRIMERO.—¡Hemos llegado! ¿Ven? Aquí, ahora sí se puede reír. Esta sí es una risa sana. Ríase usted también, padre. *(Efecto contrario.* TERCERO *retira su risa incipiente.)* Mire, como yo. ¡Ja, ja, ja!

TERCERO. *(Poco a poco, por burla al principio, pero de pura salud después, comienza a reír estrepitosamente uniéndose a* PRIMERO *y* SEGUNDO, *que también ríen.)*—¡Ja, ja, ja!

PRIMERO.—¿Ven? ¿Ven? *(A* SEGUNDO.) Ahora di: Piedra.

SEGUNDO.—¿Piedra? ¡Ja, ja, ja!

PRIMERO. *(A* TERCERO.)—Y usted diga... *(Busca a su alrededor.)* Fuego.

TERCERO.—¡Fuego! ¡Ja, ja, ja!

PRIMERO.—¡Piedra! ¡Fuego! ¡Hierba! ¡Manos! ¡Es la primera vez que estamos aludiendo a las cosas mismas! Estamos frente a ellas, con el corazón puro. Nos esperaban. No, ya no nos esperaban, nos daban por perdidos. *(A la Naturaleza.)* ¡Hemos regresado! ¡Hemos regresado! Nunca hubieran creído que pudiéramos elevarnos, ¿verdad?

SEGUNDO Y TERCERO.—¡Ja, ja, ja!

PRIMERO.—Digan: Te quiero.

SEGUNDO Y TERCERO.—¡Ja, ja, ja!

PRIMERO.—Digan: Te quiero. O: Tengo frío. *(A* SEGUNDO.) Di: Tengo frío.

SEGUNDO.—Déjate de tonterías. Vamos a cantar la otra canción. Siéntate.

PRIMERO.—No. Díganlo. Ahora. Quiero que las cosas sepan que podemos hacerlo. Que no nos he-

mos perdido. Es aquí donde están las cosas. No
en lo profundo, en lo alto. (*Amenazante.*) ¡Díganlo! (SEGUNDO *y* TERCERO *se ponen serios. Transición.*) ¿Ven? Ya no. Bajamos. Pesamos mucho
todavía.

> (*Se sienta.*)

SEGUNDO.—Venga, vamos, la hermana.
PRIMERO, SEGUNDO Y TERCERO.
>   Valentina, Valentina,
>   yo te quisiera decir
>   que una pasión me domina
>   y es la que me ha hecho venir.
>   Si porque tomo tequila
>   mañana tomo jerez,
>   si porque me ves borracho
>   mañana ya no me ves,
>   Valentina, Valentina,
>   rendido estoy a tus pies,
>   si me han de matar mañana
>   que me maten de una vez.
>   Etc...

> (*Gritos.*)

PRIMERO. (*Acostado en el suelo boca arriba con los
brazos abiertos.*)—¡Otra vez, otra vez nos eleva-
mos! ¡Vamos subiendo!

> (*A todo esto, se han acabado la pri-
> mera botella.* TERCERO *le pide la suya
> a* PRIMERO, *y éste se la pasa por medio
> de* SEGUNDO. *Pero* SEGUNDO, *haciendo un
> gesto que quiere decir:* "No, porque se
> va a emborrachar", *la tira un poco le-
> jos de* TERCERO. TERCERO *va a buscarla
> descuidando su rifle por primera vez.*

SEGUNDO *se tira encima del rifle, enca-*
ñona a los dos con su pistola y lanza
un grito triunfal.)

SEGUNDO.—¡Jaque! ¡No, tampoco se puede cantar!
¡Cantar, reír, eso es lo que no se puede hacer
nunca, de ningún modo! ¡Ja, ja, ja! Las cosas es-
tarán allá arriba, maestro, pero yo estoy aquí
abajo. Dese la vuelta. Dios, voy a matarle. Pégue-
se al maestro. Yo fui el que mató a su hijo. Estoy seguro. Yo me le comí los ojos. (*A* PRIMERO.)
Tú, saca tu pistola y tíramela. No, dale la vuelta
a la cartuchera. Así. Ahora empújala con el pie.
Eso es. Date la vuelta también.
PRIMERO.—Eres el único perverso de los tres. Miserable. Eres el único malo que existe.
SEGUNDO.—¿Yo malo? ¡Ja, ja, ja! Tú te crees muy
bueno...
PRIMERO.—Yo te iba a perdonar cuando comenzaste a hablar. Yo te iba a perdonar. Y éste vino
aquí para salvarme la vida. Tú eres el único culpable. Mátanos. Estarás solo aquí abajo.
SEGUNDO.—¡Pues sabe que yo no te iba a matar
cuando me encontró éste! ¡Huía! ¡Yo te había
perdonado! ¡Iba en ese momento a pegar la carrera! ¡No te quería matar! ¡Huía! Pero el padre
me puso su rifle en la nuca. Ustedes me han
obligado. ¡Soy bueno! Quise serlo. Ustedes son
más culpables que yo, porque me obligaron a
esto, me empujaron, me trajeron con un rifle a
la espalda. Y aún ahora me están apretando el
dedo, y yo no quiero.
PRIMERO.—¿También tú eres inocente? ¡Yo lo sabía!
(*Se cubre la cara de alegría.*) Todos lo somos.
¿Quién es el culpable entonces, si todos somos
i n o c e n t e s, si todos perdonamos? ¿Quién?
¿Quién?

SEGUNDO.—¡Ustedes mismos, porque si no los mato me matarán ustedes!

PRIMERO.—No.

SEGUNDO.—No mientas, justo. ¿No es verdad, padre? ¿Dios, no es verdad que si no te mato me matarás tú a mí?

TERCERO. (*Tranquilo.*)—Sí.

SEGUNDO.—¿Ves? ¡Me empujan el dedo! (*Tiembla como al principio.*) ¡No soy yo, son ustedes los que aprietan el gatillo! ¡Yo no quiero! (*Dispara. Hiere a* TERCERO.) ¡Yo no quiero!

(*Vuelve a disparar.* TERCERO *c a e muerto.*)

PRIMERO.—Pudiste. Lo mataste.

SEGUNDO.—Adiós, Dios.

PRIMERO.—Sin ni siquiera saber quién era.

SEGUNDO.—¿No decía que era Dios? De aquí no sale vivo ni Dios. Ni el Padre, ni el Hijo, ni el Espíritu Santo. Ahora te toca a ti. Es el vivo, el vivo es el que siempre gana, el inteligente.

PRIMERO.—No has ganado, has perdido, pobre.

SEGUNDO.—¡Ja, ja, ja! A ti te voy a dejar rezar, como me dejaste a mí. Anda, reza, elévate con esas alas cómodas y limpias de la religión.

PRIMERO. (*Se arrodilla, las manos juntas, con honda devoción.*)—Padre nuestro, que estás en los cielos... (*Alza los ojos.*), allá arriba, tan alto... (*Baja los ojos para ver a* TERCERO.) Y tú aquí, sin nombre, nadie sabrá ni que moriste. ¿Quién eras tú, pobre criatura? Ridículo, deslucido, casi sin ser, sin nada. ¿Qué es lo que querías? (*Transición.*) En el corazón. Ojalá tengas la misma puntería conmigo.

SEGUNDO.—La tendré, te lo prometo. Tengo el pulso firme, seguro.

(*Le está temblando.*)

PRIMERO.—Sus papeles. Fotos. Este debe ser Jacinto. Y éste el niño. ¿Quieres que te diga a qué bando pertenecía?

(*Mira un papel y se sonríe.*)

SEGUNDO.—¿A cuál? No, déjalo. No me lo digas. Así pensaré siempre que maté por patriotismo. ¡Anda, reza!

PRIMERO. (*Transición. Se levanta. Es un grito que expresa una decisión repentina pero firme.*)— ¡No! (*Dulce.*) ¡Oyeme...!

(*Va a volverse.*)

SEGUNDO.—¡No te vuelvas! ¡Reza!

PRIMERO.—No.

SEGUNDO.—No te vuelvas.

PRIMERO.—Tú no eres malo. También tú perdonaste. (*Ve a* TERCERO.) Se te salió el tiro. No quisiste matarlo. Fue un accidente. Tiene que haber sido.

SEGUNDO.—¿Un accidente? Pues ahora va a haber otro.

PRIMERO.—Yo creo en ti.

SEGUNDO.—¿Crees en mí? Aguarda entonces. (*Apunta, tiembla de nuevo.*) ¡Reza!

PRIMERO.—No. Tendría que pedir que te condenes, y a ti te quiero más. Prefiero tu bando. Prefiero ser de tu bando. Quiero acompañarte aquí abajo, o más abajo aún, en el infierno mismo. Porque tú eres bueno, y solamente yo lo sé.

SEGUNDO.—No, no lo soy. Lo fui. Ustedes me perdieron. Ustedes me pusieron un rifle en la nuca y me obligaron a ser malo. Todos ustedes. ¿Quieres que te cuente una cosa, lo que vi esta mañana?

PRIMERO.—No. Yo estaba ahí. Yo también lo he
visto.

SEGUNDO.—Entonces comprendes que no ha habido
ningún accidente, y que ahora te voy a matar
a ti.

PRIMERO.—Comprendo. Todos quisimos ayudarnos
y no pudimos. Todos quisimos perdonarnos y no
pudimos. Ese razonamiento tuyo era falso, arti
ficial. Sonaba hueco. No era el miedo el que nos
impedía matarnos, era el amor. Pero no pudi
mos. Yo creo en ti. Hay gente que cree en cosa
más inverosímiles todavía.

SEGUNDO.—¡No quiero que nadie crea en mí! (*Tran
sición.*) Dime, ¿de qué bando eres? Quiero... per
donarte otra vez.

PRIMERO.—¿Que de qué bando soy? Soy desertor.

SEGUNDO.—¡No mientas! ¿De qué bando eres? Dis
pararé como no me lo digas.

PRIMERO.—No miento. Desertaba. Soy desertor. Ha
bía fracasado.

SEGUNDO.—¡Bueno! ¡Mejor! Así seré patriota, aun
que seas de mi bando. Nosotros matamos a los
desertores.

PRIMERO.—Nosotros también.

SEGUNDO. (*Suplicante.*)—¡Por favor! Dime, ¿de qué
bando eres? Te perdonaré si eres del mío, aunque
seas desertor. ¡Quiero perdonarte!

PRIMERO.—Pero yo quiero morir. Dispara, patriota.

SEGUNDO.—¿Ves? ¿Ves? ¡No me amas! ¡No me amas!

PRIMERO.—Sí. Pero ya no quiero cambiar. Quiero
quererte ya para toda la vida. Quiero creer en ti
ya para siempre. Pueden suceder cosas... Puedo
no ser de tu bando, podemos pensar... Mientras
que así, ahora... Dispara. Clávame en este mo
mento. Ahora soy feliz.

Segundo.—¡Muérete, entonces, hijueputa! (*Dispara.*)
Conque crees en mí, ¿verdad?

Primero. (*Cayendo.*)—¡Sí!

Segundo. (*Dispara.*)—¿Y ahora, crees en mí?

Primero. (*Moribundo.*)—¡Sí!

Segundo. (*Dispara.*)—¿Y ahora? (*Se acerca a él.
Transición.*) ¿Estás muerto? ¿De veras? (*Transición.*) ¡Y a mí qué me importa! Ustedes son los
responsables. Querías conmoverme, ¿no es eso?
Sí. Querías conmoverme. ¡Qué me importa el hijo
de éste! ¿Y crees que yo no tengo hijos? (*Llora.*)
¿Quién creíste que era yo? ¿Por qué no me dejaron huir? ¿Por qué no me dejaron huir? (*Transición.*) ¿Estás muerto? ¿Pablo? (*Transición.*) ¡Pues
cierra los ojos entonces! Los muertos tienen que
tener los ojos cerrados. Ya no les pertenece ver.
¿Por qué me miras? ¡El mundo es mío! (*Aprieta
el gatillo pero ya no tiene bala. Tira la pistola y
con el rifle le da un culatazo salvaje en la cara.*)
¡Vete! ¡Cierra los ojos! (*Transición.*) No hay que
hacer bulla. Tengo que irme de aquí, regresar a
mi campamento. Hay que apagar el fuego, lo
pueden ver. (*Lo apaga.*) Tengo frío. ¡Tengo frío!

> (*Un rayo de luz lo alumbra. Se vuel-
> ve a defenderse con el rifle, pero cae
> sobre él una lluvia de balas que se pro-
> longa y prolonga desmesuradamente.*)

Voz en lo oscuro.—Basta. Ese ya no sirve ni para
colador.

> (*Es evidente que se acercan, porque
> el rayo de luz se intensifica disminu-
> yendo el área que alumbra, que sólo
> abarca ahora al de los tres caídos.*)

Otra voz. (*Acercándose.*)—Ese es el que se ha de

haber cargado a los otros dos. Mírelos cómo están, mi capitán. Parecen novios. ¿De qué bando serán éstos?

PRIMERA VOZ.—¡Qué más da! Da la voz de adelante. Apaguen eso.

(*Apagan.*)

SEGUNDA VOZ.—¡Adelante!
OTRA VOZ. (*Más lejana.*)—¡Adelante!
OTRA. (*Lejanísima ya.*)—¡Adelante!

(*Comienza a caer el telón lentamente.*)

OTRA. (*Tan lejana como la anterior, pero desde otra dirección, desde detrás del público.*)—¡Adelante!
OTRA. (*Más cercana. Desde detrás del público.*)—¡Adelante!
OTRA. (*Más cercana. Lo mismo.*)—¡Adelante!
OTRA. (*En uno de los pasillos fuera del salón.*)—¡Adelante!
OTRA. (*En la entrada misma del salón.*)—¡Adelante!

(*Ruidos de pasos por todas partes. De millones y millones de pasos. El telón ha caído ya. Luces.*)

PUERTO RICO

Francisco Arriví es, dentro del teatro contemporáneo en Puerto Rico, uno de los dramaturgos más productivos y en cuya actividad escénica se exponen los problemas más palpitantes de la Isla. Cuando sale a luz *María Soledad* —también llamada *Una sombra menos*— las preocupaciones de Arriví difieren de las de sus últimas piezas. Aquí el problema humano expuesto sobrepasa aquel otro de dar a conocer una realidad social que cerca y aparta, en una suerte de insularismo absurdo, a su isla del Caribe. De esta primera etapa son sus piezas: *Caso del muerto en vida, Alumbramiento, El diablo se humaniza, Club de solteros* y *María Soledad.* Una vuelta a la preocupación con verdades isleñas, sus problemas culturales, su realidad étnica, su conciencia de pueblo, etc., tipifican las piezas de un segundo período. Ahora surge su trilogía *Máscara Puertorriqueña,* que incluye *El murciélago* y *Medusas en la bahía,* además de *Sirena;* de 1958 es su pieza *Vejigantes.*

María Soledad, considerada como la obra más importante de este primer período, es un "dama de la búsqueda de la pureza absoluta", según Frank N. Dauster. La protagonista, poseída de un deseo obsesionante de pureza en las relaciones con su esposo José Luis, llega —tras una serie de complejas relaciones humanas— a cometer adulterio con el poeta Ricardo, en la convicción de que solamen-

te ellos pueden llegar a lograr el pleno ideal de
pureza amatoria. El drama termina con el asesinato de Ricardo por José Luis, y el suicidio de este
último. René Marqués, en un artículo sobre *María
Soledad*, en *El Mundo* (10 de agosto de 1947) se
pregunta si es la protagonista una mujer o un símbolo, y llega a la conclusión de que Arriví quiso
hacer de María Soledad un símbolo más que nada.
El significado de dicho símbolo es lo difícil de
averiguar: ¿el amor?, ¿la pureza? La supuesta enfermedad que mantiene en su afán de castidad a
la protagonista está fundada en una terrible experiencia incestuosa con su padre y que descubrimos
sin que el autor lo exponga claramente. Quizá lo
más trágico y escondido de la obra sea un grito
apagado de propia identidad de parte de María
Soledad. "La dificultad de la pieza —dice Deuster—
es que funciona simultáneamente en dos planos. En
uno, María Soledad es sicópata, violada por su
padre...; en otro plano, como ya ha indicado el
propio Arriví, es la reinterpretación de la leyenda
de La Bella Durmiente". Es difícil llegar a una interpretación rápida de esta pieza. Problemas de
índole dramática, de puesta en escena, de lenguaje
y de humanidad se echan a rodar en una misma
mesa. Francisco Arriví, en unos párrafos en que
describe sus personajes, dice de la imposibilidad de
aportar certidumbre alguna en cuanto a su protagonista se refiere, y sólo puede "sugerir que su vida
transcurre en la frontera de lo humano y de lo
allende, y que le es imposible revelar el secreto de
su personalidad, ya que lo desconoce".

En términos generales, su segunda etapa enfrenta el tema racial desde el plano más complejo de
la mezcla de razas, desde "la problemática de conciencia —dice Arriví— que engendra el mestizaje

racial en Puerto Rico". De todo ello surge una
falta de cohesión social que ocasiona la desmem-
bración de los grupos que integran la isla. Su trilogía *Máscara Puertorriqueña* aborda estos problemas. Su título ya pone de manifiesto el tema; el
problema raza, asunto intocable de toda la sociedad boricua y que, por consiguiente, enmascara,
disfraza, en un interminable carnaval de alegrías
folklóricas que alienta el alma popular. Esta su-
plantación de lo falso sobre lo verdadero domina la
trama de estas piezas llenas de música y colorido,
danzas y poesía, todo en armonioso conjunto. Estos recursos ayudan al ambiente y éste, a su vez,
sumerge al espectador en el contorno apropiado.
En *Vejigantes*, por ejemplo, al drama le acompaña la combinación de colores y de poesía, a pesar
de que está lograda dentro de un realismo de la
mejor cepa que no elude lo imaginativo ni lo colorido. *Vejigantes* —ha dicho Juan Luis Márquez—
es una obra de tesis, "y aunque este tipo de obras
resulta bastante obsoleto en otras latitudes, en
Puerto Rico, donde el teatro es recio retoño de
viejas raíces que muchos creían muertas, resulta
útil un drama como *Vejigantes*, en donde hay una
honrada y rotunda afirmación de valores isleños,
que afectan hondamente el devenir de nuestra experiencia humana" (en *El Mundo*, 6 de junio de
1958).

Cuando *Cóctel de Don Nadie* se presenta en el
Séptimo Festival de Teatro Puertorriqueño, la crítica toma diversas actitudes. El *Cóctel* fue criti-
cado duramente y en ello hubo mucho de incom-
prensión. En conferencia dictada en un homenaje
a Francisco Arriví en la Sociedad de Autores
Puertorriqueños el 26 de febrero de 1966, Piri Fernández de Lewis elogia la obra y ve que la pieza

es, en esencia, "un acto de exorcismo que quiere hacer pasar al hombre vivo por la experiencia de las postrimerías: muerte, juicio, infierno y gloria. La burla de *Cóctel de Don Nadie* es macabra, enjuiciadora, torturadora, concebida para espantar, pero si se entiende en sus términos es purificante. Y así el orden natural que es el divino se restituye. Francisco Arriví establece con su teatro que la salvación de Puerto Rico está en la restitución del orden natural porque es el divino". El *Cóctel de Don Nadie* es el cóctel de todos, al cual todos estamos, de una u otra manera, invitados, y al cual asistiremos apremiados por el afán de identidad. Es, el cóctel, una convocación payásica, tétrica a la autodefinición. La obra está concebida y dividida en espantos que simbolizan las catástrofes que amenazan destruir a Babia (Puerto Rico), y que se exponen al público en un simple encuentro de verdades cargadas de absurdo teatral. La trama es sencilla: Don Nadie, que es también ángel exterminador, diablo, juez y mensajero de unos dioses desconocidos, se encuentra en el país de Babia para desde allí observar y estudiar a las mujeres que lo habitan, mientras elabora un informe detallado paar el Ciego del Limbo que, paradójicamente, lo ve todo. La invitación al cóctel es el anzuelo para atraer a los ejemplares femeninos, objetos centrales del estudio de Don Nadie. Su objetivo es descubrir la mejor de entre todas para donarle la vida eterna como premio a la conservación de las virtudes que la adornan. Durante el primer "espanto" aparece Remedios, provinciana con hijos pero sin marido, que viene a brindar sus servicios de sirvienta; en el segundo "espanto" hace su aparición Rosa, mujer corrompida y maleada, "Afrodita del siglo XX, producto hollywoodesco de la moral fácil, siempre en entrega y cuyo contoneo a lo Mae West descubre el fraude de una cultura artificial". En el tercero y cuarto "espantos", respectivamente, acuden a la invitación Brunilda, fogosa casada con marido que poco le satisface y que busca el placer a como dé lugar; y Virginia, mujer enigmática que no quiere revelar su estado de pureza y virginidad. Cuando el plazo está por cumplirse y Don Nadie ha de partir, se descubre que todo aquel sitio ha de desaparecer en breve bajo el impacto de una bomba atómica que, desde un principio, ha estado en escena en forma de una enorme y complicada cafetera. De entre las cuatro mujeres Don Nadie escoge a Remedios, le aconseja que se salve y le entrega el "don del tiempo", de la vida eterna.

En la citada conferencia, Piri Fernández de Lewis ha visto un entronque de esta pieza de Arriví no sólo con el teatro griego de Aristófanes y de Eurípides a lo moderno, sino con los *Juegos de Escarnio*, *La danza de la Muerte* y los *Debates del agua y del vino*, del *Amor Sacro* y del *Amor Profano* de la Edad Media, además de ver su relación con el teatro de muñecos de la Comedia del Arte, de las piezas esperpénticas de Valle Inclán, del Teatro del Absurdo, de los "happenings" y del Teatro Antiteatro del siglo xx. No cabe duda que los personajes femeninos encarnan las Afroditas, Heras, Ateneas, etc., del teatro clásico, así como se puede sentir la presencia de un caricaturesco o distorsionado Orfeo en la persona de Don Nadie. Toda la pieza en sí es un espejo distorsionante de una realidad ya de suyo absurda. La sátira es amarga y no da mucho que reír al espectador que, inconscientemente, ve su circunstancia reflejada; la risa es cruda y se torna en mueca. El *Cóctel de Don Nadie* no es una pieza fácil de gustar; el autor no

intentó ni la facilidad de entendimiento ni el gust•
rápido. Allí apenas hay trama, los personajes ape
nas viven, son piezas que se juntan en una especi
de pesadilla futurista, o imágenes que se forjan ei
un estado de ensoñación o semi-vigilia, impulsado•
por una conciencia que duele y no sabe cómo re
belarse, que quiere gritar y se encuentra con un•
ancestral y enraizada mudez. Los personajes está•
presentados como arquetipos en un paraje irreal
En esa situación obran como títeres maniatado•
por una circunstancia más poderosa que tira d•
las cuerdas y que provoca el lanzamiento de "frase•
vulgares", "palabras huecas", "voz de falsete", etc.
que un crítico juzgó como aspectos negativos de l•
pieza sin caer en cuenta en que la exageración e•
parte de la triste guiñolada.

Todo el teatro de Arriví está circunscrito a unas
líneas que le definen —según propia declaración
del autor— "al amparo de una fórmula un tanto
sicológica, un tanto filosófica: el ansia de comunicación en su esfuerzo por trascender las situaciones
límites destruye o agranda la conciencia. Entiendo
la vida —prosigue Arriví— dotada de un gran móvil de compenetración y armonía en conflicto con
resistencias de progresiva dificultad que impiden
la plena realización del espíritu... En *Medusas en
la bahía*, *Vejigantes* y *Sirena* un núcleo de vergüenza racial —no el prejuicio racial, como se ha co-
mentado a raíz del estreno de las dos primeras
obras— constituye una situación límite, una valla
a la voluntad o cohesión espiritual y libre conciencia de un pueblo formado en gran parte por una
mezcla visible del blanco y del negro y unas cucha-
radas diluidas del indio" (1).

(1) Francisco Arriví, "Evolución del autor dramático puertorriqueño", en *El autor dramático. Primer Seminario de Dramaturgia*, Barcelona, 1963, pág. 142.

F R A N C I S C O   A R R I V Í

FRANCISCO ARRIVÍ no sólo es uno de los dramaturgos más prolíficos de la escena puertorriqueña,
sino de la hispanoamericana. Nace en San Juan
en 1915. Cursa estudios en la Universidad de Puerto Rico y forma parte del coro dirigido por Augusto
Rodríguez. Entre 1938 y 1941 ejerce el profesorado
de Lengua y Literatura españolas en la Escuela
Superior de Ponce y funda el Tinglado Puertorriqueño, grupo estudiantil dedicado al teatro, y con
el cual estrena *Club de solteros* y *El diablo se humaniza* (ambas en 1941). Posteriormente se dedica
a la tarea radiofónica en la famosa Escuela del
Aire, donde confecciona y dirige programas dra-
máticos. En 1945 y 1947, respectivamente, monta
su primer drama en tres actos, *Alumbramiento,* y
luego *María Soledad.* En 1948 y bajo el patrocinio
de la Fundación Rockefeller, se traslada a los Estados Unidos, donde estudia radio y teatro en la
Universidad de Columbia (Nueva York). Allí termina su *Cuento de hadas* y el *Caso del muerto en
vida.* La primera de estas piezas aparece en la selección Teatro Breve Hispanoamericano de Carlos
Solórzano.

En 1951 es la puesta en escena de *Caso del muerto en vida* y refunde *Club de solteros.* En 1955 escribe *Bolero y Plena* (*El murciélago* y *Medusas en
la bahía*), suite dramática de dos obras en un acto,

que se estrena en el Teatro de la Universidad de Puerto Rico el 20 de mayo de 1956; luego se volverá a montar junto a su otra pieza *Vejigantes* (baile de bomba en tres actos) durante el Primer Festival de Teatro Puertorriqueño en 1958. Su obra *Sirena* (1949), junto a las dos que integran *Bolero y Plena*, forman su trilogía *Máscara puertorriqueña*.

En 1959 ocupa el puesto de Director del programa de teatro del Instituto de Cultura Puertorriqueña, y organiza y dirige el Primer Seminario de Dramaturgia, además de dirigir los Festivales de Teatro a partir del tercero. Durante el séptimo festival en 1964 se monta el *Cóctel de Don Nadie*. Su obra ensayística sobre el teatro puertorriqueño e hispanoamericano es copiosa; asimismo ha cultivado la poesía, el cuento y, recientemente, la novela. En la actualidad dirige la oficina de Fomento Teatral del Instituto de Cultura Puertorriqueña.

Obras publicadas:

Club de solteros. Ed. Departamento de Instrucción Pública, Puerto Rico, 1968.

María Soledad. Ed. Departamento de Instrucción Pública, Puerto Rico, 1968.

Vejigantes, *Ibídem* y en Frank N. Deuster, *Teatro hispanoamericano* (tres piezas), Harcourt, Brace and World, Inc., Nueva York, 1965.

Bolero y Plena. Ed. Tinglado Puertorriqueño, Puerto Rico, 1960.

Cóctel de Don Nadie. Ed. Rumbos, Barcelona, 1966.

Ensayos y artículos:

Entrada por las raíces. Ed. Tinglado Puertorriqueño, Puerto Rico, 1964.

*Conciencia puertorriqueña del teatro contemporá-
neo* (1937-1956). Instituto de Cultura Puertorriqueña, Puerto Rico, 1966.

Areyto mayor. Instituto de Cultura Puertorriqueña,
Puerto Rico, 1966.

Dirección del autor:

Apartado postal 4184
San Juan (Puerto Rico)

COCTEL DE DON NADIE

Guiñolada en cuatro espantos
De
FRANCISCO ARRIVÍ

Ría ahora y piense después.

Estrenada en el teatro Tapia, de San Juan (Puerto
Rico), el 30 de abril de 1964, por el Instituto de
Cultura Puertorriqueña.

P E R S O N A J E S

DON NADIE.
VOZ DEL CIEGO DEL LIMBO.
REMEDIOS.
ROSA.
BRUNILDA.
VIRGINIA.
LA DAMA X.

La acción se desarrolla en el apartamiento mirador del condominio Sobre la Nada, país de Babia,
bajo la supervisión etérea del CIEGO DEL LIMBO.
Intermedios con interludios de arpa, breves.
Agradecidos de Rafaela Santos.

LUGAR DE ACCION

BABIA. Apartamiento mirador del Condominio
SOBRE LA NADA.
La acción se desarrolla en la sala del apartamiento mirador. Al fondo, un balcón voladizo, el
cual descubre otros apartamientos miradores de
la ciudad abiertos en cañón hacia un horizonte de
cielo. El piso del balcón queda dos escalones más
alto que el piso de la sala. Las paredes apenas se
acusan y podría prescindirse de ellas en los laterales, quizá sugerirse esquemáticamente al igual
que los demás límites.
Al centro, como un gran almohadón, aparece un

Francisco Arriví.

mueble circular para sentarse o acostarse. A derecha e izquierda de este mueble circular, se ven dispuestos dos muebles circulares también de menor diámetro, estrictamente para sentarse.

A la derecha del espacio escénico se alza una greca monumental sobre una mesa especialmente diseñada. Cuando se prende, la greca pita y echa humo. En un compartimiento del artefacto habrá tazas, platillos, cucharas, un pote de café instantáneo y azúcar. Junto a la mesa se ven dos muebles cilíndricos que servirán para sentarse a tomar café. Si se desea, la greca puede adornarse con banderitas internacionales.

A la izquierda del espacio escénico, se alza un bar generosamente suplido de espíritus alcohólicos y vasos de cóctel. También se distingue una coctelera eléctrica que permitirá llenar cincuenta vasos de una vez durante el fantochesco cóctel. La barra es considerablemente larga para permitir el acomodo de los cincuenta cócteles y algunas cosas más que descansarán sobre ella durante el transcurso de la acción. Hay un espejo en el bar.

En el primer término, a la derecha, aparece el pasamanos de una escalerilla de caracol, que conduce a los pisos inferiores del condominio. Detrás del pasamanos, se ve la puerta de entrada al apartamiento mirador. La puerta puede ser transparente o vana. Tendrá un interruptor eléctrico y alguna superficie sonora donde tocar con los nudillos y un cartelón con las palabras SE VENDE.

Inmediatamente después del telón de boca, corre una cortina a todo lo ancho y lo alto de la embocadura escenográfica. Otra cortina corre en la frontera del balcón con la sala.

PRIMER ESPANTO

(*Se abre el telón de boca. La corti-na de la embocadura aparece descorri-da, no la del balcón que se descorre luego misteriosamente para revelar a* DON NADIE. *Con* DON NADIE, *se devela un arpa de pie al centro del balcón y una banqueta semicircular. Allende el cañón de apartamientos, se desangra un glorioso atardecer que se tornará anochecer hacia el final del acto.* DON NADIE *pudiera contar veinte, treinta o cuarenta años, lo cierto es que su ros-tro espejea. Es un reflejo a veces, lla-ma la atención su cabellera azul, que ondula sobre una figura fina, alargada, proteica en los movimientos, reminis-cente por momentos de diferentes es-tilos de actuación y manerismos de épocas. Viste camisa y pantalones ne-gros, ajustados. Calza sandalias negras también. La camisa le abrocha en la garganta y los puños. Estrellas borda-das le rodean un bolsillo sobre la teti-lla izquierda. Las estrellas señalan su alcurnia y su misión, la cual se cono-cerá en el transcurso de la guiñolada.* DON NADIE *recorre el ámbito con la mi-*

rada. Se pone en inteligencia instantá-
nea con todo lo que mira: la greca, los muebles, el bar. Mira la greca por segunda vez, saca una libreta
del bolsillo y apunta las observaciones.
Se dirige a la derecha por la cual desaparece un instante para regresar y
hundirse por la izquierda. Se llega
nuevamente del interior para acercarse
a la puerta de entrada. Al pasar junto a
la greca se detiene y la observa, luego
abre la puerta, mira el cartelón, lo
quita, lo apoya al revés hacia la derecha. Se inclina sobre el pasamanos y
contempla la escalerilla de caracol. Se
adelanta dos pasos a la derecha y cierra la cortina de la embocadura la que
abre inmediatamente. Se vuelve, se inclina sobre el pasamanos de caracol, se
endereza, apunta las observaciones y
entra a la sala. Cierra la puerta tras
sí, se detiene junto a la greca, la estudia con mayor atención, la prende. La
greca pita y echa humo. DON NADIE la
apaga y apunta las observaciones. Se
dirige al bar, entra al mismo, abre una
gaveta y deposita un centavo, luego
siete paquetes de dólares, apunta las
observaciones y se dirige a los muebles. Se sienta y se echa atrás en el
mueble central. Se sienta sucesivamen-
te en los satélites. Se levanta, apunta
las observaciones, se vuelve hacia la
greca y apunta nuevas observaciones.
Guarda la libreta en el bolsillo estrellado. Se acerca al arpa, tañe de pie

*varias escalas ascendentes al tiempo
que consulta al infinito con los ojos.
Se escucha un arpa de lo infinito como
en respuesta a las escalas de* Don Nadie.)

Voz Abstracta.—¿Conseguiste apartamiento?
Don Nadie. (*Los ojos fijos en el cielo.*)—Aparta-
miento mirador.
Voz Abstracta.—¿Dónde?
Don Nadie.—En el condominio Sobre la Nada.
Voz Abstracta.—¿Conveniente?
Don Nadie.—Sin duda, el más alto de la ciudad. Se
ve lo mismo la Nada que el Limbo. Muy *a pro-
pos...*
Voz Abstracta.—¿Muebles?
Don Nadie.—Estilo interplanetario: un gran mueble
circular al centro y muebles menores, también
circulares, de satélites.
Voz Abstracta.—¿Bar?
Don Nadie.—Sí. Tiene un bar surtido de todos los
espíritus internacionales: cerveza, ron, whiskey,
vodka, ajenjo, vermut, saki, tequila, toda clase
de vinos y licores.
Voz Abstracta.—¿Nada más?
Don Nadie.—No. Hay una greca que parece una
bomba atómica.
Voz Abstracta.—Podría ser una bomba atómica.
Don Nadie.—Lo sé. En esta época se sirve lo mismo
un café que un megatón.
Voz Abstracta.—¿Tiene café de Babia?
Don Nadie.—No. De Brasil.
Voz Abstracta.—Preparado a la Babia.
Don Nadie.—No. A la Quimbamba.
Voz Abstracta.—¿Y qué sucede allá abajo?
Don Nadie.—Que esta gente no sabe la hora que es,

el sitio donde está, la dirección a que camina, con quién se acuesta y con quién se levanta, si se acuesta o se levanta, o si no se acuesta y no se levanta. Por lo que pude observar en mi primera inspección, a Babia le importa un bledo la identidad. Aquí ha penetrado, como en ningún sitio, la cultura quimbámbica.

Voz Abstracta.—Está bien. Eso será motivo de otro informe en el futuro. Digamos que el próximo año.

Don Nadie.—Si es que Babia llega a mañana, aunque si llega a mañana sin futuro, de qué le valdría el pasado, y si llega sin pasado se queda sin futuro. ¡Quimbamba se la va a tragar!

Voz Abstracta.—Concentra en el informe de hoy.

Don Nadie.—Concentro.

Voz Abstracta.—Ya sabes que tienes dos horas y un minuto. Ni uno más, ni uno menos.

Don Nadie.—Entendido. Dos horas y un minuto. Me concedes una eternidad.

Voz Abstracta.—Ya sabes que tienes un centavo y siete billones. Ni un centavo más, ni un centavo menos.

Don Nadie.—Para cuenta corriente, como están las cosas, es un poco apretado, pero me arreglaré.

Voz Abstracta.—¿Pusiste los dos anuncios en los periódicos?

Don Nadie.—Dejé dos notas que ya deben estar circulando. La prensa de aquí está escrita en babieca y, no obstante, defiende la enseñanza en quimbámbico.

Voz Abstracta.—Babiequerías. Eso es motivo de otro informe, digamos dentro de dos años.

Don Nadie.—¡Ciego!

Voz Abstracta.—¡Dime!

Don Nadie.—Durante el curso de la investigación

háblame con voz de mujer para que no haya sospechas.

Voz Abstracta.—De acuerdo... (*Voz de mujer.*) Antes de irme del aire déjame felicitarte por encontrar un apartamiento mirador. Has tenido mucha suerte.

Don Nadie.—Suerte, no. Los precios han subido a tal distancia en las nubes que los ricos no pueden comprar.

Voz Abstracta. (*Voz de mujer.*)—¡Qué absurda es Babia!

Don Nadie.—¡Un fantasma de país! ¡El paraíso de los Caballos de Troya!

> (*Se escuchan unas escalas celestiales y luego impera el silencio. Don Nadie se vuelve hacia la puerta de entrada. La contempla un momento y se sienta al arpa. Tañe ahora escalas descendentes. Aparece Remedios por la escalerilla de caracol. Se detiene al borde de los escalones y escucha el sonido del arpa, luego lee en un periódico lo que debe ser un anuncio. Se dirige a la puerta y oprime el botón eléctrico. Escucha el arpa, lee el periódico y oprime el botón eléctrico nuevamente. Escucha el arpa, lee el periódico y oprime el botón eléctrico por tercera vez. Pone el oído contra la puerta con lo que confirma el sonido del arpa. Indica con un movimiento de la mano derecha que el habitante de la casa vive en las nubes. Escucha nuevamente y termina por golpear con los nudillos. Como la puerta no abre tampoco, se pone en ja-*)

*rras frente a ella, como expresando:
"¡Qué demonios se creerá esta gente!"
REMEDIOS contará cuarenta años. Mujer
curtida en el trabajo de sirvienta o cocinera, o ambos a la vez, enteca, con
una belleza rústica comprimida por la
clase y su dura brega por ganarse el
sustento, estoica y filosófica, pero llena
de humor. Su sicología es de fuerte sabor popular y contrasta abiertamente
con la estilización de DON NADIE. Viste
un traje de tela barata, floreado. Lleva
una enorme cartera de hule que aprieta contra el costado. Por el hecho de
escuchar las escalas descendentes de
DON NADIE, abre la puerta de entrada
y sondea el ámbito. DON NADIE vuelve
la cara, sin dejar de tañer, y mira a
REMEDIOS. REMEDIOS espera algunas palabras de DON NADIE, pero en vista de
que no las pronuncia, se introduce lentamente en la presunta sala sin despegar los ojos del arpista, quien la observa sin pestañeos.)*

REMEDIOS. *(Luego de una pausa debida a sus complejos de clase.)*—¿Sordo? *(DON NADIE deja de
tocar.)* Menos mal. Ya sé que oye.

DON NADIE. *(Mostrando el arpa.)*—Soy un profesional del oído.

REMEDIOS.—De primera intención no lo demuestra.

DON NADIE.—De primera intención no demuestro
nada.

REMEDIOS.—¿Y de segunda?

DON NADIE.—Menos.

(REMEDIOS lo estudia.)

REMEDIOS. (*Recomponiéndose.*) — ¿No escuchó el timbre?

DON NADIE.—Aquí no hay timbre.

REMEDIOS.—¿Y por qué ha puesto un botón eléctrico en la puerta de entrada?

DON NADIE.—Para que el visitante entre una vez que nadie responda en la casa.

REMEDIOS.—No es cuerdo permitir que las personas entren a las casas de esta manera.

DON NADIE.—Eso, realmente, no debe importarle.

REMEDIOS. (*Acercándose a* DON NADIE.)—Podría figurarse que soy una ladrona.

DON NADIE.—Eso, realmente, tampoco debería importarle.

REMEDIOS.—Pues me importa muchísimo. No vengo a contratarme como ladrona.

DON NADIE. (*Levantándose.*)—Por venir de la Nada, donde no hay nada absolutamente, y quedar ante el Limbo, donde todo es limbo absolutamente, el ser humano, para ser, necesariamente tiene que robarle a los que han robado anteriormente.

REMEDIOS.—Con todo ese emborujo, me quiere decir que yo soy ladrona.

DON NADIE.—Antes que nada, o mejor dicho, luego de la Nada.

REMEDIOS.—Me permite, señor ladrón.

DON NADIE.—Yo no soy ladrón.

REMEDIOS.—¡Ah! Veo. Los únicos pillos somos los pobres.

DON NADIE.—No soy ladrón porque no vengo de la Nada.

REMEDIOS.—¡Ahora se las echa de blanca mariposita! ¿Y de dónde viene?

DON NADIE.—Eso, realmente, no le debe importar. (REMEDIOS *guarda silencio.*) Siéntese.

(*Marcha en dirección al bar.*)

REMEDIOS. (*Perturbada.*)—¿Aquí...? ¿En la sala?

DON NADIE. (*Deteniéndose con naturalidad.*)—Pues sí... en ese mueble circular..., en los satélites..., junto a la greca..., junto al bar..., en la banqueta del arpa..., en la baranda del balcón... o, si lo cree más cómodo, en el piso.

REMEDIOS.—Muchas gracias, pero que yo sepa, y lo sé, ni sirvientas, ni cocineras deben sentarse en la sala, y mucho menos en el piso.

DON NADIE. (*Con un ademán hacia el ámbito.*)—Aquí todo es sala. (REMEDIOS, *medio atontada, da una vuelta sobre sí misma para confirmar el aserto de* DON NADIE. *Cuando* REMEDIOS *termina de dar la vuelta.*) ...Y, en cuanto a sentarse en el piso, no existe reglamento que lo prohíba, excepto algún inconveniente en los almohadones.

REMEDIOS. (*Luego de mirar alrededor.*)—¿Qué almohadones?

DON NADIE. (*Señalándole hacia la región glútea.*)—Los almohadones de uno.

REMEDIOS.—Veo. Las nalgas.

DON NADIE.—En el Limbo se llaman almohadones.

REMEDIOS.—Pues aquí se llaman como yo dije.

DON NADIE.—¿Tiene o no algún inconveniente en los almohadones?

REMEDIOS. (*Con un arranque involuntario.*)—¡Cristiano! ¡Yo creía, como dicen por ahí, que esta era una casa de gran protocolo! (DON NADIE *saca la libreta del bolsillo estrellado y escribe tres o cuatro palabras, la guarda y entra al bar donde estudia las esencias internacionales.* REMEDIOS, *poniendo su mundo en orden.*) Ha querido decir que no hay cocina, ni cuarto para el servicio.

DON NADIE. (*A medida que pone varias botellas sobre la barra.*)—Hay cocina solamente por necesidad, pero sin discrimen arquitectónico.

REMEDIOS.—No entiendo.

DON NADIE.—Se puede cocinar lo mismo en la sala que tocar el arpa en la cocina.

REMEDIOS. (*Cayendo sentada en un satélite del mueble circular.*)—¡Demonios! Entonces he llegado a la casa de un comunista.

DON NADIE.—No soy comunista.

REMEDIOS.—¿No es en los países comunistas donde los ricos comen en la cocina y los pobres en la sala?

DON NADIE.—Eso sucede también en los países demócratas. En tiempo de elecciones. Tampoco soy demócrata.

REMEDIOS.—¿Y qué es?

DON NADIE. (*Como si tal cosa.*)—Límbico.

> (REMEDIOS *se echa atrás.* DON NADIE *comienza a vaciar innumerables bebidas en la coctelera eléctrica.*)

REMEDIOS. (*Luego de pansarlo.*)—Por lo menos tendrá nombre.

DON NADIE.—Nadie.

REMEDIOS. (*Con una última esperanza.*)—¡Don Nadie!

DON NADIE.—¡Nadie!

> (DON NADIE *oprime el botón eléctrico de la coctelera y luego comienza a poner vasos sobre la barra, los suficientes para cincuenta cócteles.*)

REMEDIOS.—¡Don Nadie o don Alguien! ¿De dónde rayos viene usted?

DON NADIE.—Limbo del Ciego.

REMEDIOS.—¿Hacia qué lado de Babia queda eso?

DON NADIE. (*Señalando con un dedo.*)—Hacia arriba. (REMEDIOS *mira hacia arriba, luego clava los ojos en* DON NADIE *como pidiéndole una explicación. Pestañea, pero mantiene el rostro inmóvil.* DON NADIE *indiferente a la mirada de* REMEDIOS, *pero ofreciendo una explicación.*) ¡Hacia abajo, naturalmente, no puede estar! Hacia abajo están las tumbas, las fosas comunes, algunos países que han enterrado de un golpe a millares de personas, algunos países que se han enterrado ellos mismos, algunos países enterrados por otros países.

REMEDIOS.—Este, creo.

DON NADIE.—Este ni lo entierran, ni se desentierra.

REMEDIOS. (*Luego de una pausa.*)—¡Don Nadie!

DON NADIE.—¡Nadie!

REMEDIOS.—Dígame dónde está Limbo del Ciego, pero al punto.

DON NADIE.—Como no está hacia abajo, Limbo del Ciego está hacia arriba.

REMEDIOS. (*Luego de una pausa, mirándole de hito en hito.*)—¿Y dónde estoy yo?

DON NADIE.—Su exacta posición geográfica es: Babia, sala de Nadie en el condominio Sobre la Nada, encima de la ídem y debajo de Limbo del Ciego, vecindad de la Quimbamba por un lado y la Esperanza por el otro.

REMEDIOS.—¡Qué mono!

DON NADIE.—Su posición geográfica, realmente, no le debe importar.

REMEDIOS.—En este momento es lo único, realmente, que debe importarme. Podría figurarme que hablo con un patrono de aparecidos.

DON NADIE.—Eso, realmente, tampoco debería importarle.

REMEDIOS.—Pues me importa muchísimo. No he sa-

lido a contratarme con aparecidos. Bastante tenemos con los "carpebague" de la Quimbamba.

DON NADIE. (*Luego de una pausa.*)—¿Usted cree en
aparecidos?

REMEDIOS.—Si existen, los dejo aparecerse, pero no
trabajo con ellos.

DON NADIE.—¿Por qué?

REMEDIOS.—Porque me debo a tres encarnados que
necesitan comer, vestir, e ir a la escuela.

DON NADIE.—¿Encarnados por quién?

REMEDIOS.—Encarnados por mí.

DON NADIE.—¿Y cómo pudieron encarnar?

REMEDIOS.—Con esta carne y otras carnes.

DON NADIE.—¿Carnes de otros maridos?

REMEDIOS.—Francamente, carnes de tres pisaicorres
distintos.

DON NADIE.—¿Pisa qué?

REMEDIOS.—Pisacorres... Hombres cobardes que
una les aguanta el peso, pero después ellos no
aguantan el peso de los hijos.

DON NADIE. (*Hacia lo alto del fondo.*)—Materia de
informe.

REMEDIOS.—¿Con quién habló?

DON NADIE.—Con las nubes.

> (DON NADIE *la mira un momento, sa-
> ca la libreta del bolsillo estrellado y
> apunta algunas palabras. Guarda la li-
> breta y apaga la coctelera. Procede a
> llenar los vasos.*)

REMEDIOS. (*Extrañada por la conducta inconexa de
DON NADIE.*)—¿No me pregunta a lo que vine
aquí?

DON NADIE.—No, señora.

REMEDIOS. (*Después de mirarlo un segundo, leyendo
un anuncio en el periódico.*)—Urgente..., en el

Apartamiento mirador del condominio Sobre N
Nada se necesita una sirvienta que lo mismo sep
hacer un lavao que un fregao y si no quiere qu
no mueva una paja.

Don Nadie. (*Llenando vasos, para sí.*)—Se expre
san en el estilo de Babia y se consideran ciuda
danos de la Quimbamba. ¡Que si hace falta una
investigación cultural!

Remedios. (*Esgrimiendo el periódico.*)—Este anur
cio ofrece muy buenas condiciones de trabajc
(Don Nadie *inclina la cabeza.* Remedios *guardand*
el periódico en la cartera.) ¿Cuánto tiene en men
te pagar?

Don Nadie.—Usted decidirá.

Remedios.—¿Cuánto?

Don Nadie.—Desde un centavo hasta, digamos, tre
billones de dólares. (Remedios *se incorpora co*
mo un resorte.) ¿Cuatro? (Remedios *se trinca co*
mo una gárgola.) ¿Cinco?

Remedios. (*Tratando de sobreponerse a lo que cre*
una burla.)—Escúcheme, Don Nadie..., y escú
cheme escuchando bien. Le exijo más respeto
para la clase trabajadora del país... No crea qu
por vivir en el piso más alto de la ciudad y veni
yo de la Nada...

Don Nadie.—...Los ricos y los pobres, todos po
igual...

Remedios. (*Insensible a la parodia.*)—...puede mi
rarme de arriba para abajo...

Don Nadie.—...eso es inevitable, a menos que no
suba aquí.

Remedios. (*Insensible al equívoco.*)—...y tomarme
el pelo.

Don Nadie.—No soy calvo, ¿para qué necesito e
suyo? (Remedios *queda en suspenso.* Don Nadi
abre rápidamente una gaveta del bar y extrae un

centavo. Poniéndolo sobre la barra.) Un centavo.
(*Extrae tres paquetes de dólares y los pone uno
sobre el otro con igual indiferencia.*) Uno, dos,
tres billones de dólares. (*Exhibe otros paquetes
y procede de idéntica manera.*) Cuatro, cinco,
seis, siete billones de dólares. Por si acaso.

REMEDIOS. (*Retrocediendo hacia la greca.*)—¡Usted
se robó el tesoro de la Quimbamba!

DON NADIE.—Este dinero, como todo dinero y como
usted, salió de la Nada... (*Señalando hacia la
greca.*) Y si no tiene cuidado...

REMEDIOS. (*Volviéndose hacia la greca.*)—¿Qué?

DON NADIE.—...el centavo, los billones y usted podrían volver a la ídem.

> (REMEDIOS *observa la greca atenta-
> mente unos segundos y termina por
> relajarse.*)

REMEDIOS.—¿Qué puede hacer una greca apagada?

DON NADIE.—Explotar como una bomba atómica si
es lo segundo.

REMEDIOS. (*Volviéndose hacia* DON NADIE, *como una
ametralladora.*)—Explo, plo, plo, plo...

DON NADIE.—¡Sí...! Han podido creer que se muda-
ba Rómulo Betancourt.

REMEDIOS. (*Acercándose a* DON NADIE.)—¿Entonces
usted no la trajo?

DON NADIE.—El bar aparecía anunciado en la venta,
pero la greca no. (REMEDIOS *se detiene en seco.*)
Todavía no he podido determinar si es greca o
bomba. ¡Oh! Estos inventitos sólo se les pueden
ocurrir a los super-babiecas. ¡Poner al mundo
ante la posibilidad del no mundo!

REMEDIOS. (*Un pensamiento fulgurante le ha pasado por la cabeza.*)—¡Ah! Ya veo... (*Retrocediendo
hasta los muebles planetarios.*) Me quiere contra-
tar bajo amenaza.

Don Nadie.—No ha pasado, ni pasará por mi cabeza. Tampoco soy fachista. (*Ofreciéndole una silla del bar con intención de despejarle dudas.*) Siéntese.

Remedios.—No me siento con hombres en sitios como ése. Por ahí se cree que todas las sirvientas somos piltrafas de leones, o carne de cañón o material rodante, como dicen últimamente.

Don Nadie.—Usted no es ninguna de las tres cosas.

Remedios.—No, señor. Perdí el interés en los hombres desde que me hicieron tres muchachos y no sé dónde están los papás.

Don Nadie.—Hasta un trazo de bigote le ha salido.

Remedios.—Sí, señor. (*Señalándose el labio.*) Ha salido aquí un pequeño bigote y a orgullo lo tengo. A toda mujer que cría los hijos sin ayuda de padres le sale bigote. (*Con un arranque.*) Mire, Don Nadie.

Don Nadie.—Nadie.

Remedios.—Si quiere negocios conmigo, lo mejor es que se retire la greca o lo que sea.

Don Nadie.—Pues si quiere permanecer, lo mejor es que yo no bregue con ese artefacto. Realmente, no me interesa ampliar la geografía del Limbo o de la Nada. (Remedios *guarda silencio.* Don Nadie *termina de llenar los vasos. Dice luego de llenar los vasos.*) Ahora no vaya a creer que son cócteles Molotov.

Remedios. (*Con una explosión retrasada.*)—Me largo.

(*Se dirige a la puerta de entrada.*)

Don Nadie.—¡Señora! (Remedios *se detiene junto a la puerta.* Don Nadie *ofreciéndolos.*) Se puede llevar el centavo y los tres billones. (Remedios *se vuelve lentamente.* Don Nadie *saliendo del bar*

con el centavo y los tres billones en las manos.)
...y si quiere, le paso a su nombre la escritura
del apartamiento mirador y me voy.

REMEDIOS.—¿Qué pretende usted? ¿Montarme un
penjaus?

DON NADIE. (*Para sí.*)—¡Hasta a los más babiecas se
le zafan quimbambismos! (*A* REMEDIOS.) Si finalmente lo desea, puede tomarse los cócteles y probar si la greca es o no una bomba atómica. Por
mí, ponga definitivamente al revés lo que se niega estar al derecho. (REMEDIOS *lo mira con curiosidad.* DON NADIE *se acerca al mueble central
donde arroja el centavo y los siete billones. Mirando a* REMEDIOS.) Lo único que no puedo de-
jarle es el arpa.

REMEDIOS.—¿Por qué?

DON NADIE.—Pertenece a la colección del Limbo.
Un legado histórico jamás se tastarabilla so pena
de uno quedarse a puertas cerradas para siempre. (REMEDIOS *da unos pasos hacia* DON NADIE
que permanece sereno.) En fin de cuentas, puede
contratarse de sirvienta, no venir a trabajar y
cobrar el sueldo que desee.

REMEDIOS. (*Tocada en su amor propio.*)—¿Con qué
"botella" me confunde?

DON NADIE.—Todas las "botellas" son hijas de la
Nada también. Con el modo de emplearse, hacen
honor a su origen.

REMEDIOS.—De acuerdo, pero van a terminar con el
presupuesto del país.

DON NADIE.—El presupuesto sigue creciendo.

REMEDIOS.—Y las "botellas" también.

DON NADIE.—Si todas las personas se convirtieran
en "botellas", no habría necesidad de presupuesto.

REMEDIOS.—¡Subversivo!

29

Don Nadie.—Mientras no se arregle Babia, este adjetivo es aplicable a todo el mundo. Tan rebelde es el que anda con un centavo como el que anda con un billón y rebelde quien lo permite.

Remedios. (*Extendiendo la mano.*)—Está bien. Me coloco por ochenta al mes, pero me paga el manicomio.

Don Nadie.—Por fortuna para usted, el mundo es un manicomio. Todos los seres humanos, además de ser ladrones por venir de la Nada, están dementes, porque deben volver a ella.

Remedios.—A mí no me importa la Nada, ni Limbo del Ciego, ni irme porque vine, ni venir porque me fui. Lo que me importa es que estoy en este mundo con tres galillos que me busqué. ¿Cuándo firmamos el convenio colectivo?

Don Nadie. (*Indiferente, marchando hacia el bar, de donde toma dos vasos.*)—Redáctelo, fírmelo por mí, deposite el dinero en la cocina, haga la nómina y el cheque, cobre éste y olvídese. (*Volviéndose, con dos vasos en la mano.*) Brindemos por el contrato.

Remedios.—Yo nunca he tomado esas zambumbias de la gente bien. Desde hace unos años para acá, todo se vende y se compra entre humos. Parece que los babiecas quieran acompañarse del diablo.

Don Nadie.—Esto, en verdad, lo inventó un antiguo dios amante de la vida y enemigo de los negocios. Creyó que la perfecta alegría podía salvar al hombre de la Nada. Inventó la uva, el lúpulo, la malta, la cebada, el arroz, el maíz, la caña de azúcar, el magüey y un sinfín más de plantas para llenar al mundo de júbilo almacenable. Luego, como sucede siempre, la invención se comercializó y no sólo se almacenó alcohol, sino que también se almacenó al dios. El rito de Dionisos ha terminado por convertirse en antesala de trepadores al vacío. La Nada ha progresado en los corazones. (*Ofreciéndole un vaso.*) ¡Señora!

REMEDIOS. (*Tomando el vaso.*)—No me conduzca.

DON NADIE.—¿Conduzca a dónde?

REMEDIOS.—A donde me han conducido tres veces y las misas sueltas.

DON NADIE.—Yo no conduzco.

REMEDIOS.—Ninguno conduce y después queda una con la cúpula del Capitolio.

DON NADIE. (*Alzando el vaso.*)—Por Dionisos.

REMEDIOS.—¿Por quién?

DON NADIE.—Por la libertad de espíritu apoyada por espíritus.

REMEDIOS.—No me diga que he llegado a un centro de espíritus celestiales.

DON NADIE.—No. Internacionales. Propenden a comunicarnos con la Nada. Resultan excelentes para probar la resistencia interior... o la falta de ella. Sin resistencia la vida es igual a cero. El Limbo y la Nada quedarían sin sentido.

(DON NADIE *apura un cóctel.* REMEDIOS *le sigue automáticamente.*)

REMEDIOS. (*Después de apurar el cóctel y quedarse gustándolo en los labios.*)—¡No sabe mal, pero lleva su bomba por dentro!

DON NADIE.—Ya. Comienza a librarse de prejuicios. (*Libra a* REMEDIOS *del vaso con intención de buscarle otro.*) Brindemos por segunda vez.

REMEDIOS. (*Enfática.*)—No, señor. Permítame primero recogerle la casa.

(*Se dirige al mueble central, toma el centavo y los siete billones, marcha al bar, deja la cartera sobre la barra. Abre*

la gaveta y los deposita, toma la carte-
ra y luego mira alrededor en busca de
otros desaliños.)

DON NADIE. (*Acercándose al bar.*)—No hay nada más
que arreglar.
REMEDIOS.—Su dormitorio. Los hombres mantienen
el dormitorio en estado de revolución.
DON NADIE. (*Indicando la sala.*)—Mi dormitorio, en
todo caso, sería este.
REMEDIOS.—Un lugar a la intemperie.
DON NADIE. (*Significando los alrededores de la sa-*
la.)—Se corre la cortina.
REMEDIOS. (*Con un ademán de partir.*)—¿Dónde está
el de su esposa?
DON NADIE.—No tengo esposa.
REMEDIOS.—Arreglaré el de sus hijos.
DON NADIE.—No tengo hijos.
REMEDIOS.—El de alguien.
DON NADIE.—Nadie no tiene a nadie.

(*Se miran.*)

REMEDIOS.—Entonces me ha contratado un jamón.
(*Se miran.*) Un jamón que vive solo y con un
bar. (*Se miran.*) Un jamón billonario. (*Se miran.*)
Un jamón con muchísimo sex-apil.
DON NADIE. (*Para sí.*)—Quimbambismo. (*A REME-*
DIOS.) Todo lo que ha dicho, realmente, no debe
importarle.
REMEDIOS.—En este momento es lo único, realmen-
te, que me importa. No estoy dispuesta a tener
el cuarto hijo hasta que no se me pague un mes
por lo menos.
DON NADIE. (*Tomando dos vasos.*)—Tómese un cóc-
tel para que se calme.
REMEDIOS. (*Protegiéndose.*)—Tómese usted los dos.

(DON NADIE *intenta seguir el consejo de* REMEDIOS. *Reaccionando ésta con un grito.*) ¡No!... ¡Démelos!

    (DON NADIE *se encoge de hombros y le pasa los dos cócteles.* REMEDIOS *apura uno y otro.*)

DON NADIE.—¿Se siente mejor?

REMEDIOS.—Ya lo creo. (*Agarrándose de la barra.*) Si usted llega a tomárselos...

DON NADIE.—¿Qué?

REMEDIOS.—Comienza a sentirse papá.

DON NADIE. (*Estirando la mano para coger un vaso.*)—Permítame uno.

REMEDIOS. (*Con un grito mayor, al tiempo que le detiene un brazo.*)—¡No! ¡En mala hora he venido a este matadero!

DON NADIE.—¿Qué es un matadero?

REMEDIOS.—¡Bah! ¡Usted me huele a tigre con piel de gato!

DON NADIE.—¡Miau!

REMEDIOS.—¿No lo decía?

DON NADIE.—¡Miau!

REMEDIOS.—No, señor tigre.

DON NADIE.—¡Miau!

REMEDIOS. (*Con un movimiento del cuerpo.*)—¡Uf! ¡Escalofríos!

DON NADIE.—¡Miau!

REMEDIOS. (*Con otro movimiento.*)—¡Si me cuca una vez más...!

DON NADIE.—¡Miau!

REMEDIOS.—¡Lo cuco yo también!

DON NADIE.—¡Miau!

    (*Se miran largamente.*)

REMEDIOS. (*Retirando la mano del brazo de* DON

NADIE.)—¡Miau! (DON NADIE *apura un cóctel*.)
¡Miau! (DON NADIE *apura un cóctel*. REMEDIOS *con
un maullido desesperado*.) ¡Miauuu! (DON NADIE
apura un cóctel.) ¡Miauuu!

DON NADIE.—¡Basta de miaus!

(*Intenta tomar un vaso*.)

REMEDIOS. (*Agarrándolo sobre el bar*.)—¡Cristiano!
¿No anda necesitado? Pues quítese la necesidad
y acabemos de una vez.

DON NADIE.—¡No cuente conmigo de los miaus en
adelante!

REMEDIOS. (*Soltándolo*.)—Espéreme en la cocina.
DON NADIE *se dirige al centro de la sala y se sienta en el mueble circular mayor*.) En la cocina.

DON NADIE.—Le he dicho que en estos apartamientos de lujo no se distingue entre sala y cocina.
Ni dormitorio hay en éste.

REMEDIOS.—En el comedor entonces.

DON NADIE.—Tampoco hay comedor, ni cuarto para
el servicio.

REMEDIOS.—¿Y qué hay?

DON NADIE.—Bar, bar y bar, y aquí por misteriosa
casualidad, greca o bomba atómica.

REMEDIOS. (*Sarcástica*.)—¡Por misteriosa casualidad! ¿Todavía no sabe que Babia se divierte en
bares y descansa en bombas?

DON NADIE.—¿Y qué hacen los ciudadanos más no-
tables?

REMEDIOS.—Pensar en la Quimbamba. (DON NADIE
guarda un profundo silencio.) Don Nadie. Vén-
gase a cualquier sitio que no sea éste.

DON NADIE. (*Enigmático*.)—Estoy en el mismísimo
corazón del Universo. (*Señalando hacia abajo*.)
La Nada. (*Hacia arriba*.) Limbo del Ciego. (*Ha-*

cia_atrás.) Quimbamba. (*Hacia el público.*) La
Esperanza.

REMEDIOS.—Pues aquí, nacarile. Puede llegar gente,
y la gente es muy lengüilarga.

DON NADIE. (*Señalando hacia la puerta.*)—Puede llegar gente.

REMEDIOS.—¿Cuándo?

DON NADIE.—Signo de interrogación. (REMEDIOS *mira a* DON NADIE *un segundo, luego hacia la puerta, toma la cartera y se dirige al mueble central.
Se sienta junto a* DON NADIE.) No le he pedido que
se siente aquí.

> (DON NADIE *se levanta y se dirige a
> la puerta de entrada. La abre y observa
> la escalerilla de caracol.* REMEDIOS *la-
> dea el cuerpo y se apoya en el mueble
> circular sobre un codo. Eleva las dos
> piernas hacia atrás.*)

REMEDIOS.—¡Miau! (DON NADIE *se vuelve.*) ¡Me acos-
té! (DON NADIE *se vuelve otra vez hacia la escalerilla de caracol y se llega hasta el pasamanos.*
REMEDIOS *para ella, pero audible.*) Mientras más
lejos se va el chivo, más grande es la cabezada.
(*Se arregla el pelo, no sin cierta coquetería, y
con mayor inconsciencia, el bigote.* DON NADIE *se
vuelve hacia la sala, la cabeza baja, pensativo.*
REMEDIOS, *dispuesta a caer hacia atrás.*) ¡Ahí viene la cosa! (DON NADIE *pasa al interior sin cerrar
la puerta.* REMEDIOS, *recomponiéndose.*) ¡Cristiano! ¡Por lo menos cierre esa puerta!

DON NADIE.—La prefiero abierta.

REMEDIOS. (*Levantándose.*)—Pues yo no. No tengo
prestigio, pero en el fondo soy una mujer honrada. En lo que toca a usted, es diferente. Puede
o no puede ser un degenerado, pero tiene pres-

tigio y no quiero que lo pierda. (*Se dirige a la puerta y la cierra, la abre nuevamente, sale y escruta la escalerilla de caracol. Se vuelve, entra a la casa y cierra la puerta. Acercándose a* DON NADIE, *que luego de mirar a* REMEDIOS *se ha dirigido al balcón y se encuentra junto al arpa.*) No hay nadie afuera, ni en la escalera.

DON NADIE.—Lo sé. Por eso voy a tocar el arpa.

> (REMEDIOS *queda estupefacta.* DON NA-DIE *se sienta y concentra en su afinación.*)

REMEDIOS. (*Extrañada al infinito.*)—¡Cristiano! Dígame una cosa... (DON NADIE *deja de tocar el arpa y se vuelve hacia* REMEDIOS.) ¿De qué tiene la sangre? ¿De horchata?

DON NADIE. (*Después de una pausa, mirándola.*)— Me parece que no tengo sangre. Me siento lejano y hueco. (REMEDIOS *cae sentada en el mueble satélite.*) Pero eso, realmente, no debe importarle. (REMEDIOS *rompe a llorar.*) ¿Qué le sucede?

REMEDIOS.—Es usted el primer dueño de casa sin intenciones de hacerme el cuarto hijo. Estoy casi por enviarlo a la Nada.

DON NADIE.—¡El arpa sea conmigo!

> (DON NADIE *persiste en la afinación del arpa.* REMEDIOS *solloza unos segundos, pero termina por arriar bandera, no sin rencor, defraudada como se encuentra.*)

REMEDIOS. (*Con la voz ronca.*)—¡Don Nadie!

DON NADIE. (*Sin mirarla.*)—¡Nadie!

REMEDIOS. (*Después de una pausa, con voz ronca aún.*)—¿Cuándo comienzo a trabajar?

Don Nadie.—Ahora mismo.

Remedios.—¿Y qué demonios hago si todo aparece en orden?

Don Nadie. (*Volviéndose.*)—Considérese mi invitada.

Remedios.—¿Invitada yo?... (*Consciente ahora de su clase.*) ¡Invitada yo!... Me confunde con la grandeza del barrio. No pertenezco a la clase que echa lujos para afuera.

Don Nadie.—Doy un cóctel. Un cóctel a puertas abiertas. De hecho, lo hemos comenzado usted y yo a la hora anunciada. (Remedios *se levanta lentamente, una vez de pie, se sacude las posaderas disimuladamente.*) Siento muchísimo haberla invitado tan tarde, pero las demás personas no hace muchísimo más que recibieron la invitación. (*Señala hacia el bar.*) ¿Se tomará un cóctel?

Remedios.—Muy amable, pero... ¡no!..., ¡en otra ocasión! (*Oprimiendo el vientre.*) ¡Ahora tengo tamaña revolución!

Don Nadie.—Un cóctel más podría apagar esa revolución.

Remedios.—Muy delicado de su parte. Si es posible me tomaré una taza de café negro.

Don Nadie.—La greca podría ser una bomba atómica.

Remedios.—Es usted un bálsamo para el estómago...

Don Nadie. (*Levantándose.*)—¿Me permite que la ayude?

Remedios.—De ninguna manera. En estas circunstancias no puede ayudar a nadie, y un café atómico, menos. Esta revolución, realmente, no le debe importar. (*Pausa más larga aún. Durante la misma,* Don Nadie *se sienta en la banqueta y continúa con la afinación.* Remedios *aliviada.*) Va-

mos. Creo que no necesito el café negro. (Don
Nadie *continúa con la afinación.*) ¡Don Nadie!
Don Nadie.—¡Nadie!

Remedios.—¿Y dónde están los demás invitados?
Don Nadie.—Cumplí con inducir otro anuncio en
el periódico que publicó la solicitud de sirvienta.
Remedios.—¿Me podría explicar una palabrita?
Don Nadie.—¿Cuál?

Remedios.—Inducir. (Don Nadie *se vuelve hacia* Remedios. *Inpertérrita.*) Inducir.
Don Nadie.—Toda una teología. Me tomaría la eternidad y sólo tengo una hora y cuarentiún minutos para el cóctel. Ya han corrido veinte minutos.
Remedios.—¿Una hora cuarentiún minutos?
Don Nadie.—Lea el anuncio en el periódico y gana-
rá tiempo.

>   (Remedios *abre la cartera y extrae el
>   periódico.*)

Remedios. (*Repasando los anuncios rápidamente.*)
Urgente, na, na, na... Urgente, na, na, na...
Don Nadie.—Me parece que usted no sabe leer.
Remedios.—Claro que sé. Ahora todas las sirvientas
son alfabetas y tienen hijos doctores alfabetos.
Sólo puede encontrar analfabetos entre profe-
sores y letrados.

Don Nadie.—Siga leyendo.
Remedios.—Ya hablaré a las demás sirvientas respecto a sus méritos de patrono..., pero, naturalmente, no podré decir nada de sus méritos de
padrote. (Don Nadie *inclina la cabeza cortésmen-
te.* Remedios, *después de observarlo, resumiendo
la lectura.*) Urgente, na, na, na, na... Aquí está
el cóctel. (Don Nadie *le indica que lea.* Remedios,
resumiendo la lectura.) Se invita a un espirituo-
so cóctel... (Remedios *alza la vista.* Don Nadie *le*

indica que siga leyendo.) ...en el majestuoso apartamiento mirador... (REMEDIOS *alza la vista nuevamente y* DON NADIE *repite el gesto.*) del Condominio Sobre la Nada, suntuoso lugar...

DON NADIE.—¡Estilo fufuoso!

REMEDIOS.—¡Paso, paloma!

DON NADIE.—Fufuoso significa de una cabeza llena de cascabeles.

REMEDIOS.—Aquí se distingue a las personas por no tenerla. O por tenerla y no demostrarlo. (*Se miran.* REMEDIOS, *resumiendo la lectura.*) Se invita... na... na... a las mujeres liberadas... (REMEDIOS *alza la vista y la baja.*) residentes en el mismo... (*Alza la vista y la baja, repitiendo.*) ...a las mujeres liberadas... (*Mirando a* DON NADIE.) ¡Ja! ¡Las mujeres liberadas...! (*Leyendo.*) ...Residentes en el mismo. (*A* DON NADIE, *meneando la cabeza.*) Desde que puse el primer pie por esa puerta, supe que me engañaba.

DON NADIE.—No me diga que es familia de Sherlock Holmes.

REMEDIOS.—No, señor. No soy familia de Chelo Jon. Mi bigote lo confunde.

(DON NADIE *guarda silencio.*)

DON NADIE.—¿Y bien?

REMEDIOS.—Ahora puedo gritar a voz en cuello lo siguiente. (*Gritando.*) No hay un solo rico que no termine con un harem.

DON NADIE. (*Levantándose compulsivamente.*)—¡Un harem sin hijos! ¡Desquician la vida! (*Se sienta con la misma rapidez.* REMEDIOS *cae sentada en el suelo.*) ¡Y la clase media anda reprimida!

REMEDIOS. (*Sin darse cuenta del golpe.*)—No crea,

tiene pisaicorres a granel. (*Llevándose una mano a la posadera izquierda.*) ¡Ay!

DON NADIE. (*Levantándose.*)—¿Se rompió algo?

REMEDIOS. (*Asintiendo.*)—Creo que un almohadón.

DON NADIE. (*Levantándose.*)—No se mueva.

REMEDIOS.—¡Cristiano! ¡Si el dolor sube por el riñón y llega hasta el ala! (DON NADIE *se acerca y la toma en los brazos sin evidente esfuerzo.*) ¡Ay!

DON NADIE.—¿El almohadón?

REMEDIOS.—Sí. ¿Qué piensa hacer?

DON NADIE.—Recostarla convenientemente hasta que pase el cóctel.

REMEDIOS.—¿Dónde?

DON NADIE.—En el corazón del Universo. Sobre la Nada, bajo Limbo del Ciego, entre Quimbamba y la Esperanza.

REMEDIOS.—¡Cristiano! ¡Qué honor! ¡Cómo se pinta Babia, me creía destinada al trasero del mundo! (DON NADIE *la lleva hasta el mueble central.*) No me vaya a examinar. Eso sí que no lo permito.

DON NADIE.—Si se agrava tendré que llevarla al hospital y se acabó el cóctel.

REMEDIOS.—¡Don Nadie!

DON NADIE.—¡Nadie!

REMEDIOS.—¡Este cóctel lo quiero ver yo! Me huelo que subirá la espuma de Babia. Me dan gracia los vejigantes.

DON NADIE.—¿Y quiénes son los vejigantes?

REMEDIOS.—Los que llevan al diablo entre cuero y carne. Los que se niegan el alma. (*Se miran.*) Retiro la obligación del hospital. (*Se miran.*) ¡Cristiano! Esos hospitales privados arruinan a un billonario. Cobran por respirar y han convertido la muerte en un lujo. (DON NADIE *acomoda a* REMEDIOS *en el mueble sol. Al quedar éste boca*

arriba, por inadvertencia, se lastima el sitio afec-
tado, da un salto y queda boca abajo.) ¡Cristiano!
¿Cómo se le ocurre acostarme sobre esta brasa?
(Se incorpora de medio cuerpo apoyándose en
los brazos.) Siempre creí que iba a terminar en
una cama, pero nunca a la manera de Cleopatra.

DON NADIE. *(Invulnerable.)*—La vida humana comienza y termina en la cama.

REMEDIOS. *(Dando con una mano sobre el mueble*
sol.)—Termine.

DON NADIE.—Nonines.

> *(No se miran. DON NADIE se dirige a*
> *una puerta, nuevamente la abre, sale y*
> *se asoma a la escalerilla de caracol.)*

REMEDIOS.—Este hombre me tiene en el manicomio y si lo dejo, me pagará un hospital traga-
herencia, pero nunca será el padre de mi cuarto
hijo. *(DON NADIE da una vuelta alrededor de la*
boca de la escalerilla.) ¿Vienen?

DON NADIE. *(Afuera. Dando vueltas alrededor de la*
boca de la escalerilla.)—¡No...! Todavía faltan
diez minutos para que lleguen media hora tarde.

(Pausa.)

REMEDIOS.—¡Don Nadie!

DON NADIE. *(Afuera.)*—¡Nadie!

REMEDIOS.—¡Dígame la verdad!

DON NADIE. *(Afuera. Dando vueltas alrededor de la*
escalerilla.)—La verdad es dos veces infinita. Por
cuanto la Nada, por cuanto Limbo del Ciego. Ne-
cesitaría dos eternidades en lugar de una para
llegar a la primera conclusión.

REMEDIOS.—Usted le rompe la cabeza al más bonito.

DON NADIE. *(Afuera. Dando vueltas alrededor de la*

escalerilla.)—Los idiotas son los únicos que no se rompen la cabeza.

REMEDIOS.—Ni los políticos. Cambian como la hoja del yagrumo. (DON NADIE *continúa con las vueltas alrededor de la escalerilla.*) Don Nadie..., ¿existe el tal cóctel?

DON NADIE. (*Con las vueltas.*)—Dentro de diez minutos comenzarán a llegar las liberadas.

REMEDIOS.—¿Y si no llegan?

DON NADIE. (*Con las vueltas.*)—No podré investigar la razón de la espuma.

REMEDIOS.—...¿Y entonces?

DON NADIE. (*Deteniéndose.*)—...entonces habré perdido dos horas un minuto. No podré volver en un año. ¡No sabe cuánto significa dos horas un minuto para un limbista!

REMEDIOS.—Allá no sé, pero aquí las he sudado largo y tendido.

DON NADIE. (*Afuera. Sacando la libreta.*)—¿Usted aprecia mucho el tiempo?

REMEDIOS.—Para mí es un tesoro. La fortuna que dejó mi padre. (*Esgrimiendo la cartera.*) De tiempo tengo llena la cartera.

(DON NADIE *se vuelve y la mira a través de la puerta.*)

DON NADIE. (*Disponiéndose a escribir.*)—¡Señora!

REMEDIOS.—¡Don Nadie!

DON NADIE.—Su nombre.

REMEDIOS.—Remedios Necesidad... para servirle..., si es que Don Nadie necesita a nadie.

(DON NADIE *apunta algunas palabras. La mira nuevamente y se vuelve hacia la escalerilla.*)

Don Nadie. (*Luego de guardar la libreta en el bolsillo estrellado, afuera.*)—¡Remedios!

Remedios.—Diga.

Don Nadie. (*Afuera.*)—El tiempo huye.

Remedios.—Pues toque el arpa y no se quede ahí como un bendito... Mientras tanto, voy a echar un sueño. Puede ser que durmiendo se me cure el estómago, se me arregle la nalga y sirva de algo en el cóctel. De linda cara no me quedo.

Don Nadie. (*Refiriéndose a la cortina de la vidriera exterior.*)—¿Me permite correrle esta cortina en lo que se duerme?

Remedios.—¿Para qué?

Don Nadie.—Para que no vea más estrellas de la cuenta.

Remedios.—Puede correr lo que quiera... y descorrerlo también. Aquí todo conduce a lo mismo.

Don Nadie.—¿A qué?

Remedios.—A nada con Nadie. (*Pausa.* Don Nadie *corre la cortina.* Remedios *adentro.*) Don Nadie.

Don Nadie. (*Adentro.*)—Remedios.

Remedios. (*Adentro.*)—Toque una nana en el arpa.

Don Nadie. (*Adentro.*)—Con mucho gusto.

(*Pausa. Se escucha el arpa. Se encienden las luces de la sala. El arpa suena durante cinco minutos.*)

SEGUNDO ESPANTO

(*Aún se escucha el arpa. Se apagan las luces de la sala. Se descorre la cortina de la embocadura y aparece quien la descorre:* ROSA. DON NADIE *tañe el arpa con la vista perdida en el cielo estrellado.* REMEDIOS *yace dormida boca abajo, la frente sobre las manos.* ROSA *contará veinticinco años. Es una hembra frutal que viste frutalmente un traje ceñido al cuerpo. El sexo desborda en todas sus curvas. Usa peluca rubia peinada a lo Cleopatra, y, en general, se nota una influencia hollywoodesca en toda su figura, pero en el fondo es una muchacha sanota que no ha podido convencerse de la moral ambiente. Se ha impuesto una cubierta de mujer fatal, pero la misma muy de superficie.* ROSA *se vuelve hacia el fondo y escucha el arpa unos segundos. Se arregla el pelo, se ajusta el traje y da una vuelta alrededor de la escalerilla de caracol como si modelara un traje. Se detiene, ensaya dos o tres poses, pone atención al arpa y se decide por la más estilizada. Con la misma, se llega a la puerta y oprime el tim-*

*bre. Espera en pose. Oprime el timbre
y repite la pose. Al no recibir contestación toca con los nudillos.* REMEDIOS
despierta sin que DON NADIE *se aperci-
ba y mira hacia la puerta. Cuando ésta se abre y permite a* ROSA *de medio
cuerpo,* REMEDIOS *ha puesto la barbilla
sobre las dos manos y permanece con
el rostro vertical y los ojos cerrados.
Se finge dormida, impasible como una
esfinge hipnotizada.* ROSA *entra de cuerpo entero y cierra la puerta tras de sí,
sin despegar la mirada de* DON NADIE.
Se apercibe de REMEDIOS *y la mira con
curiosidad. Se dirige al bar, mirando
ahora tanto a* REMEDIOS *como a* DON
NADIE. *Camina de acuerdo con el papel
de mujer fatal que se ha impuesto. Al
llegar a la barra, se apoya en la misma
de perfil a* DON NADIE *y se estudia en
el espejo. Toma un cóctel y lo lleva a
un pie sobre los ojos, mientras pretende mirar a* DON NADIE *a través del espejo. Posiblemente, imita a la Viuda Alegre o a la Estatua de la Libertad.* RE-
MEDIOS *ha contemplado la maniobra de*
ROSA. *Cierra los ojos cuando* ROSA *se
vuelve hacia* DON NADIE *con el cóctel
siempre en alto. En vista de que* DON
NADIE *no presta atención, la fruta suelta el vaso.*)

ROSA. (*Al tiempo de soltar el vaso.*)—Soy una mujer liberada. (DON NADIE *se vuelve y contempla a*
ROSA *sin dejar de tañer.* REMEDIOS *la mira con
un ojo.* ROSA *toma otro vaso y lo apura de un*

golpe para demostrarle gran experiencia a Don
Nadie.)—Menos mal. Ya sé que oye.

Don Nadie. (*Dejando de tañer.*)—Soy un profesional del oído.

Rosa. (*Tomando otro vaso.*)—De primera intención
no lo demuestra.

Don Nadie.—De primera intención, no demuestro
nada.

Rosa. (*Llevándose la copa esta vez a la altura de
los ojos.*)—¿Y de segunda?

Don Nadie.—Menos.

> (Rosa *apura el cóctel con mundología
> exagerada. Toma un cuarto vaso y lo
> lleva a la altura de los ojos.*)

Rosa. (*Comenzando a caminar alrededor de los
muebles interplanetarios, como si modelara para
Don Nadie.*)—¿No escuchó el timbre?

Don Nadie.—Aquí no hay timbre.

Rosa. (*Con malicia actuada.*)—¿Y por qué ha puesto un botón eléctrico en la puerta de entrada?

Don Nadie.—Para que el visitante entre una vez
que nadie responda en la casa.

Rosa. (*Meneando el cóctel frente a los ojos.*)—
¡Guapo!

Don Nadie.—Eso, realmente, no debe importarle.

Rosa. (*Se ha llegado al bar y menea el cóctel frente al espejo.*)—¿Y qué, realmente, le importa?

Don Nadie.—Nada, nadie y Remedios.

> (Remedios *cierra el ojo.* Rosa, *luego
> de mirar a* Don Nadie *a través del es-
> pejo, se vuelve hacia* Remedios. *Apura
> el cuarto cóctel y toma el quinto vaso.
> Se dirige al mueble central y camina
> alrededor del mismo como si modela-*

ra, la vista estudiosa de la figura de
REMEDIOS. *Al terminar la vuelta, se ale-*
ja de REMEDIOS *hacia el bar, se vuelve*
y la contempla.)

ROSA. (*Hacia* DON NADIE.)—Remedios está despachada.

> (REMEDIOS *abre un ojo y lo clava en*
> *dirección a* ROSA.)

DON NADIE.—Yo no fui quien la despachó.
ROSA. (*Meneando el cóctel frente a los ojos.*)—No
se haga el santo.

> (REMEDIOS *abre ambos ojos.*)

DON NADIE.—La despachó el piso. (REMEDIOS *cierra*
el ojo correspondiente a la posadera afectada.
ROSA *menea el cóctel frente a los ojos.*) Cayó
sentada y se lastimó. (REMEDIOS *cierra el otro*
ojo. ROSA *mueve el cóctel frente a los ojos.*) Posiblemente se fracturó un almohadón.

> (REMEDIOS *se arruga.*)

ROSA. (*Meneando el cóctel frente a los ojos.*)—Por
lo que dice y veo, Remedios se dejó caer con to-
da intención.
DON NADIE.—Si llega a fracturarse un almohadón,
no tendré ningún reparo en atenderle.
ROSA. (*Meneando el cóctel frente a los ojos.*)—
Yo soy un almohadón.
DON NADIE.—Pues si se cae, tenga cuidado no vaya
a fracturarse totalmente, de pies a cabeza.
ROSA. (*Meneando el cóctel frente a los ojos.*)—
Entonces me atiende totalmente. (REMEDIOS *abre*
lo ojos. ROSA *apura el cóctel y toma dos vasos.*

Meneando dos cócteles frente a los ojos.) ¿Se toma un cóctel conmigo? (DON NADIE *se encoge de hombros.* ROSA *marcha hasta* DON NADIE. *Menea los cócteles a compás de su cuerpo exuberante. Le extiende un vaso a* DON NADIE. *Llevando el vaso a los ojos.*) Con estrellas en los ojos.
DON NADIE. (*Para sí.*)—Escena de comedia musical. (*Llevando el vaso a los ojos.*) Con estrellas en los ojos.
ROSA.—Y en el alma una canción.
DON NADIE.—Y en el alma una canción.
ROSA.—¡Avanti!

(*Apura el cóctel.*)

DON NADIE.—¡A rivederci!

(*Apura el cóctel.*)

ROSA. (*Caminando ahora alrededor de* DON NADIE.) ¿Me atiende o no me atiende totalmente?
DON NADIE.—Nunca he actuado totalitariamente sobre tal totalidad.

(REMEDIOS *sonríe.*)

ROSA. (*Caminando.*)—Pues me atiende las manos.
DON NADIE.—No soy manicurista.

(REMEDIOS *mantiene la sonrisa.*)

ROSA. (*Caminando.*)—Pues me atiende la garganta.
DON NADIE.—No soy verdugo.

(REMEDIOS *mantiene la sonrisa.*)

ROSA. (*Caminando.*)—Pues me atiende los labios.

Don Nadie.—No soy lápiz de ídem.

> (Rosa *se detiene, piensa.* Remedios
> *continúa sonriente.* Rosa *libra a* Don
> Nadie *del vaso, se dirige a la barra,
> toma dos llenos y se vuelve. Lleva los
> dos vasos a la altura de los ojos y los
> menea, pero en esta ocasión su cuerpo
> ondula más de lo corriente.*)

Rosa. (*Meneando los cócteles frente a los ojos.*)—
¿Se toma otro cóctel conmigo. (Don Nadie *se en-
coge de hombros.* Rosa *marcha hasta* Don Nadie,
*un tanto vacilante. Menea los cócteles a compás
del cuerpo exuberante. Le extiende un vaso a*
Don Nadie. *Llevando el vaso a los ojos.*) Con es-
trellas en los ojos.
Don Nadie. (*Para sí.*)—Idem. (*Llevando el vaso a los
ojos.*) Con estrellas en los ojos.
Rosa.—Y en el alma una canción.
Don Nadie.—Y en el alma una canción.
Rosa.—¡Avanti!

> (*Apura el cóctel.*)

Don Nadie.—¡A rivederci!

> (*Apura el cóctel.*)

Rosa. (*Cantando, a medida que camina alrededor
de* Don Nadie.)—Pon en mi vida paria — una gota
de amor.
Don Nadie. (*Cantando.*)—Pon en mi vida paria —
una gota de amor.
Rosa. (*Cantando, a medida que camina alrededor
de* Don Nadie.)—Una gota del néctar — de tus labios en flor.

Don Nadie. (*Cantando.*)—Una gota del néctar — de tus labios en flor.

Rosa. (*Luego de doblarse a la altura de* Don Nadie, *ofreciendo los labios.*)—Póngala.

Don Nadie.—No puedo ponerla.

Rosa.—¿Por qué?

Don Nadie.—Porque no tengo tal cosa como néctar en los labios.

Rosa.—Llámela néctar.

Don Nadie.—Ni de jugo salivar dispongo.

> (Rosa *se endereza. Ondula.* Remedios *continúa sonreída.* Rosa *opta por volver al bar. Toma el vaso de* Don Nadie, *se llega a la barra, toma dos nuevos vasos y se vuelve. Lleva los dos vasos a la altura de los ojos y los menea, pero la embriaguez avanza y otra vez se tambalea un tanto.*)

Rosa. (*Meneando los cócteles frente a los ojos.*)— ¿Se toma otro cóctel conmigo? (Don Nadie *se encoge de hombros.* Rosa *marcha hasta* Don Nadie *vacilante. La vacilación acusa los movimientos naturales de su hembrez, incontrolable. Realmente, ondula de pies a cabeza. Los cócteles se menean a compás. Suben y bajan como dos cilindros. Le extiende un vaso a* Don Nadie. *Llevando el vaso a los ojos.*) Con estrellas en los ojos.

Don Nadie. (*Para sí.*)—Tiene su repertorio. (*Llevando el vaso a los ojos.*) Con estrellas en los ojos.

Rosa.—Y en el alma una canción.

Don Nadie.—Y en el alma una canción.

Rosa. (*Apura el cóctel.*)—¡Avanti!

Don Nadie. (*Apura el cóctel.*)—¡A rivederci!

(ROSA *se sienta en la falda de* DON NADIE *y le apoya la cabeza en el hombro.*)

ROSA.—Usted necesita una mujercita tibia.

DON NADIE.—¿A qué temperatura?

ROSA.—A cuarenta grados centígrados.

DON NADIE.—Tendría que atenderla de una infección y no soy médico.

ROSA.—Póngale equis. Una mujercita que le dé calor a su vida.

DON NADIE.—No veo la necesidad de chimeneas en este país. (ROSA *se pone de pie, camina alrededor de* DON NADIE, *evidentemente frustrada y se detiene al borde de los escalones, en dirección a la greca, de espalda al embajador del Limbo.*) ¿Usted vino de Hollywood recientemente?

ROSA. (*Tocada en su cultura.*)—No estuve, pero me he leído cuantas revistas llegan al país.

DON NADIE.—Entonces tiene una gran biblioteca.

ROSA.—Cubre la casa. Va de Gary Grant a Rock Hudson. ¿Por qué me pregunta?

DON NADIE.—Pienso que, de tanto leer, ha terminado por parecerse a una estrella del celuloide.

ROSA.—¿A cuál?... ¿Liz Taylor?

DON NADIE.—No. A la vieja Mae West.

ROSA. (*Volviéndose.*)—¿En qué época vive usted?

DON NADIE. (*Levantándose.*)—La cultura de Mae West es una constante. (ROSA *se mantiene ondulando.* REMEDIOS *sonreída. Luego de acercársele.*) ¿Me permite? (*Le toma el vaso de las manos y se dirige al bar.*) Pues sí, la cultura de Mae West no ha dejado de moverse de este a oeste. Como si fuera poco, tampoco ha dejado de moverse de oeste a este luego que se ha puesto en movimiento de este a oeste. Así se ha movido desde antes

de los sumerios y egipcios y se moverá luego de
los marcianos.

(Ha tomado dos vasos y se vuelve.)

Rosa.—¿Y la de aquí?

Don Nadie.—La de aquí, si los babiecas no despier-
tan del cerebro y los muy murciélagos siguen sin
ver, Quimbamba carga con ella cuerda a cuerda,
de este a oeste y de norte a sur.

Rosa.—Ya que sabe tanto, hágame un favor.

Don Nadie.—¿Cuál?

Rosa.—Cásese conmigo.

Don Nadie.—Esto es un cóctel, no una boda.

Rosa.—Cásese, y mi familia le vivirá eternamente
agradecida.

Don Nadie.—El tiempo de todas las familias está
limitado.

Rosa. *(Dando con el pie en el suelo.)*—¡Odioso! No
debí venir a este cóctel. Creí encontrar a Don
Juan y no he dado ni con Doña Inés.

Don Nadie.—¡Cierto! Remedios tiene muy poco del
personaje de Zorrilla.

Remedios. *(Involuntaria.)*—¿Qué?

Don Nadie. *(Mirando hacia arriba.)*—Imitas a perfección la voz de Remedios.

Rosa.—¡Remedios! ¡Remedios! ¡Remedios! *(Se sube
a la banqueta, mirando al piso.)* Si lo hizo una
sirvienta, lo puedo hacer yo también.

Don Nadie.—Antes de efectuar ese salto de almohadón, déjeme advertirle que Remedios dejó de
ser sirvienta para convertirse en primera invitada.

> *(Remedios significa "¡gracias!" con la*
> *cabeza.)*

Rosa. (*Mirando al piso, ondulante.*)—Los últimos serán los primeros.

(Remedios *mira francamente hacia* Rosa; *pero recompone la cabeza rápidamente.*)

Don Nadie.—Remedios debe tener pesadas pesadillas. (Rosa *permanece ondulante, la mirada fija en el piso.*) ¿Piensa o no fracturarse el almohadón?

Rosa. (*Mirando a* Don Nadie.)—Desde aquí es muy bajo. (*Señalando a la greca.*) Desde la torre Eiffel.

(*Se baja de la banqueta y se dirige tambaleante a la greca.*)

Don Nadie.—Esa no es la torre Eiffel.

(Rosa *se detiene frente a la greca.* Remedios *ha puesto ambos ojos hacia la greca.*)

Rosa. (*Tratando de precisar la greca.*)—¿Y qué es?
Don Nadie.—Posiblemente una greca.
Rosa.—Da lo mismo...

(Remedios *da un salto y cae sentada sobre la posadera.*)

Remedios.—A mí me respetan la existencia.

(*El dolor la hace dar otro salto y caer en la posición anterior.*)

Rosa. (*Su atención desviada.*)—¿Que le pasa a Remedios?

Don Nadie.—Pesadas pesadillas. Habrá leído a los existencialistas.

Rosa.—¿Y quiénes son ellos?

Don Nadie.—Los que buscan el alma sin querer morirse. (Rosa *se vuelve hacia la greca.* Remedios *se lleva las manos a los oídos.*) La greca posiblemente sea una bomba atómica.

Rosa. (*Aterrorizada, retrocediendo hacia el balcón.*) Pues no da lo mismo.

> (Remedios *se quita las manos de los oídos y toma su posición de esfinge nuevamente.*)

Don Nadie.—Todavía no he podido determinar si es una greca atómica o una atómica greca. (Rosa *sube de espaldas los dos escalones del balcón y queda con la banqueta detrás. Acercándose a* Rosa, *con un vaso.*) Pero ni Remedios, ni la greca atómica o atómica greca, realmente, deben importarnos. Ambas duermen. (Rosa *cae sentada en la banqueta. El rostro de* Remedios *ha expresado:* "¡Créetelo!" *Tomándole el vaso a* Rosa *y ofreciéndole uno lleno.*) ¿Me permite? (Rosa *asiente.* Don Nadie *le pone un vaso lleno en la mano, la mira un segundo y se dirige al bar. Se detiene a mitad de camino y se vuelve hacia* Rosa. *Luego que ha intentado recordar.*) ¿Quién es su papá?

Rosa. (*Automática, con los ojos fijos en la greca.*)— ¡Un papá que vive en el piso inmediato con una moral antigua y un arsenal moderno!

> (Don Nadie *se llega al bar seguido de la mirada de* Remedios. *Apura un cóctel, otro y otro hasta cinco, los cua-*

les marca REMEDIOS *con movimientos
del rostro. Ninguno le hace efecto.* DON
NADIE *se hace de un vaso y se vuelve
hacia* ROSA.)

DON NADIE. (*Luego de observar a* ROSA.)—¿Miedo?
ROSA.—¿Y quién no?
DON NADIE.—No se preocupe. Todavía no sabemos
si es de Rusia o de Estados Unidos.

(REMEDIOS *le da una mirada oblicua
a* DON NADIE.)

ROSA. (*Llevándose una mano a la frente.*)—... Y mareo.
DON NADIE. (*Marchando hacia* ROSA.)—Vamos. Tómese el que tiene en la mano y se sentirá mejor. (ROSA *apura el cóctel.*) ¡Ya! Si sobrevive es
para el resto de su vida.
REMEDIOS. (*Involuntaria.*)—¡Qué cacumen!
DON NADIE. (*Mirando a* REMEDIOS.)—¡Sonámbula!
¡Habrá que darle luminar! (ROSA *permanece es-
tática en un punto medio entre el miedo y el
mareo.* REMEDIOS *ha desplazado la mirada oblicua
al vacío.* DON NADIE *se vuelve hacia* ROSA.) ¡Se-
ñorita!
ROSA. (*Bajando la cabeza.*)—No me llame seño-
rita.
DON NADIE.—¿Por qué?
ROSA.—Porque no lo soy.
DON NADIE.—¡Señora!
ROSA.—Tampoco debe llamarme señora.
DON NADIE.—¿Por qué?
ROSA.—Porque tampoco lo soy.
REMEDIOS. (*Involuntaria.*)—Un fiado.
DON NADIE. (*Hacia lo alto.*)—¿Y qué no es fiado en
esta época?... ¿No ando yo de fiado?

Remedios.—De fiado anda aquí hasta el que fía.

Don Nadie. (*A* Rosa.)—Ya ve. El no ser señorita o señora, realmente, no debe importarle.

Rosa.—El no ser señorita y no ser señora a quien realmente le importa es a papá y a mamá. (*Sollozando.*) A la familia, al condominio, al barrio, a la ciudad...

Don Nadie.—Está bien. Entiendo que Babia vive de la vida ajena por faltarle vida propia. (*Tomándole el vaso.*) ¿Me permite? (*Ofreciéndole el que ha traído.*) Tenga. Siga consolándose.

Rosa. (*Sollozando.*)—Ya me pasé del punto.

Don Nadie.—No se preocupe. Usted vino a pasarse del punto.

Remedios. (*Involuntaria.*)—¡Uno más le acabará con la caldera!

Don Nadie. (*Hacia lo alto.*)—¿Se ha puesto de moda arreglar estas cosas a fuerza de alcohol?

Rosa.—Papá lo pretende a fuerza de tiros. (*Sollozando.*) ¡Va a tener que disparar tanto!

Remedios. (*Asodinada, hacia* Rosa.)—Para nervios, varoncitos...

Rosa. (*Asodinada.*)—Yo no quiero ser pe... u... te... a...

Don Nadie. (*A* Rosa.)—¿A quién le habla?

Rosa.—A mi voz interior.

Don Nadie.—No puede seguir con la voz interior. Haga el favor de continuar con la exterior.

Rosa.—¿Por qué?

Don Nadie.—Debo partir dentro de una hora veinte minutos. Tengo el tiempo contado.

Rosa.—¡Ah!... Entonces usted tiene papá y mamá.

Don Nadie..—¿Cómo voy a tener papá y mamá, si no he tenido abuelos?

Rosa.—Algo tendrá.

Don Nadie.—A nadie. (*Pausa.*) Por eso me llamo
Nadie Nadie. (*Ambos se miran.*) Para servirle.

(*Ambos se miran.*)

Rosa.—Yo quiero que desde hoy tenga algún parentesco.

Don Nadie.—¿Qué?

Rosa.—Abuela.

Don Nadie.—¿Quién?

Rosa.—Yo.

Don Nadie.—¿Y por qué quiere hacerse de un nieto de la noche a la mañana?

Rosa.—Para calmar a papá. Me toleraría más de
abuela que de mamá.

Don Nadie.—¡El colmo del convencionalismo! ¡Re-
chazo el abuelato!

(*Ambos se miran.*)

Rosa. (*Trágica.*)—¡Deme el cóctel!

Remedios. (*Bajando la cabeza hacia el suelo.*)—
¡Se mató!

Rosa. (*Hacia el piso.*)—Sí, me mataré.

Remedios. (*Con la cabeza hacia abajo.*)—En pari-
huelas la veo.

Rosa. (*Hacia el piso.*)—No. En una caja de polvo.

Remedios. (*Con la cabeza hacia abajo.*)—¿Cómo?

Rosa. (*Hacia el piso.*)—Me recogerán del aire luego
de la explosión.

Remedios. (*Con la cabeza hacia abajo.*)—Me parece que usted no anda muy bien de la calcula-
dora.

Rosa. (*Con la cabeza hacia el piso, señalando hacia
la greca.*)—La atómica es la solución al problema
del sexo y de la familia.

REMEDIOS. (*Con la cabeza hacia abajo, conteniendo una explosión.*)—¡M...!

DON NADIE. (*A* ROSA.)—Con perdón. Creo que me llamaron de la Nada.

ROSA. (*Levantándose.*)—A quien llamaron se llama Rosa.

DON NADIE.—¿Quién es Rosa?

ROSA.—Yo.

DON NADIE.—Tanto gusto, Rosa. No se preocupe por sus padres. Si han cumplido más de sesenta años, no pueden tardar en morirse.

ROSA. (*Dando un paso hacia la greca.*)—Cuando se mueran, no estaré viva. (*Volviéndose hacia* DON NADIE.) Y usted, ¿espera quedarse a vestir santos?

DON NADIE.—No puedo quedarme a vestir santos ni a desvestir santas.

ROSA. (*Volviéndose hacia* DON NADIE.)—Me gustaría que le echaran la culpa.

DON NADIE.—Lo más natural sería que se la echaran a su novio.

ROSA. (*Bajando el segundo escalón.*)—Mi novio no lo sabe.

DON NADIE.—¿Y quién lo sabe entonces?

ROSA. (*Con un paso hacia la greca.*)—Los novios de antes.

DON NADIE.—Pues que le echen la culpa al novio de antes que sea.

ROSA.—Los novios de antes todos tienen la culpa. (*Extendiendo un brazo hacia* DON NADIE.) El cóctel. (DON NADIE *camina hasta* ROSA *y le entrega el vaso.* REMEDIOS *ha bajado las manos y mira la escena sin enmascaramientos. Luego de tomar el vaso.*) Le dirá a papá y a mamá que preferí explotar antes que deshonrarlos.

Don Nadie.—Si la bomba explota, no quedará una sola honra para el deshonre.

Rosa.—De todos modos se lo dice.

Don Nadie.—Se lo puede decir usted allá.

Rosa.—No quiero decírselo ni aquí ni allá

Don Nadie.—Muy generosa de su parte. No hay por qué recargar a Babia de problemas cursis, ni llevarlos tan lejos.

(Rosa *da un paso hacia la greca.*)

Remedios. (*Involuntaria.*)—¡Prurrmm!

Don Nadie.—Un momento, Rosa. (Rosa *permanece con el cóctel en la mano, los ojos fijos en la greca.* Don Nadie *examina la greca. Investigando.*) Escuché un arrullo. Podría ser la paloma de la paz. Los fisionistas nucleares se la disputan con cánticos de sirena a medida que envenenan la atmósfera.

Rosa.—Inspecciónela bien. Quiero estar segura de convertirme en la primera suicida atómica.

Don Nadie.—Pasará a la historia en calidad de fulminante.

Remedios. (*Involuntaria.*)—A la historia lo que va a pasar es el condominio con todos los condemonios.

Don Nadie. (*Hacia arriba.*)—Lo sé. (A Rosa.) Ya llegó la noticia a mi palomar.

Rosa.—Me alegra.

Don Nadie. (*Luego de investigar una vez más.*)— Los científicos se han burlado de Limbo del Ciego. No doy con el *quid pro quo.*

Rosa.—No importa. Me suicido aunque salga el tiro por la culata.

Don Nadie.—Un momento, Rosa. Déjeme ver si queda alguna esperanza. (Don Nadie *se dirige al bar,*

*entra al mismo, abre la gaveta, extrae el centavo
y los siete billones.)* Rosa.

ROSA. (*Volviéndose.)*—Nadie Nadie.

DON NADIE. (*Enseñándole el centavo y los billones.)*
Ofrézcale desde un centavo hasta siete billones a
cualquiera de sus novios.

ROSA.—Puede guardar ese dinero. Mis novios juntos no valen un centavo. Todos se acobardaron
ante mi falta de convencionalismo fuera de
casa.

DON NADIE. (*Luego de pensar.)*—Entonces no queda
ningún recurso. Puede morir en paz y en la abundancia. (DON NADIE *guarda el dinero en la gaveta.
Saca la libreta del bolsillo estrellado, apunta algunas palabras y la guarda.* REMEDIOS *observa
con gran curiosidad la maniobra de* DON NADIE.
Apoyándose en la barra sobre los codos.) Y bien.

> (REMEDIOS *vuelve a la posición de es-
> finge.)*

ROSA.—Mi penúltimo deseo.

DON NADIE.—Expréselo.

ROSA.—¿No se casaría conmigo en vista del sacrificio?

DON NADIE.—Nadie Nadie nunca será de nadie.

ROSA.—Si muero, me espera la nada.

DON NADIE.—Como no puedo morir, me espera el
todo.

REMEDIOS. (*Involuntaria.)*—¡Como estoy obligada a
bombardino, a mí me espera la prángana!

> (DON NADIE *mira a* REMEDIOS, *quien
> mantiene la cara de esfinge.)*

DON NADIE.—¡Ah! Un momento, Rosa... Aquí hay
una discreta vellonera para los sentidos. (*Se do-*

31

*bla bajo la barra donde evidentemente debe es-
tar la vellonera.*) ¿A los acordes de quién desea
explotar?

Rosa.—A los acordes de un acuerdo.

Don Nadie.—Usted me confunde con la O. N. U.

Rosa.—Mi último deseo.

Don Nadie.—Expréselo.

Rosa.—¿Bailaría un twist conmigo?

Remedios. (*Involuntaria, sin mover los ojos.*)—¡Eso
y casarse es lo mismo!

> (Don Nadie *se encoge de hombros:*
> "*¡Ya ve!*")

Rosa.—¡Conceda un alguito!

Don Nadie.—¿Qué?

Rosa.—Quiero tener un novio, señorito, aunque sea
por un minutito.

Don Nadie.—Entonces, el último... ¡también!

Rosa.—La verdad es que tambiensísimo. Después,
ojos que te vieron ir y no te vieron volver.

Remedios. (*Involuntaria.*)—¡Piquijuye!

> (Don Nadie *mira hacia lo alto.*)

Rosa.—¿Ñapa o no?

Don Nadie. (*Mirando a* Rosa.)—Lo siento. No sé
arreglar platos rotos.

> (Rosa *cierra los ojos.* Don Nadie *la
> mira abstractamente.* Rosa *se vuelve
> hacia la greca.* Remedios *cae sentada
> de un salto, se encoge de dolor, pero
> se mantiene firme.*)

Rosa. (*Con el cóctel en alto.*)—Tráigame otro cóctel,
por si acaso.

Don Nadie.—Con mucho gusto. (*Tomando dos cóc-teles.*) *Pax aeterna in hac lacrymarum valle.*

Remedios. (*Marchando coja hacia la puerta de sa-lida.*)—¡A otro perro con este hueso, y menos con latines!

Don Nadie.—Un momento, Rosa.

Rosa.—¿Qué sucede?

Don Nadie.—Remedios sonambulea.

Remedios. (*En la puerta.*) — ¿Sonámbula? Estoy más despierta que el múcaro de media noche. Exploten la bomba esa, pero después que yo esté al otro lado de la puerta. (*Abre la puerta y la cierra tras sí. Retenida junto a la puerta.*) ¡Venirme con el jueguito de visitar las nubes! Yo nací para trabajar y tener hijos y criarlos, y no para andar a la Greta Garbo perdiendo el tiempo y estudiando la manera de cambiar el catre. (*Gritando hacia adentro.*) Eso, hasta el día de la piedad. (*Se vuelve hacia el frente, piensa y se vuelve hacia la puerta nuevamente.*) Y si no la hay no me importa un comino que aprendí a vivir con estas manos por firme y lo demás por añadidura.

> (*Da la espalda a la puerta y oprime la cartera con ambas manos contra el vientre, luego libra una mano y se aprieta una posadera. Le duele, pero se aguanta el dolor y lleva la mano a la cartera nuevamente. Se mantiene fir-me junto a la puerta. Rosa ha guarda-do la posición trágica. Don Nadie se ha salido lentamente del bar a medida que Remedios afirmaba su inmensa sin-ceridad.*)

Don Nadie. (*Con la vista clavada en la puerta y los cócteles en las manos.*)—Rosa.

ROSA. (*Con el cóctel en alto.*)—Nadie, Nadie.

DON NADIE. (*Posición ídem.*)—¿De veras que usted desea morir?

ROSA. (*Con el cóctel en alto*).—Si papá anda a pistola limpia por un novio, ¡qué será cuando averigüe de los cinco!

DON NADIE. (*Posición ídem.*)—¿Y usted no puede enviarlo a la Nada?

ROSA. (*Con el cóctel en alto.*)—No tengo voluntad con papá ni tengo voluntad con los novios.

DON NADIE. (*Posición ídem.*)—No hay duda que se inclina tanto al Limbo como a la Nada.

ROSA. (*Con el cóctel en alto.*)—Me inclino.

DON NADIE. (*Posición ídem.*)—En los dos sitios nadie acompaña a nadie y todo resulta en nada.

ROSA. (*Con el cóctel en alto.*)—Pues me doy porque no me doy.

DON NADIE. (*Posición ídem.*)—Por última vez. ¿No quiere ser por sí misma?

ROSA. (*Con el cóctel en alto.*)—No puedo más con lo moral y lo inmoral.

DON NADIE. (*Posición ídem.*)—Rosa.

ROSA. (*Con el cóctel en alto.*)—Nadie, Nadie.

DON NADIE. (*Posición ídem.*)—Explote *per omnia saecula saeculorum.*

ROSA. (*Con el cóctel en alto.*)—Vine, vi y me llevó el diablo.

> (*Apura el cóctel, pero en vez de marchar hacia la greca da un paso atrás y se desploma junto al mueble satélite. Tanto la cabeza como la mano con la cual aprieta el vaso le quedan sobre el mueble.* DON NADIE *permanece con la vista clavada en la puerta, completamente desviado de* ROSA. REMEDIOS *espera un tiempo. En vista de que no*

*ocurre la explosión y tampoco se escu-
cha ruido alguno, se vuelve, abre la
puerta y se asoma de medio cuerpo.
Mira primero a* ROSA *y luego a* DON NA-
DIE. *Entra y cierra la puerta tras sí. Se
llega cojeando hasta* ROSA. *No hay duda
que sufre un fuerte dolor, porque se
oprime la posadera. Se detiene frente
a* ROSA *y la mira desde varios ángulos.*
DON NADIE *le ha seguido con la mirada.)*

REMEDIOS. (*A* DON NADIE, *con un gesto hacia* ROSA.)
Y esa mujer, ¿la piensa dejar como una guanábana?

DON NADIE. (*Los ojos fijos en* REMEDIOS.)—Lo mejor
es que permanezca como una guanábana.

REMEDIOS.—¿Por qué?

DON NADIE. (*Los ojos fijos en* REMEDIOS.)—Porque
no quería vivir y la vida es un gran privilegio.

(*Mantienen los ojos fijos el uno en
el otro.*)

REMEDIOS. (*Acercándose lentamente a* DON NADIE,
intensificado el dolor de la posadera.)—Eso, realmente, no le debería importar. (DON NADIE *guarda silencio al tiempo que mantiene los ojos fijos
en* REMEDIOS. *Está frente a* DON NADIE.) ¿Qué clase
de lo que sea es usted? (DON NADIE *guarda silencio, al tiempo que mantiene los ojos fijos en* RE-
MEDIOS. *Comenzando a caminar alrededor de* DON
NADIE, *la cojera, evidente.*) ¿Un santo? (DON NADIE
guarda silencio y permanece inmóvil. REMEDIOS
caminando alrededor de DON NADIE.) ¿El demonio? (DON NADIE *guarda silencio y permanece inmóvil.* REMEDIOS *caminando alrededor de* DON NA-
DIE.) ¿Un señor de alto copete? (DON NADIE *guarda*

silencio y permanece inmóvil. REMEDIOS *caminando alrededor de* DON NADIE.) ¿Un mequetrefe atómico? (DON NADIE *guarda silencio y permanece inmóvil.* REMEDIOS *caminando alrededor de* DON NADIE.) ¿Un hombre? (DON NADIE *guarda silencio y permanece inmóvil.* REMEDIOS *frente a* DON NADIE.) ¿Una mujer?

> (DON NADIE *guarda silencio y permanece inmóvil.* REMEDIOS *mueve la cara de un lado a otro en espera de una contestación.*)

DON NADIE.—Remedios...
REMEDIOS.—Alíviese.
DON NADIE.—Yo soy...
REMEDIOS.—¿Qué?
DON NADIE.—...un nadie.

(Se miran fijamente el uno al otro.)

REMEDIOS. *(Con una gran decisión.)*—Deme ese cóctel. (DON NADIE *le extiende el cóctel.* REMEDIOS *toma el vaso.*) Después de tantas vueltas, estamos en las mismas. (*Apura el cóctel con tanto impulso que cae sentada.*) ¡Ay! (DON NADIE *apura el cóctel y mira a* REMEDIOS.) ¡Ay!
DON NADIE.—¿El almohadón?
REMEDIOS.—Sí. Pero el otro.
DON NADIE.—Esto es más grave.
REMEDIOS.—Es más grave, pero no me voy del cóctel. (DON NADIE *se baja y la recoge en los brazos sin aparente esfuerzo.*) ¡Tan flaco que se ve y tanto de Tarzán que tiene!
DON NADIE.—¡Las fuerzas de la eternidad!

> (DON NADIE *se dirige con* REMEDIOS *al mueble central.*)

REMEDIOS.—¡Qué pelo azulito! ¿Lo metió en añil?
DON NADIE.—Mucho cielo.

> (DON NADIE *la deposita en el mueble*
> *central, como la primera vez, boca*
> *arriba.* REMEDIOS *da un salto y queda*
> *boca abajo. Se alza de medio cuerpo.*)

REMEDIOS. (*Al infinito.*)—¡Echele fuego a las brasas!
Usted parece que viene del olvido. (*Indicándole*
con una mano.) ¡Me duelen las dos! (ROSA *intenta*
incorporarse, lo que logra. Se para frente a la
greca y recobra la postura trágica. DON NADIE
avanza hasta el bar, toma dos vasos y repite su
postura ante la postura trágica de ROSA. REME-
DIOS *intenta pararse. Gira a derecha e izquierda*
sobre el mueble circular como si fuera una agu
ja del mismo.) Estoy varada.
DON NADIE. (*Con la vista clavada en la puerta y los*
cócteles en las manos.)—Rosa.

> (REMEDIOS *gira hacia* ROSA.)

ROSA. (*Con el cóctel en alto.*)—Nadie. Nadie.
DON NADIE. (*Posición ídem.*)—¿De veras que usted
desea morir?

> (REMEDIOS *gira hacia* ROSA.)

ROSA. (*Con el cóctel en alto.*)—Si papá anda a pistola limpia por un novio, ¡qué será cuando averigüe de los cinco!

> (REMEDIOS *gira hacia* DON NADIE.)

DON NADIE. (*Posición ídem.*)—¿Y usted no puede en-
viarlos a la Nada?

> (REMEDIOS *gira hacia* ROSA.)

Rosa. (*Con el cóctel en alto.*)—No tengo voluntad ni con papá, ni con los novios.

(Remedios *se vuelve hacia* Don Nadie.)

Don Nadie. (*Posición ídem.*)—No hay duda que usted se inclina tanto al Limbo como a la Nada. (Remedios *gira hacia* Don Nadie. *Este está en la misma posición.*) En los dos sitios nadie acompaña a nadie y todo resulta en nada.

(Remedios *gira hacia* Don Nadie.)

Rosa. (*Con el cóctel en alto.*)—Pues me doy porque no me doy.

(Remedios *gira hacia* Don Nadie.)

Don Nadie. (*Posición ídem.*)—Por última vez. ¿No quiere ser por sí misma?

(Remedios *gira hacia* Rosa.)

Rosa. (*Con el cóctel en alto.*)—No puedo más con lo moral y lo inmoral.

Remedios.—A usted lo que le conviene es un plebiscito.

Rosa.—No. La Nada.

(Remedios *gira hacia* Don Nadie.)

Don Nadie. (*Con el cóctel en alto.*)—Rosa.

(Remedios *gira hacia* Rosa.)

Rosa. (*Con el cóctel en alto.*)—Nadie, Nadie.

(Remedios *gira hacia* Don Nadie.)

Don Nadie. (*Posición ídem.*)—Explote *per omnia saecula saeculorum.*

(Remedios *gira hacia* Rosa.)

Rosa. (*Con el cóctel en alto.*)—Vine, vi y me llevó el diablo.

(*Apura el cóctel, pero en vez de marchar hacia la greca da un paso atrás y se desploma junto al mueble satélite. Tanto la cabeza como la mano con la cual aprieta el vaso le quedan sobre el mueble.* Remedios *ha soportado toda escena heroicamente, erguida de medio cuerpo, la cabeza en alto, "caminando" con las manos sobre un cuadrante del mueble circular. El cuerpo, de los almohadones para abajo, ha parecido a veces una cola de sirena.*)

Don Nadie. (*A* Remedios, *luego de apurar un cóctel.*) La desvié.

Remedios. (*A* Don Nadie.)—Esa camina sin frenos y nos va a convertir en papelillos.

(*Deja caer el medio cuerpo y se apoya ahora sobre los codos, el rostro entre las dos manos.*)

Don Nadie. (*Luego de apurar el segundo cóctel.*)— Tendré que desviarla cuantas veces lo intente. Rosa se ha convertido en un fulminante autonómico.

Remedios.—No sé de lo que habla, pero este cóctel me va a convertir en veleta y eso lo detesto. (Don Nadie *se dirige al bar.*) ¡Cristianos! ¡Qué gente, qué mundo y qué destino! (*Luego de poner los vasos sobre la barra,* DON NADIE *se dirige a la puerta de entrada.* REMEDIOS, *cuando* DON NADIE *ha llegado a la puerta.*) ¡Don Nadie!

DON NADIE. (*Deteniéndose junto a la puerta.*)—Diga.

REMEDIOS. (*Irónica.*)—¿Espera otra mujer liberada?

DON NADIE.—Sí. Todavía me queda una hora quince minutos.

REMEDIOS.—Pues vamos a ver qué pájara loca aparece por ahí.

DON NADIE.—No son todos los que están, ni están todos los que son.

REMEDIOS.—Algunos ni son, ni están, ni van a dejar nada.

> (DON NADIE *saca la libreta del bolsillo estrellado y apunta algunas palabras.*)

DON NADIE.—¿Quiénes, por ejemplo?

REMEDIOS. (*Con un ademán a la distancia.*)—Los accionistas de por allá. ¡Sanguijuelas a larga distancia! (DON NADIE *apunta algunas palabras.*) Don Nadie.

DON NADIE. (*Guardando la libreta en el bolsillo estrellado.*)—Remedios.

REMEDIOS.—¿Y esa libreta?

DON NADIE.—Secreto mayor. (*Abre la puerta y se dirige a la escalerilla, da una vuelta alrededor de la boca, mira a lo alto y regresa a la puerta.*) ¿Sigue viendo estrellas?

REMEDIOS.—Antes las veía por el derecho, ahora las veo por el izquierdo también.

DON NADIE. (*Desde la puerta, señalando hacia el fondo.*)—Ni aquellas. (*Señalando hacia lo alto de la barra.*) Ni aquellas. (*Señalando hacia lo alto de la greca.*) Ni aquellas. (*Señalando hacia el público.*) Ni aquellas.

REMEDIOS.—Ya sé. Usted habla de las que nacieron con las caídas.

DON NADIE.—Las mismas.

REMEDIOS. (*Tocándose la cabeza con una mano.*)— Pues aquí las tengo, subiendo como agua de soda. Me hacen fru fru.

DON NADIE.—Esas no valen.

REMEDIOS. (*Tocándose la cabeza con una mano.*)— Pues aquí se me dibujan y, además de fru fru, me hacen pla pla.

DON NADIE.—Son el producto más falaz de La Nada.

REMEDIOS. (*Tocándose la cabeza.*)—Pues aquí no entiendo.

DON NADIE.—No son porque no son, y no siendo porque no son siendo, no deben ser no siendo.

REMEDIOS. (*Tocándose la cabeza.*)—Pues aquí no entiendo más.

DON NADIE.—En resumen, que debe dormir para curarse de ellas. Cuando despierte sólo verá las reales.

> (*Se miran fijamente el uno al otro. DON NADIE se vuelve hacia la escalerilla.*)

REMEDIOS.—Don Nadie.

DON NADIE.—Remedios.

REMEDIOS. (*Tocándose la cabeza.*)—¿Usted nunca ha visto éstas?

DON NADIE.—No puedo verlas.

REMEDIOS.—¡Cristiano! ¡Pues le deseo que no las vea! (*DON NADIE piensa un segundo, luego se dirige a la escalerilla; da una vuelta alrededor de la boca. REMEDIOS cruza las manos sobre el mueble y apoya la cabeza sobre el brazo como en el acto anterior.*) ¡Don Nadie!

DON NADIE. (*Afuera, dispuesto ya a cerrar la cortina.*)—¡Remedios!

REMEDIOS.—¡Muchas gracias por las de usted! (DON

NADIE *sonríe. Cierra la cortina. Adentro.*) ¡Don Nadie!

DON NADIE. (*Adentro.*)—¡Sí!

REMEDIOS. (*Adentro.*)—Toque una nana en el arpa.

DON NADIE. (*Adentro.*)—Con mucho gusto.

> (*Pausa. Se escucha el arpa. Se encienden las luces de la sala. El arpa sonará durante diez minutos.*)

TERCER ESPANTO

(*Aún se escucha el arpa. Se apagan las luces de la sala. Se descorre la cortina y aparece quien la descorre:* BRUNILDA. DON NADIE *tañe el arpa con la vista en el cielo estrellado y la luna, que ha salido detrás de un apartamiento mirador e irrumpe en el ámbito.* DON NADIE *ha debido apagar la luz eléctrica.* REMEDIOS *yace dormida boca abajo, la frente sobre las manos.* ROSA *sigue como al final del segundo espanto. La greca ha pasado a la izquierda y en su lugar aparece el bar.* BRUNILDA *contará cuarenta años, apasionada y neurótica, de ojos intensos y labios jugosos nerviosamente pintados. Luce anillos en las orejas, por detrás de los cuales, y sobre ellas en muchas ocasiones, cae una revuelta cabellera. Se mueve rápida, estallantemente. Le florece, no hay duda, una febril histeria. Viste una bata orquídea. Trae, tendido sobre el brazo izquierdo, un traje propio para el cóctel, y en el otro un par de medias. En una mano trae dos zapatos y en la otra una peluca roja. Calza chinelas.* BRUNILDA *se vuelve hacia el fondo y es-*

*cucha el arpa unos segundos, luego se
asoma por la escalerilla de caracol.
Evidentemente, ha tomado una decisión que la intranquiliza, porque se dirige a la puerta de entrada, se detiene,
regresa a la escalerilla de caracol, mira
otra vez hacia abajo con el oído atento,
despliega el traje, lo dobla sobre el
brazo, mira por la escalerilla, se dirige
a la puerta y oprime el botón del timbre. Se vuelve a la escalerilla para regresar a la puerta. Toca con los nudillos.)*

REMEDIOS. (*Recobrando la posición de esfinge.*)—
¡Y van tres! (BRUNILDA *vuelve de nuevo a la escalerilla para regresar a la puerta y esta vez
tomarse la iniciativa de abrirla y proyectarse de
medio cuerpo. Se apercibe de* DON NADIE, *del
cual se dice mentalmente:* "¡Aquí está el hombre
que puede resolver el problema!" *Contempla luego a* REMEDIOS *y a* ROSA *como afirmándose:* "¡Esto era lo que yo esperaba!" *Entra sigilosamente,
aún pendiente de la escalerilla, cierra la puerta
y se dirige en la punta de los pies a la greca.*
REMEDIOS *expresa con la mirada:* "¡Otra vez el peligro de la atómica!" *Ante el asombro de* REME-
DIOS, BRUNILDA *pone sobre la greca, inadvertida-
mente, los zapatos, la peluca, las medias y el
traje. Se quita la bata, con lo que queda en pieza
de dormir, una de la imaginación de* BRUNILDA
*de acuerdo con su problema. La pieza que sea
debe ser negra. Al tomar el traje para vestirse,
tumba un zapato. Involuntaria.*) ¡Otro fulminante!

BRUNILDA. (*Reteniendo la idea de vestirse, hacia*
DON NADIE.)—¿Ah? (DON NADIE *vuelve la cara ha-*

cia BRUNILDA. DON NADIE, *naturalmente, no deja
de tocar. Poniendo el traje sobre la greca.)* Menos mal. Ya sé que oye.

DON NADIE. *(Dejando de tañer.)*—Soy un profesional
del oído.

BRUNILDA.—De primera intención no lo demuestra.
(Tomando la bata.) ¿Y de segunda?

DON NADIE.—Menos.

> (BRUNILDA *lo mira y acaba por po-
> nerse la bata. Se sacude el pelo, estira
> los miembros y lo mira. Acomoda el
> cuerpo dentro de la bata, da uno o
> dos pasos y lo mira.)*

BRUNILDA. *(Marchando de izquierda a derecha de
la sala.)*—¿No escuchó el timbre?

DON NADIE.—Aquí no hay timbre.

BRUNILDA. *(Llegándose a la derecha donde se vuelve.)*—¿Y por qué ha puesto un botón eléctrico
en la puerta de entrada?

DON NADIE.—Para que el visitante entre una vez que
nadie responda en la casa.

> (BRUNILDA *se sacude el pelo, despe-
> reza los miembros. Acomoda el cuer-
> po dentro de la bata.)*

BRUNILDA.—Un siempre-despierto, ¿ah?

DON NADIE.—Eso, realmente, no debe importarle.

BRUNILDA.—¿Y qué realmente le importa?

DON NADIE.—Nada, nadie, Remedios y Rosa.

> (BRUNILDA *se vuelve, la puerta aún
> está abierta, y estudia a* REMEDIOS *y a*
> ROSA.)

BRUNILDA. *(A* DON NADIE.*)*—Veo que su sala es un
panteón.

Don Nadie.—En todo caso un almohadeón y un alcoholeón.

Brunilda.—¿Es usted griego?

Don Nadie.—Límbico.

Brunilda.—¿A qué temperatura vivía en su país de origen?

Don Nadie.—Siempre bajo cero.

Brunilda.—¿Le gusta la de aquí?

Don Nadie.—¡Setenta grados Fahrenheit! ¡La temueratura ideal! Un tibio paréntesis entre el Limbo y la Nada. Pero podría faltar el oxígeno.

Brunilda.—¿Por qué?

Don Nadie.—Los corredores de bienes raíces ya han pasado a comprar la atmósfera para construir una barriada de helicópteros destinada a turistas.

Brunilda. (*Luego de mirarlo un segundo.*)—¿Dónde se prende esta mansión de los muertos?

Don Nadie.—En la greca.

Remedios. (*Involuntaria.*)—¡Juy!

Brunilda. (*A* Don Nadie.)—¿Voces?

Don Nadie.—Sí. Algunas veces de arriba, otras de abajo. Como sabrá, con la política de altoparlantes, o libertad para el ruido, la ciudad se ha tornado estereofónica.

Brunilda.—¿Quién es Remedios?

Don Nadie. (*Indicando con los labios.*)—Esa.

Brunilda.—¿Y Rosa?

Don Nadie. (*Indicando con los labios.*)—Aquélla.

Brunilda. (*Con mórbida satisfacción.*)—No hay duda que usted es un supertoro.

Remedios. (*Involuntaria.*)—¡Ja!

Brunilda. (*A* Don Nadie.) — ¿Espíritus burlones? ¿Practica la magia negra?

Don Nadie.—Sus nervios. (Brunilda *se sacude el pe-*

*lo, despereza los miembros, acomoda el cuerpo
dentro de la bata.)* ¿Ha tomado valeriana?

BRUNILDA.—He tomado el Mississipi de calmantes.

DON NADIE.—Pues debe estar hecha un Golfo de Méjico.

BRUNILDA.—Estoy que devoro una Antilla.

DON NADIE.—Ya están devoradas.

BRUNILDA.—Pues trituro los huesos.

DON NADIE.—Los tienen tasados para polvo radioactivo.

> (BRUNILDA *se sacude el pelo, despereza los miembros, acomoda el cuerpo dentro de la bata.)*

BRUNILDA.—Tanto Remedios como Rosa están despachadas.

DON NADIE.—A Remedios la despachó el piso.

BRUNILDA.—¿Y a Rosa?

REMEDIOS. *(Involuntaria.)*—Los trancazos, como dicen por ahí.

BRUNILDA. *(Agarrándose a su ilusión.)*—No se haga el santo. Todo indica que usted tiene raza de sultán.

REMEDIOS. *(Involuntaria.)*—¡De bajo cero!

> (DON NADIE *indica con la mano que la voz ha venido de arriba.)*

BRUNILDA. *(Luego de mirar hacia arriba.)*—¿Quién?

DON NADIE.—Un ciego que todo lo ve.

BRUNILDA. *(Cerrando la puerta con un movimiento involuntario.)*—¿En el piso de arriba?

DON NADIE.—No, señorita.

BRUNILDA. *(Cruzando hacia la greca, al tiempo que mira hacia arriba.)*—¡Señora!

32

Don Nadie.—No, señora. Después de este piso no vive nadie más.

Brunilda.—¿Y dónde?

Don Nadie.—En el Limbo. Donde uno no vive, sino que se limba.

Brunilda. (*Junto a la greca, volviéndose hacia* Don Nadie.)—En el Limbo estoy yo, pero allá abajo.

Don Nadie.—¿Y quién vive abajo?

Brunilda.—¡Mi esposo!

Don Nadie.—¿Y a qué se dedica?

Brunilda.—A dormir tan pronto llega de la oficina.

Don Nadie.—¿Y mientras está dormido?

Brunilda.—A no despertarse hasta que sale para la oficina.

Remedios. (*Involuntaria.*)—¡Cristiana! Ese y Don Nadie no ayudan ni a perpetuar.

Brunilda. (*Oprimiendo un botón que por suerte prende la sala.*)—Esa fue Remedios.

Don Nadie. (*Asintiendo.*)—Pesadas pesadillas.

> (Brunilda *apaga la sala.* Rosa *comienza a incorporarse.* Don Nadie *se levanta y la mira.* Rosa *se pone de pie, da una mirada perdida al bar y se dirige hacia la greca.* Don Nadie *se dirige a* Brunilda *y la retira al balcón. Marcha rápidamente al bar.*)

Remedios. (*Erguida sobre los brazos.*)—Desvíela o pasamos a la historia. Babia se ha llenado de hombres pisaicorres y mujeres brincaverjas.

> (Rosa *toma la peluca y se vuelve al bar.* Don Nadie *se dirige simultáneamente a la greca. En la prisa toma lo que encuentra a mano: los dos zapatos.*

>   Rosa *se detiene en el mismo sitio don-*
>   *de ingirió el cóctel fatal.* Don Nadie *to-*
>   *ma la pose correspondiente.*)

Don Nadie. (*Con la vista clavada en la puerta y un zapato en cada mano.*)—Rosa.

>   (Remedios *gira hacia* Don Nadie.)

Rosa. (*Con la peluca en alto.*)—Nadie, Nadie.

>   (Remedios *gira hacia* Rosa.)

Don Nadie. (*Posición ídem.*)—¿De veras que usted desea morir?

>   (Remedios *gira hacia* Don Nadie.)

Rosa. (*Con la peluca en alto.*)—Si papá anda a pistola limpia por un novio, ¡qué será cuando averigüe de los cinco!

>   (Remedios *gira hacia* Rosa.)

Don Nadie. (*Posición ídem.*)—La vida es un gran privilegio.

Remedios. (*Luego de girar hacia* Don Nadie.)— ¡Atreche y no siga con esta vellonera!

Don Nadie. (*Rápido.*)—Explote *per omnia saecula saeculorum.*

Rosa. (*Con la peluca en alto.*)—Vine, vi y me llevó el diablo.

>   (*Apura el cóctel imaginario, pero en*
>   *vez de marchar hacia el bar da un paso*
>   *atrás y se desploma junto al mueble*
>   *satélite. Tanto la cabeza como la mano*
>   *con la cual agarra la peluca le quedan*
>   *sobre el mueble.* Don Nadie *permanece*
>   *con la vista clavada en la puerta, com-*
>   *pletamente desviado de* Rosa.)

REMEDIOS. (*Dejándose caer sobre los codos.*)—¡Qué nochecita! ¡Fulminantes y más fulminantes! (*A* DON NADIE.) Si hubiera compuesto los platos, no tendríamos que pasar por esto.

DON NADIE.—Lo siento. No sé arreglar platos rotos.

BRUNILDA. (*Insinuando un alegato.*)—En el caso mío los platos están rotos y arreglados.

REMEDIOS. (*Involuntaria, volviendo a la posición de esfinge.*)—¡Y buscando romperlos por segunda vez!

BRUNILDA. (*A* REMEDIOS.)—Duérmase.

REMEDIOS.—Buenas noches.

DON NADIE. (*Inclinándose hacia* REMEDIOS.)—Muy buenas las tenga.

BRUNILDA. (*Bajando del balcón en dirección a* DON NADIE.)—Deme los zapatos.

DON NADIE.—¿Para qué?

BRUNILDA.—Para vestirme. Quiero venir al cóctel. Aquí, no hay duda, suceden cosas revolucionarias. (DON NADIE *le entrega los zapatos.*) ¿Puede consguirme la peluca?

DON NADIE.—Con mucho gusto. (DON NADIE *se dirige al bar mientras* BRUNILDA *se dirige a la greca.* DON NADIE *toma un vaso de la barra, se vuelve hacia* ROSA, *le quita la peluca y en su lugar le deja el vaso.* BRUNILDA *observa a* DON NADIE *con la evidente intención de resolver el problema que le aqueja. Cuando* DON NADIE *se incorpora de tomar la peluca,* BRUNILDA *se vuelve hacia la greca y prende la luz. Se quita la bata ante los puros ojos del pretendido.*) ¡Señora!

BRUNILDA. (*Volviéndose en dirección a* DON NADIE, *que viene a traer la peluca.*)—¡Brunilda!

DON NADIE. (*Entregándole la peluca.*)—¡Brunilda!

BRUNILDA.—¿Su nombre?

Don Nadie. (*Extrayendo la libreta del bolsillo estrellado.*)—Nadie, Nadie. Hasta ahora de nadie.

Brunilda.—Perfecto. Yo soy de alguien, pero si ese alguien se comporta como si fuera de nadie, pues me quedaré ídem. (Don Nadie *toma apuntes en la libreta.*) ¿Entendió?

Don Nadie.—Entonces llevaremos el mismo apellido.

Brunilda. (*Poniéndose la peluca.*)—¿Le gusta mi disposición al fuego?

Don Nadie. (*Luego de mirarla de izquierda a derecha y viceversa.*)—¿Por qué no llama a los bomberos?

> (Brunilda *se quita la peluca y la arroja sobre la greca.* Don Nadie *se dirige al balcón a medida que repasa las notas. Guarda la libreta en el bolsillo estrellado.* Remedios *balancea el rostro de derecha a izquierda y viceversa:* "¡Ya empezó lo de siempre!" Brunilda *se sacude el pelo; se despereza los miembros y se acomoda el cuerpo en el aire. Pausa.*)

Brunilda.—Nadie Nadie de Nadie.

Don Nadie. (*Junto al arpa.*)—Brunilda.

Brunilda.—¿Qué me iba a decir antes de encontrar el apellido en común?

Don Nadie.—Era respecto a la greca.

Brunilda. (*Con desprecio.*)—¡Válgame! ¡De la greca!

Don Nadie.—No he podido determinar si es una greca o una bomba atómica.

Brunilda.—¡Como yo estoy no me importa ni la de hidrógeno!

> (Remedios *abre los ojos:* "¿Podrá ella con Don Nadie?".)

DON NADIE. (*Después de observarla.*)—Le importaría
más un café, ¿no?

REMEDIOS. (*Involuntaria, con voz ronca.*)—¡Qué poca antena tiene usted!

BRUNILDA. (*Mirando hacia el vacío.*)—¡Y dígalo!

DON NADIE.—El Ciego no le debe preocupar.

BRUNILDA. (*A* DON NADIE.)—Si es ciego, parece tener un televisor en la cabeza.

DON NADIE.—Lo mismo ve todo no viendo nada, que
ve nada viéndolo todo.

BRUNILDA.—¿Y qué ve usted?

DON NADIE.—Yo no veo lo que no veo.

BRUNILDA. (*Impaciente, subiéndose al mueble satélite:*)—Ahora, en este preciso momento, en el segundo en punto, frente a su nariz, delante de sus
ojos.

DON NADIE.—Veo que no me veo.

BRUNILDA.—¿Y qué más?

DON NADIE. (*Junto al arpa.*)—El arpa.

REMEDIOS. (*Involuntaria, con voz ronca.*)—Este no
reacciona ni con baterías.

DON NADIE. (*Con un gesto hacia el vacío.*)—El Ciego
está de bromas hoy.

BRUNILDA.—El que está de bromas es usted y yo no
estoy para eso.

DON NADIE.—¿Para qué está?

REMEDIOS. (*Involuntaria, con voz ronca.*)—Para el
cuchillo y el tenedor.

BRUNILDA. (*Hacia lo alto.*)—Yo diría... para un romance.

DON NADIE.—¿Con quién?

BRUNILDA.—Naturalmente, con uno que no sea mi
marido.

DON NADIE. (*Para sí.*)—¡Francia!

BRUNILDA.—¿Cómo dijo?

DON NADIE.—¿Con otro marido, no?

BRUNILDA. (*Sin hacer caso.*)—Con un novio, con un casado, con un viudo, con un amante... (*Señalándose el cuerpo.*) Con tal que me saque de esta esclavitud...

DON NADIE.—...y con su marido.

BRUNILDA.—Sí. (*Histérica.*) Con mi marido si alguna vez se despierta entre las seis de la tarde y las ocho de la mañana. Pero está inerte de cuerpo en la noche y de alma en el día. No sabe ni que vive en Babia. Es el babieca máximo.

DON NADIE.—¿Llega tarde al trabajo?

BRUNILDA. (*En un grito.*)—¡Síííí!

DON NADIE.—¿Por qué?

BRUNILDA. (*En continuación del grito.*)—¡Por dormiiir!

DON NADIE.—¡Qué vago!

BRUNILDA.—Haga algo. Ese hombre sólo sueña con refugiarse en los brazos de Morfeo.

DON NADIE.—¡Ah, no! Yo no le corto el sueño a nadie.

BRUNILDA.—Pues haga por mí. Morfeo me enferma.

DON NADIE.—Morfeo *makes a man healthy, wealthy and wise.*

BRUNILDA.—Oh, dear, dear.

REMEDIOS. (*Involuntaria.*)—¡Qué mogolla!

> (BRUNILDA *queda en un suspenso neurótico. Se detiene.* DON NADIE *comienza a pasearse pensativo. Saca la libreta del bolsillo estrellado, apunta algunas palabras y la guarda. Continúa el paseo.*)

BRUNILDA. (*Armándose de una nueva idea neurótica al tiempo que se baja del mueble-satélite.*)—Nadie Nadie de Nadie.

DON NADIE. (*Paseándose.*)—Diga.

BRUNILDA.—Ayúdeme a vestir.

DON NADIE. (*Deteniéndose.*)—No veo inconvenientes.

BRUNILDA. (*Marchando hacia la greca.*)—Pues venga.

DON NADIE.—Antes de que se vista...

BRUNILDA. (*Sentándose en una silla de la greca.*)—Sí.

DON NADIE.—¿No ha notado que este clima, si no es mejor, por lo menos es igual al del paraíso?

BRUNILDA. (*Tomando una media.*)—Nunca he vivido en el paraíso.

DON NADIE.—¿Y dónde ha vivido?

BRUNILDA.—En el infierno.

DON NADIE.—¿Así?

BRUNIDA.—Con menos.

DON NADIE.—Se habrá achicharrado.

BRUNILDA.—Todo lo contrario. Me congelé.

REMEDIOS. (*Involuntaria.*)—¡Este hombre es un Polo Norte!

BRUNILDA. (*Hacia el vacío.*)—Este hombre es los dos polos. Mi marido a no sé qué potencia.

REMEDIOS. (*Involuntaria, corrigiendo.*)—¡Baja potencia!

BRUNILDA. (*Al vacío.*)—Perdón. (*Se vuelve de perfil a* DON NADIE *y comienza a ponerse una media. Estirando la pierna.*) ¿Me la pongo o me la quito?

DON NADIE.—¡Brunilda!

BRUNILDA.—Nadie Nadie de Nadie.

DON NADIE.—Esta noche, realmente, sólo deben importarle los dos infinitos.

BRUNILDA.—¿Y... cómo puede haber dos infinitos?

DON NADIE.—Porque la Nada se inventó al tiempo del cual nacieron el hombre y las cosas. Esto es, un infinito se inventó a un finito.

BRUNILDA.—¡Caramba!

DON NADIE.—Entonces el hombre se inventó al Limbo del Ciego.

Brunilda.—¿Y qué es el Limbo del Ciego?

Don Nadie.—El otro infinito. Esto es, el finito vino a quedar entre dos infinitos que no finiquitan. La Nada no cesa de inventarse al tiempo y el hombre no cesa de inventarse al Limbo del Ciego. Aunque el hombre finiquita como individuo no finiquita como especie, razón por la cual yo no finiquito.

Brunilda.—En mi caso, me acompaña un finiquitado.

Don Nadie.—Pues hay que enterrarlo y confiar que la Nada siga inventando al tiempo. Sin tiempo no se puede ser. Ni podría concebirse el Limbo del Ciego, esa ilusión de este sueño. Usted dispone de tiempo, muchísimo tiempo.

Brunilda.—Muy profundo. (*Atenta ahora a su problema Freudiano.*) Ayúdeme a vestir y después me habla de la Nada y el tiempo, los dos infinitos y el finiquitismo.

Don Nadie.—¿Por qué no se queda así a la luz de la luna?

Brunilda.—Vístame y sabrá para lo que uno se viste.

Don Nadie.—¿Para qué?

Brunilda.—Para no andar desvestida...

Don Nadie.—... y desvestirse luego.

Brunilda. (*Levantándose con una media puesta.*)— Exacto. Detenga su mente ahí. (Don Nadie *intenta hablar.*) ¡No! ¡No!... Se anda vestida, para desvestirse luego. Grábelo.

Don Nadie. (*Inclinándose, cortés.*) — Como guste. (*Para sí.*) Escena realista. (*Se endereza y echa la cabeza atrás.*) Ya.

Brunilda.—Ya. Ahora pasee mientras me pongo ropa apropiada.

DON NADIE.—Bien. Paseo.

> (*Inicia el paseo.*)

BRUNILDA.—Y ponga el disco constantemente.

DON NADIE. (*Paseando.*)—Y pongo el disco constantemente.

BRUNILDA.—Si se rompe la aguja, la cambia.

DON NADIE. (*Paseando.*)—Si se rompe la aguja, la
cambio.

BRUNILDA.—Si se va la luz, cambie los tapones.

DON NADIE. (*Paseando.*)—Si se va la luz, cambio los
tapones.

BRUNILDA.—Si se rompe la grabadora, compra una
nueva.

DON NADIE. (*Paseando.*)—Si se rompe la grabadora,
compro una nueva. (*Paseando, con una rápida in-
terrupción.*) ¿Esto le pedía usted a su maridito?

BRUNILDA.—¡Ibamos ya por la séptima nevera!

REMEDIOS. (*Involuntaria.*)—¡Qué coctelito!

ROSA. (*Involuntaria.*)—¡Qué coctelito!

DON NADIE. (*Involuntario.*)—¡Qué coctelito!

BRUNILDA. (*Involuntaria.*)—¡Qué coctelito!

VOZ ABSTRACTA. (*Involuntaria, voz de mujer.*)—¡Qué
coctelito!

> (*Todos levantan la cabeza al vacío.*
> DON NADIB *no deja de pasear.*)

VOZ ABSTRACTA. (*Involuntaria, voz de mujer.*)—¡Qué
coctelito!

BRUNILDA. (*Involuntaria.*)—¡Qué coctelito!

DON NADIE. (*Involuntario.*)—¡Qué coctelito!

ROSA. (*Involuntaria.*)—¡Qué coctelito!

REMEDIOS. (*Involuntaria.*)—¡Qué coctelito!

> (*Pausa.* DON NADIE *se pasea.*)

BRUNILDA.—Por aquí pasó una voz de la eternidad.

DON NADIE. (*Paseándose.*)—¿No sería su marido?

BRUNILDA.—¡Hace quince años que no despierta de noche! (*Escucha hacia abajo. Da la vuelta alrededor de los muebles interplanetarios en busca de una pista. Vuelve exactamente al sitio de donde partió. A DON NADIE, que no ha dejado de pasearse.*) No fue mi marido. Lo oigo roncar como un hipopótamo.

DON NADIE. (*Paseándose.*)—¿Hasta dónde llega el ronquido?

BRUNILDA.—Una vuelta a la redonda.

DON NADIE. (*Paseándose.*)—¿Y usted no se asusta?

BRUNILDA.—Me han salido callos en los tímpanos.

DON NADIE. (*Filosófico.*)—La burocracia aniquila a los hombres.

BRUNILDA.—Al mío, me lo envició a dormir.

DON NADIE. (*Filosófico.*)—El país entero puede convertirse en dormitorio.

REMEDIOS. (*Filosófica.*)—Y explotar mientras sueña con pajaritos... (*A DON NADIE.*) El disco.

DON NADIE. (*Para sí.*)—Escena expresionista. (*Paseándose.*) No se anda vestido, para no tener que desvestirse luego.

BRUNILDA.—Nadie Nadie de Nadie, su memoria es cero.

DON NADIE. (*Paseándose.*)—¿No es lo mismo?

BRUNILDA.—No es lo mismo en principio.

DON NADIE. (*Paseándose.*)—Cuando se anda con un principio, ¿no es que dos más dos es igual a tres o es igual a cinco?

BRUNILDA.—Cuando se anda con un principio dos más dos es igual a cuatro, por eso ya no existe.

DON NADIE. (*Paseándose.*)—¿En qué país me paseo?

BRUNILDA.—En Babia, donde dos más dos siempre da menos de cuatro.

DON NADIE.—¡Contra!

BRUNILDA.—La verdad es que ando sin un solo principio.

DON NADIE.—Usted anda sin un solo principio, sin vestirse y con una sola media.

REMEDIOS. (*Involuntaria.*)—El disco.

BRUNILDA.—¡Gracias!

DON NADIE. (*Paseándose.*)—Se anda vestida, para desvestirse luego... Sa anda vestida, para desvestirse luego.

BRUNILDA. (*Casi con un grito.*)—¡Por fin! (*Da la espalda a* DON NADIE.) ¡Esto sigue y estallo como una atómica!

(*Se dirige a la greca y apaga la luz.*)

DON NADIE. (*Paseándose.*)—El que anda desvestido no tiene por qué vestirse. (BRUNILDA *se vuelve, da un paso hacia* DON NADIE *y se detiene en seco. Paseándose.*) El que no tiene por qué vestirse, debe andar desvestido. (BRUNILDA *levanta los ojos al vacío y comienza a torcerse las manos, principio de un ataque de histeria. Paseándose.*) El que debe andar desvestido, si se viste es por vestirse. (BRUNILDA *se llena de contorsiones. Paseándose.*) El que se viste por vestirse, realmente, debe no vestirse.

REMEDIOS. (*Involuntaria.*)—¡Cristiano! Usted no ve que a esa señora le han entrado culebrillas.

(DON NADIE *se detiene.* BRUNILDA *clava la mirada en el mueble satélite próximo.*)

DON NADIE.—No hay duda de que este mundo se

reduce rápidamente a la pura biología tentacular.

BRUNILDA. (*Enroscándose y desenroscándose.*) — ¡Despierta, hipopótamo!

(REMEDIOS *gira hacia* BRUNILDA.)

DON NADIE. (*Para sí.*) — ¡Africa!

BRUNILDA. (*Enroscándose y desenroscándose, a medida que comienza a darle vuelta al mueble satélite.*) — ¡Despierta, hipopótamo!

REMEDIOS. (*Involuntaria.*) — ¡El hipopótamo es el maridito!

BRUNILDA. (*Alrededor del mueble satélite.*) — ¡Despierta, hipopótamo!

REMEDIOS. (*Luego de girar hacia* DON NADIE.) — Don Papanatas, ¿qué piensa hacer?

DON NADIE. (*Para sí.*) — Freud.

REMEDIOS. — Froi, ni frui, frácata es lo que va a venir.

BRUNILDA. (*Alrededor del mueble satélite.*) — ¡Despierta, hipopótamo!

(DON NADIE *saca la libreta del bolsillo y comienza a escribir.*)

REMEDIOS. — ¡Apunta que te apunta y el mundo cayéndose a pedazos! ¡Usted no es más que un empleado público!

BRUNILDA. (*Alrededor del mueble central.*) — ¡Despierta, hipopótamo!

REMEDIOS. (*Luego de girar hacia el frente.*) — ¡Si ve la atómica como hipopótamo, adiós mis cuárticos! Hasta la traba se me lengua.

(DON NADIE *observa y escribe.*)

BRUNILDA. (*Alrededor del mueble central.*)—¡Despierta, hipopótamo!

REMEDIOS.—Si yo hubiera nacido macho, sería un rinoceronte. (*Con un gesto hacia atrás.*) Pero éste ha salido caballito de San Juan.

ROSA. (*Tratando de incorporarse.*)—¡Despierta, hipopótamo!

(REMEDIOS *gira hacia* ROSA.)

BRUNILDA. (*Alrededor del mueble central.*)—¡Despierta, hipopótamo!

ROSA. (*Incorporada, alrededor de su mueble satélite.*)—¡Despierta, hipopótamo!

REMEDIOS. (*Hacia el frente.*)—¡Vejigante a la boya!

VOZ ABSTRACTA. (*Voz de mujer.*)—¡Pan y cebolla!

REMEDIOS. (*Mirando hacia lo alto.*)—¡Válgame! El Ciego también anda como la carabina de Ambrosio.

(DON NADIE *observa y escribe.*)

ROSA. (*Alrededor del mueble central.*)—¡Despierta, hipopótamo!

BRUNILDA. (*Enfrentándose a la greca.*)—¡Despierta, hipopótamo!

REMEDIOS. (*Luego de girar hacia* DON NADIE *a gran velocidad.*)—¿Qué hace ahí como un espantapájaros?

ROSA. (*Siguiendo a* BRUNILDA.)—¡Despierta, hipopótamo!

(REMEDIOS *da un salto y cae sentada sobre los almohadones. Experimenta un gran dolor, pero se incorpora, maltrecha como está. De tanto dolor, se convierte en un garabato. Se sostiene, literalmente, levantándose por los almohadones.*)

REMEDIOS.—¡Carajo! ¿Nadie quiere vivir?

ROSA Y BRUNILDA. (*Alrededor de la greca.*)—¡Despierta, hipopótamo!

REMEDIOS.—Pues yo quiero.

> (DON NADIE *deja de escribir y mira a* REMEDIOS.)

ROSA Y BRUNILDA. (*Alrededor de la greca.*)—¡Despierta, hipopótamo!

REMEDIOS. (*Comenzando a moverse hacia la puerta, cosa que resulta casi imposible.*)—¡Al infierno con tanto pretendiente a muerto! ¡No se merecen haber nacido!

DON NADIE.—¡Remedios!

REMEDIOS. (*Siempre hacia la puerta.*)—¡Aguante ese par de vejigantes y después hablamos!

ROSA Y BRUNILDA. (*Alrededor de la greca.*)—¡Despierta, hipopótamo!

REMEDIOS. (*Siempre hacia la puerta.*)—¡Y aguántelos ya mismo! (*Avanzando una pulgada.*) ¡La inocencia de los hijos debería bastar para librarnos de tanta brujería!

> (DON NADIE *guarda silencio. Mira a* REMEDIOS.)

ROSA Y BRUNILDA. (*Alrededor de la greca.*)—¡Despierta, hipopótamo!

REMEDIOS. (*Que ha esperado una contestación de* DON NADIE.)—¡Maldita sea la Nada y maldito sea el Limbo, y benditos sean los que luchan fuertes de alma por el mundo que se les dio!

ROSA Y BRUNILDA. (*Alrededor de la greca.*)—¡Despierta, hipopótamo!

> (REMEDIOS *forcejea por llegarse a la puerta, pero solamente adelanta una pulgada.*)

REMEDIOS. (*Irguiéndose hasta donde puede.*)—Pues por lo menos morir de pie, ¡so murciélagos! ¡El país no les debe ni una mirada!

ROSA Y BRUNILDA. (*Alrededor de la greca.*)—¡Despierta, hipopótamo!

DON NADIE.—¡Rosa!

> (REMEDIOS *alza la cabeza.* ROSA *se ha detenido. Toma la peluca y comienza a cruzar la sala.*)

REMEDIOS. (*Siguiendo a* ROSA *con la vista.*)—Ahí va la pileta sin voluntad. Lo mejor es que se recoja.

BRUNILDA. (*Frente a la greca, como embistiendo.*)— ¡Despierta, hipopótamo!

REMEDIOS. (*A* DON NADIE.)—¡Brunilda, cristiano! ¡Está que levanta una plaza de toros! Esa mujer no piensa más que en su problema y nos va a reventar la vida. (*Gritándole a* BRUNILDA.) ¡Nosotros también existimos!

DON NADIE.—Tenga calma. Estos líos atómicos no se desenredan de la noche a la mañana.

REMEDIOS.—Ni uno vuelve del otro mundo en un santiamén, si es que vuelve.

BRUNILDA. (*Frente a la greca, como embistiendo.*)— ¡Despierta, hipopótamo!

REMEDIOS.—¡Brunilda!

> (BRUNILDA *se detiene, pero enroscándose y desenroscándose.*)

DON NADIE.—¡Brunilda!

BRUNILDA. (*Hacia* DON NADIE, *enroscándose y desenroscándose.*)—¡Despierta, hipopótamo!

DON NADIE.—¡Brunilda! (BRUNILDA *se enrosca y se*

desenrosca, pero no dice nada.) ¡Brunilda! ¡Aquí
está don Juan!

> (BRUNILDA *se detiene en seco, enros-*
> *cada como está, se desenrosca y vuelve*
> *a enroscarse. Se congela.*)

ROSA. (*Con la peluca en alto.*)—Vine, vi y me llevó
el diablo.

> (*Apura un cóctel imaginario, pero en*
> *vez de marchar al bar da un paso*
> *atrás y se desploma junto al mueble*
> *satélite. Tanto la cabeza como la mano*
> *con la cual aprieta la peluca le quedan*
> *sobre el mueble.* REMEDIOS *cae sentada*
> *al piso.*)

REMEDIOS. (*Llevándose las manos atrás.*)— ¡Ay!
(DON NADIE *extrae la libreta del bolsillo estrella-*
do y apunta unas palabras. Guarda la libreta. Da
una mirada panorámica y piensa. Presa de un
gran dolor.) ¡Ay!

> (*Se escuchan escalas de arpa descen-*
> *dentes.* DON NADIE *se acerca al arpa*
> *y tañe unas ascendentes.* REMEDIOS *se*
> *sobrepondrá al dolor durante el trans-*
> *curso de este diálogo y acabará por es-*
> *cuchar el mismo con atención.*)

VOZ ABSTRACTA. (*Voz de mujer.*)—¡Nadie!
DON NADIE.—¡Ciego!
VOZ ABSTRACTA. (*Voz de mujer.*)—Te quedan cua-
renta y seis minutos.
DON NADIE.—Lo sé. Si de algo me has hecho tener
conciencia es del tiempo.
VOZ ABSTRACTA. (*Voz de mujer.*)—Tú sabes que lo

33

tenemos contado. Para inspecciones anuales de
dos horas un minuto. Te acordarás que le con-
cedieron a los Babiecas el noventinueve, punto,
, nueve-nueve, punto, nueve-nueve.

DON NADIE.—Casi al infinito.

VOZ ABSTRACTA. (*Voz de mujer.*)—Exacto.

DON NADIE.—El tiempo es nuestra gran sed. Somos
en cuanto ellos son y andan tronchándose las
raíces. Amenaza una era de silencio entre la Nada y el Limbo.

VOZ ABSTRACTA. (*Voz de mujer.*)—Escucha. Por uno
se salvarán los demás, pero el ciclón no es pequeño.

DON NADIE.—¿Quién es el uno?

VOZ ABSTRACTA. (*Voz de mujer.*)—¡Cualquiera podrá ser! ¿Acaso no encarnan un libre albedrío?

DON NADIE.—Pero están hundidos hasta el cuello y,
lo que es peor, se les desquicia el ritual de la
perpetuación.

VOZ ABSTRACTA. (*Alejándose. Voz de mujer.*)—¡Cuarenta y cinco minutos!

> (*Se escuchan unas escalas ascenden-
> tes de arpa y se hace el silencio.* DON
> NADIE *piensa, la mirada panorámica.*)

REMEDIOS.—¡Ay!

> (DON NADIE *mira a* REMEDIOS.)

REMEDIOS.—¿Con quién hablaba?

DON NADIE.—Conmigo mismo.

REMEDIOS.—¿Entonces tiene dos voces?

DON NADIE.—Tengo muchas más. De niño, de an-
ciano...

REMEDIOS. (*Con énfasis.*)—¿De mujer?

DON NADIE.—De mujer.

REMEDIOS. (*Por el efecto desolador de las palabras de* DON NADIE.)—¡Ay!

> (*Se paraliza.* DON NADIE *lanza otra mirada panorámica a la situación.*)

DON NADIE. (*Decidiéndose.*)—¡Brunilda!
BRUNILDA. (*Enroscada.*)—¡Don Juan!
DON NADIE.—Pase al bar.
REMEDIOS. (*Mirando a* BRUNILDA.)—Hágase de ilusiones. (BRUNILDA *se desenrosca y se dirige al bar.* REMEDIOS, *al verla pasar.*) ¡Cristiana! ¡Póngase algo más decente!

> (BRUNILDA *llega al bar, entra al mismo y se enrosca.*)

DON NADIE.—¡Rosa!
ROSA.—¡Don Juan!
DON NADIE.—¡Pase frente a la greca!
REMEDIOS. (*Involuntaria.*)—¡Otra farandulera! (ROSA *se ha levantado y se dirige a la greca con la peluca en alto.* REMEDIOS *la sigue con la vista.*) Ahí va de nuevo la pileta sin voluntad.

> (ROSA *se detiene frente a la greca, la peluca de* BRUNILDA *en alto.*)

DON NADIE.—Explote *per omnia saecula, saeculorum.*
ROSA. (*Con la peluca en alto.*)—Vine, vi y me llevó el diablo.
REMEDIOS.—¡Hasta aquí me tenía que empujar la necesidad! (ROSA *apura el cóctel imaginario, pero en vez de marchar al bar da un paso y se desploma junto al mueble satélite. Tanto la cabeza como la mano con la cual abarca la peluca le quedan sobre el mueble.* DON NADIE *lanza una mirada panorámica. Piensa.* REMEDIOS, *de espal-*

das a DON NADIE, *intuyendo la situación.*) ¿En qué piensa?

DON NADIE.—El próximo paso.

REMEDIOS. (*Señalándole los almohadones.*)—Parece que mi desastre no cuenta. (DON NADIE *se llega hasta* ROSA, *visible a* REMEDIOS, *y toma la peluca. Se dirige a la greca y toma las medias, el traje, los zapatos y prende la luz. Se dirige al bar con su femenino cargamento.* REMEDIOS, *a medida que* DON NADIE *le pasa por el frente.*) ¡Se destapó la cosa! (DON NADIE *pone la peluca, los zapatos y las medias sobre el extremo lejano de la barra y toma a* BRUNILDA *por las dos mejillas. Le zarandea el rostro.* REMEDIOS *consolándose.*) Creía...

BRUNILDA. (*Desenroscándose con un impulso hacia* DON NADIE, *del cual lo separa la barra.*)—¡Don Juan, dale una lección a Pepe!

DON NADIE. (*Zarandeándole el rostro.*)—¿Quién es Pepe?

BRUNILDA.—¡El inerte!

DON NADIE.—¿Sabe quién le habla?

BRUNILDA.—¡El gallo de España!

REMEDIOS. (*Involuntaria.*)—¡Lo ha visto con los ojos del alma!

BRUNILDA.—¡Gallo de España!...

DON NADIE.—¡Quieta!

> (DON NADIE *separa cinco vasos. Le abre la boca a* BRUNILDA *y le descarga un cóctel.*)

BRUNILDA. (*Meneando la cabeza de derecha a izquierda como si hablara con* DON JUAN.)—¡Don Juan! ¡Súmame a la cuenta! (DON NADIE *abre la boca de* BRUNILDA *y le descarga el segundo cóctel.* BRUNILDA *menea la cabeza de derecha a izquier-*

da como si hablara con Don Juan.)—¡Don Juan!
¡No me reste ni de noche ni de día!
Remedios. (*Involuntaria.*)—¡Qué falta de razón!

> (Don Nadie *abre la boca de* Brunilda
> *y le descarga el tercer cóctel.*)

Brunilda. (*Meneando la cabeza de derecha a izquierda como si hablara con* Don Juan.)—¡Don
Juan! ¡Si no puedes sumar, yo sumo por ti!
Remedios. (*Involuntaria.*)—¡El marido la ha dejado
sin dignidad!

> (Don Nadie *abre la boca de* Brunilda
> *y le descarga el cuarto cóctel.*)

Brunilda. (*Meneando la cabeza de derecha a izquierda, como si hablara con* Don Juan.)—¡Don
Juan! (*Vacila.*) ¿Por dónde íbamos?
Remedios. (*Involuntaria.*)—Por la enfermedad de
la dignidad. (Don Nadie *abre la boca de* Brunilda *y le descarga el quinto cóctel.* Remedios, *involuntaria.*) A ese paso, va a cometer una locura.
Brunilda. (*Volviendo en sí.*)—Y si no la cometo, ter-
mino loca... (*Luego de mirar a* Don Nadie, *a* Remedios, *a* Rosa, *de dar una media vuelta, mirar
las botellas y mirarse en el espejo.*) ¿Dónde estoy?
Remedios. (*Involuntaria.*)—Donde no va a estar
dentro de unos minutos si no vuelve a los ca-
bales.

> (Brunilda *agarra una botella del
> aparador y un vaso de la barra. Des-
> corcha la botella con la boca y llena
> el vaso hasta los bordes.* Don Nadie *se
> dirige al centro del balcón.*)

Brunilda. (*En las últimas.*)—Nadie Nadie de Nadie.
(Don Nadie *se detiene y se vuelve.* Brunilda *seña-*

la la ropa con el vaso.) Ayúdeme con esta cruz.

DON NADIE.—¿Qué cruz?

BRUNILDA.—¡Vestirme! (DON NADIE *guarda silencio.*
BRUNILDA *entre los humos del alcohol.*) Habrá
ayudado muchísimas veces.

DON NADIE.—Una vez me vestí de mujer.

BRUNILDA.—¿Cuándo...?

DON NADIE.—Un año atrás. Cuando di un cóctel en
el Condominio. En Busca de Juego.

BRUNILDA.—¿Para quién?

DON NADIE.—Para hombres liberados.

REMEDIOS. (*Involuntaria.*)—¡Alabado sea! ¿Qué clase
de esperpentos hay en el Limbo?

DON NADIE.—Neutros.

> (BRUNILDA *apura el vaso. Lo llena
> nuevamente y lo apura. La invade un
> sentimiento de conmiseración.*)

BRUNILDA. (*Mirando hacia* DON NADIE.)—Ven, Nadiecito. Antes que me ahogue.

DON NADIE.—¿Dónde piensa ahogarse?

BRUNILDA.—Ya que no me pude lanzar desde la torre Eiffel, me arrojaré al Sena.

DON NADIE.—¿Y Pepe?

BRUNILDA.—Pepe nunca ha salido del Sena. (*Llena
un vaso y lo apura.*) Ven, Nadiecito. Alivia tu neu-
tralidad con la mía.

DON NADIE.—Descuente un millón de la gaveta y coja lo demás para el entierro.

> (BRUNILDA *abre la gaveta y mira el
> dinero con ojos perdidos. Llena el vaso
> y lo apura.*)

BRUNILDA. (*Mirando el dinero.*)—¡Vil! ¡Vil! ¡Vil! ¡Ar-
do en pasión y nado en dinero! ¿Y qué, qué, qué?

(*Contándolo a medida que lo arroja al aire.*) ¡Un centavo...! ¡Un billón...! ¡Dos billones...! ¡Tres billones...! ¡Cuatro billones...! ¡Cinco billones...! ¡Seis billones...! Siete billones...! (*Con un grito.*) ¡Viva el amor y muera Wall Street!

REMEDIOS. (*Involuntaria.*)—¡Mis ochenta llevan las de Villadiego! En esta clase se derrocha o se almacena sin pensar en los pobres.

BRUNILDA.—Nadiecito.

DON NADIE.—Diga.

BRUNILDA.—Si hallan mi cadáver, lo entierran en caja de bacalao.

> (*Se echa el resto de la botella sobre la cabeza.*)

DON NADIE. (*Para sí.*)—Rusia.

ROSA. (*Levantando la cabeza.*)—¡Don Juan! ¡Estoy muerta!

BRUNILDA. (*La botella en alto todavía.*)—¡Rosa! ¡Mi hija, quédate en la tumba!

> (*Toma otra botella y se la echa por la cabeza.*)

ROSA.—¡Don Juan! ¡No vengas al cementerio!

BRUNILDA. (*La botella en alto todavía.*)—¡Rosa! ¡Mi hija! ¡Don Juan está en un dique de carena!

> (*Toma otra botella y se la vacía por la cabeza.*)

REMEDIOS. (*Involuntaria.*)—Exploten, *p e r umnia sicula siculorum*.

ROSA.—¡Recuerdos a papá y los seis pisaicorres!

BRUNILDA.—¡Recuerdos a Pepe y las mil y una noches!

Don Nadie. (*Para sí.*)—¡Andalucía!

Rosa.—¡Adiós!

Remedios.—Una. (Rosa *deja caer la cabeza sobre el mueble.*) Se levantó la tapa de los sesos.

Brunilda.—¡Adiós!

Remedios.—Dos. (Brunilda *se hunde en el bar, pero queda agarrada a la botella que permanece vertical sobre la barra.*) Se ahogó.

> (*Se lleva las manos al estómago. Se escuchan unas escalas de arpa descendentes.* Don Nadie *tañe unas ascendentes.*)

Voz Abstracta. (*Voz de mujer.*)—¡Qué coctelito!

Don Nadie. (*Hacia lo alto.*)—El informe progresa.

Remedios. (*Involuntaria.*)—¿Pa'lante o pa'trás?

Don Nadie. (*Hacia lo alto.*)—En ambas direcciones...

Remedios. (*Satírica.*)—Diga usted.

Don Nadie.—¡Ciego!

Voz Abstracta. (*Voz de mujer.*)—Sí.

Don Nadie.—Usa la voz de hombre a ver si reducimos la confusión.

Voz Abstracta. (*Voz de mujer.*)—De acuerdo. (*Con voz de hombre.*) Nadie.

Don Nadie.—Dime.

Voz Abstracta. (*Voz de hombre.*)—¡Remedios quiere vivir! (Don Nadie *se vuelve hacia* Remedios *y la mira fijamente.* Voz Abstracta *alejándose, voz de hombre.*) ¡Treinta y ocho minutos!

> (*Se escuchan escalas ascendentes y se hace el silencio.*)

Remedios. (*Envuelta en sus pensamientos.*)—En resumen...

> (*Piensa.*)

Don Nadie. (*Acercándose.*)—¿En qué piensa?

Remedios.—En que todavía pienso. (Don Nadie *la contempla.*) Inventario, Don Nadie. En primer lugar, tengo dos almohadones sin redención.

Don Nadie.—Asunto muy serio.

Remedios.—Para completar se me ha fracturado el huesito del gusto y lo tengo sin redención también.

Don Nadie.—¡Gravísimo! No volverá a ser Remedios.

Remedios. (*Luego de negarlo con la cabeza.*)—Pienso. (*Pausa. Llevándose una mano a la cabeza.*) ¿Para qué sirve el aceite en la lámpara? (*Pausa. Heroica.*) ¡Don Nadie!

Don Nadie.—¡Remedios!

Remedios.—El muerto al hoyo y el vivo al pimpollo. (Don Nadie *la mira.*) Bueno. Sé que no soy ningún pimpollo y que usted no es ningún vivo. (Don Nadie *se inclina y la levanta en brazos.*) ¡Ay!

Don Nadie.—Suspenderé el cóctel.

Remedios.—¡Cristiano! De ninguna manera. Aproveche sus treinta y siete minutos. Y más ahora que tengo más dudas.

Don Nadie.—¿Qué dudas?

Remedios.—De cuántos pitos puede tocar. Soy amiga de la verdad monda y lironda. Y usted me tiene a cuatro direcciones. (Don Nadie *la mira largamente.*) Vamos. Póngame en el sofá y esperemos la próxima pájara loca. (Don Nadie *se vuelve hacia el mueble central y deposita a* Remedios *boca arriba.*) ¡Cristiano! ¿No sabe lo que es el huesito del gusto? Haga el favor de ponerme boca abajo. (Don Nadie *la ayuda a ponerse boca abajo.*) ¡Eso es! (*Logra incorporarse de medio cuerpo afirmándose en los brazos.*) Menos mal.

DON NADIE.—¡Remedios!

REMEDIOS.—¿Por qué me mira con esos ojos? ¿Cree que estoy muerta? Pues no me vele, que todavía no he cerrado los ojos, ni estirado la pata, ni dado el piojo.

DON NADIE.—¿De veras que desea existir como fracción?

REMEDIOS.—¡Pues claro! ¡Se puede vivir de medio cuerpo para arriba! ¡Peores los que viven de medio cuerpo para abajo! (DON NADIE *la mira largamente.* REMEDIOS *comienza a preguntarse mentalmente.* DON NADIE *se dirige a la greca.* REMEDIOS *girando a durísimas penas.*) ¡Eh! ¡Don Nadie! (DON NADIE *se detiene frente a la greca.*) ¿Por qué la cara de duelo...? ¿Por las difuntas?

DON NADIE. (*Sin volverse.*)—Por usted.

REMEDIOS. (*Asustada.*)—¿Qué se le ha metido entre ceja y ceja?

DON NADIE. (*Sin volverse.*)—¿No le gustaría descansar profundamente?

REMEDIOS. (*Luego de una pausa.*)—Ya veo. Visitar las nubes en cantitos. (DON NADIE *se mantiene pensativo.* REMEDIOS *forcejeando por levantarse.*) ¡Conque todo conducía a una explosión general! ¡Dinamitero! (DON NADIE *permanece pensativo.*) ¿No se le conmueve uno solo de esos pelos azules? (DON NADIE *se mantiene pensativo.*) Pues déjeme gritarle a los inocentes. (DON NADIE *se mantiene pensativo.* REMEDIOS, *luego de girar hacia el fondo.*) ¡Escúchenme! Si volamos, Don Nadie tiene la culpa. (*Luego de girar del fondo hacia la derecha.*) ¿Me oyen? Si volamos, Don Nadie tiene la culpa. (*Luego de girar de la derecha hacia el frente.*) ¿Me oyen? Si volamos, Don Nadie tiene la culpa. (*Luego de girar hacia la izquierda.*) ¿Me oyen? Si volamos, usted tiene la culpa, so montón de cosas y, en resumidas cuentas, ninguna.

> (Don Nadie *se dirige a la greca.* Remedios *trata de incorporarse, inútilmente.* Don Nadie *oprime el botón de la luz. Irrumpe la luz de la luna.*)

Don Nadie. (*Volviéndose.*)—¡Remedios! (Remedios *queda en suspenso.*) Le dedico la luz de la luna. (Remedios *se desploma sobre los codos y queda en silencio.* Don Nadie *se dirige a la puerta de entrada, la abre y se detiene. Señalando hacia el público.*) Voy a correr las cortinas de este lado (*Señalando hacia el fondo.*), para que llegue a sus ojos más pura.

> (Remedios *permanece muda.* Don Nadie *se dirige a la escalerilla, mira hacia abajo, da la vuelta alrededor de la boca, mira de frente hacia lo infinito y luego cierra la cortina de la embocadura.*)

Remedios. (*Adentro.*)—¡Don Nadie!
Don Nadie. (*Adentro.*)—¡Remedios!
Remedios. (*Adentro.*)—¡Toque una nana en el arpa!
Don Nadie. (*Adentro.*)—Con mucho gusto.

> (*Se escucha el arpa. Se encienden las luces de la sala.*)

Voz Abstracta. (*Voz de hombre.*)—¡Treinta y cinco minutos!

> (*El arpa sonará durante cinco minutos.*)

(*Aún se escucha el arpa.*)

Voz Abstracta. (*Sobre el arpa. Voz de hombre.*)—
¡Treinta minutos...! (*Voz de mujer.*) ¡Veintinueve
minutos, cincuenta y cinco segundos...! (*Voz de
hombre.*) ¡Veintinueve minutos, cincuenta segundos...! (*Voz de mujer.*) ¡Veintinueve minutos, cuarenta y cinco segundos! (*Voz de hombre.*) ¡Veintinueve minutos, cuarenta segundos!
Don Nadie. (*Adentro.*)—Ciego, contrólate.
Voz Abstracta. (*Voz de mujer.*)—Está bien. (*Voz de
hombre.*) ¡Veintinueve minutos, treinta segundos!
(*Voz de hombre.*) ¡Veintinueve minutos, treinta
segundos! (*Voz de hombre.*) ¡Veintinueve minutos, veinte segundos!

> (*Se descorre la cortina de la casa y
> aparece quien la descorre:* Virginia.
> Don Nadie *tañe el arpa con la vista en
> la luna y las estrellas.* Remedios *yace
> dormida boca abajo, la frente sobre las
> manos.* Rosa y Brunilda *siguen como
> al final del tercer espanto.* Virginia
> *contará veinte años, hierática y decidi-
> da, labios finos y ojos indescriptibles
> por llevarlos detrás de gafas negras. Se
> recorta a lo hombre, pero el hecho no
> la exorna de un aire femenino. Viste*

*una adaptación estilizada de camisa
masculina abotonada en el cuello y las
muñecas, "slacks" ceñidos al resto del
cuerpo. Porta cartera, colgada del hombro, y reloj pulsera masculino al tiempo
que una baqueta de revólver delicada-
mente femenina. En general, da la impresión de una persona neutra que se
protege de ser tanto mujer como hombre.* Virginia *abre la cartera, saca una
cajetilla de cigarrillos, toma un cigarrillo, guarda la cajetilla. Saca una caja
de fósforos, prende el cigarrillo y fu-
ma. Saca una botella y apura un trago.
Desenfunda el revólver, estudia la mira
y lo enfunda.* Virginia *se dirige sin ti-
tubeos a la puerta, oprime el botón
eléctrico de la puerta y espera brevemente, toca con los nudillos y, en vista
de que no contestan, abre la puerta, mira brevemente a la sala, entra y recorre
el ámbito con una mirada global que
recoge de un golpe a la mano náufraga
de* Brunilda *a* Don Nadie, Remedios *y*
Rosa. *Desenfunda el revólver.)*

Virginia.—¡Ah, de la cueva! ¡Ah, de los primitivos!

(Don Nadie *continúa tañendo el arpa.*
Virginia *apura un trago y dispara un
tiro al aire.* Don Nadie *se levanta, se
dirige a la greca, enciende la luz de la
sala, vuelve al balcón, se sienta y continúa tañendo el arpa.* Virginia *apura
otro trago y dispara al aire. Se escuchan unas escalas de arpa descendentes.* Don Nadie *deja de tañer.)*

Voz Abstracta.—¡La nueva generación! (Don Nadie *mira hacia lo alto.*) ¡Veintiocho minutos!

> (*Se escuchan unas escalas de arpa ascendentes.* Virginia *mira hacia lo alto, apura un trago y dispara un tiro hacia el vacío.*)

Remedios. (*Involuntaria.*)—Este o esta no respeta ni a la señora que lo o la echó al mundo. ¡Nuevo fulminante!

> (Virginia *mira a* Don Nadie. *Apura un trago y dispara un tercer tiro.* Don Nadie, *que permanecía mirando hacia lo alto, mira ahora hacia* Virginia.)

Virginia. (*A pie firme, dándole vueltas al revólver en el dedo índice.*)—Menos mal. Ya sé que oye.
Don Nadie.—Soy un profesional del oído.
Virginia.—De primera intención no lo demuestra.
Don Nadie.—De primera intención no demuestro nada.
Virginia.—¿Y de segunda?
Don Nadie.—Menos.

> (Virginia *apura un trago y dispara un tiro al aire.*)

Virginia.—¿No escuchó el timbre?
Don Nadie.—Aquí no hay timbre.
Virginia.—¿Y por qué ha puesto un botón eléctrico en la puerta de entrada?
Don Nadie.—Para que el visitante entre una vez que nadie responda en la casa.
Virginia.—¡Ah! ¡Magnífico! A usted le gusta el mundo sin trabas sociales.

Don Nadie.—Me importa nada, nadie, Remedios, Rosa y Brunilda.
Virginia.—¿Y yo?
Don Nadie.—En absoluto.

> (Virginia *apura un trago y dispara el quinto tiro, apura el sexto trago, mira la botella al través y la arroja lejos de sí. Dispara el sexto tiro y arroja el revólver también lejos de sí. Saca una segunda botella y un segundo revólver de la cartera.* Don Nadie *se vuelve hacia el arpa y la tañe.*)

Remedios. (*Involuntaria.*)—El mundo anda al derecho y al revés.
Virginia.—¿Quién es Remedios?
Don Nadie. (*Señalándola con los labios.*)—Esa...
Remedios.—Sí, señorito o señorita. La de los tres hijos sin papás.

> (Virginia *camina hacia* Remedios, *la toma por el pelo con la mano del revólver y le vuelve el rostro hacia sí.*)

Virginia. (*Soltándola.*)—Despachada.
Remedios.—Por falta de patrono y causas ajenas a mi voluntad.

> (Virginia *apura un trago.*)

Virginia.—¿Quién es Rosa?
Don Nadie. (*Con los labios.*)—Esa...
Remedios.—Sí, señorita o señorito. La pileta sin voluntad.

> (Virginia *camina hasta* Rosa, *la toma por el pelo con la mano del revólver y le vuelve el rostro hacia sí.*)

Virginia. (*Soltándola.*)—¡Despachada!

Rosa.—Por el respeto a papá y seis novios pisaicorres.

> (Virginia *apura un trago.*)

Virginia.—¿Quién es Brunilda?

Don Nadie. (*Con los labios.*)—Esa...

Remedios. (*Involuntaria.*)—Sí, señorito o señorita.
La volcánica del marido inerte.

> (Virginia *camina hasta el bar, exami-
> na la peluca, el traje, los zapatos y la
> media, luego se inclina sobre la barra,
> agarra a* Brunilda *por los pelos y la
> saca a flote.*)

Virginia. (*Soltándola.*)—¡Despachada!

Brunilda.—Por la siesta sin fin de un hipopótamo.

> (Virginia *se vuelve hacia* Don Nadie,
> *lo observa, apura un trago, dispara un
> tiro.*)

Remedios. (*Involuntaria.*)—Con don Nadie, la atómica, la danza de los billones, los bares, las mujeres vestidas de hombres, en paños menores y sin
paños, y las películas de gangsters y vaqueros,
no va a quedar ni el aroma de la patria.

> (*Se escuchan escalas ascendentes.*
> Don Nadie *deja de tocar.*)

Voz Abstracta. (*Voz de hombre.*)—¡Imperialismos
de la civilización occidental!

Remedios. (*Hacia lo alto.*)—¡Cristiano! Usted siempre anda por la Universidad.

34

Voz Abstracta. (*Voz de hombre.*)—¡Veinticinco minutos!

> (*Se escuchan escalas ascendentes.
> Don Nadie prosigue con los tañidos.
> Virginia apura un trago, dispara otro
> tiro y se dirige a Don Nadie. Le vuelve
> el rostro hacia sí con el revólver.*)

Virginia. (*Apuntándole.*)—¿Y quién soy yo?

Don Nadie.—Usted.

Virginia.—¿Y qué busco?

Don Nadie.—Usted sabrá.

Virginia.—¿Por qué no sabe?

Don Nadie.—Porque no sé.

Virginia.—¿Y quién sabe?

Don Nadie.—Ninguno de los que estamos aquí.

Virginia.—¿Será mi sino?

Don Nadie.—¿Cuál?

Virginia.—Buscar perder lo que no se me ha perdido y por no haberlo perdido, perder a los demás. (Don Nadie *guarda silencio.*) ¿Qué hace?

Don Nadie.—Nada.

Virginia.—Dese prisa. (Remedios *se sacude la cabeza con unos golpes de la mano derecha y luego se hunde el dedo índice en la sien como si se barrenara el cráneo.*) ¿Quién soy yo y qué busco?

Remedios. (*Involuntaria.*)—¡No da pie con bola!

Don Nadie.—Ando a ciegas.

Virginia.—A ciegas ando yo.

Don Nadie.—¿Por eso anda buscando lo que no se le ha perdido?

Virginia.—Por eso.

Don Nadie.—Déjeme ver. Usted se llama Neutrón.

Virginia.—No, señorón.

> (REMEDIOS *se golpea la cabeza con la
> mano derecha y luego se hunde el dedo
> índice en la sien, como si se barrenara
> el cráneo.*)

DON NADIE.—Ando a ciegas.

VIRGINIA.—Permítame un la. Mi nombre se refiere
a mi condición.

> (DON NADIE *guarda silencio.* REMEDIOS
> *se sacude la cabeza con unos golpes de
> la mano derecha y luego se hunde el
> dedo en la sien como si se la barre-
> nara.*)

DON NADIE.—Estoy perdido.

VIRGINIA.—Pues mejor es que se encuentre.

DON NADIE.—¿Qué plazo me da?

VIRGINIA.—Hasta que yo lo crea conveniente. Uno,
dos, tres, cuatro, cinco minutos.

DON NADIE.—Los prestamistas dan veinte años.

REMEDIOS. (*Involuntaria.*)—Y el país está embro-
llado para la eternidad.

> (DON NADIE *guarda silencio.* REMEDIOS
> *sacude la cabeza con un golpe de la
> mano derecha y luego se hunde el de-
> do en la sien como si barrenara el
> cráneo.*)

DON NADIE.—Está bien. Dé una vuelta y diviértase.
En el bar hay una vellonera.

VIRGINIA.—¡Chau!

> (*Se dirige al bar, se detiene junto al
> mismo, dispara un tiro al aire y co-
> mienza a empinarse la botella. Se es-
> cuchan unas escalas descendentes.*)

VOZ ABSTRACTA. (*Voz de hombre.*)—¡Veintitrés minutos!

Don Nadie. (*Hacia lo alto.*)—Acá tengo menos.

Voz Abstracta. (*Voz de hombre.*)—¿Diste con el misterio de la greca?

Don Nadie.—No. Y lo que es peor, el informe se me ha descuadrado.

Voz Abstracta.—¿Cómo?

Don Nadie.—He topado con un fenómeno que no encaja en la tesis del mismo. Se trata de un problema sin sexo.

Voz Abstracta. (*Voz de hombre.*)—¡Válgame el Limbo! ¡Y lo creíamos un problema de La Nada y de aquí solamente!

Remedios. (*Involuntaria.*)—¡Ande usted pa'alante y verá al mundo caminando pa'atrás!

Voz Abstracta. (*Voz de hombre.*)—¿De dónde Remedios se sacó la teoría de la relatividad?

Remedios.—¿Qué? (Don Nadie *le hace señas al* Ciego *de que no prosiga con el tema. Saca la libreta del bolsillo estrellado y lee para sí.* Remedios *gira a duras penas hacia* Don Nadie.) ¿Qué quiso decir ese cristiano?

Don Nadie.—Que usted descubrió a Einstein.

Remedios.—¿Yo? Que sepa, el único que ha descubierto algo en este país se llama Cristóbal Colón. (Don Nadie *guarda la libreta en el bolsillo sin asomar un solo apunte.* Remedios *dice a* Don Nadie.) ¡En el lío que se ha y me ha metido! (*Girando a duras penas hacia el frente.*) Pero a lo hecho, pecho. (*Mirando a* Virginia.) Cuando se está en tres y dos, mirarle los cuernos al vejigante y ¡talle torero!, que la furia suele romperse la crisma. (*Se golpea con la mano derecha la cabeza y se hunde el dedo índice en la sien como si barrenara el cráneo.* Virginia *piensa, luego se vuelve hacia* Brunilda, *la agarra por el pelo, la saca a flote y la mantiene de pie apoyándola con-*

tra la barra. Enfunda el revólver, suelta la bote-
lla para sacar una cajetilla de cigarrillos de la
cartera. Toma un cigarrillo y se lo pone en la bo-
ca a BRUNILDA. *Toma otro para sí. Saca una caje-*
tilla de fósforos, prende una cerilla y enciende
tanto el cigarrillo de BRUNILDA *como el propio.*
Extrae unas gafas negras de la cartera y se las
pone a BRUNILDA. *Le quita el cigarrillo a* BRUNIL-
DA *y le empina la botella, vuelve a ponerle el*
cigarrillo. Se quita el cigarrillo y empina la bo-
tella. Desenfunda el revólver. Vuelve a fumar.
DON NADIE *se levanta y observa a* VIRGINIA. RE-
MEDIOS *se golpea la cabeza con la mano derecha*
y se introduce el dedo índice en la sien como si
barrenara el cráneo. VIRGINIA *se dirige hasta*
ROSA *con el revólver y la botella en las manos. Le*
levanta la cabeza y acomoda un brazo de manera
que el rostro de la frutal mujer queda en alto.
Enfunda el revólver y pone la botella sobre el
mueble satélite. Extrae la cajetilla de la cartera,
toma un cigarrillo y se lo pone en los labios a
ROSA, *toma otro para sí. Saca una cajetilla de fós-*
foros, prende una cerilla y enciende tanto el ci-
garrillo de ROSA *como el propio. Extrae las gafas*
negras de la cartera y se las pone a ROSA. *Le qui-*
ta el cigarrillo a ROSA *y le empina la botella,*
vuelve a ponerle el cigarrillo. Se quita el cigarri-
llo y se empina la botella. Desenfunda el revólver,
vuelve a fumar. DON NADIE *comienza a pasearse*
por el balcón. Se detiene en cada vuelta y ob-
serva a VIRGINIA. REMEDIOS *se golpea la cabeza*
con la mano derecha y se introduce el dedo índice
en la sien como si barrenara el cráneo. VIRGINIA
se dirige hasta REMEDIOS *con el revólver y la bo-*
tella en las manos. Se detiene a la izquierda de
REMEDIOS *y la observa; luego se detiene a la de-*

recha y la observa nuevamente. REMEDIOS *ha levantado la vista y sigue los movimientos de* VIRGINIA *con ojos alertas.* VIRGINIA *enfunda el revólver, abre la cartera y extrae un cigarrillo. Le pone el cigarro en la boca a* REMEDIOS. *Extrae otro cigarro para sí. Extrae una cajetilla de fósforos y prende tanto el cigarro de* REMEDIOS *como el propio. Extrae unas gafas negras y se las pone a* REMEDIOS. *Le quita el cigarro a* REMEDIOS *y le empina la botella. Le pone el cigarro otra vez. Se quita el cigarro y se empina la botella.* REMEDIOS, *quitándose abruptamente las gafas y el tabaco.*) ¡Tineye!

VIRGINIA.—¡Tengo veinte años!

REMEDIOS.—¡Pues salió ayer del cascarón!

VIRGINIA.—Salí ayer y he vivido siglos y siglos que no cuentan lo que un instante. Amo el instante *per se* y por meta. Soy una instantista.

REMEDIOS.—¿Qué lío tiene en la cabeza?

VIRGINIA.—Lo mío se puede entender perfectamente.

REMEDIOS.—¡Quién sabe qué tontería oculta detrás de tanta vejigancia!

VIRGINIA.—Un vestigio de la Nada. (*Apura un trago y dispara un tiro al aire.*) ¡Chau!

REMEDIOS. (*Involuntaria y por imitación de* VIRGINIA.)—¡Chau! (VIRGINIA *se vuelve hacia* DON NADIE *que se ha detenido y lo contempla.* REMEDIOS *apaga el cigarro y lo bota. Se pone las gafas involuntariamente luego de mirar a* VIRGINIA, *se da cuenta de las gafas y las arroja lejos de sí.*) ¡A mí con gríngolas de murciélago!...

> (*Se golpea la cabeza con la mano derecha y se hunde el dedo índice en la sien como si barrenara el cráneo.*)

VIRGINIA. (*A* DON NADIE.)—Siéntese. (DON NADIE *se
sienta junto al arpa.* VIRGINIA *se dirige a* DON NA-
DIE, *se detiene frente a él, enfunda el revólver,
bota el cigarro, extrae una pipa de la cartera y
se la pone en los labios al embajador del Limbo
del Ciego, extrae otra para sí, saca una cajetilla
de picadillo, le llena la pipa a* DON NADIE, *llena la
pipa propia, saca una cajetilla de fósforos, prende la pipa de* DON NADIE, *prende la propia de
ella, extrae unas gafas negras, se las pone a* DON
NADIE *y desenfunda el revólver, le quita la pipa
a* DON NADIE, *le empina la botella y le pone la
pipa nuevamente, operación que repite con ella
misma. Dispara un tiro al aire.*) ¿Nada?

DON NADIE.—Nada, nada.

VIRGINIA.—Dese prisa.

DON NADIE. (*Luego de levantarse, ofreciéndole la
banqueta.*)—Siéntese en lo que llega mi primer
fatal minuto.

VIRGINIA.—Gracias.

> (*Se sienta, el revólver en alto mien-
> tras fuma la pipa.*)

DON NADIE.—Es usted un ser muy complicado.

VIRGINIA.—Soy un caso de angustia contemporánea...

DON NADIE.—Sí.

VIRGINIA.—...que viene de la más remota anti-
güedad.

DON NADIE. (*Comenzando a pasearse frente a* VIR-
GINIA.)—Los griegos.

VIRGINIA.—Los griegos son de ayer.

DON NADIE.—Los egipcios.

VIRGINIA.—Los egipcios son de anteayer.

DON NADIE.—¿Desde cuándo viene?

VIRGINIA.—Desde Adán y Eva. (DON NADIE *se detie-*

ne. REMEDIOS *presta atención.*) También podría decirse que soy un caso de antigua angustia...

DON NADIE.—¡Sí!

VIRGINIA.—...que no debe existir contemporáneamente.

DON NADIE.—Tendría que informarme si se siente como Adán o como Eva.

VIRGINIA.—Como los dos hasta cierta época del paraíso.

DON NADIE.—¿Cómo?

VIRGINIA.—Así es.

REMEDIOS. (*Involuntaria.*)—¡Qué tal!

VIRGINIA.—En sus orígenes Adán y Eva tuvieron el mismo problema.

DON NADIE.—Entonces si lo descubro en Adán, lo descubro en Eva.

VIRGINIA.—Y viceversa.

DON NADIE.—Esto es, viceversa y versavice.

VIRGINIA.—Sí. También versaversa y vicevice.

DON NADIE.—Claridad, que mi informe anual anda en juego.

VIRGINIA.—En resumen, que usted me debe redimir de un tris.

DON NADIE.—Usted se ganó a la esfinge del Rey Edipo.

VIRGINIA.—Si bien se mira, se trata de una tontería que da ganas de reír.

(*Hace una mueca de risa.*)

DON NADIE. (*Luego de una pausa.*)—Se atoró el informe.

REMEDIOS. (*Involuntaria.*)—¡Qué par de múcaros!

VIRGINIA. (*Luego de levantarse.*)—¡Siéntese!

DON NADIE. (*Sentándose.*)—Gracias.

VIRGINIA.—Piense un rato más y decidido. Si no

averigua y, por lo tanto, no me redime del tris, lo mecho.

DON NADIE.—Se ve que desconoce la naturaleza del Limbo. En todo caso tendría que evaporarme.

VIRGINIA.—En el Limbo ando yo desde cierta edad.

DON NADIE.—No hay más que un Limbo y en ese me van a evaporar por dos eternidades si no rindo un informe coherente al Gran Controlador.

VIRGINIA.—¿Quién es el Gran Controlador?

DON NADIE.—El Ciego. El único que tiene derecho a descontrolarse y descontrolar sin que le pongan controles.

VIRGINIA.—¿Una dictadura?

DON NADIE.—El orden divino de Babia.

VIRGINIA.—En verdad, no me importa. Yo no tengo patria. ¡Chau! ¡Good bye! ¡Au revoir!

DON NADIE.—¡Chau! ¡Good bye! ¡Au revoir! (VIRGINIA *apura un trago, dispara un tiro.* DON NADIE, *para sí.*) ¡Adán y Eva!

REMEDIOS. (*Para sí.*)—¡Eva y Adán!... Un rompecabezas de doble pespunte.

> (DON NADIE *se convierte en el pensador de Rodín, pero fumador.* REMEDIOS *se golpea la cabeza con la mano derecha y se hunde el dedo índice en la sien como si barrenara el cráneo.* VIRGINIA *mira un instante a* DON NADIE *e inicia los movimientos de un twist. Cuando* DON NADIE *alza los ojos, le da la espalda y comienza a marcar los movimientos alrededor del mueble central.*)

DON NADIE. (*Para sí.*)—¡Africa otra vez!

REMEDIOS.—¡Aquí el que no tiene dinga, tiene mandinga!

(VIRGINIA *le da la vuelta al mueble
intensificando los pasos del twist. Poco
a poco se escucha la vellonera, en la
cual suena un twist con el cual* VIRGI-
NIA *se acompasa como el pez en el agua.*
VIRGINIA *bailará siempre alrededor del
mueble central.*)

DON NADIE. (*Hacia el bar.*)—Una vellonera I. B. M.
Adivina hasta los deseos de bailar.

REMEDIOS.—Eso nos espera por añadidura: ¡maqui-
nitas independientes!

VIRGINIA. (*Acompañando su baile vocalmente.*)—
Adán, Adán y Eva, Eva, sugar.

ROSA. (*Incorporándose de medio cuerpo.*)—Adán,
Adán y Eva, Eva, honey.

(*Marca los movimientos del twist con
el busto mientras la cara permanece
sonámbula.*)

BRUNILDA. (*Marcando los movimientos dentro del
bar, sonámbula.*)—Adán, Adán y Eva, Eva, candy.

VIRGINIA, ROSA Y BRUNILDA. (*A la vez.*)—Adán, Adán
y Eva, Eva (*Levantando un dedo.*), baby.

VIRGINIA. (*Bailando alrededor del mueble.*)—Adán,
Adán y Eva, Eva, sugar.

ROSA. (*Bailando de medio cuerpo sonámbula.*)—
Adán, Adán y Eva, Eva, honey.

BRUNILDA. (*Bailando dentro del bar, sonámbula.*)—
Adán, Adán y Eva, Eva, candy.

VIRGINIA, ROSA Y BRUNILDA. (*A la vez.*)—Adán, Adán
y Eva, Eva (*Levantando dos dedos.*), baby.

DON NADIE. (*Levantándose.*)—¡Basta con Abel y
Caín! (*La música cesa abruptamente.* VIRGINIA,

Rosa y Brunilda *se paralizan en una pose de twist.*) ¡Señorito o señorita!

> (Virginia *se endereza y se vuelve hacia* Don Nadie *militarmente.*)

Virginia.—¡Caliente!

> (Don Nadie *la mira extrañado.* Remedios *se golpea la cabeza con la mano y se hunde el dedo índice en la sien como si barrenara el cráneo.*)

Don Nadie. (*Ofreciéndole la banqueta.*)—Siéntese y permítame dar una vuelta para refrescar mi cultura.

Virginia. (*Dirigiéndose a la banqueta.*)—Con mucho gusto. (*Sentándose.*) Vivo de explosión imprevista. Soy un producto *bona fide* de la época.

Don Nadie.—Su cultura tiene trazas de apocalipsis.

Virginia.—Sí. Le espera un futuro de radioactividad. (*La greca comienza a pitar y echar humo.*) ¿Y ese órgano ultramoderno?

Don Nadie.—No he podido determinar si es greca o bomba atómica.

Virginia.—¿Bomba atómica? ¡Qué emocionante!

Rosa. (*Sonámbula.*)—¡Qué excitante!

Brunilda. (*Sonámbula.*)—¡Qué trepidante!

Don Nadie.—¡Ah, generación de atómicos!

Virginia.—¿Bomba atómica? ¡Qué explotante!

Rosa. (*Sonámbula.*)—¡Qué desconflautante!

Brunilda. (*Sonámbula.*)—¡Qué desguabinante!

Remedios.—¡Ah, generación desguabinada!

> (*Se escucha la música de twist.*)

Virginia.—¿Bomba atómica? (*Con un movimiento del medio cuerpo.*) ...Adán, Adán y Eva, Eva, sugar.

Rosa. (*Sonámbula ídem.*)—Adán, Adán y Eva, Eva, honey.

Brunilda. (*Sonámbula, ídem.*)—Adán, Adán y Eva, Eva, candy.

Virginia, Rosa y Brunilda. (*A la vez. Con un movimiento del medio cuerpo.*)—Adán, Adán y Eva, Eva, baby.

> (Don Nadie *inicia un movimiento hacia la greca.*)

Virginia.—Déjela pitar y echar humo.

> (*Cesa la música de twist.* Rosa y Brunilda *se paralizan.*)

Remedios. (*Volviéndose hacia* Don Nadie.)—Déjela pitar y echar humo y pito y echo humo yo también. ¡Qué falta hace una rebelión de los que desean vivir!

Rosa y Brunilda.—¡Se acabó el mundo!

Rosa.—¡Viva el fin de papá! ¡Viva el fin de los cinco novios! ¡Viva mi fin!

Brunilda.—¡Viva el fin de Pepe! ¡Viva el fin de los no Pepe! ¡Viva mi fin!

Virginia.—Dos santas del futurismo. Antiguamente se gozaba con robarle el fuego a los dioses; luego, con subir al cielo blanco o blanca de pelo y de alma. Hoy se sueña con dispersar el protoplasma por los espacios y convertirse en nada después de una gloriosa humareda.

Don Nadie.—¡Suicidas! No saben nada más que el *nulla est redemptio* del *a quoi bon* y del *que me lleve el diablo.*

Remedios.—¡Y del *meter la cabeza como el avestruz aunque se quemen los almohadones particulares y los del prójimo!*

Don Nadie.—¡Mundo de avestruces!

Remedios.—Espuelee, Don Nadie, que está en el potro la oportunidad de llegar a viejos. (Don Nadie *se vuelve hacia* Virginia, *le toma la botella, apura un trago y se la devuelve, le toma el revólver, dispara un tiro al vacío y le devuelve el revólver.* Remedios *volviéndose de frente.*) Aquí sucede cualquier cosa.

Virginia. (*Apuntándole con el revólver.*)—Se acabaron los tres minutos. Tiene tres más.

Remedios.—¡Este o ésta se cree dueña del tiempo! A lo mejor piensa que le han robado el futuro.

> (Don Nadie *se dirige a la greca y la apaga.* Virginia *aprieta el gatillo, pero se han acabado las balas y arroja el revólver lejos de sí. Saca un tercer revólver de la cartera y apunta hacia* Don Nadie.)

Virginia.—¡Préndala!

Don Nadie.—¡No, señorito o señorita!

Virginia.—¡Caliente! (Don Nadie *se vuelve y la mira extrañado.*) ¡Caliente!

Remedios.—¡Este o ésta nos lleva a la tumba sabe el diablo por qué calentura de pollo! (Don Nadie *piensa un segundo y ha debido pasarle por la mente alguna idea de cómo resolver el enigma, porque se vuelve hacia la greca, piensa, toma la bata de* Brunilda *y se la pone al tiempo que* Remedios *vuelve los ojos hacia él y termina por girar en la misma dirección.* Don Nadie *se entalla la bata y se la amarra por la cintura.* Virginia *lo mira con extrañeza.* Remedios *se persigna.*) Hablaron las piedras y respondieron las rocas. (Don Nadie *mira a* Remedios *y cruza la sala en dirección al bar.* Remedios *gira de acuerdo con la traslación de* Don Nadie, *quien se dobla frente*

al bar y recoge los paquetes de dólares y el centavo, los cuales guarda en un bolsillo de la bata.
Entra al bar y segundos después aparece con ·la
media que la histérica llegara a ponerse. Toma
la otra media, los zapatos, el traje y la peluca.
VIRGINIA lo ha seguido con la misma extrañeza,
paralizada por lo insólito de la escena. DON NA-
DIE se dirige a la puerta, se detiene frente a ella
y se descalza, ayudándose con los pies, de las
sandalias. Sale y desaparece por la escalerilla. RE-
MEDIOS y VIRGINIA permanecen mudas unos segundos. REMEDIOS, sin pestañear.) Aquí no queda
un hombre para un remedio.

VIRGINIA. (Sin pestañear.)—Aquí lo único que debe
interesar es mi enigma.

REMEDIOS. (Sin pestañear.)—Usted está más loco o
loca que una cabra. Si el porvenir depende de
mercancía como Su Señoría, nos quedamos sin
porvenir. No sabe ni que los demás han vivido,
menos que deben vivir.

> (VIRGINIA vuelve los ojos en direc-
> ción a REMEDIOS, quien continúa con
> los suyos fijos en la puerta.)

VIRGINIA.—Busco vivir, por el puro momento, sin
antes ni después.

REMEDIOS. (Sin pestañear.)—Embelecos del cine y
la televisión. (Pausa.) Mire, garabato. Salga afuera a ver si encuentra al otro garabato.

> (En vista de que DON NADIE no vuel-
> ve, VIRGINIA se levanta, se dirige a la
> puerta de entrada, la abre y pasa a la
> escalerilla por donde mira hacia aba-
> jo. Se vuelve rápidamente a la sala,
> cierra la puerta tras sí al pasar, deja la

botella sobre la barra, toma otra del aparador y se dirige a la banqueta del arpa donde pone la botella luego de descorcharla y darse un trago. Enfunda el revólver y toma la pose de DON NADIE *cuando toca el arpa. Tañe algunas escalas. Se escucha una carcajada de* DON NADIE *en la escalerilla.* DON NADIE *aparece poco después en papel de libertina acaudalada. Se ha puesto las medias, los zapatos, el traje y la peluca de* BRUNILDA. *Al terminar de subir la escalera se detiene y lanza una carcajada al tiempo que despliega un gran abanico de plumas.*)

DON NADIE. (*Luego de sacarse un paquete de dólares del seno y arrojarlo al aire.*)—Vive la vie! (*Lanza otra carcajada y se encamina a la puerta, tambaleante. Oprime el timbre y lanza otra carcajada a medida que extrae otro paquete de dólares del seno. Arrojándolos al aire.*) ¡Vivan los hombres! (*Golpea con los nudillos en la puerta y lanza otra carcajada a medida que extrae otro paquete de dólares del seno. Arrojándolos al aire.*) ¡Mueran todas las mujeres menos yo! (*Lanza otra carcajada y abre la puerta. Se introduce de medio cuerpo y lanza una carcajada.* VIRGINIA *se vuelve, toma la botella y desenfunda el revólver. Luego de una carcajada, entrando a la sala, tambaleante.*) Menos mal, ya sé que oye.

VIRGINIA.—Soy un profesional del oído.

DON NADIE. (*Luego de otra carcajada, paseándose por la sala con aire de mujer mundana con la soltura de la Viuda Alegre.*)—De primera intención no lo demuestra.

VIRGINIA.—De primera intención, no demuestro nada.

DON NADIE. (*Luego de otra carcajada.*)—¿Y de segunda?

VIRGINIA.—Menos.

> (DON NADIE *se detiene, ríe una y otra vez, se abanica, ríe. Se encuentra cerca de la greca.* REMEDIOS *lo ha seguido con la vista.*)

REMEDIOS.—¡Vejigante mayor! Ni el médico chino arregla este manicomio.

> (DON NADIE *la mira interponiendo el abanico entre él y* VIRGINIA, *de modo que ésta no vea.*)

DON NADIE. (*A* REMEDIOS.)—Calma. Se trata de un juego de apariencias: Cervantes, Pirandello, Jean Genet... (*Luego de una carcajada, paseándose hacia el bar.*) ¿Y por qué ha puesto un botón eléctrico en la puerta de entrada?

VIRGINIA.—Para que el visitante entre una vez que nadie responda en la casa.

DON NADIE. (*Volviéndose, luego de una carcajada.*) Pero eso es de gangsters.

> (*Lanza una carcajada.*)

VIRGINIA.—Eso, realmente, no debe importarle.

DON NADIE. (*Luego de una carcajada.*)—¿Y qué, realmente, le importa? ¿Wall Street con faldas? (VIRGINIA *se levanta. Guarda silencio.* REMEDIOS, *que ha bajado la cabeza, la yergue lentamente. Luego de una carcajada, comenzando a pasearse hacia la greca.*) Pues aquí tiene a Wall Street con faldas.

REMEDIOS. (*Cerrando los ojos brevemente.*)—¡Oh, misterios de la vida!

> (DON NADIE *lanza una carcajada. Luego se abanica y termina por detenerse junto a la greca. Se vuelve hacia* VIRGINIA *y extrae un paquete de dólares del seno.*)

DON NADIE. (*Arrojándolos al aire.*)—Money, money! (*Lanza una carcajada.*) Soy lo que se llama un partido ideal. Real hembra y chorreando dólares. (*Lanza una carcajada, saca otro paquete de dólares y lo arroja al aire.*) ¡Billones! ¡Podemos comprar el país cuerda a cuerda, echar los babiecas al mar, quedarnos solos y reproducirnos en bancos!

> (*Se abanica triunfalmente.* REMEDIOS *gira hacia* VIRGINIA, *quien se mantiene de pie, extática, con el revólver apuntando hacia* DON NADIE *y la botella en la mano derecha.* REMEDIOS *la mira en silencio y gira nuevamente hacia el frente. Se golpea la cabeza con la mano derecha, se hunde el dedo índice en la sien como si barrenara el cráneo.* DON NADIE *continúa abanicándose triunfalmente.*)

ROSA. (*Sonámbula.*)—¡Don Juan!

BRUNILDA. (*Sonámbula.*)—¡Don Juan!

REMEDIOS. (*Mirando a* DON NADIE.)—Si algo ha llegado, debe llamarse doña Juana.

ROSA. (*Sonámbula.*)—Ese no, el del balcón.

BRUNILDA. (*Sonámbula.*)—Ese no, el del balcón.

REMEDIOS.—Están que se pegan a cualquier cosa.

> (*Se escuchan escalas de arpa descendentes.*)

Voz Abstracia. (*Voz de hombre.*)—¡Siete minutos!

Remedios. (*Hacia el techo.*)—¡Cuatro por ahí! (*Hacia atrás.*) ¡Y ninguno por allá! ¡Si no es Juan es Petra!

> (*Se escuchan escalas de arpa ascendentes.*)

Virginia. (*A Don Nadie.*)—El enigma o la muerte.

Don Nadie. (*Volviéndose hacia* Virginia *al tiempo que se abanica triunfalmente.*)—La vida.

Virginia.—Un paso más y lo vuelo junto con la atómica.

> (Don Nadie *se detiene, lanza una carcajada, se abanica y extrae un paquete de dólares del seno.*)

Don Nadie. (*Luego de una carcajada, arrojándole a* Virginia *el paquete de dólares.*)—¡Un billón de dólares por sus servicios de amante!

Remedios.—¡El padrote mejor pagado!

> (Virginia *guarda silencio.*)

Don Nadie. (*Inclinándose, con un despliegue de abanico.*)—¡Señorito!

Rosa y Brunilda. (*Sonámbulas.*)—¿Señorito?

Virginia. (*Involuntaria.*)—No soy señorito.

Rosa y Brunilda. (*Sonámbulas.*)—¡No importa!

Remedios. (*Involuntaria.*)—Si no es señorito, tiene que ser señorita. (Virginia *da un paso atrás.* Don Nadie *se endereza con el paso de* Virginia *y mira a ésta, luego a* Remedios. *A* Don Nadie.) Me huele que es señorita.

Don Nadie. (*A* Virginia, *rápidamente, arrojando el abanico al mueble central y recobrando las actitudes de* Don Nadie.)—¿Cómo se llama?

Rosa y Brunilda. (*Sonámbulas.*)—¡Don Juan!
Virginia.—¡Frío!

> (*Se escuchan escalas de arpas descen-*
> *dentes.*)

Voz Abstracta. (*Voz de hombre.*)—¡Cuatro minu-
tos! Ahora no subiré hasta que no se acabe el
tiempo.
Don Nadie.—¡Pronto! ¿Cómo se llama?
Virginia.—¡Virginia!
Remedios y Don Nadie. (*Mirándose el uno al otro.*)
¡Nada más con el testigo!
Remedios.—¡Lámpara y maroma! (Don Nadie *se*
quita la peluca y la arroja lejos de sí. Se inclina
frente a Remedios.) El informe, Don Nadie.

> (Don Nadie *la mira, se endereza y*
> *se vuelve hacia* Virginia. *Extrae la li-*
> *breta del bolsillo estrellado y toma*
> *apuntes a medida que observa a* Vir-
> ginia. Remedios *se esfuerza por leer*
> *desde lejos lo que escribe* Don Nadie.)

Virginia. (*Hundiendo la cabeza entre las manos.*)
¡Qué vergüenza!
Rosa y Brunilda. (*Sonámbulas.*)—¿Por qué?
Virginia.—¡Por llamarme Virginia y ser señorita!
Rosa y Brunilda. (*Sonámbulas.*)—¿Cómo es posible
esa casualidad?
Virginia.—Porque no encuentro un Virginio que
sea señorito... para no hacerle honor al nombre.
¡Ay! Yo quiero ser conocida.
Rosa y Brunilda. (*Sonámbulas.*)—Pues ahí tienes
a Don Nadie. (Don Nadie *deja de escribir y fija*
los ojos en Virginia. *Guarda la libreta en el bol-*
sillo estrellado. Remedios *hace un gesto de con-*

trariedad y se vuelve hacia VIRGINIA. VIRGINIA *levanta la cabeza lentamente y eleva los ojos a* DON NADIE. *Sonámbulas.*) ¡Ese mismito!

REMEDIOS.—De ahí no va a recibir ningún reconocimiento.

> (DON NADIE *se quita en sucesión las gafas, los zapatos, el traje y las medias. Se vuelve hacia el mueble satélite de la derecha.*)

VIRGINIA. (*Apuntándole con el revólver.*)—No se mueva. (DON NADIE *se detiene cerca de* REMEDIOS.) ¿Adónde iba?

DON NADIE. (*Señalando hacia las sandalias.*)—A buscar las sandalias.

VIRGINIA.—No se ponga nada.

VOZ ABSTRACTA. (*Voz de hombre.*)—¡Tres minutos!

REMEDIOS. (*Girando hacia* DON NADIE.)—Aquí uno sale de Guatemala para meterse a Guatapeor.

VIRGINIA. (*A* DON NADIE, *apuntándole con el revólver.*)—Usted y yo tenemos el mismo problema de Adán y Eva. Le toca resolverlo.

DON NADIE.—No soy señorito, ni señorita.

VIRGINIA.—No importa.

DON NADIE.—Tampoco soy señor, ni señora.

REMEDIOS. (*Mirándolo.*)—¡Con éste no hay su tía!

ROSA Y BRUNILDA.—¡Qué pachó!

VIRGINIA. (*Luego de una pausa, sacudida por la contestación de* DON NADIE.)—¿Quién demonios es usted, que más parece un frigorífico de las sombras?

DON NADIE.—Nadie Nadie de Nadie Nadie. (*Inclinándose.*) Para enfriarla.

VIRGINIA.—¿Y qué significa eso?

DON NADIE.—Que ni el instante, señorita instantista.

VIRGINIA.—Pues lo siento por usted, porque lo voy a despachar. He descubierto mi virginidad sin buscarle una solución y no estoy dispuesta a sufrir el ridículo.

ROSA. (*Golpeando con la mano en el mueble satélite.*)—¡Despáchelo! ¡No quiso ser mi sexto violador!

BRUNILDA. (*Golpeando la barra con la botella sonambulescamente.*)—¡Despáchelo! ¡Bajó al nivel de mi marido!

VIRGINIA.—¡Despachado será! ¡No quiso ser mi Adán!

ROSA Y BRUNILDA. (*Sonambulescamente.*)—¡Es un don Juan sin pan!

VIRGINIA.—Ni Juan se llama. Es un cero, un vacío, un nada.

ROSA Y BRUNILDA. (*Sonambulescamente.*)—Leyó demasiado a Marañón.

VIRGINIA. (*A* DON NADIE, *como si leyera sentencia.*) Pena de muerte por delito de no conocer. (VIRGINIA *se llega a* ROSA, *abre la cartera y extrae un revólver.*) De pie. (ROSA *se incorpora sonambulescamente y acepta el revólver que* VIRGINIA *le ofrece.* VIRGINIA *se dirige al bar frente al cual extrae otro revólver de la cartera. A* BRUNILDA.) Más de pie. (BRUNILDA *se hieratiza y acepta el revólver que* VIRGINIA *le ofrece.* VIRGINIA *se restituye a su posición dominante frente a la banqueta.*) ¡Listos!

> (ROSA *y* BRUNILDA *se vuelven hacia* DON NADIE.)

DON NADIE. (*Para sí.*)—¡América del Sur!

VIRGINIA.—¡Apunten!

> (VIRGINIA, ROSA *y* BRUNILDA *apuntan hacia* DON NADIE.)

REMEDIOS.—¡Cristiana! ¡Déjelo vivir! ¡Es incapaz de matar un mosquito!

VIRGINIA.—No puedo.

REMEDIOS.—¿Por qué?

VIRGINIA.—La virginidad me ha convertido en una bomba atómica.

> (REMEDIOS *gira rápidamente hacia* DON NADIE.)

REMEDIOS.—¡Nadie!

DON NADIE. (*Mirándola.*)—¡Remedios!

REMEDIOS.—Bájese o lo guisan.

DON NADIE.—¿Y a quién le gustan los guisos de nada?

REMEDIOS.—Guisos de nada he tenido que comer desde que abrí los ojos. Me queda uno, por cierto, el morir, que es del tamaño de la vida, pero de usted he llegado a pensar otra cosa.

DON NADIE.—¿Qué?

REMEDIOS.—Que no es tan quiso de nada. (DON NADIE *guarda silencio.*) No se le encontrará por ningún lado, pero anda metido en todo y eso es algo.

> (DON NADIE *se endereza, los ojos fijos en* REMEDIOS.)

ROSA Y BRUNILDA.—¡Ya es tiempo de despacharlo por dejarnos a la luna de Valencia!

VIRGINIA.—¡Fuego!

> (VIRGINIA *y* BRUNILDA *disparan a la misma vez.* DON NADIE *permanece impertérrito.*)

REMEDIOS. (*Luego de mirarlo un segundo.*)—¡Cristiano! ¿Usted no escuchó esos tiros?

Don Nadie. (*Con la mirada fija en* Remedios, *meneando la cabeza.*)—No se preocupe.

> (Virginia, Rosa y Brunilda *disparan a la misma vez.* Don Nadie *saca la libreta del bolsillo estrellado y comienza a escribir.*)

Remedios. (*De asombro en asombro.*)—No me diga que también ha servido de blanco sin morirse.

Don Nadie. (*Dejando de escribir, los ojos fijos en la distancia.*)—Eternamente. La soledad no cesa de dispararme.

> (Virginia, Rosa y Brunilda *comienzan a disparar a voluntad hasta vaciar los revólveres.* Don Nadie *vuelve a escribir atento a terminar su informe.* Rosa y Brunilda *se paralizan al tiempo que dejan caer sus revólveres.*)

Rosa y Brunilda.—¡Lo mejor es morirse!

> (*Quedan de pie, rígidas.* Virginia *da un paso atrás y se empina la botella en un largo trago.*)

Virginia. (*Rígida, al segundo de retirar la botella de sus labios.*)—¡Volveré!

> (*Permanece de pie, una momia egipcia.*)

Remedios. (*Que ha girado de acuerdo con las evoluciones de* Virginia, Rosa y Brunilda.)—¡El museo de cera!

Voz Abstracta. (*Voz de hombre.*)—¡Dos minutos!

(DON NADIE *mira hacia lo alto y le pone punto final al informe. Se dirige en busca de las sandalias, las cuales calza.*) ¡Un minuto cuarenta segundos!

> (DON NADIE *se dirige a* ROSA *y la desdobla cuidadosamente de modo que vuelve a quedar en la posición de la caída.*)

REMEDIOS. (*Que ha seguido los movimientos de* DON NADIE.)—De tanto novio ya tiene sueltas las coyunturas. (DON NADIE *se dirige a* BRUNILDA *y la hunde nuevamente. Queda visible la mano agarrada desesperadamente a la botella.*) Perdió la chola por el potala de Pepe. (DON NADIE *se dirige al mueble central, toma el abanico y se dirige hacia el fondo.*) Don Nadie, que vas para el Limbo.

DON NADIE. (*Volviéndose.*)—Ya sé. (*Se dirige a la greca, abre el compartimiento y extrae una taza, un platillo, una cuchara, una azucarera y un pote de café instantáneo. Luego de probar el café.*) ¡Café instantáneo! ¡Camouflage!...

VOZ ABSTRACTA. (*Voz de hombre.*)—¡Cincuenta segundos!

DON NADIE. — ¡Remedios! ¡Es una atómica! Tan pronto pueda llame al Efbiay.

(*Se dirige al balcón.*)

REMEDIOS.—Don Nadie.
DON NADIE. (*Volviéndose.*)—Ya sé.
VOZ ABSTRACTA.—¡Treinta segundos!
REMEDIOS.—Don Nadie.

> (DON NADIE *extrae la libreta del bolsillo. Y mira a* REMEDIOS.)

Voz Abstracta.—¡Quince segundos!

>   (Don Nadie *le arroja la libreta.*)

Remedios.—Y usted, ¿quién es?
Don Nadie.—¿Acaso soy?
Remedios.—Es porque no es.

>   (Don Nadie *lleva un dedo a los labios
>   como indicando silencio.*)

Voz Abstracta. (*Voz de hombre.*)—¡Un segundo!

>   (Don Nadie *corre al balcón, cierra la
>   cortina afuera de modo que desapare-
>   ce de la vista de* Remedios.)

Remedios.—¡Don Nadie!
Voz Abstracta. (*Voz de hombre.*)—¡Cero, Don Nadie! (*Voz de mujer.*) ¡Cero, Don Nadie!

>   (*Se escuchan escalas de arpa ascen-
>   dentes.*)

Remedios.—Era y no era.

>   (*Permanece con la vista hacia el fon-
>   do. Luego abre la libreta y la lee en
>   silencio.*)

Voz Abstracta. (*A medida que* Remedios *lee en silencio, trasladándose al ámbito del teatro, voz de
hombre.*)—Luego de someter a prueba a cuatro
mujeres, lo que tuvo lugar sin que mediaran
pasiones y prejuicios y actuando las investiga-
das en entera y libre voluntad, una cosa resulta
clara: el país necesita más hombres. Con mujeres, no basta para salvarlo de la extinción. Es-

to, sin duda, representa un grave problema, si es que el país no desea volver a la Nada o quedarse en el Limbo, o lo más trágico, explotar como un bendito. Hay que inducir a los hombres restantes la idea de contribuir a crear hombres comenzando por ellos mismos, y en caso extremo, inducir a las mujeres a que se los inventen. Hombres, más hombres, debe ser el grito de batalla de lo finito entre los dos infinitos. Hombres que no cometan la estupidez de morirse en vida y no anden como zombis, vacíos de alma. A Rosa, la pileta sin voluntad, y a Brunilda, la volcánica del marido inerte, deben enterrarlas por quererse ellas enterrar. Asesinar el tiempo es un crimen contra el Futuro. Virginia, la instantista, no cesará de volver con su vestigio de la Nada. Hay que enseñarle historia o se convertirá en hongo atómico. La billonaria que compra amantes me la inventé yo, pero no deben descuidarse los babiecas. Existen de veras y son capaces de negociar el beso de la luna. En cuanto a Remedios, la de los tres hijos sin papás, la que desea vivir a pesar de las fracturas, recomiendo que se le otorgue para íntegro usufructo la mayor cantidad de tiempo disponible. La vida es un milagro que lucha por la eternidad y Remedios lo ha defendido fielmente. Si yo pudiera, le daba el cuarto hijo, pero aquí no se dispone ni de los instrumentos primitivos. Firmado: Nadie al Infinito.

(REMEDIOS *levanta los ojos del papel.*)

REMEDIOS. (*Asintiendo.*)—Una verdad como un templo. El país necesita hombres. Con mujeres sólo no basta. En cuanto a mí, aunque no los haya, no doy el brazo a torcer. El país, con o sin hombres. Por alguna razón tengo bigote... **Pero me gustaría que hubiera hombres y que ninguno fuera pisaicorre.** (*La cortina del fondo se descorre sola. Han desaparecido* DON NADIE, *el arpa,* VIRGINIA *y la banqueta. Se apaga la luz de la sala e irrumpe la luz de la luna.* REMEDIOS, *con los ojos hacia lo alto.*)—¿Don Nadie?

VOZ ABSTRACTA. (*Voz de hombre.*)—Don Nadie.

REMEDIOS.—Toque una nana en el arpa.

VOZ ABSTRACTA. (*Voz de mujer.*)—Con mucho gusto.

> (*Se escucha el arpa por todo el ámbito.* REMEDIOS *fija los ojos en la libreta y la guarda en el seno. Aparece* VIRGINIA *por la escalerilla de caracol y se detiene junto a ella. Extrae una cajetilla de cigarrillos de la cartera y se lleva uno a los labios. Extrae una cajetilla de fósforos y enciende el cigarrillo. Extrae una botella de la cartera y apura un trago. Saca el revólver de la baqueta y estudia la mira. Se dirige a la puerta y oprime el botón eléctrico. La greca comienza a pitar y echar humo.* REMEDIOS *se vuelve hacia la greca, luego hacia el público.*)

REMEDIOS.—¡Socorro!

> (*Cae el telón de boca mientras* VIRGINIA *toca con los nudillos.*)

I N D I C E

ESTE LIBRO TITULADO
TEATRO SELECTO HISPANOAMERICANO
(TOMO III)
SE TERMINÓ DE IMPRIMIR,
EN LAS PRENSAS DE
ESCELICER, S. A.,
EL DÍA 4 DE DICIEMBRE DE 1971